KB036360

HYPERVENTILATION 과호흡

과호흡 HYPERVENTILATION

목 차

13. 스물일곱, 겨울

13. 스물일곱, 겨울

[6:00AM]

알람이 세 번째로 울리기 직전, 남자 'A'가 팔을 기민하게 뻗었다. 시끄러운 소리는 사라졌지만 졸음기가 두텁게 붙은 눈꺼풀은 곧바로 들리지 않았다. 그는 나른한 표정으로 눈을 감은 채 5분이 지나서야 몸을 천천히 일으켰다.

얇은 이불이 흘러내리며 근육질인 나신을 드러냈다. 블라인드 사이로 들어온 빛이 단단한 맨 어깨 위로 떨어졌고, 걸음을 옮길 때마다 운동으로 잘 단련된 광배근에 검은 줄무늬가 구불구불 어른거렸다. A는 길게 하품하며 침실에서 나와 물을 한 잔 마셨다. 화장실에서 턱에 셰이빙 폼을 턱턱 바르고 면도하고 나니 5분이 지나 있었다.

그는 익숙한 손짓으로 선반을 열고 식빵을 토스터에 넣었다. 기다리는 동안 휴대폰으로 일기 예보와 잠든 사이 일어난 사건 사고,

세계 증시를 확인했다. 코스피와 유가를 체크하고 나자 때마침 토스터에서 빵 두 장이 튀어 올랐다. A는 화면에서 시선을 떼지 않은 채 빵을 집어 접시에 올려놓고, 직장 동료가 유럽에서 사다 준 레드 라즈베리 잼을 나이프로 슥슥 발랐다.

같은 시각, 남자 'B'는 이불을 목까지 덮어쓴 채 푹 잠들어 있었다.

[6:30AM]

전신 거울 앞에서 옷을 갈아입은 남자 A는 모직 코트를 걸치고 현관으로 나갔다. 그는 일기 예보를 떠올리며 장우산을 집었다. 어깨에 멘 드라이 백에는 전날 미리 챙겨 놓은 수영용품과 향수가 들어 있었다. 오피스텔을 나선 A는 엘리베이터를 통해 지하로 이동해 검은색 SUV에 시동을 걸었다.

수영장에는 강습받는 학생 다섯 명 정도가 준비 운동을 하고 있었다. 그들을 지나쳐 빈 레인 앞에 선 A는 수경을 내리고 수영모를 제대로 쓴 뒤 입수했다. 시작은 언제나 자유형이었다. A는 여유롭게, 천천히 레인을 왕복한 뒤 몸을 돌려 접영으로 바꾸었다.

강사의 설명을 듣던 학생들의 시선이 하나둘 그쪽으로 쏠렸다. 원체 눈에 띄는 체격 조건인 데다가 초보자가 보기에도 A의 영법은 완벽에 가까웠다. '아침마다 오시는 남자분'을 보려고 해당 시간에 등록한 학생이 까치발을 든 채 훔쳐보고 있었지만 수영에 골몰한 A는 알지 못했다. 그는 오직 두 팔이 수면을 찢으며 몸을 앞으로 밀어내는 과정에만 집중할 뿐이었다. A는 그 행위에서 늘 쾌감을 느꼈다.

"으음……."

그 시각, 남자 B가 몸을 크게 뒤척였다. 안 좋은 꿈이라도 꾸는 듯 얼굴을 찡그렸다가 얼마 지나지 않아 다시 잠에 빠져들었다.

[8:20AM]

엘리베이터가 대경 빌딩 11층에서 멈추며 몇 사람이 내렸다. 뒤이어 자동으로 개폐되는 유리문이 열리고 남자 A가 사무실로 들어섰다.

"안녕하세요, 송 대리님. 안녕하십니까, 김 차장님."

그는 마주치는 사람들에게 밝게 인사하며 제 자리로 향했다. 옷걸이에 코트와 목도리, 블레이저를 걸어 두고 탕비실에서 커피 머신을 작동하던 그는 문간에서 서성이는 동료 직원을 보았다.

"안녕하세요, 예진 씨."

"어, 어어……. 아, 안녕하세요, 선호 씨."

"한 잔 타 드릴까요?"

"아, 네! 그럼…… 부탁드릴게요."

"하하, 잠깐만요. 제 것만 끝나고요……. 그 머그 컵, 이리 주실래요?"

"네! 네, 네!"

A는 늘 그의 앞에만 서면 허둥대는 윤 사원에게 한 번도 무안을 준 적이 없었으며 오히려 따뜻한 태도를 보였다. 그렇다고 해서 특별히 살갑게 구는 것도 아니었다. A가 윤 사원의 뜨거운 마음을 모르는가, 아니면 모른 척하는가. 그 여부는 반도체 사업부 내 주요 가십거리 중 하나였다.

"여기, 컵 받으시고……."

"네? 아, 네에……. 매번 진짜 감사합니다!"

"별것도 아닌데요, 뭐. 그럼 수고하세요."

탕비실에서 빠져나온 A는 커피를 한 모금 입에 머금고 걸었다. 따뜻한 에스프레소로 시작하는 오전은 두 건의 회의에 참석하고 내용을 정리하고 나면 지나가 버릴 예정이었다. A는 자리로 되돌아가며 하루의 계획을 머릿속에서 정리했다.

남자 B는 여전히 잠들어 있었다. 어두운 방 안은 편안하고 고른 숨소리로 가득했다.

[12:45PM]

남자 A는 식사를 하고서 옥상의 옥외 흡연실에 들렀다. 그곳에는 매일 비슷한 시간에 마주치는 상사가 있었다. 그녀는 다른 부서 소속인데도 그를 챙겨 주는 편이었다.

"안녕하세요, 박 차장님. 오랜만에 뵙네요."

"그러게, 한 24시간 만인가?"

"하하하. 식사는 맛있게 하셨어요?"

"오늘 반찬 좀 짜던데……. 라이터 필요해요?"

"아뇨, 여기 있어요."

A는 어깨를 옆으로 돌리고 눈을 내리깔며 담배에 불을 붙였다. 그는 한동안 연초를 태우면서 탁 트였다고 하긴 어려운 잿빛 스카이라인을 가만히 바라보았다. 그의 시선이 고층 건물을 타고 떨어져 평일 점심인데도 차량으로 북적이는, 광화문 광장이 갈라놓은

10차선 도로를 눈에 담았다. 그 모습을 힐끔힐끔 보던 박 차장이 재떨이에 담뱃재를 털며 말했다.

"우리 조카, 이번에 대학 병원 외과 레지던트 합격했다?"

"지난번에 졸업했다고 말씀하신 친구죠? 능력 있네요."

"그러니까. 애가 똑똑한데 성격까지 괜찮아."

"차장님 닮았나 봐요."

무표정으로 담배를 피우던 박 차장의 얼굴에 웃음이 환하게 번졌다.

"내가 우리 큰언니한테 맨날 그 말 하는데. 역시 선호 씨, 뭘 좀 안다니까."

"하하. 저도 아버지보다 삼촌이랑 더 닮았어요."

"근데 있잖아요, 그냥 얘기가 나와서 하는 말인데……."

"네. 말씀하세요."

"우리 조카 한번 만나 볼래요?"

"네?"

"내가 너무 갑자기 들이댔다, 그치."

A는 난데없는 제안을 받은 것치고 표정이 태연했다. 그는 담배를 재떨이에 비벼 끄고선 왼손을 올려 넥타이를 고쳐 맸다. 박 차장이 그의 넷째 손가락에서 금색 반지를 발견하곤 민망한 듯 웃었다.

"맞다, 맞다! 선호 씨 누구 있었지, 참. 까먹고 있었네. 미안해요."

"괜찮습니다."

"……근데, 애인 누굴까? 말해 줄 수 없는 사람? 혹시, 사내 연앤가? 나한테만 살짝 귀띔해 주지?"

A는 성격이 원만하기로 정평이 난 사원이었다. 그래서 박 차장은 사적인 일인 걸 알면서도 끈질기게 물어보았다.

"설마 윤예진 씨……?"

"아니에요, 차장님. 그쯤 하세요."

그러나 A는 만만찮은 구석이 있었다. 그는 늘 태도가 부드러웠고 웃는 낯이었지만, 함부로 대할 수 없는 단단한 막으로 둘러싸인 사람 같았다. 박 차장은 원하는 답을 얻지 못하고 물러나는 수밖에 없었다.

"아까워서 그러지. 안 그래도 소개팅 많이 들어오죠?"

A는 대답 없이 입꼬리를 살짝 끌어 올렸다. 그것은 기쁨보다 예의를 표시하는 미소였다. 동시에 마음에 들지 않는 화제를 끊어 내기 위한 방법이기도 했다.

"차장님, 저 오후에는 외근 나가야 해서요. 슬슬 가 봐야겠어요."

"웬 외근? 혹시 미디콤 미팅?"

그녀의 눈이 믿을 수 없다는 듯 커졌다. 그 의미를 아는 A는 난처하다는 듯이 웃었다.

"하하, 네."

"와……. 수출 전시회 때 기획실 눈에 제대로 들었구나? 윗분들이 어지간히 좋게 보신 모양이네. 새파란 사원을 이 정도 빅 바이어 미팅에 대동하는 게 웬 말이야."

"저야 그냥 서포트 하고 자리 지키는 게 다죠, 뭐."

"무슨 소리야? 참여하는 자체가 경력이지. 어우, 늦으면 대형 사고 나겠다. 얼른 가 봐요."

"다음에 또 뵙겠습니다, 차장님."

A는 고개를 꾸벅 숙이고 몸을 돌렸다.

남자 B는 꿈을 꾸고 있었다. 준결승에서 승리하는 꿈이었다.

[2:30PM]

"음……. 그 농담은 손님들 앞에서 안 하시는 게 좋을 것 같습니다."

남자 A가 조수석을 눈짓하며 조심스럽게 말했다. 신 팀장이 2주 동안 고심했다는 유머는 외국에서 온 손님들을 처음 만나는 자리에서 서먹서먹한 분위기를 풀기보다 오히려 경직시킬 것 같았다.

"진짜 별로야? 이거 내 비장의 무긴데, 아까 유 대리도 질색하더라고."

"……예."

"에이, 그럼 그냥 안 할래. 선호 씨는 독일어 연습 좀 했어?"

"인사말 정도만요. 이제까지 영어로 소통했으니, 그쪽에서도 크게 기대하진 않을 것 같아서요."

신 팀장은 고개를 끄덕이고서 답답하다는 듯 넥타이를 풀었다. 먼 갯벌을 바라보는 그의 입술 사이에서 한숨이 흘러나왔다.

"영종 고속 도로는 언제 와도 경치가 좋네."

이번 대경 테크와 미디콤의 계약 여부는 IT계에서 초미의 관심사였다. 미디콤은 독일 IT가전 시장 점유율이 20%에 달하는 거물 바이어였다. 이번 계약이 성사되기만 한다면 프랑크푸르트 수출 전시회 기획과 현지 주정부에서 개최한 IT포럼 세미나를 주도한 해외영업1팀 구성원들, 특히 리더인 신 팀장 앞에는 레드카펫이 깔린 거나 다름없었다.

그런 의미에서 신 팀장이 중요 바이어를 모시러 가는 자리에 차장, 과장급을 놔두고 입사한 지 반년밖에 안 된 A를 고른 건 다분히 의도적인 행위였다. 말로는 직급이 무슨 상관이냐며, '와꾸'가 되니까 여자 바이어가 있을 때 효과가 좋다고 너스레 떨었지만 그가 자신을 유독 좋게 봐주고 신경 써 준다는 걸 A는 알고 있었다.

"이거 잘 끝나면 우리 팀 회식 한 번 끝장나게 하자."

"네."

"옥돔, 다금바리 회 놓고 프리미엄 양주 까자고. 누가 우릴 말려. 프랑크푸르트에서 그 고생을 하며 공을 세웠는데, 응?"

"하하하, 그럼요."

A는 웃으며 액셀을 더욱 세게 밟았다.

'뭔가 좋은 꿈을 꾼 것 같은데.'

남자 B는 샤워기에서 쏟아지는 물을 정수리에 맞으며 골똘히 생각했다. 반투명 창을 통해 쏟아지는 햇살과 물의 온도가 그를 정신 못 차릴 정도로 나른하게 만들었다. 일어난 지 10분 정도 지났나, 아니 15분쯤 되었나. 냉수를 마시고 샤워를 시작했는데도 눈꺼풀에서 잠이 완전히 떨어지지 않았다.

"명아, 엄마 왔다."

비누를 꼼꼼히 칠한 몸을 다 헹궜을 때쯤 밖에서 문소리와 인기척이 들렸다. B는 마지막으로 물을 온몸에 뿌리고서 샤워 부스에서 나와 수건으로 몸을 닦았다.

옷을 입고 나갔을 땐 그의 엄마가 검은 비닐봉지에서 스티로폼 그릇을 꺼내 식탁에 내려놓고 있었다.

"오셨어요."

"너는 전화도 안 받더니 지금 일어난 거야? 밥 안 먹었지?"

"네."

"그럴 줄 알고 사 왔어. 빨리 먹고 준비해."

엄마가 오는 날이면 평소와 다르게 집 안에 좋은 음식 냄새가 가득 퍼졌다. B는 '잘 먹겠습니다'라고 말하고서 그녀가 양껏 차려 놓은 된장찌개에 숟가락을 담갔다. 식탁 건너편에서 턱을 괴고 그를 바라보던 엄마가 물이 뚝뚝 흘러내리는 머리카락을 가리켰다.

"머리 자르랬더니 안 잘랐네? 덥수룩한 거 봐."

"어제저녁에 자르려고 나갔는데 미용실이 닫았어요."

"언제 갔는데?"

"음……. 한 9시?"

으이그. 엄마가 한숨을 쉬며 B에게 날카롭게 눈짓했다. 깔끔한 인상을 주는 것도 좋은 행마만큼 중요하다는 요지의 익히 들어 본 잔소리가 쏟아졌지만 B는 옅게 웃을 뿐이었다.

"제가 연예인은 아니잖아요. 어차피 TV에 나가는 건 손이랑 팔목까지고."

"기자들하고 관계자들이 보잖아. 다 쌓여서 네 평판이 되는 거야."

"알았어요. 지금 나가서 자를게요."

"뭘 지금 자르니? 시간도 없는데. 밥이나 많이 먹어."

"네."

B는 숟가락으로 밥을 푹 떠 입 안에 가득 넣었다. 그가 미소를 짓자, 엄마가 고개를 갸우뚱거리며 플라스틱 숟가락을 뜯었다.

"그렇게 맛있어?"

"네. 엄마도 드세요."

"난 아까 먹었지. 그래도 맛이나 보자."

엄마가 된장찌개를 한 숟갈 떠 마시고는 또다시 고개를 갸우뚱거렸다. 단골 가게이고 늘 먹던 맛인데 뭐가 그리 특별한지 모르겠다는 거다.

B는 대답하지 않았다. 승부에 그런 게 무슨 소용이 있겠냐마는, 오늘은 예감이 아주 좋았다.

[6:50PM]

남자 A는 기지개를 켜고 인터넷 창을 열었다. 동영상 스트리밍을 재생하고 이어폰을 귀에 꽂은 순간, 귀신같이 뒤에서 방해하는 목소리가 들렸다.

"한 사원, 딱 걸렸어. 일 안 하지요?"

'아, 이건 좀 억울한데.'

A는 속으로 중얼거렸다. 바이어 픽업과 프레젠테이션 참석, 사무실에 복귀한 뒤에는 PRM 모니터링과 회의 내용 정리 및 유관 부서와 현지 해외영업팀 공유까지, 온종일 일만 했기 때문이다. 게다가 바로 직전까지 내년에 예정된 CE마크 개정에 따른 이슈 팔로우업 리포트를 작성하고 있었다.

그는 웃으며 뒤를 살짝 돌아보았다.

"좀 봐주세요, 대리님."

"하하하. 언제 퇴근해?"

"보고서만 조금 손보면 돼요. 대리님은요?"

"나도 한 30분? 그나저나 오늘 미디콤이랑 미팅, 썰 좀 풀어 줘요."

"아까 해 드렸잖아요."

"바이어 분들이 매너 있고 호의적이시더라, 본사와 다이렉트로 소통하고 싶다고 요청하더라, 이런 거 말고 더 자세히 듣고 싶다고! 신 팀장, 설마 독일어로 아재 개그 친 건 아니죠?"

"그거……. 수정 대리님이랑 같이 겨우 말렸어요."

최 대리가 고개를 뒤로 젖혀 가며 웃음을 터뜨렸다.

"아, 1팀 부럽다. 누군 상사 잘못 만나서 맨날 뺑이나 치는데……. 선호 씨는 특히 더 그래. 대체 입사 7개월 차에 실세 라인 타는 게 말이 돼요?"

"라인이라뇨, 제가 그런 게 어디 있습니까."

"신 팀장이 판매총괄팀장님 직곈데, 선호 씨가 그 라인이 아니라고? 회사에서 디시전메이킹 나는 데가 다 그쪽인데, 실세가 아니라고? 어떻게 한 거예요? 나도 비결 좀 알자."

실없는 푸념에 속을 알 수 없는 미소가 돌아왔다. A는 대경 테크놀로지에서 일한 7개월 동안 단 한 번도 인상을 찌푸리는 일이 없었다. 늘 웃는 낯으로 다른 사원을 배려하며 성실하게 일했다. 그런데도 아무도 그를 우습게 여기지 않았다.

"부러워서 그래요, 부러워서. 나도 줄 잘 서는 법 공부를 하든지 해야지, 원."

최 대리는 하품을 크게 하고서 모니터를 보았다. 문서 파일과 회계 자료 따위를 훑던 시선이 한구석에 작게 줄여 놓은 동영상 화면 위에서 멈추었다. 평소에 A를 '바른 생활 사나이'라고 놀려 댔던 그가 건수 잡았다는 듯 눈을 크게 떴다.

기화생명배 세계 바둑 선수권 대회

동영상 화면 속에서는 가로로 긴 현수막을 배경으로 정장 차림의 해설자 두 명이 차분하게 이야기를 나누고 있었다.

"이건 뭐야? 난 또 야한 거라도 보는 줄 알았더니."

"실망시켜 드려 죄송하네요, 대리님."

"인간미가 없다니까, 인간미가……. 근데, 선호 씨 원래 바둑 좋아해요?"

"가끔 보는 정도예요."

"내가 또 바둑 하면 할 말 많은데. 우리 외가가 바둑 집안이거든요. 사촌 형이 무슨 바둑 신문 편집장이고 제일 잘하는 사촌 누나가 아마 5단이에요."

"아마추어 5단도 대단한 거 아니에요?"

"그럼. 나 같은 일반인은 아홉 점을 접어줘도 못 이기지. 하물며 이런 프로들은……."

마침 화면이 전환되며 좌우에 두 기수의 사진과 경력이 주르르 나타났다. 한 명은 환갑쯤 되어 보이는 남자였다. 반면 그와 대결하는 남자는 아주 젊었다. 단체 샷에서 잘라 낸 듯 조악한 사진 속 얼굴은 앳되어 보였고 표정이 경직되어 있었다.

"김석훈에 이명이라니, 화려하네. 선호 씨는 누가 이길 것 같아요?"

"명이요."

"응? 명이?"

한동안 침묵이 흘렀다. 모니터를 보는 A의 시선이 평소답지 않게 날카로워 보여서 최 대리는 농담할 의욕을 잃었다. 그러나 A의 미간에 옅게 잡혀 있던 주름은 금세 사라졌고 그는 곧 평소의 모습으로 돌아왔다.

"명이랑 고등학교 동창이거든요."

"오, 그래요? 그거 희한한 인연이네. 이명은 고딩 때 어땠어요?"

"……글쎄요."

이명 9단은 어떤 고등학생이었나.

A의 머릿속에 여러 단편적인 정보가 스쳐 지나갔다. 대체로 누구나 아는 것들, 그 남자와 같은 공간에 5분만 있어도 알 수 있는 것들이었다. 그러나 무작위로 떠오르는 기억 중에는 절대로 남과 공유하고 싶지 않은 장면도 있었다. A는 모니터 속 사진에 시선을 고정하며 낮게 중얼거렸다.

"저, 사실은 얘 잘 몰라요, 대리님."

검은 눈동자에 비친 바둑 기사의 프로필 사진이 일그러졌다. 지금은 전혀 모르는 사이라고 해도 무방한 어떤 남자. 하긴, 고등학교 시절이라고 해서 그를 더 잘 알았던 것도 아니었다. 그때는 아무것도 몰랐다. 갖고 싶은 게 있다면 손을 뻗어서 거머쥐어야 한다는 걸, A는 어른이 되고서야 배웠다.

"뭐어? 허우대만 멀쩡하지 실속이 없네. 저런 거물이랑 같은 학교를 다녀 놓고선……. 친하게 지냈어야죠."

"그땐 저도 어렸으니까요."

그의 음성이 유독 낮고 거칠었으나 창밖에 정신 팔린 최 대리는 이상한 점을 알아채지 못했다.

"밖에 비 오네요. 하씨, 우산 안 갖고 왔는데."

"그러네요."

"날씨도 꿀꿀한데 마무리하고 맥주나 한잔하러 가죠? TV에서 바둑 틀어 주는 데로. 같이 보면서 미팅 썰도 듣게."

“하하, 네. 그러면 지난번에 대리님 넘어지셨던 그 집으로 갈까요?”

“아니……. 거기만 빼고. 우리 이 과장님도 부를게요. 바둑 좋아하시는 것 같더라고.”

“그러세요. 그럼 저 보고서만 빨리 마무리할게요.”

“넹, 이따 봐요.”

최 대리가 자리로 돌아간 뒤, A는 손을 키보드 위에 얹었다. 그러고도 한동안 움직이지 않다가 어느 순간에 이어폰을 집어 들고 천천히 귀에 꽂았다.

“……파죽지세라고 봐야죠? 그야말로 무패 행진. 기풍이 이 정도로 공격적인 기수가 이렇게 성적에 기복이 없기도 쉽지 않은데요. 김석훈 9단이 사전 인터뷰에서 ‘껄끄러운 상대’라고 몸을 사렸을 만하죠?”

“전성기를 한창 달리고 있다 보니 ‘호랑이’ 김석훈 9단도 긴장이 되는 모양이에요.”

“그 누가 두렵지 않겠습니까……. 이명 9단 별명이 ‘떨어지는 빗물’이잖아요? 솔직히 빗물보다는 폭풍우가 어울리지 않나요?”

“연구생 시절에 행마가 예측불허하다고 붙은 별명이라는데……. 요즘 같아선 사람 두개골을 팍! 깨 놓는 우박이라고 불러야겠네요.”

“하하하, 논란의 여지는 있겠지만 중반 전투력은 국내 역대 기사 중 최강급 기력인 것 같아요. 게다가 아직 20대 젊은 기사다 보니 미래가 정말 기대되는데…….”

A는 문득 고개를 들어 창밖을 바라보았다. 짙푸른 남색 하늘을 배경으로 투명한 빗방울들이 유리 위로 흘러내리고 있었다. 투둑투둑, 작은 물소리를 내며.

'어렵다고 느꼈던 건 내가 그 시절에 어려서였을까, 아니면 네가 어려운 사람이라서였을까.'

A는 지금도 그때와 마찬가지로 아무것도 알지 못했다. 사실은 그의 얼굴조차 잘 기억나지 않았다. 등나무 꽃과 천둥 번개, 무표정하다가도 웃으면 분위기가 정반대로 바뀌는 하얀 얼굴, 아스팔트 위에 아지랑이가 피었던 여름과 눈 아닌 비가 내리던 축축한 겨울. 영화의 스틸 컷처럼 단편적인 여러 장면은 안개 낀 거리와 같이 뿌옇고 희미했다.

'떨어지는 빗물이라…….'

A는 화면에 가득 찬 화질 나쁜 사진보다도 창밖에 내리는 비가 그 시절의 소년과 닮았다고 막연하게 생각했다.

하얀 밴이 기화 호텔 앞에 섰다. 차창에 투둑투둑 부딪히는 빗물을 보며 남자 B는 미소 지었다. 일하러 갈 시간이었다.

14. 스물일곱, 겨울

14. 스물일곱, 겨울

호랑이, 김석훈 9단. 상대가 조금만 약점을 보여도 끝까지 물고 늘어지는 대마 킬러이자 나이가 들며 기풍이 유연해졌다는 평을 듣는 기사가 대국장에 먼저 자리 잡고 앉았다. 산전수전을 겪으며 단단해진 노장의 낯빛은 일견 평온한 듯 보였으나 손가락을 끊임없이 만지작거리는 모습은 전에 없던 행동이라, 그를 지켜보는 카메라맨들과 기록원, 심판위원 등 대회 관계자들은 흥미와 불안감이 뒤섞인 눈빛을 서로 교환했다.

긴장감의 원천은 그의 상대가 새파랗게 젊은 이명 9단이기 때문이리라. 10대 소년이었던 연구생 시절부터 예민하고 완벽주의적인 기풍으로 알려진 기사였다. 그저 꼼꼼하고 실리를 챙기는 경향이라면 바둑계에서 쌔고 쌨지만 이명의 특이한 점은 그러다가도 정석에서 완전히 탈피한 수를 내던진다는 것이다. 상대가 본인조차 몰랐던 급소를 공격당한 뒤 방어의 수를 부랴부랴 두었을 때는 대개 이미 활로가 끊긴 뒤였다.

어디로 튈지 몰라서 '떨어지는 빗물' 같다는 이명의 바둑은 그런 식이었다. 무모하다 싶을 정도로 변칙적으로 진입하고 돌연 공격을 거두어 버리기도 했다. 중반까지 뱀처럼 땅을 기어 다니다 갑자기 용처럼 승천해 낙뢰를 뿌리기도 했고, 그 반대인 경우도 종종 있었다. 그래서 이명의 승리는 늘 잔인할 정도로 압도적이었고 이명의 패배는 늘 겸연쩍을 정도로 어처구니가 없었다.

해설자들은 그의 경기를 논리적으로 해설하는 데 난색을 표하곤 했다. 흉내 내기도 응용하기도 어려운 바둑은 그밖에 둘 수 없으며 기재라는 말로밖에 설명할 수 없다고. 그 때문에 이명은 '모 아니면 도'라는 질투 섞인 평가를 듣기도 했다. 냉혹한 천장, 고수들이 자웅을 겨루는 무대에서 활약하는 근래의 기세는 누가 봐도 '도'보다 '모'에 가깝다지만.

대회 시작 30분 전, 대기실에서 대국장으로 통하는 문이 열리자 눈을 감고 명상하던 호랑이가 고개를 번쩍 들고 상대의 자취를 좇았다. 훤칠한 청년이 뚜벅뚜벅 걸어와 그의 건너편 가죽 의자에 앉았다.

본래 천재성이란 외모로 가늠하기 어렵다. 그를 증명하듯 남자는 그리 길지 않은 한평생 동안 바둑만 두었을 것 같은 인상이 아니었으며 눈빛도 특별히 총명해 보이지 않았다. 과격한 말이라곤 한마디도 못 할 것 같은 그 모습은 파괴적일 정도로 공격적인 행마와 어울리지 않았다. 이목구비는 섬세하고 팔다리와 손가락은 가늘고 길었으며, 갈색을 띤 머리카락마저 부드럽고 가느다랬다. 어딘가 예민해 보이기는 하지만 그만하면 말끔하게 잘생긴 얼굴은 TV에 나오는

'요즘 것들' 같은 느낌을 풍겨서 조카아이가 좋아할 것 같았다.

"또 보는구먼, 이명 9단. 마지막으로 봤을 땐 쪼그만 아이였는데."

김석훈 9단은 키가 가슴까지밖에 오지 않는 중학생에게 당한 쓰라린 패배를 잊은 적이 없었다. 그는 웃음 뒤에 씁쓸함을 숨긴 채 두툼한 손을 내밀었고 이명은 한동안 그 손을 바라보기만 했다.

"안녕하세요."

이윽고 이명이 느릿하게 말하며 악수에 응했다. 무뚝뚝한 말투와 붙임성 없는 태도. 까마득한 선배가 내민 손을 잡으면서도 어려워하는 기색이 없었다. 그는 밖에 한 번 안 나가 본 것처럼 창백한 손을 뻗어 악수하며 무표정으로 김석훈의 눈을 마주했다.

손은 금세 떨어졌다. 노기사는 이마에서 살짝 땀을 흘리며 백돌을 한 움큼 쥐고 바둑판에 주먹째로 올려놓았다. 새파랗게 어린 후배는 고민하는 기색도 없이 둘째와 셋째 손가락을 이용해 흑돌 한 개를 가볍게 집었다. 손가락부터 기다란 팔, 그리고 목까지 이어지는 선에는 유려한 인상이 있었다. 이를테면 이파리가 가느다라면서도 강인한 난초처럼.

흑돌 하나가 딱 소리를 내며 판 위에 올려졌다. 김석훈 9단이 바둑돌 더미를 가리고 있던 손을 거두었다. 돌은 여덟 개. 짝수이니 간절히 바랐던 대로 흑돌로 선공하게 되었다.

이명은 돌 가리기 같은 변수에 아무 영향도 받지 않았다는 듯 표정이 없었다. 그는 품에서 플라스틱 안경집을 꺼내더니, 테가 가느다랗고 각진 안경을 코끝에 걸쳤다.

"자네, 시력이 안 좋은가?"

"아니요. 바둑 둘 때만 씁니다."

조금 기다리자 무뚝뚝한 대답이 돌아왔다. 이명은 기민한 행마와 달리 말이 느렸다.

대체 시력이 어느 정도길래, 착점을 잘못할 정도인가, 그러면 평소 생활은 어렵지 않은가, 수많은 대화가 파생될 만한 주제였지만 이곳은 대국장이지 주점이 아니었다. 호랑이는 더 묻지 않고 빗물은 말을 아꼈다.

김석훈 9단은 더 이상 웃지 않았다. 눈앞의 상대는 오만해 보일 정도로 예민하고 퉁명스러운 천재도, 조카사위 삼고 싶을 만큼 잘생긴 청년도 아닌, 꺾어야 할 상대일 뿐이었다.

"이명 9단! 승리를 축하드립니다! 인터뷰 한 말씀 해 주시죠?"

"소감이 어떠십니까!"

"오늘도 그냥 가실 거예요? 한마디만 해 주세요!"

특별 대국장이 자리한 호텔 앞에는 빅 매치를 취재하기 위해 혈안이 된 기자들이 진을 치고 있었다. 대부분은 당연하게도 승자에게 몰려가 마이크를 들이밀었다.

오늘의 승리자, 기쁘기보단 몹시 피로해 보이는 청년 앞을 아담한 중년 여성이 기다렸다는 듯이 막아섰다. 그녀는 들고 있던 우산을 높이 들어 이명의 머리 위로 씌우며 그의 팔을 잡아끌었다.

"명아, 고생했다. 들어가자."

이명은 말없이 고개를 끄덕거렸고, 기자들은 끝내 천재 기사의 입에서 어떤 언어도 못 듣게 되었다. 여자가 한두 번 해 본 것이 아닌

솜씨로 인파를 헤치며 아들을 흰색 밴으로 데려가는 동안 패배한 호랑이는 허허 웃으며 기자 두 명과 화기애애하게 대화를 나누었다.

불도저처럼 기자들을 밀어내며 아들을 지켜 낸 모친은 미리 열어 둔 문 사이로 그를 밀어 넣고 문을 쾅 닫았다.

"오늘도 축하해요, 이명 9단."

도넛 박스를 품에 안은 젊은 여자가 시트 위에 널브러진 이명에게 기다렸다는 듯이 손을 흔들었다. 이명은 그제야 웃으며 바로 앉아 구겨진 옷을 정리했다.

"고맙습니다, 이정 4급."

"위기는 없었고?"

"음……."

동생, 정의 질문이 어려웠는지 이명은 곧바로 대답하지 못했다. 정은 잠시 기다렸다가 웃으며 그의 팔을 찰싹 쳤다.

"위기는 없으셨고. 그럼 재미는?"

"꽤 재미있었어."

운전석 문이 훽 열리더니 엄마가 탔다. 그녀는 문 앞까지 따라온 기자들에게 경고의 눈빛을 보내며 문을 닫고 시동을 걸었다. 늘 있는 일이라, 정은 심드렁한 표정으로 설탕 발린 도넛을 한 입 크게 베어 물었다.

"복기는 어땠어?"

"괜찮았어. 많이 가르쳐 주셨어."

"그래? 그 사람, 경기 전 인터뷰에서 오빠 엄청 경계하던데……."

이명은 웃으며 새 생수통의 뚜껑을 따서 정에게 내밀었다.

"다 먹고 말해, 정아."

"응. 땡큐."

"친절하신 분이야. 나한테 안 좋은 감정이 있는 것 같지 않았어. 악수도 먼저 청해 주셨고."

운전하던 엄마가 뒤를 힐끔 돌아보았다.

"어른인데 네가 먼저 인사드렸어야지."

"그러려고 했는데, 제가 앉기도 전에 손을 내미셨어요."

"그래. 어쨌든 고생했다. 출출하지? 명이도 간식 좀 먹으렴,"

"네."

이명은 정이 내민 도넛을 받아서 한 입 베어 물었다. 정이 장난꾸러기 같은 웃음을 지으며 말했다.

"이길 줄은 알았는데, 한 집 반이나 차이 날 줄은 몰랐어."

"응."

"역시!"

승세는 중반에 기울었지만 김석훈 9단은 기권하지 않았다. 대신에 그는 2시간 반 내내 끈질기게 희망의 밧줄을 잡고 버티었다. 최대한 격차를 줄여 볼 생각이었던 것 같지만, 그조차 여의치 않았다. 덫에 걸린 호랑이는 빠져나가려고 몸부림을 친 탓에 가장 참혹한 방식으로 숨을 거두었다.

"오빠 요즘 장난 아니다? 어디까지 올라가려고 그래?"

"내가 뭘, 훨씬 잘하는 사람들도 많은데."

동생이 작정하고 놀려 대도 이명은 무덤덤한 태도였다.

"치, 저래 놓고 맨날 이기지. 불공평해."

정이 혼잣말처럼 덧붙이자 엄마가 고개를 획 돌리며 그녀를 쏘아보았다.

"정이 너 말조심해. 말이 씨가 된다."

"아니 엄마, 그렇잖아요. 오빠는 그렇게 열심히 하는 것 같지도 않은데."

"우리 명이가 왜 열심히 안 해? 얼마나 노력하고, 또 얼마나 승부욕이 강한데."

"하긴, 저러다 한번 지기라도 하면……."

정의 목소리가 작아지다 아예 사라졌다.

이명은 휴대폰 전원을 켜고 인터넷 창을 틀었다. 꽤 화제가 된 경기라 메인 화면에 관련된 기사가 정리되어 있었다. 실시간 검색어 끄트머리에 오르내리는 김석훈 9단과 제 이름도 보였다.

이명은 심호흡을 한 뒤 종합 기사를 틀었다. 자신이 봐도 썩 잘 풀린 경기라, 흐름에 관한 전문가들의 평가를 듣고 싶었다. 그러나 그는 얼마 지나지 않아 난처한 표정으로 이마를 긁적거렸다.

'너무 과장하는 거 아닌가.'

기자들이 승리한 당사자마저 머쓱하게 만들 정도로 칭찬을 과하게 쓴 탓이었다. 정교하고도 완벽한 제압, 화살처럼 신속한 감각, 몰아치는 광풍, 공격 일변도 장수, 파괴의 신……. 보자 보자 하니까 '국수 암살자'까지 나왔다. 누가 이 제목들을 본다면 바둑이 아닌 무술에 관한 기사라고 생각할 것 같았다.

그다음 눈길이 닿은 기사는 이명의 낯빛을 질리게 했다.

[선데이투데이 단독 인터뷰] 자신만만 이명 九단 "라이벌은 없어, 실력 있는 내가 당연히 일등"

기사 공개 일시는 약 2시간 전, 준결승 결과가 발표된 시점이었다.

평소 이명은 공개적인 외부 활동을 기피하는 편이었다. 인터뷰 같은 건 쑥스러워서 싫었고 사람들의 관심도 부담스러워서 숨고만 싶었다. 세계 대회에서 우승한 뒤로는 참가하는 기전마다 기자들이 집요하게 따라붙었으나, 엄마가 단호하게 물리쳐 주어 바둑에만 집중할 수 있었다. 그런 과정에서 도망치는 듯한 태도가 왜곡되어 세간에 '싸가지 없다'란 인상이 공공연하게 퍼져 있었다.

그러나 그 끊임없는 거절에도 굴하지 않고 2년 동안 이명을 따라다닌 기자가 있었다. 성격도 살가운 데다 얼마나 엄마에게 애교를 부렸는지, 2년 동안 그녀의 마음을 차근차근 사로잡았다. 그 성격 좋아 보이던 기자와 조용한 카페에서 10분 동안 인터뷰한 것이 바로 지난달의 일이었다.

단정적인 말투에 자기애와 확신이 넘치는 젊은이. 이명 九단은 듣던 대로 냉정하고 강인한 기사였다. 젊은 나이에 9단까지 올라오기 위해 얼마나 이를 악물고 노력했는지 인상에서부터 묻어났다.

세간에 이명 9단을 둘러싼 루머가 굉장히 많은데 어떻게 생각하시나요? — 처음부터 그런 질문을 하길래, 남의 시선에 크게 신경 쓰지 않지만 하지도 않은 말이 돌아다니는 건 불쾌하다는 식으로 말했었다. 어조가 강하기는 했어도 결코 기사 내용처럼 자기애를 뽐내거나 오만하게 굴지는 않았다.

"김석훈 9단이요? 어릴 때 뵌 적이 있지만 친분이 없어서 잘 모릅

니다." 그는 곧바로 선을 그었다. "이제 나이가 들어서 좀……." 그 답변에서 젊은이의 패기가 느껴졌다.

휴대폰을 쥔 손이 바르르 떨렸다.

이 또한 왜곡이었다. 처음 김석훈 9단을 만났을 때는 중학생이었는데 지금은 이명 본인이 나이가 들었기 때문에 만나면 어색할 것 같다고 대답했었다. 기자가 마치 이명이 선배를 퇴물 취급한 것처럼 악의적으로 편집한 걸까? 그게 아니라면 자신이 말을 조리 있게 하지 못했던가. 이것도 제 탓일까.

"실력이 있으니까 제가 우승을 했겠죠." 치기 어린 눈동자 속에서 내가 최고라는 확신이 반짝였다. 과연 이 자신감이 언제까지 이어질 수 있을지, 이명 9단이 어디까지 승승장구할지 지켜봐야 할—.

이명은 기사를 끝까지 읽지 않고 꺼 버렸다.

비가 주룩주룩 내리는 창밖을 노려보고 있은 지 얼마나 되었을까, 아무것도 모르는 정이 밝게 물었다.

"우승도 했겠다 뭐 먹으러 갈까? 내가 쏠게! 감자탕? 냉면?"

"오늘은 혼자 있을래."

두 여자가 불안한 시선을 교환했다. 이번에는 엄마가 조심스럽게 말했다.

"그래도 저녁은 먹고 가."

"집에 데려다주세요."

안 그래도 2시간 반의 경기와 이어진 복기 때문에 녹초가 된 상태였다. 그런 중에 기사를 읽고 나니 남아 있던 흥분과 승리의 기쁨마저 온데간데없이 사라지고 심장이 싸늘하게 굳었다.

인터뷰 속 이명 자신은 재능에 도취해 무례한 언행을 일삼는 인간이었다. 그건 사실과 얼마나 가까울까?

손가락이 하얘질 정도로 세게 쥐고 있었던 휴대폰 화면이 돌연 밝아졌다. 이명은 새로운 메시지가 왔다는 알림을 노려보았다.

'이번엔 또 뭐야…….'

그는 조금 신경질적으로 화면을 터치했다. 그는 연락하는 사람이 가족 외엔 거의 없었다. 메시지가 왔다면 끽해야…….

[남산고 47회 졸업생 동창회]
2학년 5반 친구들아 반갑다! 한번 볼 때도 되지 않았냐? 일일이 연락 돌릴 수 없어서 그냥 반장이랑 둘이 날짜 잡았어.
11/29 (토) 18:00 초원갈비 (링크)
한 놈도 빠지지 말고 꼭 와 새끼들아!!!! ※담임한테는 연락 안했으니 안심※
- 서기 경민 -

이명은 메시지를 읽고 또 읽었다. 세 번이나 정독한 뒤에도 길 잃은 시선이 행간 사이를 헤맸다.

이런 연락은 난생처음 받아 봐서 황당했다. 졸업한 지 8년 만에 동창회라니……. 그들이야 서로 친했으니 이런 자리를 만드는 것도 이상하지 않지만, 누구와도 친분이 없는 자신을 초대한 건 의아한 일이었다.

'어디 목록을 보고 전체 문자 돌렸겠지.'

이명은 학창 시절 내내 겉돌았다. 왕따까지는 아니었지만 친구가 없었다. 대부분의 아이들과 아무 접점 없이 지냈고 몇 명과는 사이가 굉장히 껄끄러웠다. 약간 친해져서 친구가 될 뻔한 아이는 한 명 있었지만, 그것도 혼자만의 착각이었을 것이다.

'친구는 무슨.'

자조적인 한숨이 입술 사이에서 새어 나왔다.

어차피 그들은 친구가 될 수 없었다. 그 애는 누구에게나 잘해주었다. 이명이 특별해서가 아니라 누구에게나 친절하게 대하는 사람이었을 뿐이다.

반장이랑 둘이 날짜 잡았어.

이미 몇 번이나 읽은 문장을 다시 한번 샅샅이 훑어보았다. 반장과 경민이란 애가 참석한다는 정보 외엔 하등 가치 없는 문장이었다.

그럼에도 휴대폰을 쥔 손에 힘이 들어갔다. 미련 가득한 시선이 장문의 문자에서 날짜를 찾아냈다. 동창회 일자는 하필이면 결승전이 있는 날이었다. 오후 6시면 대국장에서 한창 경기를 치르고 있을 시간이다.

'잘됐네.'

설혹 집에서 쉬는 날이었더라도 안 갔겠지만, 이렇게 된 이상 가고 싶어도 갈 수 없게 되었다.

"오빠, 표정이 왜 그래? 스팸이야?"

이명은 휴대폰을 재빨리 주머니에 쑤셔 넣었다.

"왜? 뭔데 그래?"

"그냥, 기분 나쁜 문자."

"응?"

"몰라. 지워 버리려고. 정아, 나 도넛 하나 더 줘."

정에게 빵을 달라고 해서 일부러 크게 베어 물었다. 아무렇지 않은 척 턱을 움직였지만 떨림은 쉽게 진정되지 않았다. 왜곡된 기사로 인한 분노와 동창회 소식이 불러온 혼란에 어쩐지 숨이 가빠졌다.

그날 하늘에는 구름이 많았다. 해가 얼굴을 드러내지 않아서 온통 흐렸지만 산책하기엔 나쁘지 않은 날씨였다.

집에서 나오지 않은 열흘 동안 겨울이 찾아왔다. 손을 외투 주머니에 넣지 않으면 손끝이 차가워지는 계절. 숨을 쉴 때마다 뽀얀 구름이 입에서 흘러나왔다. 나무들이 헐벗어 무채색으로 뒤덮인 공원에는 마침 사람이 없었다.

이명은 주황색과 흰색 잉어들이 돌아다니는 연못을 돌아, 아이들이 배드민턴을 치곤 하는 배드민턴장을 지나쳤다. 머리를 완전히 비운 채로 조약돌 길 위를 한참 걸었다. 툭, 툭. 발끝으로 작은 돌들을 밀어내며 걷는 동안 칼바람에 공격당한 볼이 점점 빨갛게 물들었다.

엄마는 '마인드 컨트롤'을 하라고 했지만 이명은 그런 건 할 줄 몰랐다. 거짓말투성이 기사에 관한 기억이 조금씩 희미해져서 컨디션이 나아졌을 뿐이지, 의식적으로 노력한 건 아니었다.

이명은 살면서 수많은 오해를 받아 왔지만 대부분은 해명하는 데 실패했다. 즉, 오해를 사는 재주를 타고났지만 푸는 재주는 지독할 정도로 없었다.

남의 지갑을 훔쳤다는 오해, 째려봤다는 오해, 잘난 척한다는 오해, 뒤에서 누굴 욕하고 다녔다는 오해, 선생의 편애만 믿고 나댄다는 오해, 엄마가 뇌물을 내서 학교를 편하게 다닌다는 오해, 오만하고 건방지다는 오해, 누구누구 기사와 사이가 안 좋다는 오해. 오해, 오해, 오해.

그렇게 숱한 오해를 겪어 왔으나 우습게도 이명은 조금도 발전하지 못했다. 그는 여전히 역경과 고난을 헤쳐 나가는 데 젬병이었다. 소위 '멘탈'이 약해서 공격에 취약했으며, 반응이 느렸고, 회복하는 데 놀랍도록 오래 걸렸다.

이명이 모든 의욕을 잃은 채 자취 집에 처박혀 있는 동안 엄마는 주변에 수소문해 변호사에게 자문을 받고 ≪선데이투데이≫ 사옥을 방문했다. 기자는 이명에게 부정적인 이미지를 덧입힐 의도가 없었다고 해명했다. 당당하고 쿨한 이미지로 오히려 득을 보지 않았느냐고 도리어 되묻기까지 했다. 이명 측에서 법적으로 대응하겠다고 나오자 그제야 사과하고서 기사를 수정해 내보냈으나 눈 가리고 아웅이었다. 이미 원본 기사가 어마어마한 조회 수를 기록하여 파생 기사가 줄을 이은 데다, 인터넷상에서는 이명의 어록이 밈화되어 수많은 패러디를 양산하고 있었다. 언론사에선 이로 인해 엄청난 금전적 이득을 봤으며 기사를 쓴 기자는 내년에 승진할 예정이라고도 했다.

엄마는 ≪선데이투데이≫ 기자를 만나고 와서 처음과 의견이 달라졌다.

'요즘 시대에 자신감 넘치는 이미지도 나쁘지 않다고 봐, 명아. 그 기사가 나고 나서 CF도 두 개나 들어왔잖니. 넌 어차피 안 한다고 하겠지만.'

매니저인 엄마가 무조건 이명의 편이란 건 의심할 여지가 없었으나 그렇다고 늘 두 사람의 의견이 같은 건 아니었다. 가령, 엄마는 이번 사건으로 이명이 하루아침에 얻게 된 화제성을 영향력으로 이해했다. 그러나 이명은 사실이 아닌 내용이 회자되는 것이 싫었다. 또한 바둑이 아닌 무언가로 남들의 입에 오르내리는 게 부담스러웠다.

이명은 피로감을 살짝 느끼며 벤치에 앉았다. 가까운 곳에 비둘기 두 마리가 바닥을 쪼며 돌아다녔다. 중요한 기전을 앞두고 비둘기나 보고 있을 처지는 아니었지만 마음에 돌이 얹힌 듯 답답했다.

"하아……."

저절로 긴 한숨이 나왔다. 내일 경기를 이기기만 하면 어마어마한 상금과 대중적인 화제성, 명예로운 타이틀을 얻을 수 있다. 어떤 기사들은 국제 대회에서 승리한 뒤에 CF를 찍고 교양이나 예능 프로 등 방송에서 멘토 역할을 하기도 했다. 물론 이명은 그런 것에 전혀 관심이 없었지만 다른 이유로 승리하고 싶었다.

무릎 위에 올려놓은 주먹이 굳게 쥐어졌다. 추위로 빨갛게 된 손가락이 다시 한번 희게 변했다.

이명은 자신에 대해 아무것도 모르면서 이러쿵저러쿵하는 이들에게 자신이 흔들리지 않았다는 것을 보여 주고 싶었다. 남들의 입방아가 그에게 아무 영향도 미칠 수 없다는 걸 오로지 승리로 증명하고 싶었다. 바둑돌을 처음 잡았던 9살 때부터 지금까지 한시도 그를 떠난 적이 없는 욕망은 어느 때보다도 강하게 들끓었다.

'꼭 이기고 싶어.'

생각에 잠겨 있던 그때 차가운 바람이 코트 자락을 들어 올렸다. 이명은 온몸에 소름을 돋게 하는 한기를 느끼며 손을 마주 모아 후 후 불었다. 멀리서 비둘기가 사람을 피해 푸드덕 날갯짓하는 소리가 들렸다. 슬쩍 본 곳에선 사람 하나가 조깅하고 있었다.

'이 날씨에, 대단하네.'

트레이닝복 차림의 남자는 공교롭게도 이명의 벤치 앞으로 지나갔다. 20대 중반쯤 되었을까. 머리를 짧게 깎은 데다 체격이 건장한 사내는 이명으로 하여금 누군가를 떠올리게 했다.

'키가 더 컸더라면 그라고 의심했을지도…….'

그러한 생각을 하며 이명은 풋 웃음을 터뜨렸다. 그로 의심된다고 한들 '저기요, 혹시 남산고 나오셨어요?'라고 말할 용기가 자신에게 있을 리가.

문득 조각조각 끊어져 있던 기억 위로 색채가 덧입혀졌다. 눈을 감자 햇살의 프리즘을 받은 것처럼 찬란하게 빛나던 한 소년의 모습이 떠올랐다. 자신처럼 27세가 되었을 그가 지금도 여전하게 웃을지 이명은 궁금해졌다.

다시 눈을 떴을 때 남자는 저 멀리 가 버린 뒤였다.

'한심하게 그 생각은 왜.'

자조 섞인 미소가 떠오르고, 이명은 이 한심한 생각을 일으킨 원인이 조깅하는 사내보다도 동창회 문자였다는 걸 기억해 냈다. 갑자기 그런 연락이 와서는 사람 마음을 싱숭생숭하게 만든 것이다.

동창회 같은 건 어차피 갈 리도 없는데.

그러나 그는 별수 없이 휴대폰을 꺼내 문자함을 열었다. 아무 목적도 없이 글자의 나열을 읽는 게 몇 번째인지 모른다. 메시지를 세 번째로 다시 읽었을 때, 가까이서 인기척이 들렸다.

"으음, 저기……."

낙엽을 치우는 용도의 빗자루를 한 손에 쥔 남자가 1m쯤 떨어진 거리에서 이명을 조심스럽게 살피고 있었다.

"네?"

"혹시…… 이명 9단이 아니신지……."

당황한 이명은 휴대폰을 손에서 떨어뜨리고 말았다. 모서리부터 떨어진 기계가 두어 번 튕기더니 모래에 폭 잠겼다. 이명은 휴대폰을 급하게 주워 주머니에 넣으며 몸을 움츠렸다.

프로가 된 이래로 바깥에서 그를 한눈에 알아보는 사람은 드물었다. 이명은 모든 상황에서 사진 찍기를 거부했기 때문에 단체 사진에서 잘라 낸 조악한 프로필 사진 외의 다른 사진은 인터넷에 돌아다니지 않았다.

"어……. 맞는데요."

"혹시나 했는데, 역시 맞네! 여기서 기다려요."

남자는 빗자루를 벤치에 기대 놓고서 어디론가 헐레벌떡 뛰어갔다. 3분이 지나기 전에 돌아온 그의 투박한 손에는 꿀 음료가 들려 있었다.

"자, 급하게 가져왔는데 이거라도 마셔요."

"……감사합니다."

이명은 음료수를 받아서 양손으로 감쌌다. 유리병은 따뜻했다.

"사실은 내가 이명 선생님 7년 전부터 팬이에요. 내 아들뻘이긴 하지만, 바둑 잘 두면 다 선생님이지 뭘."

남자는 한동안 자신이 이명의 바둑을 얼마나 즐겨 보는지 설명했다. 그는 7년 전 이명을 처음 알게 되었다는 국내 대회 8강전 경기를 정확하게 기억하고 있었다. 누구와 붙었고 몇 집 차로 승리했는지까지도.

"저 어떻게 아셨어요?"

"응?"

"아, 그러니까……. 저…… 제가 이명인 걸, 어떻게 아셨어요?"

남자는 고개를 뒤로 꺾더니 파하하 웃음을 터뜨렸다.

"얼굴은 긴가민가했는데 이 손이, 맨날 화면에서 나오는 그 손이라서 알았어요. 우리 마누라가 섬섬옥수라고 그랬는데 실제로 보니까 더 길쭉길쭉하고 곱네. 얼굴도 아주 잘생겼고."

남자는 조금 주저하더니, 주머니에서 무언가를 꺼내 앞으로 내밀었다.

"그, 혹시 싸인…… 받을 수 있나요?"

"아……. 그럼요."

"두 장도 되나요? 집사람 것까지……."

"네? 네……."

이명은 그가 내민 꼬깃꼬깃한 라인 노트를 펼쳐서 두 번 서명했다. 그러곤 양손으로 노트와 펜을 함께 내밀었다. 남자는 노트를 받고서 흐뭇한 눈길로 고개를 끄덕였다.

"그럼 전 가 볼게요."

"아, 안녕히 가세요."

"내일 꼭 이겨야 하는데……."

이명은 그가 뒤돌아서 혼잣말처럼 중얼거린 소리를 들었다. 꼭 이겨야 하는데. 그 말에 이명은 잠시 다른 곳에 쏠렸던 신경을 다시금 목표에 집중했다.

'네. 반드시 이길게요.'

그리고 속으로 힘주어 다짐했다.

'기화생명배 세계 바둑 선수권 대회' 결승전에는 상금 5억 원이 걸려 있었다. 최대 규모의 세계 대회인 데다 내로라하는 고수들이 총출동한 바둑 무대였다. 중국의 창리콴과 류웨이, 일본의 유스케 야마구치와 타마키 타카시, 한국의 김석훈과 유영섭 - 국수 타이틀을 보유한 노기사만 여섯이요 그 외에도 윤수화, 아케미 요시모토, 홍랴오치 같은 중견 초고수에 이명으로 대표되는 신예들까지, 바둑 팬들에게는 그야말로 즐거운 비명이 저절로 나오는 별들의 잔치였다.

명승부가 쏟아져 나오는 와중에 국수 라인업 중 절반을 한 명씩 꺾으며 결승에 발도 못 붙이게 만든 이명은 '국수 슬레이어'라는 별명을 얻으며 전성기를 달리고 있었다. 이번 대국까지 승리한다면 '세계 기왕전', '세계 바둑 명인전'을 포함한 주요 3대 세계 대회 우승으로 그랜드 슬램을 달성하게 된다.

이번에 이명이 꺾어야 할 상대는 중국의 태산이었다. 한 수 한 수가 마치 번개처럼 기민하다는 아케미 요시모토를 반집 차로 제

압하고 결승에 오른 그는 실리를 추구하기보다 시야가 넓고 호방한 기풍의 중견 고수였다. 이명에 비견하자면 방어적이고 신중한 스타일이라 매스컴에서는 창과 방패의 대결이라고 대서특필하고 있었다.

기화 그랜드 호텔에 차려진 대국장 안으로 키가 크고 선이 가는 남자가 들어섰다. 난방이 잘 되어 있는 실내에서도 터틀넥 차림에 대국을 앞둔 사람답게 표정이 무거웠다. 그는 뻣뻣한 걸음걸이로 들어와 검은 가죽 소파에 앉았다. 그리고 초점 없는 눈으로 바둑판 모서리를 가만히 보았다.

홍랴오치 9단은 이명 9단보다 1분 늦게 도착했다. 걸음걸이가 당당하고 표정은 온화했다. 눈이 마주쳐도 무슨 생각을 하는지 알 수 없는 포커페이스였다. 그는 자리에 앉아 미소 지으며 묵례했고 이명은 똑같은 방식으로 고개를 까닥거렸다.

아무 말도 오가지 않았지만 두 고수 사이에 숨 막히는 긴장감이 감돌았다. 소파 두 개와 바둑판이 놓인 무대는 거액이 걸린 기전의 결승전답지 않게 조촐했지만, 촬영 준비를 마친 카메라 세 대가 이 대전을 전 세계로 송출할 것이다.

중국 혹은 한국, 중견 혹은 신예, 방어 혹은 공격, 태산 혹은 빗물.

이명 혹은 홍랴오치. 둘 중 하나는 반드시 생존하고 나머지 한 명은 추락하는 무시무시한 대국이었다.

이어지는 돌 가리기가 끝나고 이명은 흑돌을 잡았다. 그는 무표정으로 안경을 꺼내 썼다.

"이명 9단, 흑돌을 잡았죠. 속으로 기뻐하고 있을까요?"

"예. 3% 정도긴 하지만 선공이 승률이 더 높거든요. 좋은 시작이에요."

대국장 밖 스튜디오에서는 해설자들이 열을 올리고 있었다. 초미의 관심이 쏟아지는 세기의 기전인 데다 국가 대항전인지라 목소리들이 평소보다 한 톤씩 높았다. 아직 경기 시작 전인데도 방송은 이미 최고 시청률을 넘었다. 라이브 채팅방에서는 바둑 팬 수백 명이 모여서 떠들고 있었다. 좋은 대국을 부탁한다는 응원부터 이걸 보기 위해 애들을 처가에 보냈다는 고백까지 다양한 메시지가 쏟아졌지만 이명에게는 닿지 않았다.

그는 외부와 완벽히 단절된 세계에서 태산을 마주하고 있었다. 가로 19줄, 세로 19줄의 선으로 둘러싸인 무한의 세계에 그의 승리, 혹은 패배가 숨겨져 있었다. 상대보다 먼저 승리를 쟁취하지 않으면 패배한다는 걸 바둑돌을 처음 쥐었던 9살 때부터 알고 있었다. 이명은 이 자리에 이기러 왔다.

통 안에 손을 넣고 광택이 돌지 않는 흑돌들이 찰박거리도록 살짝 휘저었다. 손에 집히는 첫 기석에 주문이라도 걸듯 손가락 사이에 꼭 잡고서 바깥으로 꺼냈다. 이명은 팔을 쭉 뻗어 대국의 첫수를 세상으로 내보냈다.

대전이 시작하자 화면 우측에 LIVE란 빨간 글자가 박힌 화면이 송출되었다. 실제와 약간의 시차를 두고 화면 구석에 기다랗고 섬세한 손가락이 나타났다. 검지와 중지 사이에 끼운 검은 돌이 우상 화점에 놓였다. 뒤이어 홍랴오치가 좌하 화점에 백돌을 얹었고, 화점이 차례대로 채워졌다.

“자, 어디로 튈지 모르는 이명 9단의 첫수가 화점이냐 소목이냐, 많은 분들이 궁금해하셨는데, 역시 화점이었네요.”

“신중하게, 그리고 균형 있게 가려는 생각이라고 봐야죠.”

“그렇습니다. 현재 양측 화점정석으로 포석을 올리고 있습니다.”

“아직까지는 진행이 빠르죠?”

“네. 재미있는 점이 있는데, 의외로 홍랴오치 9단이 속기파고 이명 9단 쪽은 기본에 충실한 착수에도 시간을 좀 두는 편입니다. 보통 홍랴오치가 방어, 이명이 공격이라고 보니까 이런 차이도 흥미롭죠?”

“그러네요. 이명 9단, 늘 그렇지만 오늘 행마에서 특히 자신감이 넘쳐 보여요. 아주 좋습니다. 응원하는 우리 대한민국의 팬들을 위해서라도 꼭 이겨야 됩니다! 이명, 파이팅! 대한민국, 파이티잉!”

곧 좌상귀와 좌하귀에서 작은 국지전이 연이어 펼쳐졌다. 하지만 아직 큰 전투는 벌어지지 않았다. 홍랴오치는 좌상 외목에서부터 시작된 세력을 가까스로 지켜 냈고, 이는 앞으로 벌어질 대혈투를 예고하고 있었다.

“이명 9단, 좌변을 본격적으로 파고듭니다. 단수하겠다는 의지가 대단해요.”

“집요하죠? 방금까지와 완전히 다른 사람 같아요. 헐크 변신 뭐 이런 거 있잖습니까.”

“그러고 보니 저희 집 아이들이 보는 만화 중에 주문을 외우면 마법 소녀로 변신하는 내용이 있는데, 그게 생각나네요. 이명 9단,

현재 변신 마쳤고요. 지금 홍랴오치 잡으러 갑니다."

"아아, 말씀드리는 순간 홍랴오치 9단 눈목자 행마. 역시 녹록하지 않죠? 부랴부랴 방어하기보단 미래를 대비하고 있어요. 대국 수준 보세요. 전설에 남을 경기가 나올 것 같습니다."

"맞습니다. 날카로운 침투에 그야말로 태산다운 수가 나왔어요! 숨 막히는 경깁니다. 홍랴오치 9단 지금 경고하고 있죠? 당신이 좌변에 목매는 동안 나는 큰 그림을 그릴 건데, 괜찮겠냐고……."

좌변에서 벌어진 난전은 백과 흑 양측에 타격을 남겼다. 이명은 바라던 대로 백대마를 잡아 숨통을 끊어 놓았지만, 그 대가로 자신도 피를 흘렸으며 중앙에 세력을 내어 주어야 했다.

대국은 어느덧 중반으로 접어들었다. 그런데도 흑과 백은 여전히 속기로 서로 응수하며 엄청난 집중력을 보이고 있었다.

"수 싸움이 아주 치열합니다."

"그 말씀처럼 지켜보는 제 손에도 땀이 날 정돕니다. 자, 이명 9단. 지금은 이어 가야죠?"

"그렇죠. 일단은 자존심을 살짝 접어야 합니다. 홍랴오치 9단이 집수로는 밀리고 있지만 사실은 잃은 게 하나도 없거든요. 오히려 전체적인 국세로 봤을 땐 더 좋을 수도 있어요."

"우리 이명 9단, 집수로는 앞서 나가고 있지만 조금 성급해 보여요. 조바심이 날 만한 상황이지만 그럴수록 더욱 여유 있게 가면 좋겠어요. 오늘의 행마가 평소보다…… 응?"

"저게…… 뭐죠? 아, 이런……."

"거기다 뒀어요? 왜?"

한순간의 일이었다. 105수 때문에 스튜디오 안에 한동안 얼음장 같은 침묵이 깔렸다. 해설자들은 무슨 말을 해야 할지 몰라 몸이 굳은 채 서로 눈치만 보았다. 그와 반대로 라이브 채팅창에서는 자충수니 착점 실수니 난리가 났다.

잠시 텀을 두었다가 이어진 수에서 홍랴오치 9단은 이명이 용의 주도하게 배치해 둔 흑돌의 대열을 기다렸다는 듯이 곤마로 만들어 버렸다. 해설진은 한숨을 쉬었고 라이브 채팅창에는 분노 가득한 코멘트가 일일이 읽을 수 없을 정도의 엄청난 속도로 쏟아졌다. 별표로 블라인드 처리된 쌍욕이 채팅창을 도배하자 급기야 관리자가 난입했다.

"이명 9단……. 반패를 해소하면서 큰 실수를 했네요. 이럴 때일수록 정신력을 다잡아야죠?"

"지금 4분째 착점이 되지 않고 있는데……. 마음이 적잖이 어렵겠지만, 바둑은 끝날 때까지 어떻게 될지 모르는 거니까요. 최선을 다해야 합니다."

"앗, 지금 착수하네요. 네. 그래요. 수습해야죠, 이명 9단……."

대국일수록 졸전이다. 실수를 더 많이 한 쪽이 진다. 바둑은 정신력 싸움이다. 귀에 박히도록 들은 말들이지만 지금의 이명에게는 그것들이 조금도 와닿지 않았다.

악수를 둔 순간에 발밑에 커다랗고 깊은 구덩이가 파인 것 같았다. 이제까지 무수한 대전을 거칠 때마다 실수에 어떻게 대응해 왔는가, 냉정하게 사고하려 노력했지만 이번만은 잘 되지 않았다. 식은땀이 나고 눈앞이 새하얘졌다. 이 이 위기에서 벗어나려면 시간을 되돌리는 방법밖에 없을 것 같았다.

홍랴오치 9단은 보란 듯이 속기로 응수했다. 겨우 어려운 한 수를 떼고 나면 곧바로 옆구리로 칼날이 날아왔다. 막을 곳은 한두 군데가 아니었고 성난 태산을 잠재우려면 제물로 집을 몇 개나 바쳐야 하는지 가늠할 수조차 없었다. 손아귀에 쥐었다고 생각한 승리는 모래처럼 스르륵 빠져나가고 있었다. 그리고 패배가 검은 혓바닥을 날름거리며 이명을 아래로 끌어당겼다.

'자신의 재능에 도취한 오만한 실력자'

일주일 내내 그를 괴롭혔던 인터뷰 구절이 뇌리를 파고들었다. 정말로 재능에 도취해 있었나. 몇 번의 알량한 승리만 믿고 오만하게 굴었던 건 아닌가. 피나는 연습과 가족의 격려로 이룩해 낸 자리가, 여기까지 그를 지탱한 확신이 흔들렸다.

입술을 너무 꽉 깨물었는지 입 안에서 피 맛이 났다. 이명은 돌을 떨어뜨릴 것만 같아 간신히 꼭 집고 손을 바둑판 위로 올렸다. 오른팔이 너무 떨려서 왼손으로 붙잡아야 했다.

'극도로 예민한 기질이 엿보이는 천재'

독기를 품고 내려놓은 검은 돌은 태산에 아무 흠집도 내지 못했다. 상대는 무표정으로 이명의 혈도를 짚었고 그 한 수로 이명의 포석은 사석이 되었다.

또다시 눈앞이 하얘졌다. 앞을 보려고 애썼지만 절망이 안대처럼 앞을 가리고 있었다.

그리고 조금 전까지 우호적이었던 공기가 적대적으로 변했다. 크게 들이마셨지만 충분하지 않았다. 숨을 마시고 내쉬는 속도가 조금씩 빨라졌다. 이명은 이 빌어먹을 조짐을 지긋지긋할 정도로 잘 알고 있었다.

'본인이 마땅히 우승하리란 확신'

이명은 덜덜 떨리는 손을 들어 흑돌을 집었다. 손이 반쯤 빈 통에 필요 이상으로 강하게 처박혀 요란한 소리를 냈다. 일부러 거칠게 행동한 것이 아니었지만 홍랴오치 9단이 모욕적인 욕설을 들은 듯 이명을 날카롭게 바라보았다.

이명은 시선을 피했다. 내리깐 속눈썹이 파르르 떨리고 땀방울이 하얀 뺨을 타고 흘렀다. 호흡을 정돈하려고 노력하며 가까스로 착점했다. 정수도 귀수도 아닌, 더 이상의 출혈을 방지하기 위한 괴로운 수습이었다.

탁.

곧바로 백돌이 다소 큰 소리를 내며 흑의 약점을 찔러 들어왔다. 서릿발 같은 위협. 상대는 흑대마를 절멸시키겠다는 의지를 더는 숨기지 않았다. 이명은 또 무례한 사람으로 오해받았다는 게 제 기석들이 곧 난도질당하리란 예상만큼 괴로웠다.

통역을 불러서 설명하면 이해해 줄까. '제가 폐가 안 좋습니다. 당신에게 무례하게 대하려던 것이 아니라 현재 몸이 안 좋아서 그런 것이니 부디 괘념치 마시길 바랍니다.' 그렇게 말하면 될까.

'기재 특유의 비사회성 혹은 비사교성'

"헉, 헉……."

숨이 점점 거칠어지자 이명은 소리가 남들에게 들리지 않도록 입가를 손바닥으로 틀어막았다. 9년 동안 한 번도 겪지 않은 증상이 하필 이날 나타날 건 왜일까.

심리적인 요인이란 걸 잘 알고 있었다. 산소가 모자라다거나 공기가 희박하단 건 착각이고, 실제로는 단지 정신이 불안정해서 호흡이 가빠진다는 걸. 그러나 몸은 말을 듣지 않았다.

곧이어 기침이 시작되었다. 몸을 뒤흔들고 모든 것을 불가능하게 하는 기침이. 기침이란 아주 오래전부터 그에게 도무지 멈출 수도 없고 숨길 수도 없는 재앙이자 절망이었다.

이명은 무언가를 이성적으로 판단할 수 있는 상태가 아니었다. 그저 이 상황을 멈추고만 싶었다. 고통스러운 와중에도 한 가지만은 확실했다. 경기가 중계되는 상황에 병원에 실려 가기라도 한다면, 이에 관해서 기사가 한 줄이라도 난다면…….

'병신이라고 불리며 환자 취급당하는 건 학창 시절로 족해.'

이명은 손을 들어 계시원을 불렀다.

"계시기, 멈춰 주세요……!"

바둑 대국에서 계시기를 멈춘다는 건 패배를 인정한다는 뜻이었다. 계시원은 이명이 벌써 기권한다는 게 믿기지 않는다는 듯 눈을 크게 떴다. 홍랴오치 9단은 불계승을 앞두고도 어리둥절한 표정을 짓고 있었다. 통역사가 그에게 말을 전하는 것이 보였다.

"죄, 죄송…… 콜록, 죄송합니다."

상황을 설명해야 하는데……. 건강이 안 좋아서 복기를 못 하겠다고 말해야 하는데……. 공기가 모자라서, 숨이 쉬어지지 않아서 한마디도 더 할 수가 없었다. 손바닥으로 입을 틀어막고 있는 그에게 스태프 중 한 명이 다가왔다.

"혹시 어디 안 좋으신가요? 의료 요원을 불러 드릴까요?"

이명은 고개를 거칠게 젓고서, 아무도 자신의 얼굴을 볼 수 없도록 뒤돌았다. 그는 최대한 아무렇지 않아 보이려 애쓰며 대기실로 걸어가 문을 거칠게 열었다.

그는 널찍한 방에 들어오자마자 문을 잠갔다. 벽 가장자리에 웅크려 앉아 손바닥으로 입을 압박하고 숨을 참았다.

똑똑.

"괜찮으십니까, 이명 9단?"

"……괜, 찮습니다."

"바깥에 의료진 대기 중이에요. 말씀만 하시면……."

"괜찮아요."

그는 겨우 내뱉고서 바닥에 주저앉았다.

하아, 하아.

하, 하아, 하아.

하아.

하아…….

1분, 2분, 5분, 그리고 10분……. 시간은 폐부를 콕콕 찌르면서 느릿하게 흘러갔다. 그리고 얼마나 지났을까, 거칠었던 숨이 안정되며 자신을 둘러싼 싸늘한 현실이 보이기 시작했다.

'……하.'

이명은 차가운 눈으로 제 오른손을 내려다보았다. 승리하는 순간까지 바둑판에 흑석을 내려놓아야 하는 손이었다. 그러나 모든 것을 망쳐 버린 그 손에는 침이 고이다 못해 징그럽게 흐르고 있었다.

이명은 혐오스러운 광경으로부터 고개를 돌리며 뒤통수를 벽에 쾅 찧었다. 고개를 뒤로 꺾고 눈을 감자 깊은 한숨이 흘러나왔다.

반드시 이기고 싶었던 경기였다. 이날을 얼마나 피나게 대비했던가. 상대의 기풍에 맞춰 얼마나 다양한 전략을 준비해 놓았던가. 제 손으로 대결을 끝내 버렸다는 걸 도저히 믿을 수 없었다. 아니, 백번 양보해서 지더라도, 이런 식으로 한심하게 패배하리라곤 상상조차 못 했다.

이명은 자신을 벗어날 수 없는 구덩이로 몰아넣었던 105수를 떠올렸다. 그러나 뭐가 문제였는지, 왜 패배했는지 파악할 기력은 남아 있지 않았다.

'한심하군.'

차가운 벽에 멍하니 기대 있는 사이 30분이 더 지났다.

이명은 덜덜 떨리는 왼손으로 휴대폰을 찾아 전원을 켰다. 화면이 뜨자마자 부재중 전화와 메시지 알림이 화면을 가득 채웠지만, 모두 무시하고 인터넷 브라우저를 열었다. '한국'이 '기화생명배 세계 바둑 선수권 대회'에서 패했다는 기사가 벌써부터 포털 메인을 장식하고 있었다. 실시간 검색어 1위는 '이명 인성'이었다.

〈승리 자신하던 이명, 기화생명배 세계 바둑 선수권 대회 결승전에서 홍랴오치에 참패〉

〈中언론, '날 무딘 창이 철의 방패에 박살', '당연한 결과'〉

〈이명 九단, 패배의 설움에 자리 박차고 나가, 복기 걸러 인성 논란〉
〈홍랴오치, '젊은 친구들은 원래 혈기왕성해' 대인배 인품 재조명〉

타이틀만 봐도 사람들이 뭐라고 떠들고 있는지 알 만했다. 전날까지만 해도 이명을 대한민국의 대표로 제멋대로 추어올리던 사람들이 이제는 한마음으로 그를 공격하고 있을 것이 분명했다. 파르르 떨리는 입술을 깨물어 보았지만 떨림은 쉽게 잦아들지 않았다.

그때 정에게서 전화가 왔다. 사랑하는 동생이지만 지금만은 보고 싶지 않았다. 이명은 전화를 끊어 버렸다.

[정이: 오빠 괜찮은 거야? 혼자 있을래?] 19:04
[나: 응] 19:05

답장을 보내고서 휴대폰을 집어넣으려고 했다. 그런데 엄마와 정의 메시지 아래, 모르는 번호로 왔던 문자에 버릇처럼 눈길이 갔다.

[남산고 47회 졸업생 동창회]
2학년 5반 친구들아 반갑다! 한번 볼 때도 되지 않았냐? 일일이 연락 돌릴 수 없어서 그냥 반장이랑 둘이 날짜 잡았어.
11/29 (토) 18:00 초원갈비 (링크)
한 놈도 빠지지 말고 꼭 와 새끼들아!!!! ※담임한테는 연락 안했으니 안심※
- 서기 경민 -

전문을 읽어 내리자 노이즈가 잔뜩 낀 까마득한 기억 속에서 어떤 목소리가 웅웅 울렸다.

'과호흡일 때 숨을 참으면 좀 낫대.'

깊은 과거에서 끌어 올린 음성은 믿을 수 없을 정도로 다정하고 나지막했다. 이명은 눈물이 핑 돌 것 같은 향수를 느끼다 피식 웃었다. 일부러 그런 건 아니었지만, 조금 전에 9년 전 그 목소리의 주인공이 가르쳐 준 방법을 사용했었다. 그의 해법은 우습게도 어떤 의사의 충고보다도 잘 들었다. 그 시절이나 오늘이나 동일하게.

이명은 전원이 나간 로봇처럼 한동안 꼼짝 않고 가만히 있었다. 머릿속에 말도 안 되는 생각이 스치자마자 벌떡 일어나서 외투를 걸쳤다. 화장실에서 손을 씻고서 문을 박차고 나가 대회 관계자들을 무시하고 미친 사람처럼 앞으로 걸었다. 출구는 아직도 기자들로 붐비고 있었다. 그는 리셉션에 물어 호텔 로비를 뒷문으로 빠져나갔다.

찬바람이 쌩쌩 부는 거리에 서서 처음 오는 택시를 잡아탔다. 목적지를 말하며 문을 닫았다.

'나, 지금 뭐 하는 거지.'

차가 출발하는 소리에 정신이 덜컥 들었다. 본능적으로 손이 문손잡이로 향했지만, 택시는 이미 차도로 진입한 뒤였다. 이명은 운전수의 뒤통수를 보며 입술을 달싹거렸다. 그러고서 입을 벌렸으나, '잠깐, 멈춰 주세요.' 하는 말은 차마 나오지 않았다.

이명은 어쩔 수 없이 등을 시트에 기댔다. 여유를 찾고자 팔짱을 꼈지만 불안한 마음에 손끝이 떨렸다. 그는 충동을 제어하는 데 실패하는 중이었다. 달리 말하자면 사고를 치러 가는 도중이었다.

아무런 대책도 없었다. 커리어에 가장 반짝이는 별을 달 기회를 망쳐 놓고서 동창회에 가겠다고? 복기도 하지 않고 기보도 작성하지 않은 채로 회피하겠다고? 그를 가장 걱정하고 있을 엄마와 동생을 외면한 채로 이명은 도망치고 있었다.

'그보다, 대체 거기에 가서 뭘 하려고.'

이명은 '동창'들이 자신을 기억할지조차 확신이 없었다. 만일 기억하더라도 좋은 그림일 리가 없지 않은가. 친구 없는 이명, 혼자 급식 먹던 이명, 맨날 기침해서 민폐 끼치던 이명, 체육 시간에 열외였던 이명.

냉소로 입술이 비뚤어졌다. 분명 이명은 감정에 휘둘리는 구석이 있었고 그의 충동적인 사고방식은 바둑에서 치명적인 단점인 동시에 강력한 강점으로 작용했다. 하지만 그것도 어느 정도지, 사석이 될 것이 분명한 자리에 돌을 놓는 기사는 없다. 가서 득 될 것이 아무것도 없다는 걸 알면서도 왜 그곳으로 향하는가.

먼지로 지저분한 창문에 도시의 불빛이 빠르게 스쳐 지나갔다. 이명은 창에 이마를 기댄 채 휙휙 바뀌는 검은 풍경을 보았지만 사실은 아무것도 눈에 담고 있지 않았다.

'보고 싶어.'

초점 없는 눈에 미련한 그리움이 비쳤다. 부질없고도 근본적인 충동은 사려와 불안, 그리고 이성을 물리치기에 충분했다.

이명은 한동안 빨갛고 노란빛이 차창에 다닥다닥 붙었다가 이리저리 번지며 미끄러지는 걸 지켜보았다. 달의 테두리를 따라 손가락으로 작은 동그라미를 그리고 있었을 때, 차가 서서히 감속했다.

"다 왔는데, 어디에 내려 드릴까요, 손님?"

"아……. 여기서 내릴게요."

얼결에 계산하고 내리니 갈빗집 간판이 보였다. 시계를 보니 약속 시각에서 이미 1시간 반이 지난 뒤였다.

이명은 발이 땅에 박힌 듯 꿈쩍도 하지 않고 간판을 하염없이 바라보았다. 막상 약속 장소에 와 보니 머릿속으로만 생각하던 때와 달리 몸이 움츠러들었다.

'이건, 좀 아니지 않나…….'

저녁 시간이 한참 지났으니 동창들은 아마 자리를 옮겼을 것이다. 그렇지 않았더라도 아무도 저를 알아보지 못할 테다. 들어갔다가 망신이나 당할 게 뻔하지 않은가. 순간의 일탈로 여기까지 오기는 했지만 지금이라도 관두면 된다. 차라리 그냥 집에 가서 술이나 몇 잔 마시고 잠드는 편이 낫지 않을까?

복잡한 심경으로 간판을 보고 서 있는데 문이 훽 열렸다. 그런데 비틀거리며 나타난 취객의 얼굴이 이상하게 낯익었다. 이명은 황급히 시선을 피했지만 남자가 그의 얼굴에 손가락질을 하며 크게 소리쳤다.

"어! 너 혹시…… 남산고?"

"……응?"

"알겠다, 너 형석이지? 왜 이제 왔어?"

"나 형석이 아닌데……."

이명은 고개를 저었지만 얼굴이 새빨간 남자는 본 척도 하지 않고 두툼한 손바닥으로 그의 어깨를 내리쳤다. 뼈마디가 아플 정도로 강력한 일격이었다. 이명은 "윽!" 하고 외마디 신음을 냈지만 그는 아무것도 들리지 않는 사람처럼 혼자 떠들며 팔로 이명의 어깨를 감쌌다.

"너 이 새끼, 왜 이제 왔어? 얼른 들어가자!"

"잠깐만. 이거 놔……."

"에이, 빼긴 왜 빼."

남자는 몸을 휙 돌리며 문을 힘차게 열어젖혔다. 그러고선 확성기를 댄 것처럼 우렁차게 소리쳤다.

"얘들아, 오형석 왔어!"

그 즐거운 외침에 시끌벅적하던 고깃집 분위기가 찬물을 끼얹은 것처럼 싸늘해졌다. 5초간 온 세계가 멈춘 것 같았다. 눈 깜빡이는 걸 제외하면 아무도 움직이지 않았기 때문이었다. 이명은 제 어깨를 쥔 손에서 힘이 조금씩 빠져나가는 걸 느낄 수 있었다.

"오형석 아닌 것 같은데."

"걔 그렇게 안 생겼는데……."

민망한 웅얼거림이 여기저기서 터져 나오자, 남자는 "그래? 아님 말고."라고 중얼거리며 도로 나가 버렸다.

졸지에 혼자 남은 이명은 눈을 둘 곳이 없었다. 가게에 앉아 있는 모든 사람이 자신을 쳐다보는 것 같았다. 고개를 들고 씩 웃을 수도, 등 돌려 뛰쳐나갈 수도 없는 상황에 머릿속이 새하얘졌다. 그래서 이명은 아무것도 안 하기를 선택했다. 짝 잃은 운동화와 구두 사이에 둘러싸인 채 얼음 조각처럼 가만히 서서 녹아내렸다.

그는 그 시간이 영겁과도 같았다고 체감했지만 시계상으로는 10초 정도였다. 사람이 바글바글한 고깃집은 다시 시끌시끌해졌고 이명은 금세 혼자서 우두커니 서 있는 신세가 되었다.

아무도 자신을 보고 있지 않다는 확신이 서자, 이명은 용기를 내어 앞을 바라보았다.

남산고 동창회는 긴 테이블 두 개를 차지하고 있었다. 그는 그중 한가운데에 앉은 남자를 한눈에 알아보았다. 왜인지 몰라도 남자는 소주잔을 손에 든 채 무덤덤한 눈빛으로 자신을 바라보고 있었으니까.

8년이란 세월이 지나 인상이 많이 달라졌다. 번듯한 정장 차림이었고 속을 알 수 없는 표정이었다. 그때는 덩치는 컸어도 얼굴에 순진한 느낌이 있었는데, 어느새 묵직한 머스크 향수 광고 모델이라고 해도 이상할 것 같지 않은 남자로 자란 것이다.

'고등학교 때나 지금이나…… 너는 빛이 나고 사람들에게 둘러싸여 있네.'

이명은 뒤늦게 시선을 피하고 목을 긁적거렸다. 무엇 때문에 여기까지 왔는지 그가 눈치채기라도 한 것처럼 쑥스러웠다. 민망함을 못 견디고 몸을 돌려 바깥으로 나가려는 순간, 누군가가 소리쳤다.

"쟤 누구더라? 어디서 본 것 같은데."

"쟤…… 어, 그래! 혹시 이명 아니야?"

"이명! 맞아!"

"이명 9단! 왜, 그 바둑 있잖아 바둑."

얼굴을 화끈거리게 만드는 소리가 들려왔다. 제발 그러지 말았으면 하고 속으로 빌었는데, 누군가가 인터넷에서 그의 이름을 검색해 동창들에게 보여 주었다. 이명은 자신이 유독 이상하게 나온 단체 사진에서 잘라 낸 그 프로필 사진이 정말 싫었다.

"우리 동창 중에 유명인이 있었어?"

"야, 누구 펜 없냐? 싸인 받아야겠다."

이명은 어쩔 수 없이 운동화를 천천히 벗었다. 하얀 신발을 아무렇게나 놓은 뒤 누구의 눈도 마주치지 않고 들어가 가장자리에 앉았다.

"야, 반갑다. 잘 지냈어?"

얼굴을 어렴풋이 아는, 그러나 사실은 전혀 모르는 남자가 말했다.

"한 잔 마시자. 잔 받아."

오늘 처음 만났지만 어딘가 낯이 익은 남자가 술잔을 내밀었다.

자신의 인생에 작은 족적조차 남기지 않은 사람들인데, 한때 같은 공간에서 지냈다는 이유로 낯이 익다는 게 신기했다. 이명은 이 자리에 있는 동창들의 이름을 대부분 기억해 낼 수 없었지만 고등학생 시절의 얼굴은 대강 떠올릴 수 있었다.

과거 그에게 냉랭했던 남학생들이 얼큰하게 취해 한마디씩 붙이고 어깨를 툭툭 쳤다. 모르긴 몰라도 '기흉 기흉', '병신 병신' 거리며 낄낄거리던 놈들이었을 것이다. 그때는 그런 시절이었다. 이명을 욕하고 손가락질하는 게 대수롭지 않은 놀이였던 시절.

이명은 몹시 불편했지만 온 힘을 다해 감내했다. 묻는 말에 최선을 다해 대답했으며 사인해 달란 요구도 들어주었다. 그들은 대체로 취해 있었고 목소리가 컸다. 그리고 쓸데없는 말을 끝없이 지껄였다. 시끌시끌한 테이블에서 조용한 건 단 한 명, 반장뿐이었다.

"자, 그럼 다 같이 건배!"

"야, 너 왜 이렇게 삭았냐? 동창회가 아니라 환갑잔치 줄 알겠다."

"아쭈? 이 새끼 시비 거는 건 예나 지금이나……."

처음에는 반짝 환영받았지만 이명에게 쏟아졌던 스포트라이트는 시간이 조금 지나자 거짓말처럼 사라졌다. 그 뒤로 이명은 조용히 술만 마셨다. 그리고 귀를 쫑긋 세운 채 옆 테이블에 앉은 반장, 한선호의 이야기를 엿들었다.

"뭐? 네가 애인이 없어?"

"응."

"네가?"

"없대도 그러네."

반장은 먼저 입을 여는 법이 없었지만 늘 누군가의 질문에 대답하고 있었다. 모두가 그에 관해 궁금해하는 것 같았다. 한선호가 요즘 뭐 하고 사는지, 회사는 어떤지, 그리고 애인이 있는지.

입사한 지는 7개월째라고 했다. 현재는 대규모 행사와 계약 때문에 정신이 없지만 조금 지나면 괜찮아질 거라고, 회사는 다닐 만하며 다들 잘해 주신다고. 그는 왼손 네 번째 손가락에 낀 금반지를 만지작거리며 애인이 없다고 말했다.

"내가 소개시켜 줄까?"

"됐어."

"왜? 인물도 좋고 돈도 잘 벌고 성격도 좋아."

"하하, 그런 사람이 어디 있어."

"진짜 괜찮다니까. 한번 만나 봐."

'전개가 왜 이렇게 되어 가는 거지.'

이명은 구석 자리에 앉아 한선호가 미래에 소개받을지도 모르는 여자가 얼마나 예쁘고 성격이 좋은지, 무슨 일을 하는지에 관해 자세히 들었다. 한선호는 한동안 손사래를 치며 소개팅 제안을 거절했지만 상대도 끈질겼다.

"반장, 배가 불렀네. 사진 보면 마음 바뀔 텐데. 기다려 봐."

"그래? 예뻐?"

이명은 단숨에 비우려고 가슴 높이까지 들었던 소주잔을 탁 내려놓았다. 뭘 바라고 동창회에 참석한 건 아니었지만, 적어도 반장이 소개팅에 솔깃해하는 꼴이나 보려고 온 건 아니었다. 이명은 자리에서 일어나며 작게 중얼거렸다.

"잠깐 담배 좀 피우고 올게."

그러나 그 말에 귀 기울이는 사람은 아무도 없는 듯했다. 주변에 앉은 녀석들은 몸을 아예 한선호 쪽으로 돌리고 있었다.

'내 주제에 동창회라니, 정말 바보 같은 짓이었어.'

그가 이대로 나가서 돌아오지 않아도 아쉬워하는 사람은 한 명도 없을 것이다. 나중에 TV에서 대문짝만하게 보도하는 인성 논란을 보며 '그래, 저 이상한 놈이 우리 동창회에도 왔었지' 하고 씹을지 모르겠지만.

시끌벅적한 말소리와 가벼운 웃음, 아무렇게나 지껄이는 농담이 그로부터 조금씩 뜯겨 나갔다. 한 번도 섞일 수 없었던 세계로부터 이명은 한 걸음씩 다시 멀어지고 있었다. 천천히, 느릿한 걸음으로.

내심 누군가 잡아 주기를 바랐는지도 모른다. 그래도 너도 우리 반의 일원이 아니었느냐고, 같이 앉아서 이야기하자고. 8년 전에 이러이러한 일이 있지 않았었느냐고. 그러나 그런 것을 기대하기에는, 누구의 기억에도 이명은 존재하지 않는 듯했다.

'돌아가자.'

이명은 신발장 앞에서 미련을 떨치고 겉옷을 여미었다. 운동화를 눈으로 찾고 있는데 뒤에서 흘려들을 수 없는 소리가 들렸다.

"어? 어디 가, 반장?"

그 순간, 세계가 뒤흔들렸다. 이명은 뒤돌아보고 싶은 마음을 꾹 눌러 참고 온 신경을 귀에 집중했다. 곧이어 그의 심장을 쿵 떨어지게 하는 음성이 그리 멀지 않은 곳에서 났다.

"한 대만 피우고 올게."

"반장, 담배 피워?"

"엥? 반장이?"

한동안 굳어 있던 이명은 서둘러 신발에 발을 구겨 넣었다. 그 때문에 멈춰 섰다는 걸, 그 때문에 가슴이 미친 듯이 뛰고 있단 걸 한선호가 알게 하고 싶지 않았다.

"선호야아, 나도 같이 가자……. 우읍."

"하하하! 누가 얘 화장실 좀 데려가!"

"생긴 건 짝으로 마실 것 같이 생겨 갖곤. 일어나, 새꺄. 여기다 토할 거야?"

어지럽게 뒤섞인 목소리 중 그의 것은 없었다. 이명은 도망치듯이 바깥으로 나왔다.

유리문이 닫히자 소음이 멀어졌다. 차가운 바람이 가차 없이 볼을 때렸다. 터벅터벅, 갈 길 잃은 발이 아무 데로나 움직였다. 그러나 고깃집 앞에는 담배를 피울 만한 곳이 딱히 없었다.

모순적인 마음이 들었다. 한선호가 나오지 않았으면 하는 마음, 그와 시간을 조금이라도 더 보내고 싶은 마음. 한선호에게서 도망치고 싶은 마음, 그가 자신을 우연히 발견해 주었으면 하는 마음. 그렇게 모호한 심정으로 골목이 아닌 건물 측면으로 도피했다. 꼭꼭 숨겨진 장소가 아닌, 조금만 노력하면 찾을 수 있는 곳으로.

이명은 환풍기 옆에 쪼그려 앉았다. 담배에 불을 붙이고 한 모금 깊이 빨아들였다. 입술 사이로 빠져나온 연기가 그의 심정을 대변하듯 좌우로 흔들리며 하늘로 사라졌다.

곧 뚜벅뚜벅 발소리가 들렸다. 조금씩 가까워졌다. 어느 순간 멈추었다.

이명은 공간을 꽉 채운 남자의 존재감을 느낄 수 있었지만 일부러 환풍기 쪽을 바라보지 않았다. 8년 만에 만난 첫사랑 앞에서 의연해지고 싶었다. 그렇게 할 수만 있다면.

"거기서 뭐 해? 궁상맞게."

'그냥 갈 걸 그랬나.'

아무렇지 않다는 투의 낮은 목소리를 듣자마자 자신감이 사라졌다. 한선호가 밤하늘을 가리며 이명을 내려다보고 있었다. 원체 장신에 체격이 큰 남자가 그러고 있으니 위압적으로 보였다. 그의 배경으로 펼쳐진 밤하늘은 눈이 시리도록 파랬다.

"자, 앉읍시다."

"엇……."

한선호는 넉살 좋게 이명의 오른쪽 어깨를 짚으며 환풍기와 그 사이의 좁은 공간을 파고들었다.

'그냥 갔으면 큰일 날 뻔했네.'

그 잠깐의 접촉으로 이명은 오늘 이곳에 오길 잘했다고 생각했다. 조금 전에 커다란 손이 닿았던 오른쪽 어깨가 왠지 간지러웠다. 손은 금세 떨어졌지만 그 자리에 아직도 그의 무게와 온도가 고스란히 남아 있다는 착각이 들었다.

"담배 한 대만 빌려주라."

한선호는 아무렇지 않게 말했다. 마치 어제도 만난 친구처럼.

이명은 굳은 표정으로 반쯤 빈 담뱃갑을 내밀었다. 마치 동네 불량배에게 삥 뜯기는 고딩처럼.

"……자."

"불도."

"어?"

담배를 입술 사이에 문 한선호의 얼굴이 가까워졌다. 술 냄새가 살짝 섞인 청량한 송진 향이 정신을 아득한 곳으로 잡아끌려 했지만, 이명은 온 노력을 기울여 평정심을 유지했다.

"불."

삐죽 튀어나온 흰색 연초가 까딱거렸다. 그들은 아무 사이도 아닌데 한선호는 당연하다는 듯이 요구하고 있었다.

'취한 거겠지. 그래서 누구랑 말하고 있는지 헷갈리는 거겠지.'

그런 걸 알면서도 심장은 걷잡을 수 없이 두근거렸다.

'딱 한 대만 피우고 가자.'

제법 강한 바람이 불어와 머리를 헝클였다. 이명은 불이 꺼지지 않도록 손바닥으로 감싸고서 라이터를 조심스럽게 켰다. 한선호가 문 담배 끝이 빨갛게 타들어 가더니 그가 멀어졌다.

이명은 다시 앞을 향해 앉았다. 자동차 헤드라이트와 형형색색의 간판, 가로등의 어지러운 불빛이 눈앞에 어른거렸지만 사실은 그 무엇도 눈에 들어오지 않았다. 그저 앉아 있을 뿐이었고 신경은 온통 오른쪽에 쏠려 있었다.

한선호는 한동안 조용히 있다가 어느 순간에 불쑥 말했다.

"난 네가 담배 피울 줄 몰랐는데."

무슨 의도로 한 말일까. 이명은 잠깐 고민하다 바보같이 반문했다.

"뭐?"

한선호는 말없이 연초를 빨아들였다가 연기를 내뿜으며, 아무렇지 않게 답했다.

"안 좋았던 거 아냐? 폐?"

이명은 눈을 두 번 깜빡였다. 그는 건강에 이상이 있는 요주의 학생이었고 그 때문에 반장인 한선호에게 몇 번 폐를 끼쳤다. 떠올리기만 해도 부끄러워지는 기억들이었다. 오래전 일이라 그가 당연히 다 잊었을 줄 알았다.

"지금은 괜찮아."

"아, 그래? 그럼 군대는?"

그 물음에 지독하게 신경 쓰였던 어느 날의 대화가 불현듯 뇌리를 스쳤다. 철없는 놈들이 아무것도 모르면서 떠들어 대던 말. 그땐 그런 것들이 참을 수 없이 싫었다. 지금이라고 좋은 건 아니지만.

"기흉으로 군 면제 안 되거든?"

이명은 의도치 않게 톡 쏘듯 대꾸하고서 입을 다물었다. 괜히 발끈한 것 같아서 머쓱한 기분을 삼키고 있는데 오른쪽에서 풋 웃는 소리가 났다. 한선호의 입이 기분 좋은 호선을 그리고 있었다. 그는 담배를 바라보는 것뿐인데, 왜 그 시선이 제 입술을 만지는 것처럼 느껴지는 걸까. 심장 떨리는 침묵이 한동안 이어지고서 나직한 음성이 들렸다.

"너는 담배 말곤 변한 게 없네."

어릴 땐 아무 그늘 없는 사람처럼, 그러니까 좀 더 해맑게 웃었던 것 같은데. 지금은 약간 다른 방식으로 웃는다. 그러나 8년이 지나 모종의 신비감이 더해진 미소는 그때와 마찬가지로 이명을 두근거리게 했다.

쿵, 쿵, 쿵. 가슴이 시끄럽게 뛰어 대서 차 소리가 더는 들리지 않았다. 그들이 공유했던 시간이 불현듯 밀려들었다.

샛노란 한여름, 달리는 아이들을 그늘 아래서 지켜봐야 했던 좌절의 기억들이 되살아났다. 이름 모를 풀이 바스락거리는 소리와 이름 모를 나무 아래 흐드러지게 피었던 보라색 꽃의 어질어질할 정도로 신한 냄새, 눈부시게 창공을 밝히는 시끄러운 매앙, 손에 잡힐 듯한 축축하고 무거운 습기, 아무리 빼내도 운동화 틈새로 자꾸만 들어오던 텁텁한 모래알들, 창문이 괴상할 정도로 많은 네모난 건물, 툴툴거리는 소리를 내며 불쾌한 먼지를 날리던 낡은 선풍기, 숨이 턱 끝까지 찼던 몇몇 순간들, 그리고…….

아무에게도 말할 수 없을 은밀한 기억. 너는 다 잊었을, 나 혼자 기억하는 시간.

이명은 문득 자신이 멍하니 한선호와 눈을 마주치고 있었다는 걸 깨달았다. 비현실적일 정도로 잘생긴 얼굴이 의아하다는 듯 자신을 바라보고 있었다.

"앗, 뜨거!"

이명은 문득 손가락 끝에서 느껴진 열기에 몸을 움찔거렸다. 손에 쥐고 있던 담배가 빨간 불꽃을 튀기며 바닥으로 떨어졌다.

바보같이, 필터까지 타들어 가는지조차 몰랐다. 흡연 경력 5년 차인데 이런 실수를 하다니. 한선호의 얼굴을 구경하다가 그렇게 된 것이라 귀가 화끈거렸다.

"괜찮아?"

별일이 아닌데도 한선호는 큰일이라도 벌어진 것처럼 별스럽게 굴었다. 이명은 부끄러워서 고개를 숙였지만 한선호는 그의 손목을 잡고 끌어당겼다. 그의 손이 닿은 곳이 덴 듯이 뜨거웠다.

"봐 봐."

"아니야. 괜찮아."

"덴 것 같은데?"

아니라고, 괜찮다고, 정말 별일 아니라고. 똑바로 말해야 하는데 목소리가 사라졌다. 자신조차 알아듣지 못할 소리로 웅얼거리며 이명은 식은땀을 흘렸다. 얼굴에 열기가 몰려드는 것이 원망스러웠다. 아무리 날이 어둡다지만 코앞이라 뺨이 빨갛게 상기된 게 다 보일 텐데.

한선호는 갑자기 말이 없어졌다. 이제 손목을 잡아당기지도, 괜찮으냐고 걱정하지도 않았다. 조금 거칠어진 숨결만이 규칙적으로 들릴 뿐이었다.

이명은 그의 표정이 몹시 궁금했지만 도저히 시선을 마주할 용기가 나지 않았다. 자신의 수상쩍은 행동에 그가 뭔가 알아챘더라도 이상하지 않았다.

눈앞이 깜깜했다. 겨우 얻은 이야기할 기회마저 이렇게 망치다니, 대단하다고 할 수밖엔.

"이제 들어가 봐야겠다."

재빨리 일어나 허둥지둥 옷매무새를 정돈했다. 오늘 치 용기는 여기까지인 것 같았다. 아니, 한 달 치, 어쩌면 반년 치 용기를 다 써 버렸는지도 모른다. 이마에서부터 난 땀이 관자놀이 위로 흘러내렸다.

한선호는 계속해서 말이 없었다. 이명은 바보 같은 자신을 자책하며 골목 끝을 향해 성큼성큼 걸었다. 그러다 골목을 빠져나가기 직전…….

"명이야."

이명은 홀린 듯이 뒤를 돌아보았다. 낮은 음성에는 발을 붙들고 시선을 끌어당기는 신비로운 힘이 있었다.

한선호는 여전히 환풍기 앞에 서 있었다. 뒤돌아선 그의 등이 돌처럼 단단해 보였다. 그는 자신과는 달리 겉도 속도 단단한 사람인 것만 같았다.

"가지 마."

사고가 멈추었다. 이명은 그 말의 의도를 판단조차 하지 않고, 홀린 듯이 한 발짝씩 한선호에게 다가갔다. 성큼성큼, 이윽고 손 뻗으면 닿을 만한 거리에서 이명은 현실로 돌아왔다.

"야, 반장 어디 갔냐?"

"아까 담배 피우러 간다고 했는데."

"전화해 봐."

가게 문 앞에서 무더기로 빠져나온 동창들이 시끄럽게 떠들고 있었다. 코너만 돌면 그들에게 훤히 보일 위치였다. 따지고 보면 아무 짓도 하지 않았는데, 죄지은 사람처럼 어깨가 움츠러들었다. 동요하는 이명과 달리 한선호는 진지한 표정 그대로 손을 내밀 뿐이었다. 네 번째 손가락에 금색 반지가 끼워진 왼손이었다.

"빨리."

그가 손을 달라는 듯 작게 재촉했다. 이명은 당연히 주저했다. 그러나 머리가 판단을 내리기 전에 몸이 움직였다.

그의 손을 잡는 것이 무슨 의미인지 전혀 알지 못한 채로, 이명은 한선호의 손바닥에 손가락을 조심스럽게 갖다 대었다. 그러자마자 길쭉길쭉한 손가락이 그의 손을 감쌌다. 마법처럼 신비하고 강인하게.

한순간에 몸이 바싹 당겨지는가 싶더니 곧 등에 벽이 부딪혔다. 바깥 공기에 오랫동안 노출되었는데도 열기를 잃지 않은 손가락이 목을 타고 올라왔다. 커다란 손바닥이 귀밑을 감으며 목뒤를 감쌌다.

그 감촉에 소름이 돋던 찰나, 입술이 뜨거운 온도에 삼켜졌다. 입술보다 더운 혀가 곧바로 밀고 들어오는 키스는 막을 수도 끊어낼 수도 없었다.

한선호는 이명의 모든 것을 취하겠다는 듯이 그를 빨아들였다. 그리고 그를 엉망으로 만들기로 작정한 듯 안을 휘저었다. 난데없는 키스가 왜 이렇게 열정적인지 이명의 머리는 상황을 따라가지 못했다. 그러나 이명의 몸은 그 키스에 흐물흐물 녹아내리고 있었다. 단단한 혀가 움직일 때마다 몸이 움찔거리며 신음이 새어 나왔다. 숨이 턱 끝까지 차고 다리에 힘이 풀렸다. 그것을 알아채기라도 한 듯, 한선호의 무릎이 이명의 다리 사이로 파고들었다.

"하아, 하아, 다, 다리…… 하지……."

"쉿, 다 들리겠다."

한선호는 놀리듯이 중얼거리고선 다시 입술을 맞부딪쳤다. 정신을 차릴 틈 같은 건 주지 않았다. 이명의 어깨와 허리를 더듬던 손이 내려와 엉덩이를 지나 사타구니에 닿았다.

이제 변명의 여지는 없었다. 전혀 예상치 못한 너의 행동 때문에, 몸이 녹아내리는 키스 때문에 머리끝까지 흥분해 버렸다고 소리 내어 고백한 거나 마찬가지였다. 이명은 쥐구멍이라도 있으면 숨고 싶었다.

"하하, 귀여워."

한선호가 웃으며 떨어져 나갔다. 그가 손목을 잡아끌며 놀이공원에 가자는 사람처럼 밝게 말했다.

"가자."

이명은 이번에도 그를 막을 수 없었다. 아니, 막고 싶지 않았다. 몸은 자연스럽게 끌려갔지만 머리로는 아무것도 이해할 수 없었다. 한선호는 스트레이트가 아니었나. 손가락에는 반지도 있는데 뭘 하자는 걸까. 대체 어디로 가려는 걸까.

그보다 근본적인 문제가 있었다. 한선호는 왜 8년 만에 만난 데면데면한 남자 동창에게 키스한 걸까.

그는 대체 무슨 생각인 걸까.

이명은 바보가 된 기분이었다. 완벽하다곤 할 수 없어도 직업상 수 싸움에 약한 타입은 아니다. 하지만 바둑판 밖의 세계는 그에게 늘 혼란스럽고 어렵기만 했다.

그 순간에는 무엇 하나 뚜렷한 것이 없었다. 뭉개진 사람의 말소리와 자동차 엔진 소리, 그리고 희미하게 번져서 윤곽을 구별할 수 없는 빛. 그의 주변을 둘러싼 환경과 마찬가지였다. 아득한 과거의 기억과 미련 섞인 감정, 시간을 거슬러 전혀 알 수 없게 된 미지의 상대까지.

사방이 곤마였다. 이명은 살겠다는 의지도 없이 한선호의 손에 이끌려 엉망진창인 거리를 빠져나갔다.

2A. 열여덟, 겨울

2A. 열여덟, 겨울

선호는 비보다 눈이 좋았다. 폭설이 내리는 날이면 부모님은 차가 막히겠다고 불평하셨지만, 선호에게는 밖으로 놀러 나갈 좋은 기회였다. 자동차에 쌓인 눈을 손바닥으로 쓸어 담는 것도, 그 위에 글자를 적는 것도, 눈을 뭉쳐 공을 만드는 것도, 친구들과 눈싸움하는 것도, 소복한 눈을 처음 밟는 느낌도 모두 좋아했다.

그러니 등교 첫날부터 함박눈이 내리는 건 무척 기분 좋은 신호였다. 그때 하늘을 보며 걸어가던 선호의 배낭을 누가 잡아당겼다. 뒤를 돌아보자 익숙한 얼굴이 장난스럽게 웃고 있었다.

'난 또 뭐라고. 김경민일 뿐이잖아.'

선호는 속으로 중얼거리며 마주 웃었다.

"야, 한선호! 우리 또 같은 반이더라."

"초등학교 때부터 이게 몇 년째냐? 그만 좀 따라다녀."

"누가 할 소릴……. 저기 남재우다. 저 새끼도 같은 반이야."

평평 내리는 눈발 속에서 순한 눈매의 남학생이 달려왔다.

"올해도 잘 부탁한다, 반장!"

"아직 반장 뽑지도 않았거든."

재우는 핀잔을 줘도 웃는 낯이다. 경민이 그런 그의 어깨를 짓궂게 밀어냈다.

"어우, 질린다 질려. 가까이 오지 마."

"누가 너한테 인사했냐? 한선호한테 인사했지."

'또 이놈들과 함께라니, 올해도 새로울 게 없구나.'

선호는 친구들이 아웅다웅하는 모습을 보며 킥킥 웃어 버렸다.

고2. 머리를 짧게 깎은 남학생들만 득실거리는 남고에서 뭐 그리 재미있는 일이 생길까 싶었지만 그래도 예감이 이상하리만치 좋았다. 머리 위로 펑펑 내리는 눈 때문인지도 몰랐다.

그러나 뽀득뽀득하고 깨끗한 눈밭은 교정을 걸을수록 조금씩 질척질척해졌으며 본관에 도착했을 때는 온데간데없었다. 그들은 질퍽한 구정물을 헤치며 신발을 슬리퍼로 갈아 신었다.

"선호, 우리 몇 반이냐?"

"5반."

"또? 중3 때도 5반 아니었나……. 그러고 보니 나 중1 때도 5반이었던 것 같아."

재우는 층계를 오르는 내내 아무도 궁금해하지 않는 이야기를 길게 늘어놓았다. 그럴 때면 선호는 못 들은 척하거나 웃고 말았지만 경민은 얌전하게 넘어가는 법이 없었다.

"네가 5랑우탄처럼 멍청하니까 그렇지, 새꺄."

"뭐 이씨, 말 다 했어?"

초등학생 때부터 패턴이 조금도 변하지 않는 말싸움을 한 귀로 흘리며 선호는 미닫이문을 열었다. 조례 시간까지 20분 정도 남은 시점이라 교실에는 아직 빈자리가 많았다. 새 학기다 보니 분위기는 서먹서먹했지만 서로 안면 있는 아이들은 벌써부터 붙어 앉아 이야기하고 있었다. 아는 얼굴 몇이 선호에게 손을 흔들며 반갑게 인사했다.

모범생 무리는 이미 앞줄에 포진해 있었다. 아직 첫 수업도 시작하지 않았는데 무언가를 꺼내 놓고 공부하는 아이들도 몇 명 보였다. 장난을 좋아하는 까불이들도 눈에 띄었다. 벌써 뭐 재미있는 일 없나 눈을 반짝이는 김경민을 포함해서.

"나 올해는 진짜 공부할 거야."

재우가 비장한 표정으로 중얼거리더니 비어 있는 2분단 맨 앞자리에 앉았다. 선호와 경민은 동시에 폭소를 터뜨렸다.

"형이 감시해 주마."

입이 험하기는 해도 경민은 재우의 소꿉친구이고 그를 잘 챙겨주는 편이었다.

재우와 경민이 둘 다 2분단에 앉는 것을 본 선호는 조금 고민하다가 3분단 네 번째 줄에 앉았다. 작년 담임 선생님이 반장은 눈에 띄는 곳에 있어야 한다며 1년 내내 앉힌, 익숙한 자리였다.

드르륵.

뒷문이 열리자 아이들의 호기심 어린 눈동자가 일제히 그쪽을 향했다. 탁한 하늘색 코트를 헐렁헐렁하게 입은 키 크고 마른 아이가 천천히 걸어 들어왔다. 이어폰을 꽂고 있었고 어깨에 눈이 조금 쌓여 있었다. 쭈뼛거리는 태도인 데다 고개를 푹 숙이고 있어서 얼굴이 잘 보이지 않았다. 아무도 아는 척하지 않는 걸 보면 이 반에 친구가 없는 모양이었다.

분위기는 금세 다시 시끌시끌해졌고 그 남학생은 고개를 빼고 창가 자리를 기웃거렸다. 꽤 오랫동안.

'창가에 꼭 앉고 싶나 봐……. 근데 어쩌냐, 다 찼네.'

그리 대단한 장면도 아니건만 선호는 다음에 무슨 일이 일어날지 궁금해졌다. 저 애가 누군가에게 자리를 바꿔 달라고 할지, 아니면 포기하고 다른 곳에 앉을지, 지금은 어떤 표정을 짓고 있을지.

남학생은 작게 한숨을 쉬고서 창가 옆자리, 2분단 셋째 줄에 앉았다. 선호가 앉은 곳에서 그리 멀지 않아서 실망한 옆얼굴이 훤히 보였다.

그 시선을 느꼈는지 그 애가 몸을 오른쪽으로 획 틀었다. 눈이 마주쳤다. 선호가 살짝 웃어 보이자 동그란 눈이 당황한 듯 동전처럼 커졌다. 뭐가 그렇게 놀라운 걸까, 선호가 의아해하는 사이 그는 다시 고개를 돌리고 빈 책상을 쏘아보았다.

'사교적인 스타일은 아니구나.'

저 숫기 없는 남자애, 여자애들한테 인기가 많지 않을까 하고 선호는 막연하게 생각했다. 여자들은 저렇게 하얗고 예쁘게 생긴 남자애들을 좋아하니까.

담임 교사는 조례 시간이 6분 지나고서 들어왔다. 그는 아무 말 없이 칠판에 이름을 크게 적었다. '김지남' 선생은 이름보다 별명으로 유명한 교사였다. 몇몇 학생이 웃음을 참기 위해 입술에 힘을 주며 얼굴을 일그러뜨렸다.

"고2가 고3보다 중요한 거 알지? 알아서들 해. 분위기 흐리는 새끼들은 가만 안 둘 거다."

학생들에게 무관심하고 실적만 신경 쓰는 속물. 익히 들어온 평판답게 그는 돌려 말하지 않았다. 인성이나 우정에 관한 훈계는 없었다. 성의 없는 연설은 오로지 성적을 강조하는 문구들로 채워졌는데 그마저도 길지 않았다. 담임은 얼마 지나지 않아 제 이름을 쓱쓱 지우며 말했다.

"자, 그러면 긴말할 거 없이 반장 선거를 미리 하자."

원래 일주일 지나고 뽑는 거 아닌가. 아이들이 수군거렸지만 담임은 귀찮다는 얼굴로 후보를 추천받았다. 한동안 침묵만 흐르다 김지남 선생의 지루한 얼굴에 짜증이 깃들기 직전, 경민이 실실 웃으며 손을 번쩍 들었다.

"타의 모범! 우등생! 공부면 공부, 운동이면 운동, 못하는 게 없는 한선호를 추천합니다, 선생님!"

친구가 반장이면 여러모로 편하다며 재우와 경민이 작게 키득거렸다. 선호는 당황하지도 놀라지도 않았다. 그는 반장 선거에 한 번도 출마하지 않았지만 어쩌다 보니 초등학생 때부터 매년 반장을 맡고 있었다.

"네가 선호구나. 일어나서 애들한테 얼굴 보여 주고."

선호는 자리에서 일어서서 주위를 한 바퀴 둘러보고 다시 앉았다. 칠판에 그의 이름이 적힌 뒤로도 두 명이 손을 들고 자기 자신을, 그리고 한 명이 장난삼아 친구를 후보에 추천했다. 담임은 그들의 이름을 칠판에 적고서 귀찮다는 태도로 투표를 진행했다.

결석 2명, 기권 7명, 유성열 1표, 김준우 1표, 조민준 0표, 그리고 한선호 25표.

올해도 반장이 되었다.

담임은 선호에게 하고 싶은 말이 있는지 성의 없는 태도로 물었고, 선호는 뽑아 줘서 고맙다는 요지의 소감을 짧게 발표했다. 건성건성인 박수갈채가 한동안 이어졌다. 담임은 그마저 손짓으로 끊어 버리고, 마치 자신의 본업은 교사가 아니며 다른 중대한 임무로 인해 한시가 급하다는 듯 서둘러 조례를 마무리했다.

"교과서 앞에 있으니 각자 알아서 챙겨 가고, 자리는 지금 그 자리로 변경 없이 학기 말까지 간다. 알겠지?"

자리가 마음에 들지 않는다고, 어떻게 얘랑 1년 내내 옆자리에 앉느냐고, 볼멘소리가 여기저기서 터져 나왔지만 담임은 귀찮다는 표정을 지을 뿐이었다.

"그러게 일찍 왔어야지. 말들이 많다. 자, 해산! 반장은 교무실로 따라와."

웅성웅성하던 교실은 담임이 나가자마자 불평불만으로 폭발했다. 온갖 욕설의 바닷속에서 선호는 교실 앞쪽으로 걸어가 교과서를 차분하게 챙겼다.

"김치놈, 뒷돈 받게 생기지 않았냐?"

"저 새끼 차별도 존나 심하대."

"그래도 종례는 빨리 끝내 준댔어."

선호는 교과서를 사물함에 넣어 놓고 어수선한 교실을 빠져나갔다.

교무실에서는 김지남 선생이 의자에 등을 기댄 채 모니터를 보고 있었다. 등이 구부러진 자세는 선호가 그 앞까지 갔을 때도 바뀌지 않았다.

"선호 왔구나."

"네, 선생님."

"선호가 공부도 잘하고 반장 일을 그렇게 싹싹하게 잘한다지? 교무실에 소문 다 났더라. 이번 학기도 기대할게, 응?"

"네."

담임은 출석부를 집더니 표지를 성의 없이 넘겼다. 그는 표정을 찌푸리며 거들먹거리듯이 말했다.

"김석호, 박기수, 최규일……. 얘네는 기초 수급자야. 부모가 돈 없어서 급식비 못 내주는 애들, 알지?"

선호의 미간이 살짝 좁아졌다. 그러나 출석부에 시선을 고정한 담임은 아무것도 눈치채지 못했다.

"그렇게 알아 두면 되고……. 이병욱, 서영민 얘네는 축구 특기생이라 잘 안 들어올 거야. 그리고 또 전달 사항이……."

출석부 속 이름을 짚어 내려가던 펜이 명단 중간에 멈추었다. 담임이 씩 웃으며 펜 끝으로 도표를 톡톡 쳤다.

"선호야, 기사 알지? 바둑 두는 사람."

"네."

"우리 반 명이가 프로 기사래. 그 나이에 벌써 3단이라나. 말하자면 천재인 거지."

선호는 말없이 고개를 끄덕였다. 너무 비현실적이라 오히려 감흥이 떨어지는 이야기였다. 그러고 보니 그런 애가 있다는 말을 들어 본 것도 같았다. 학교에는 그 아이 말고도 국회 의원 자녀, 아이돌 연습생, 웹툰 작가처럼 가끔 화제에 오르내리는 유명인이 몇 명 있었다.

그런데 아까 교실에 그렇게 대단해 보이는 애가 있었던가…….

가장 앞줄에 앉아 있던 모범생들 중 하나가 아니었을까 선호는 막연하게 짐작했다.

"연습이랑 대회 출전 때문에 결석이 잦을 텐데, 혹시 문제 삼는 쌤 있으면 나한테 보내. 얘는 대학 안 가니까 야자는 무조건 열외다. 그리고 기흉 수술을 받아서 폐가 약하대. 그러니까 체육도 무조건 열외, 알겠지?"

"네."

"너 이거 꼭 기억해야 한다, 응? 내가 체육 쌤한테 따로 말해 놓긴 할 건데, 혹시 까먹고 명이 안 혼내시게 네가 책임지고 잘 해야 돼. 알았어?"

"네."

선호가 건조하게 대답하자, 담임이 의자를 조금 끌어당겨 앉으며 인터넷 창을 틀었다.

포털 사이트에서 '이명'을 검색하자 인물 프로필이 나타났다. 마치 연예인처럼 출생 연도와 데뷔 연도 그리고 무슨 대회 우승, 무슨 대회 준우승 따위의 주요 이력이 적혀 있었다. 왼쪽에는 작은 사진도 있었는데 중학교 교복을 입은, 지금보다 훨씬 앳된 모습이었다.

정말 뜻밖에도, 아까 그 예쁘게 생긴 애였다.

"프로 기사들은 거의 초졸, 중졸이야. 부모가 애 학교 다닐 시간에 바둑 한 판이라도 더 두게 하거든. 얘도 자퇴하려는 거, 교장 쌤이 학부모를 간곡하게 설득해서 고등학교까지 다니게 한 거야. 여기에 '남산고 졸업' 한 줄 더 나오게끔."

담임이 이력의 마지막 줄을 손끝으로 가리키며 말했다. 마치 선호에게 어른들만 아는 세상의 중요하고도 더러운 비밀을 가르쳐 준다는 듯 은밀한 어조였다.

"나중에 힘 있는 사람을 알고 지내는 것도 중요해, 선호야. 그저 그런 애들 말고, 이런 애하고 친하게 지내는 거야. 알았지?"

선호는 약간 오기가 들어서 대답하지 않았다. 담임은 이번에도 그의 작은 반항을 눈치채지 못한 듯했다.

"이제 가 봐도 되나요, 선생님?"

"그래. 오늘 이야기한 거 꼭 기억하고, 1년 동안 잘 부탁해. 쌤은 신경 쓸 곳이 많으니까 자질구레한 일은 선호만 믿을게."

"네."

선호가 교무실에서 나왔을 땐 '그저 그런 애들'이 복도에서 기다리고 있었다.

"무슨 얘기 하느라 이렇게 늦었어?"

"담임이 뭐래?"

경민과 재우는 층계를 내려가는 내내 꼬치꼬치 캐물었지만 선호는 아무 말도 해 주지 않았다.

"궁금해 죽겠어. 그냥 말해 줘라, 좀!"

"진짜 별 얘기 안 했어. 그냥…… 뻔하고 재미없는 얘기."

"뭐야, 피방이나 가자."

"재우 너, 올해는 공부한다며."

"내가 언제."

"음……. 한 30분 전에?"

재우는 그 뒤로 PC방에 도착할 때까지 아무 말이 없었다.

4. 열여덟, 봄

4. 열여덟, 봄

선호는 바쁘게 지냈다. 날씨가 쌀쌀하든 따뜻하든, 비가 오든 눈이 오든, 그는 공을 차야 했다. 축구는 그와 친구들이 타고난 사명이나 다름없었고 만사를 제치고서라도 이룩해야 할 하루의 중요한 목표였다.

그러면서도 선호는 수업에 적당히 집중하며 공부에 신경 써야 했다. 새로 배우는 사탐 과목들은 따로 인강을 들어 예습했으며 주요 과목은 아무리 열심히 해도 부족하지 않았다. 미래에 목표를 이루기 위해서는 내신과 모의고사, 어느 것도 포기할 수 없었다.

거기다 선호는 작년에 이어 방송부 활동도 해야 했다. 고3 선배들은 보통 전혀 활동하지 않았기에 2학년이 일선으로 떠밀렸다. 선호는 방송부장으로서 점심시간마다 교실과 방송부실 사이를 뛰어다니며 편성표를 짰고, 방송을 관리했고, 때로는 점심 방송을 진행하기도 했다.

시간은 걷지도 달리지도 않았다. 시간은 날아갔다.

눈이 온 게 언제 적 얘기인지, 어느새 벚꽃이 피었다. 연약한 꽃잎들이 추위 속에서도 잘 붙어 있다 싶었더니, 폭우 몇 번에 모조리 떨어져 내렸다. 날씨가 언제 이렇게 따뜻해졌지 싶어 춘추복을 옷장에서 꺼냈을 때쯤 중간고사 기간이 끝났다.

"32등? 엄마가 알면 나 뒤졌다."

"그래도 네 뒤에 네 명이나 더 있네."

"장난하냐? 두 명은 축구부잖아."

"너도 축구부 들어가……."

김지남 선생은 첫 조례 시간에 시사했듯 자신의 천박하고도 뚜렷한 목표를 조금도 숨기려 하지 않았다. 그는 한 명씩 불러서 시험 결과를 알려 주는 대신, 중간고사 성적순으로 점수와 이름을 나열하여 A4도 아닌 A3용지에 뽑아 벽면에 붙여 버렸다.

'3등, 나쁘지 않은데.'

선호는 이번 시험을 대비해서 공부를 꽤 열심히 했다. 특히 국사 같은 암기 과목에 공을 들였고 그 작전은 잘 먹혔다. 운도 꽤 좋았다. 수학 시험 같은 경우 자신 있는 단원에서 문제가 유독 많이 나왔기 때문이다.

제 성적을 과목별로 훑던 검은 눈동자가 한 계단 위로 올라갔다. 선호는 두 번째 줄에 적힌 이름을 뚫어져라 쳐다보았다. 그와 자신의 평균 점수는 고작 0.3점 차이였고 그래서 더 거슬리는 격차였다.

그곳에 있는지도 모를, 죽은 듯이 조용한 아이. 쉬는 시간에는 늘 어디로 사라지거나 이어폰을 꽂고 있는 남자애. 공부를 그리 열심히 하는 것처럼 보이지 않았다. 선생님의 질문에 대답하거나 앞에 나와 문제를 풀 때도 평범하게만 보였는데.

"선호, 3등 해 놓고서 표정이 왜 그래?"

"2등 뺏겼냐? 오, 얘 생각보다 공부 잘하네."

"뺏기긴 뭘 뺏겨. 명이가 나보다 공부를 열심히 했나 보지."

선호는 아무렇지 않게 대꾸하고 자리로 돌아갔다.

책상 모서리에 한동안 꽂혀 있던 시선이 슬그머니 왼쪽으로, 이틀 전부터 비어 있던 의자로 향했다. 무슨 대회 때문에 빠진다고 했던가. 기억나지 않았고 사실은 외우려고 애쓴 적도 없었다. 어차피 자주 자리를 비우는 아이가 뭘 하고 다니는지 궁금해하는 사람은 아무도 없었으니까.

자주 결석하는 게 문제가 아니었다. 체육 시간에 혼자 그늘에 앉아 있어도 마찬가지. 단순히 그런 이유 때문이 아니라, 근본적으로 이명은 이상할 정도로 못 섞이는 아이였다.

눈이 마주치면 피하고 목소리는 일부러 주의를 기울여 들어야 할 만큼 작았다. 원체 말이 없었고 웃는 일은 더더욱 없었다. 그의 이름을 부르는 건 교사들뿐이었다. 애들 사이에서는 거의 언급될 일조차 없었지만, 부를 일이 있다면 이름 대신 '기흉 개'로 통했다.

학기 초반만 해도 그 애의 비범한 재능과 경력은 가십으로 소비되었고 그가 누리는 편애와 특권은 질시의 대상이었다. 그러나 아이들은 금세 무심해져 이제는 그에게 작은 관심도 주지 않았다.

선호는 이명에 관한 소문을 떠들어 본 적도, 본인이 없는 자리에서 그를 비방해 본 적도 없었다. 그러나 그에게 관심이 없다는 점에선 다른 아이들과 다르지 않았다.

'뭐, 2등이나 3등이나 만족스러운 결과잖아.'

선호는 석차 목록에 위아래로 적혀 있던 두 이름을 머릿속에서 지우며, 가방에서 둘둘 말린 색상지를 꺼냈다.

김지남 선생님께

안녕하세요, 선생님. 2-5 반장 한선호입니다. 스승의 날을 맞이해서 이렇게 편지를 써요.

새 학기가 시작한 지 세 달도 안 됐는데 감사한 일을 짜내야 했다. 매년 그렇지만 올해는 특히 더 쓸 말이 없었다. 선호는 머리를 쥐어짜 어떻게든 다섯 줄을 채웠다.

"야, 이거 돌릴 테니까 모레까지 다 써. 내 거보다 짧으면 절대 안 돼."

색상지를 높이 들고 크게 말하자 떠들던 아이들의 시선이 일제히 선호에게 향했다.

"뭔데, 뭔데? 아, 담탱이? 난 패스."

"아랍어로 써도 됨?"

"난 이렇게 시작할래. 존나 한심하신 씨발놈에게……."

'어휴, 진짜…….'

선호는 고개를 절레절레 저으며 롤링 페이퍼를 1분단 첫째 줄에 앉는 아이에게 넘겼다.

문제의 릴레이 편지는 이틀이 지나 스승의 날 당일에 겨우 완성되었다. 김치놈에겐 할 말 없다는 놈, 글자 쓰는 법을 까먹었다는 놈, 나중에 쓰겠다는 놈, 외국어로 쓰겠다는 놈, 별별 놈들을 어르고 달래 가며 한 줄이라도 쓰게 하고, 행간에 숨겨진 온갖 조롱과

욕설을 검열하고, 눈에 띄게 남은 공백을 교묘하게 잘라 내자 점심 시간이 20분밖에 남지 않았다.

선호는 애들한테서 1,000원씩 걷어서 산 롤 케이크과 롤링 페이퍼를 들고 교무실로 향했다. 문에 노크하고 미닫이문을 열었다가 뜻밖의 인물을 보았다.

3일 만에 보는 이명은 여전히 창백하고, 무표정하고, 기운 없어 보였다. 그 곁에 선 중년 여자는 그처럼 마른 체격인 데다 예민해 보이는 눈매가 비슷했다.

담임이 선호가 처음 보는 자애로운 미소를 지으며 이명의 팔을 가볍게 쓰다듬었다.

"명이, 대회 우승이라니! 쌤이 그럴 줄 알았어. 방송으로 봤는데 정말 잘하더라, 야."

"신경 써 주셔서 감사드려요, 선생님. 명아, 뭐하니. 어서 인사드려야지."

이명은 아무 표정 변화 없이 고개만 꾸벅 숙였다. 그러고서 아주 작은 목소리로 중얼거렸다. "감사합니다."라고.

"애가 이렇게 숫기가 없어요. 선생님께서 이해해 주세요."

"기사가 바둑만 잘 두면 되죠, 어머니. 그리고 명이 잘하고 있어요. 이번 중간고사 결과 보셔서 아시겠지만 공부도 너무 잘 따라가고 있고요. 특별히 당부하신 사항을 고려해서 체육 시간에는 부득이하게 열외로 하고 있지만 수업 태도도 그렇고 흠잡을 데 없는 학생입니다."

"정말 감사드려요, 선생님. 건강 부분은 신경 써 주신다고 믿을게요. 저번에도 말씀드렸지만 그게 워낙 재발하기 쉬운 병이고, 폐가 많이 안 좋다 보니 숨이 차면 힘들어해요. 심하면 응급실에 가야 할 수도 있으니까요……. 선생님만 믿고 아이 맡겨요.”

“걱정 마십시오, 어머니! 제가 체육 교사들한테 다 각별히 당부해 놨답니다. 그치? 힘든 일 하나도 없었지, 명이야?”

이명은 대답하지 않았다. 아주 작게 고개를 끄덕인 것 같기도 하고, 아닌 것 같기도 했다.

선호는 무표정한 옆얼굴을 자세히 뜯어보았다. 몸이 자주 아프다는 걸 알고 봐서인지 뺨이 유독 핏기 없어 보였다. 어딘가 슬퍼 보이는 눈이나 귀염성이 있는 입매는 예쁘장하다는 느낌을 줬는데 전반적으로는 소설에 나올 법한, 커다란 저택에 사는 도련님 같은 인상이었다. 마음에 안 드는 게 있으면 하인에게 찻잔을 집어 던질 것 같은. 그러면서도 체형은 길쭉길쭉해서 제 엄마보다 15cm는 더 커 보였다.

“이거, 별건 아니지만 댁에서 아이들하고 드세요.”

“아이고 어머니! 뭐 이런 걸 다 사 오셨어요. 여기 유명한 제과점이잖아요. 정말 감사합니다. 어유, 명이 덕에 쌤이 이렇게 좋은 것도 다 먹어 본다. 응?”

담임은 입이 찢어지도록 웃으며 몇 번이나 허리를 숙였다. 이명과 그의 엄마가 교무실을 빠져나갈 때 선호는 고개를 까딱거리며 살짝 비켜 주었다. 이명과 잠시 눈이 마주친 것 같았지만 그가 빠르게 나가 버려서 확실하지는 않았다. 고개를 돌렸을 땐 갈색 뒤통수밖에 볼 수 없었다.

선호는 미닫이문을 닫고 담임의 책상 앞까지 갔다. 여전히 웃는 낯이던 그는 선호를 보자 왜 왔냐는 듯 눈썹 한쪽을 올렸다.

"응? 무슨 일이냐, 반장?"
"이거, 저희 반 아이들이 같이 준비했어요."
편지가 듬성듬성 적힌 색상지와 롤 케이크가 든 종이봉투를 건네자 담임이 대수롭지 않다는 표정으로 선물을 책상 끄트머리에 놓았다.
"그래. 고맙다."
그는 내용물은 보지도 않고 시선을 모니터로 돌렸다. 예상했던 반응이었다. 선호는 과제를 하나 끝낸 기분으로 교무실에서 나왔다.

5교시는 체육 시간이었다. 중간고사가 끝난 지 얼마 안 된 시기라, 체육 교사는 달리기만 한번 시키고 애들이 축구를 하도록 내버려 두었다. 반장인 선호는 창고에서 공을 가져오고, 팀을 나누고, 공격수로 뛰며, 분쟁이 생겼을 때는 심판까지 보았다.
5월의 태양은 뜨거웠다. 반바지에 반팔 차림이었는데도 햇살 아래서 쉴 새 없이 뛰다 보니 온몸이 땀으로 흠뻑 젖었다. 결과는 2:1이었고 승리를 결정짓는 마지막 골은 선호가 넣었다.
"와, 역시 반장!"
"나 존나 놀랐음. 한날두인 줄."
경기가 유독 치열했기 때문에 승리의 기쁨도 컸다. 같은 편이었던 애들은 헹가래라도 칠 기세였고, 반대편에서 뛰었던 아이들도 선호의 어깨를 툭툭 치고 가거나 흥분한 목소리로 마지막 골에 대해 떠들어 댔다.

"크으, 발끝 컨트롤이 무엇보다 중요한 거그든요? 공을 공중으로 한 번 띄우고 거기서 또 밀어 넣어 주는 한선호 선수 피지컬이……."

"야, 붙지 마. 더워."

개수대에 다닥다닥 붙어서 누구는 세수를 하고 누구는 체육복을 아예 벗고 등목을 했다. 주변에 물을 뿌리며 장난치는 아이도 있었다. 선호는 얼굴과 머리카락에 찬물을 쏟고 팔과 목을 적셨다. 그러다 보니 체육복 티셔츠가 나 젖었는데도 더위는 쉽게 가시지 않았다.

심지어 반 애들과 함께 우르르 몰려간 교실은 바깥보다 더 더웠다.

"아, 시발……. 이건 찜통이야, 뭐야?"

"에어컨 안 나와?"

창문을 활짝 열고 선풍기를 틀어도 한계가 있었다. 교실에 갇힌 채 빠져나가지 않는 열기 때문에 땀과 물이 뒤섞인 액체가 너나 할 것 없이 목을 타고 주르륵 흘러내렸다. 아이들은 선풍기 밑에 모여 한마디씩 욕을 내뱉었고 선호는 폭동이 일어날 것 같은 분위기를 무마해 보고자 교무실로 향했다.

교무실의 공기는 교실과 달리 시원했지만, 담임의 답변은 그들을 조금도 시원하게 만들어 주지 않았다.

"뭐래, 반장?"

"2시부터 에어컨 틀 수 있대."

"아, 씨……."

학생들은 어쩔 수 없이 제각각 자리에 앉아 갖가지 방법으로 땀을 식혔다.

"아, 덥다."

선호는 선풍기 바람이 닿는 자리에 서서 가장 단순하고도 효과적인 해결책을 시도했는데, 그건 바로 티셔츠를 가슴까지 들어 올리는 방법이었다. 근처에 앉아 있던 재우가 훤히 드러난 선호의 맨허리를 찰싹 쳤다.

"오올, 반장……. 근육!"

"아, 더러워. 네 손 완전 뜨겁거든?"

재우가 킥킥 웃으며 복근이 자리 잡은 배를 주먹으로 몇 번 더 쳤다.

"뜨겁냐? 이래도?"

"어휴……."

선호는 그를 무시하며 고개를 저었다. 그러다 우연히 시선이 한곳에 붙들렸다.

2분단 셋째 줄, 창가 옆자리. 땀에 절어 체온을 어떻게든 낮춰 보려고 애쓰는 애들과 동떨어져, 그 소란과 아무 상관도 없다는 듯 깨끗한 교복 차림인 남학생이 앉아 있었다.

선호는 그를 보고 내심 놀랐다. 점심시간 때 어머니와 잠깐 담임에게 인사하러 왔던 거니까 그러고서 당연히 집에 갔을 줄 알았다.

'설마 체육 시간에도 있었나.'

이명은 체육 시간에 어떤 활동에도 참여하지 않고 멀찍이 떨어져 앉아 있는 아이였다. 선호는 축구에 정신이 팔려 그에 관한 생각은 아예 잊어버렸다. 체육 교사를 따로 찾아가 사정을 설명하지 않았다면 결석 처리됐을지도 모르는데…….

'담임이 알아서 하겠지, 뭐.'

설혹 한 과목에서 결석 처리된다고 해도 이명은 아무 피해도 입지 않는다. 어차피 대학에 진학하지 않으니 고등학교 출결이 의미

없기 때문이다.

"명이는 좋겠다."

속마음이 자연스럽게 입 밖으로 나왔다.

목에 손을 얹고 교과서를 들여다보던 이명이 고개를 들었다. 갑자기 본인이 언급된 것이 당황스러운 듯 놀란 눈을 하고 있었다. 선호는 그와 시선을 마주친 채 덧붙였다.

"안 찝찝해서."

땀범벅이 되어 헥헥거리는 다른 놈들과 달리 이명은 쾌적해 보였던 것이다. 마치 다른 세계의 사람처럼. 진흙 속의 망둥이들을 바라보는 하얀 학처럼.

"부럽다. 나도 폐에 빵꾸나 낼까."

"야, 기흉 존나 병신이라 군대도 면제 아니냐?"

재우와 경민이 한마디씩 거들었다. 선호는 티셔츠를 펄럭거리며 흘려듣고 있었지만 어쩌다 경민의 마지막 말을 주워들었다. 지각과 결석을 마음대로 하는 데다 공부 안 해도 되는 건 그렇다 쳐도, 군 면제라니.

"진짜? 아, 완전 부럽다."

"지랄하네."

선호는 문득 귀에 꽂힌 음성에 고개를 들었다.

"아, 그럼 배고픈데 어쩌라고."

"이 씹돼지 새끼!"

주변 애들은 아무것도 듣지 못한 것 같았지만 선호는 분명히 들었다. 들릴 듯 말 듯 작은 목소리였기는 해도 이명은 또렷하게 중얼거렸다. '지랄하네'라고.

'욕도 할 줄 아는 애였나. 그보다, 내 말에 기분이 나빴을까. 나는 정말로 땀 한 방울 흘리지 않고 나중에 군대도 가지 않을 네가 부러웠을 뿐인데.'

선호는 교과서로 시선을 돌린 이명을 물끄러미 보다, 친구들처럼 아무것도 못 들은 척 선풍기 바람을 맞았다. 어쩌면 이명이 그가 머릿속으로 조형한, 저 잘난 맛에 사는 도도한 아이가 아닐지도 모른다는 생각이 들었다.

5. 열여덟, 봄

5. 열여덟, 봄

5월은 체육 대회를 준비하느라 빠르게 지나갔다. 몇 반은 담임이 피자를 사 줬다더라, 몇 반은 운동부 애들까지 동원한다더라, 반티에 얼마를 썼다더라, 갖가지 소문이 돌았지만 5반은 반장을 중심으로 묵묵히 준비했다.

담임은 피자는커녕 아이스크림조차 사 주지 않았고 운동부 애들은 비협조적이었다. 반티는 아무도 중요하다고 생각하지 않아서 단순한 디자인으로 정했다.

그러나 그들은 쉬는 시간마다 축구 연습을 할 정도로 열정적이었다. 방과 후에는 운동장에 모여 '5'라고 등에 크게 프린트된 흰 티셔츠를 맞춰 입고 계주 시뮬레이션을 했다.

"주성이 어디 갔냐?"

"플래카드 가지러 집에 간 거 아니었어?"

"간 지가 언젠데……. 빨리 오라고 전화해."

"반장, 반장! 선호! 잠깐 이것 좀 봐 줘."

"잠깐만. 야, 반티 안 입은 애들 빨리 입어!"

체육 대회 당일은 아수라장이었다. 사라진 응원부장은 알고 보니 급하게 찾아온 장 활동 때문에 화장실에 있었고 계주 에이스는 너무 긴장돼서 잠을 못 잤다며 우는 소리를 해 댔다. 축구팀에서 호흡을 맞췄던 아이 하나는 등굣길에 발가락을 삐었다고 해서-도대체 어떻게 그런 일이 일어났는지는 아무도 이해하지 못했지만 그 애의 발가락이 퉁퉁 부은 것은 사실이었으므로-보건실에 보내고 후보 중 그나마 덩치 큰 애를 빈 수비수 자리에 넣었다.

"5반, 5반, 5반……."

"화이팅!"

비록 응원 구호는 일차원적이었지만 응원부장과 응원팀은 최선을 다했다. 플래카드와 야구장에서 쓰는 플라스틱 응원봉, 흰색 바탕에 검은 붓글씨로 '55555'라고 적은 거대 깃발까지 동원한 열정적인 응원으로 다른 반을 압살했던 것이다.

단체 줄넘기 1등, 축구 대회 1등. 응원의 힘인지 팀워크의 힘인지 리더십의 힘인지, 아무튼 5반은 기적적인 기록을 남기며 이제 체육대회의 하이라이트인 이어달리기 결승만을 남겨 두고 있었다.

"반장, 나 진짜 못 하겠어……."

"뭐라고?"

반에서 가장 빨라서 마지막 주자를 맡은 계주 에이스가 울상을 지으며 선호의 팔을 붙잡기 전까지만 해도 모든 것이 완벽했다.

"그게 무슨 소리야? 멘탈 잡아 봐. 우리 이거만 이기면 3관왕이야."

"어제 결승에서 넘어지는 꿈 꿨는데…… 아무래도 예지몽인 것 같아.”

“뭐? 너 예선에서 한 번도 안 넘어졌잖아. 평소처럼만 해.”

“아니라고! 어제 꿈에서 봤다고! 다리에서 막, 피가 철철 났어.”

그 녀석은 아무리 차분하게 설득해도 요지부동이었는데, 나중에는 겁에 질려 눈가에 눈물마저 그렁그렁 맺혔다.

경기 시작까지는 30분. 선호는 속으로 다른 후보 몇몇을 라인업에 끼워 넣어 보았지만 도무지 승리할 수 있을 것 같지 않았다. 그들은 이 말라깽이가 꼭 필요했다. 선호는 그의 어깨를 양손으로 꼭 잡고 천천히 말했다.

“너 꿈에서 몇 번째 순서였어?”

“마지막.”

“지훈아, 있잖아. 그게 진짜 예지몽이라면, 나랑 순서 바꾸면 되지 않을까? 네가 두 번째로 뛰면 꿈 내용 하고 달라지잖아.”

“어……. 그러네. 그럼 마지막 주자는 누가 해? 네가 하게?”

“응. 내가 할게.”

“고마워, 반장!”

녀석은 언제 세상이 무너질 것 같은 표정을 지었냐는 듯 홀가분하게 어디론가 달려갔다.

5반은 본래 1, 2번 순서에 상대와 비등하게 가거나 살짝 차이를 벌릴 수 있는 주자를, 3번에 무난하고 안정적인 주자를, 4번에 몸이 가볍고 발이 빠른 에이스를 투입해 승부를 보는 전략을 세워 두었다. 그러나 에이스가 2번으로 들어가고 선호가 마지막으로 빠지며 변수가 생긴 것이다. 선호는 180cm가 넘는 신장에 이미 고2 학생이라기보단 성인 남성의 체격 조건을 갖추고 있었다. 달리기가 빠르기는 해도 마지막 스퍼트에 적합한 선수는 아니었다.

"선호, 선호. 괜찮아. 할 수 있어."

"반장, 힘내!"

부담이 되고 어깨가 무거웠지만 선호는 아무렇지 않게 미소 지었다. 지금 불평한다고 해서 달라지는 건 아무것도 없기 때문이었다.

"선호-오오, 555! 선호-오오, 555! 오! 오!"

"아, 그만해."

급기야 응원부장은 노래까지 지어 부르기 시작했고 분위기는 다시 화기애애해졌다.

한 자리에 바글바글 모인 5반 아이들과 조금 떨어진 곳에 눈길이 간 게 그때였다. 소년은 등나무 그늘 아래 무릎을 웅크리고 앉아 있었다. 반티가 아닌 체육복 차림이었지만 엄연히 2학년 5반의 일원이었다.

이명.

언제부터 언제까지 결석한다고 했더라. 하도 그런 일이 잦아서 이제는 담임이 제대로 말해 주지도 않았다. 지난 일주일 동안은 일본에서 중요한 대회가 있다고 했는데, 오늘 오는 거였나.

이명은 다리를 모아 팔로 감싼 채 턱을 무릎 위에 대고 있었고 늘 그렇듯이 우울한 표정이었다. 선호는 문득 그가 언제부터 그곳에 앉아 있었는지 궁금해졌다. 계속 자신들을 지켜보고 있었는지도.

체육 대회를 준비하던 나날이 머릿속을 스쳐 지나갔다. 단체 줄넘기와 이인삼각, 축구 대회, 이어달리기 선수를 정하던 날도, 반티를 정하던 회의 시간에도 이명은 없었다. 아니, 정확히 기억나지 않으니 아마 없었을 것이다. 그는 자리에 있든 없든 아무도 찾지 않는 아이였다.

이명을 모든 체육 활동에서 제외하라는 담임의 각별한 지시가 있기도 했지만, 그렇지 않았어도 아마 선호는 아마 그를 모든 활동에서 무심코 빼 버렸을 것이다. 이미 선호의 머릿속에서 5반은 축구부 두 명과 이명을 뺀 서른세 명이었고, 그 세 명 중 누구도 자신이 제외되었다는 사실에 불만을 품지 않으리라 생각했다. 그런데…….

'쓸쓸해 보여. 반티라도 한 장 챙겨 줄 걸 그랬나.'

혼자 체육복 차림으로 앉아 있는 모습이 보기 편치 않았다. 몸이 약한 아이니까 체육 종목에선 빼더라도 응원팀엔 넣어 줄 수 있었는데. 이명을 없는 사람처럼 모든 논의에서 제외한 게 마치 제 탓 같아서 죄책감이 들었다.

"경민, 우리 반티 수량 딱 맞춰서 주문했었나?"

"갑자기 무슨 소리야?"

"M짜리 남는 거 없나 해서."

"저번에 하나 남은 거 잘라서 걸레로 쓰지 않았나? 그건 왜?"

선호는 등나무 아래에서 공벌레처럼 등을 웅크리고 앉아 있는 남학생을 살짝 턱짓했다. 경민이 이해할 수 없다는 표정을 지었다.

"걘 왜 왔지? 아무것도 안 할 거면 집에나 있지."

"할 짓도 드럽게 없나 보다."

남학생들은 때로 무관심한 것들에 관해 폭력적일 정도로 잔인했다. 그 문화에 속해 있는 선호 역시 이전까지 크게 불편함을 느끼지 못했으나 이번에는 기분이 좋지 않았다. 아무래도 '지랄하네' 사건 이후 무언가 달라진 것 같았다.

"어차피 빠져도 담임이 커버 쳐 줄 텐데, 진짜 왜 왔지?"

"뭔 커버를 치냐, 대학도 안 간다는데. 저 새끼 출결 상관없다고."
"그래? 근데 학교 왜 다녀?"
가령, 아무에게도 보이지 않는 이명이 선호의 눈에만 보인다든지. 그가 왜 저렇게 울적한 표정을 짓고 있는지 알 것 같은 기분이 든다든지. 그 원인이 자신이 그를 챙기지 않은 탓인 것 같아 죄책감이 든다든지.
"이제 그만해. 학교를 다니든 말든 명이 마음이지."
"오올, 역시 반장은 착해."
"아무튼 반티 남은 거 없단 거지?"
"아마도? 그보다 너 몸이나 풀어. 10분 남았다."
선호는 한숨을 쉬고 일어났다. 기지개를 쭉 켜고 팔을 양옆으로 움직이며 준비 운동을 천천히 했다. 그러자 이전까지 보이지 않았던 것들이 눈에 들어왔다.
등나무에 언제부터 저렇게 꽃이 많이 피었던가. 포도송이처럼 주렁주렁 달린 보랏빛 꽃들이 바람결에 따라 흩날리고 있었다. 그 광경이 비현실적일 정도로 신비로워서 그 아래 파묻혀 있던 소년과 눈이 마주친 건 차라리 자연스럽게 느껴졌다.
이명은 화들짝 놀라거나, 눈을 크게 뜨거나, 시선을 피하지 않았다. 선호는 먼 곳에서 그를 가만히 바라보다 먼저 눈을 다른 곳으로 돌렸다.
"아, 아……. 곧 이어달리기, 이어달리기 결승전이 시작됩니다. 5반과 3반 선수들은 출발선으로 와 주십시오."
선호는 허리를 굽히고 느슨하게 묶인 신발 끈을 풀었다. 흰색 운동화의 끈을 다시 빡빡하게 맨 뒤 일어서자 다른 세 주자가 기다리고 있었다.

"반장, 준비됐어?"

"응."

"그럼 가자."

남들의 기대감을 한 몸에 받는 건 선호에게는 매우 익숙한 일이었다. 그는 집에서 애정과 관심을 듬뿍 받는 외아들이었고, 성적이 우수해서 촉망받는 학생이었고, 늘 남들보다 큰 책임을 진 리더였다. 그러나 이번만은 조금 다른 종류의 시선이 느껴졌다. 그게 무엇인지, 아직 그의 등에서 떨어지지 않은 이명의 눈빛이 무슨 뜻인지, 선호는 그 실체를 알지 못했지만.

'체육 대회의 꽃'이란 별칭답게 아이들이 계주를 구경하러 구름처럼 몰려들었다. 트랙을 둘러싸고 벽을 치며 인간 아레나를 형성했다. 응원부 아이들이 제각각 장비를 들고 가장 앞줄에 앉았다. 그리고 곧 3반과 5반 선수들이 출발선에 섰다. 전교에서 운동을 특히 잘하는 두 반에서 가려 뽑은 에이스들이다 보니 하나하나 존재감이 엄청났다. 주자들이 몸을 풀거나 상대 주자와 눈을 마주치며 기 싸움을 벌이는 동안 구경꾼들은 어느 반이 이길 것 같은지 큰 소리로 떠들었다.

긴장감이 흐르는 분위기 속에서 첫 번째 주자들이 자세를 잡았다. 마이크를 든 학생 주임이 묘하게 느린 속도로 숫자 3부터 역순으로 셌다. 그리고 때가 되자 '땅!' 소리가 울려 퍼지며 주자들이 바통을 쥐고 달려 나갔다.

"오! 오! 오! 5반! 5반! 5반!"

"3반, 3반, 3반이 최고야……!"

걸걸한 목소리로 외치는 응원 소리가 파란 하늘을 뒤흔들었다. 두 선수는 앞서거니 뒤서거니 대등하게 달리다가, 곡선 구간을 돌면서 자연스럽게 차이가 2m쯤 벌어졌다. 3반 애들의 함성이 운동장을 가득 메웠다. 바통을 터치하며 격차는 더 늘어났다.

5반의 다음 주자는 원래 마지막으로 뛰기로 되어 있던 지훈이었다. 멘탈이 약하고 소심해서 그렇지 발 하나는 누구보다 빠른 녀석이라, 상대 주자와의 격차를 놀라울 정도로 금세 좁혔다. 그뿐인가, 커브마다 차이를 조금씩 벌리더니 결국 적지 않은 우위를 점하며 트랙을 마쳤다. 그 애는 들어오면서 홀가분하다는 표정을 지었다. 꿈에서처럼 많은 사람들 앞에서 넘어지지 않은 게 못내 기쁜 모양이었다.

5반의 세 번째 주자는 이전 선수의 활약 덕분에 10m 정도 앞서서 시작했다. 그런데 바통을 받은 지 30초도 되지 않아 제 발에 걸려 넘어지는 불상사가 일어났다. 3반 선수가 보란 듯이 역전하자 숨죽이고 경기를 지켜보던 관중이 탄식을 흘렸다. 3반 응원단 측에선 이미 승리한 것처럼 과격한 응원의 함성을 터뜨렸다. 5반 주자는 뒤늦게 일어나서 달렸지만 어느새 반 바퀴까지 벌어진 차이를 좁히기엔 역부족이었다.

출발선에 선 선호는 심호흡을 했다. 친구가 넘어지는 걸 보고 적잖이 낙심했지만 마음을 다잡으려고 애썼다. 곁에 선, 그보다 키가 한 뼘쯤 작은 3반 남학생은 의기양양해 보였다.

곧 그 애가 먼저 바통을 받고서 서두르는 기색 없이 달려 나갔다. 선호는 미리 출발 자세를 취하고 팔을 뒤로 길게 뻗은 채 기다렸다. 미안한 기색이 낯빛에 가득한 친구가 헐레벌떡 들어와 바통을 건네자, 그는 푸른 플라스틱 봉을 왼손에 꼭 쥐고서 땅을 힘차게 박찼다.

몸이 유독 가볍게 느껴지는 날이 있다. 또 인간은 절실할 때 평소보다 훨씬 힘이 난다고 했던가. 운동장을 밀어내는 다리의 힘이, 몸이 위아래로 흔들리며 터져 나오는 호흡이 예사롭지 않았다. 미지근한 공기를 가르고 앞으로 나아가는 몸은 어느 때보다도 강하고 자연스럽게 움직였다. 빠르다. 빠르다고 스스로 느낄 수 있을 정도였다.

뜨거운 승부욕이 다리를 조종하고 있었다. 강한 책임감이 순풍처럼 등을 거세게 밀었다. 거리는 조금씩, 그러나 확실하게 좁혀졌다. 승기를 잡았다고 생각한 3반 아이는 자만하고 있었다. 반면에 선호는 시야에 목표물을 두고 절실한 심정으로 달렸다.

악착같이 달리며 조금씩 격차를 줄여 나가다 보니 어느덧 역전을 넘볼 만한 거리가 되었다. 상대편 주자가 뒤돌아보더니 다급히 속도를 올렸다. 1등과의 거리는 더 멀어졌지만, 선호는 포기하지 않고 스피드를 유지했다.

코너를 돌자 멀리 결승선이 보였다. 이대로라면 2등으로 남겠지만 선호는 동요하지 않았다. 상대 소년이 힐끔힐끔 뒤돌아보는 빈도가 점점 늘어났다. 땅을 박차는 발짓이 어딘가 불안정해 보였다. 그럴 때마다 선호는 그의 앞에 놓인 간격을 놓치지 않고 날름 잡아먹었다.

꽉 쥔 주먹에 땀이 차고 살짝 벌어진 입에서 거친 숨이 흘러나왔다. 잔뜩 긴장한 허벅지와 장딴지의 근육이 최고 출력을 냈다. 모래를 헤치고 단단한 땅을 디디며 몸을 힘차게 밀어냈다. 따라잡아야 할 거리는 이제 고작 2m 정도였다.

적은 여유를 잃은 표정이었다. 선호는 그의 불안한 눈빛을 보았고 절박하게 갈라지는 숨결을 들었다. 소년의 공포심을 본능처럼 감지할 수 있었다. 그 감각은 선호로 하여금 승리를 더욱 갈구하게끔 했다. 둘만이 느낄 수 있는 팽팽한 긴장 속에서 선호는 마치 초식 동물을 쫓는 육식 동물처럼, 피에 주린 포식자처럼 사냥감을 맹렬하게 뒤쫓았다.

"윽!"

선두의 무게에 짓눌린, 혹은 방심한 소년이 발을 헛디뎠을 때도 선호는 놀라지 않았다. 다만 은밀한 흥분과 질 나쁜 성취감을 느꼈을 뿐이었다. 마치 자신이 그 가련한 애를 쏘아 맞히기라도 한 것처럼, 그의 목에 이빨을 박아 넣어 숨통을 끊어 놓은 것처럼 야만적인 희열을 온몸에 뒤집어쓰고 달렸다. 앞서 나가던 적이 낙마했으니 남은 건 한가지였다.

한선호는 손을 뻗어 승리를 움켜쥐었다.

파란 바통을 들고 결승선을 통과한 순간, 그전까지 들리지 않았던 함성이 귓속으로 쏟아졌다. 응원 소리는 음소거된 TV를 보다가 실수로 볼륨을 100까지 올린 것처럼 컸다. 온갖 호들갑을 떠는 반 아이들에 둘러싸여, 선호는 그를 잡아당기거나, 들어 올리거나, 껴안으려는 모든 시도를 내버려 두었다.

흥분은 쉽게 잦아들지 않았다. 광포할 정도의 승부욕과 머리가 지끈거릴 정도의 집착. 무슨 짓을 해서라도 사냥감을 놓치지 않는 용의주도한 사냥꾼에서 고2짜리 모범생으로 돌아오기 위해 선호는 몇 번이나 숨을 골라야 했다.

그는 먼 곳으로부터 어떤 시선을 느꼈지만 모른 척했다. 실은 그리 먼 곳이 아니었다. 단지 선호가 속한 세계 밖이었을 뿐이지, 소년은 여전히 등나무 아래 앉아 있었으니까.

“반장, 나 진짜 반할 뻔했어.”

“으흐흑, 흑……. 정말, 감동적인 경기였다…….”

선호는 여전히 그 시선의 실체를 알지 못했다. 그것은 이따금 튀어나오는 자신의 동물 같은 면모만큼이나 이질적인 것이었다.

그는 걷잡을 수 없이 떨리는 호흡을 몇 번에 걸쳐서 천천히 내뱉었다.

체육 대회 이후 들뜬 분위기는 쉽게 잡히지 않았다. 어느 반이나 마찬가지였지만 단체 줄넘기 1등, 축구 대회 1등, 이어달리기 1등으로 눈부신 3관왕을 차지한 5반은 그 정도가 더욱 심할 수밖에 없었다.

“아 쌤, 저희 요즘 운동 너무 열심히 해서 힘들다구요.”

“시험도 끝났고 1등 반이잖아요. 좀 봐주세요.”

교사 중 대다수는 이럴 때 못 이긴 체 넘어가는 것이 현명함을 알고 있었고, 평소에 진지하고 깐깐한 화학 교사도 예외는 아니었다.

“알았다. 오늘은 그럼 특별히 재미있는 영상을 보도록 하자.”

“와아아아아아아악!”

화학 시간에 이토록 대단한 호응이 돌아온 적은 학기가 시작한 이래 처음이었다. 선호는 다른 아이들과 마찬가지로 수업을 듣고 싶은 마음이 조금도 없었으므로 재빨리 일어나 불을 껐다. 창가 쪽 애들이 커튼을 치자 화학실이 암실처럼 어두워졌다. 커튼 틈새로 빛이 희미하게 들어오며 공중에 풀풀 날아다니는 먼지가 반짝거렸다.

어떤 영화일까, 야한 거면 좋겠다. 아이들은 두근두근 설레는 마음으로 화면을 보았다. 그리고 교사가 플레이한 영상은…….

"따라라라, 따라란……. JBS 과학스페셜, 인체의 신비."

"아, 쌤! 이건 아니죠!"

"이럴 줄 알았다……."

불만 가득한 목소리가 터져 나왔지만 화학 교사는 버럭 소리쳤을 뿐이다.

"조용히 해, 새끼들아!"

몽둥이를 꺼내 공중에 흔들어도 크게 소용이 없었다. 아이들이 계속해서 구시렁거리자 반장이 불려 나왔다.

"반장, 여기 나와서 떠드는 놈들 이름 적어."

"……네."

"잠깐 교무실 다녀올 테니까, 떠드는 소리 밖으로 안 새어 나가게 해."

"네. 다녀오세요."

선생이 앞문으로 사라지자 아이들은 한숨을 내뱉었고, 불평을 중얼거렸고, 크게 하품했다. 그러나 선호가 정색하지 않아도 분위기는 금세 조용해졌다. 전 시간이 체육이었던 데다 밥 먹은 지 얼마 안 돼서 잠이 솔솔 오는 시간대였기 때문이다. 영상에 집중하는 녀석은 드물었지만, 그래도 떠들지 않는 게 어딘가.

"사람의 몸을 작은 우주에 비유하듯이……."

"콜록! 콜록!"

"우리의 신체에는 다양하고 신비로운 화학적 작용들이……."

"윽, 흑……. 흡, 콜록콜록!"

귀에 거슬리는 소리가 들리기 전까지만 해도 선호는 교사가 남기고 간 종이에 낙서하며 시간을 때우고 있었다.

그것은 숨죽인 기침 소리였다. 평범한 기침이라기엔 무척 괴롭게 들렸고 얼핏 들으면 토악질하는 건가 싶을 정도로 격렬했다. 게다가 입을 틀어막고 있는지 답답하게 들렸다.

"아, 시끄럽네. 쟤 왜 저러냐?"

"존나 기흉이라서."

소곤거리는 소리가 여기저기서 커졌다. 그러나 기침 소리는 기다려도 그치지 않고 오히려 조금씩 심해졌다. 반에서 호흡기가 특별히 안 좋다고 알려진 아이는 단 한 명뿐이다. 선호는 그쪽을 굳이 보지 않아도 누구의 목소리인지 알 수 있었다.

"아오, 병신 새끼."

종이에 의미 없는 모양을 그리던 선호의 손이 멈추었다.

"저러다 뒤지는 거 아냐?"

"1학년 땐 실려 갔다는데."

그 애는 반의 다른 아이들과 아무런 유대감이 없었다. 그래서인지 아이들은 다른 놈이 그랬으면 아무렇지 않게 웃어넘겼을 행동을 이명이 했다는 이유로 공격하고 있었다. 비겁한 짓이었다.

"야, 떠들면 이름 적는다."

선호가 크게 소리치자 이명을 조롱하던 애들이 잠시나마 조용해졌다. 그러나 신음을 닮은 기침 소리는 멎을 기미가 없었다. 선호는 펜을 놓고 자리에서 일어났다.

“명이 보건실에 데려다주고 올게. 대신 애들 좀 봐 줘.”

“어어……. 알았어.”

부반장에게 언질한 뒤 소리가 나는 곳으로 걸었다. 짓궂은 애들이 뭐가 우스운지 작게 낄낄거렸다. 부반장이 조용히 하라고 말하는 소리가 등 뒤에서 들렸다.

이명은 구석 자리에서 새우처럼 웅그리고 있었다. 늘 보았던 무표정하고 차가운 모습은 온데간데없었고 괴롭다는 표정을 짓고 있어서 마치 다른 사람 같았다. 그는 기침하느라, 그리고 기침을 참느라 정신이 없어서 선호가 바로 옆까지 다가왔는데도 전혀 눈치채지 못했다.

선호는 이명의 어깨를 붙잡았다. 몸을 숙이며 피가 몰려 새빨개진 귓가에다 속삭였다.

“나가자.”

그래도 이명이 아무 반응 없자, 선호는 겨드랑이 사이에 손을 넣고 그를 의자에서 일으켰다.

“으윽, 콜록콜록! 흑, 헉, 콜록!”

축 처진 몸은 물먹은 솜처럼 무거웠고 선호가 이끄는 대로 힘없이 끌려왔다. 거친 기침 소리가 찢어진 철 조각처럼 귓가에서 쩔그렁거렸다.

“걸을 수 있겠어?”

이명은 잔뜩 찡그린 얼굴로 고개를 끄덕였다. 선호는 그를 품에 안다시피 하며 뒷문으로 끌고 나왔다.

‘얘, 이러다 어떻게 되는 거 아냐?’

이명은 덜컥 걱정이 들 정도로 증세가 심각했다. 계속 의자에만 가만히 앉아 있었을 텐데 마라톤 경주를 마친 사람처럼 호흡이 가빴다. 발작적으로 숨을 들이쉬고 내쉬었으며 장기를 토해 낼 것처럼 격하게 기침했다. 그럴 때마다 마른 몸이 미친 듯이 흔들렸다. 안 그래도 창백하고 약해 보이는 아이인데, 이러다 종잇장처럼 찢어질 것만 같았다.

폐나 호흡기 질환에 관해 잘 모르는 선호가 봐도 단순한 호흡 곤란 같지 않았다. 남들은 편안하게 숨을 쉬는데, 같은 공기를 마시면서도 힘겨워하는 건 분명히 예전에 받았다는 기흉 수술과 관련이 있으리라.

선호는 가만히 서 있는 것조차 힘들어 보이는 그 애를 잠깐 지켜보다가, 왼쪽 손목을 붙잡고 천천히 잡아끌었다. 이명은 비실거리며 천천히 따라왔다.

선호로서도 이 상황이 겁나지 않을 리 없었다. 반장이기도 하고 애들이 욕하는 게 신경 쓰이기도 해서 일단 데리고 나오기는 했지만, 막상 사람이 죽을 것처럼 기침하는 걸 눈앞에서 보니 두려움이 덜컥 들었다. 머릿속에는 이 아이를 빨리 보건 교사에게 보여야 한다는 생각뿐이었다.

선호는 그의 손목을 단단히 붙잡았다. 팔을 최대한 뻗고서 그 거리를 유지하며 한 발짝 한 발짝 걸었다. 신경은 온통 뒤에서 들리는 기침 소리에 쏠렸지만 시선은 앞만 보았다.

복도를 통과해 계단까지 걸어가는 2분이 마치 1시간 같았다. 선호는 교복 셔츠가 땀에 젖은 이명만큼 땀을 심하게 흘리고 있었다.

"명이야!"

그러다 이명이 발을 헛디뎌 무너져 내렸을 때, 선호의 심장도 함께 쿵 떨어졌다. 무의식중에 뻗은 손이 덜덜 떨렸다.

"조금만 더 가면 보건실이야. 일어나."

워낙 마른 아이라 안아 들고서 어깨에 둘러메는 것도 어렵지 않아 보였지만, 선호는 침착함을 잃지 않으려 노력하며 창백한 손목을 잡아끌었다. 이명은 고개를 푹 숙인 채 기침하면서도 천천히 일어섰다.

"계단 조심해."

그러고는 느리지만 한 걸음씩 선호가 이끄는 대로 따라왔다. 그나마 말은 알아듣는 것 같아서 마음이 한결 놓였다.

"조금만, 조금만 참아 명이야. 선생님이 도와주실 거야."

그러나 겨우 도착한 보건실은 비어 있었다. 미닫이문 너머에는 교사도, 학생도, 아무도 없었다.

"아, 보건 쌤 안 계시네……."

이곳으로 데려오면 교사가 뭐든 해 주리라 생각했었다. 문이 열려 있는 걸 보면 잠시 자리를 비운 것일 테지만 상황이 상황이다 보니 입 안이 바싹 말라 갔다. 선호는 오른쪽을 살폈다가 이명의 상태가 심상치 않은 것을 보았다.

"명이야! 명이야, 괜찮아?"

이명은 오른손으로 유리 장식장의 틀을 쥔 채 바들바들 떨고 있었다. 계단을 내려오면서 조금 진정되었나 싶었는데, 이제는 오히려 처음보다 더 발작적으로 기침하고 있었다. 관절 모양을 따라 꺾인 손은 피가 마지막 한 방울까지 빠져나간 듯 창백했다.

손에 국한되었던 떨림은 팔로, 어깨로 금세 번졌다. 당황한 선호가 아무것도 못 하고 지켜보는 사이 유리 장에 매달려 몸을 지탱하던 소년이 차가운 바닥으로 엎어졌다.

"명이야!"

이름을 불러 봐야 달라지는 건 없었다. 선호는 어쩔 줄 모르고 문밖을 내다보았지만 복도는 조용하기만 했다.

무서웠다. 너무 두려워서 이마에 땀이 맺히고 손이 떨렸다. 선호는 무릎을 꿇고 이명의 곁에 붙어 앉았다.

"괜찮아?"

괜찮을 리가 있나. 아무 의미 없는 물음이었다. 핏기 없는 주먹이, 마지막 희망처럼 땅을 짚은 이명의 팔이 바르르 떨렸다. 이러다 곧 실신할 것 같았고, 그보다 더 안 좋은 일이 일어날지도 모른다는 위기감이 들었다.

'어떻게 해야 하지.'

선호는 한순간 보건 교사를 찾으러 갈까 생각했다. 그가 간절히 필요하기도 했지만, 사실은 발작에 가까운 상태를 보이는 소년에게서 도망치고 싶은 마음이 더 컸다. 그러나 이렇게 불안정한 상태의 친구를 혼자 두고 밖에 나가는 건 그에게 상상조차 할 수 없는 일이었다. 보건 선생님이 없는 현재, 이명을 도울 수 있는 건 오직 선호뿐이었다.

"봐 봐."

선호는 두려움을 억누르고 침착하게 이명의 어깨를 쥐었다. 양 주먹을 바닥에 대고 토악질에 가까운 행위를 하는 그의 몸을 일으켜 세웠다. 그러자 혈액이 몰려 시뻘건 얼굴이 시야에 들어왔다.

선호는 타액이 흥건하게 흐른 이명의 입가로 손을 뻗었다. 질척

한 촉감 때문에 본능적인 거부감이 들었지만 사람의 목숨이 걸려 있다고 생각하니 용기가 생겼다. 손바닥으로 그의 입을 막고 시선을 똑바로 마주했다.

"읍……."

TV에서 방영한 다큐멘터리에서 비슷한 증상을 안정시키는 장면을 본 적이 있었다. 거기선 종이봉투를 사용했는데, 주변에 비슷한 것이 없어서 생각해 낸 방법이었다.

이명은 놀랄 때면 짓는 표정 그대로, 눈을 동그랗게 뜨고만 있었다. 비록 얼굴이 온통 새빨간 데다 땀을 비 오듯이 흘리고 있었지만. 그래도 그 모습을 보니 같은 반에서 공부하는 그 아이가 맞는 것 같아서 선호는 살짝 안심이 되었다.

선호는 이명의 눈을 마주한 채 말했다.

"과호흡일 때 숨을 참으면 좀 낫대."

"흐윽……! 윽……."

"진정될 때까지 조금만 참아. 응? 좀 있으면 보건 쌤 오실 거야."

크게 뜬 눈 안에서 동공이 흔들렸다. 축축한 입술을 짓누른 손바닥이 뜨거웠다. 적막하기 짝이 없는 공간에 둘의 숨소리만 가득했다.

'이 상황이 이상하겠지만 괜찮아질 때까지만, 조금만 참아.'

선호는 속으로 몇 번이고 중얼거렸다.

시간이 얼마나 지났을까, 시계를 볼 경황이 없어서 알 수 없었지만 체감상으론 아주 오랜 시간이 지난 것 같았다. 계속 손바닥을 밀어내던 거칠기 짝이 없는 호흡이 천천히 잦아들었다. 발작적인 기침도, 경련을 일으키는 호흡 곤란도, 다행스럽게도 다 지나간 것처럼 보였다. 그러나 여전히 손이 닿은 이명의 볼은 불에 덴 듯 뜨거웠다.

선호가 손을 떼자 이명이 온몸을 바르르 떨며 고개를 떨어뜨렸다. 입에서 흐른 침이 볼과 턱에 묻어 번들거렸다. 그는 지친 얼굴로 눈을 깜빡이며 떨리는 숨소리를 쏟아 냈다.

"미안."

기어들어 가는 목소리로 중얼거리더니, 눈을 스르르 감았다.

이명은 언제 숨넘어갈 것처럼 기침했냐는 듯이 곧 평온하게 잠들었다. 불과 조금 전까지 눈앞에서 괴로워했던 모습과 안정적인 호흡으로 쌕쌕거리는 현재가 너무 달라서, 선호는 넋이 나간 사람처럼 그를 바라보았다.

"응? 무슨 일 있었나?"

보건 교사가 등장한 것이 그때였다. 남자가 부리나케 달려와 벽에 기댄 이명의 얼굴을 여기저기 확인하는 동안 선호는 더듬더듬 말했다.

"저희 반에…… 이명이란, 아인데요, 선생님. 갑자기 수업, 중에……."

"이명? 기흉 수술을 했다는 그 앤가?"

"네. 화학 시간이었는데…… 먼지가, 좀 많았나 봐요. 얘가 갑자기 기침을 하기 시작하더니 안 멈춰서…… 선생님한테 보여 드리려고, 밖으로 나왔는데…… 제가……."

'손으로 입을 막았어요. 그리고 괜찮아졌어요.'

목을 타고 열기가 올라왔다. 선호는 문득 견딜 수 없이 부끄러워져서 하려던 말을 속으로만 삼켰다.

잠자코 듣던 교사는 이명의 어깨를 흔들었지만 그는 깨어나지 않았다. 보건 교사가 그의 몸을 땅에서 들어 올리다시피 하며 침대로 옮기는 동안에도 마찬가지였다.

평소라면 먼저 나서서 교사를 도왔을 선호는 그날만은 꼼짝도 할 수 없었다. 어쩐지 이명에게 가까이 가서는 안 될 것 같은 기분이 강하게 들었다.

“별로 위험한 상황은 아닌 것 같지만, 일단 쉬게 놔두자.”

이전의 사정을 알지 못하는 교사가 대수롭지 않게 말했다.

선호는 삭게 한숨을 쉬었다. 격렬하게 흔들리던 머리카락과 붉게 물들었던 볼, 입술 사이에서 흘러나오던 타액……. 모든 것이 꿈인 듯 멀게 느껴졌다. 혹시 그리 심한 증세가 아니었는데 착각했던 걸까.

“여기까지 데려오느라 고생했어. 명이는 쌤이 볼 테니까 반장은 가 봐.”

“네.”

이명은 잠들었고 문제는 해결되었다. 선호는 다시 침착해졌다. 그는 고개를 꾸벅 숙여 인사하고 보건실에서 나왔다.

선호는 아무도 없는 복도 위를 걸었다.

모든 것이 정상으로 돌아간 것처럼 보였지만 빠르게 뛰는 심장만은 아직 그대로였다.

‘착각이 아니었어.’

이명의 입을 틀어막았던 왼손이 무겁게 느껴졌다. 입술이 한참 동안 닿아 있었던 손바닥에 도장을 찍은 것처럼 감촉이 남았다. 그곳에 소년의 타액이 여전히 묻어 있었다. 살짝 묻은 정도가 아니라, 질척거리고 축축한 액이 손끝에서부터 뚝뚝 흐를 정도로 흥건했다.

선호는 불쾌한 촉감을 매개로 조금 전에 있었던 일을 회상했다. 건강이 안 좋은 친구를 최선을 다해 도왔다. 그뿐이었다.

그 행위는 순수한 선의였다. 또한, 책임감이었다. 어쩌면 약간의 동정심도 있었으리라. 그런데…….

'헉, 으헉……! 윽, 흑……. 미안.'

걸음이 느려졌다. 그러나 심장 박동은 느려질 줄을 몰랐다.

귓가에서 하나의 음성이 반복해서 울렸다. 그 목소리는 선호로 하여금 한숨이 저절로 나오게끔 했고, 마른침을 삼키게 했다. 입가에서 미소를 지우고 숨을 턱 막히게 만들며 심장을 쥐어짜는, 아주 위험한 목소리였다.

선호는 어느새 아무도 없는 복도에 우뚝 서 있었다. 그는 중앙 기둥이 드리운 검은 그늘을 뒤집어쓴 채, 가라앉은 눈빛으로 왼손을 내려다보았다.

진득하게 묻은 남의 타액이 손목을 타고 아래로 느릿하게 흘러내리고 있었다. 보기 좋은 광경은 아니었다. 평소였다면 분명히 더럽다고 생각하며 곧바로 화장실에서 비누로 깨끗하게 문질러 씻었을 것이다.

한선호는 손바닥을 얼굴 높이까지 들어 올려 빤히 바라보았다. 문득 그는 입을 벌리고 혓바닥을 내밀었다. 그리고 그의 속에 살고 있는 동물이 타액을 핥아먹는 것을 허락했다.

이명은 점심시간 때까지 보이지 않다가 5교시가 시작하고서 교실에 등장했다. 담임이 칠판에 '자습'이라고 큼지막하게 적고 있던 시점이었다.

미닫이문을 조심스럽게 열고 들어온 이명은 어디 갔다 오냐는 교사의 질문에 보건실이라고 대답했다.

"들어가 앉아."

자리에 앉는 그는 아무렇지 않아 보였다. 아파 보이지도 당황스러워 보이지도 않았으며 그저 평소처럼 우울하고 차가워 보였다.

그의 등장에 주목하는 사람은 반에서 선호뿐인 듯했다. 담임은 이명이 지각은커녕 무단결석을 해도 혼내지 않을 것이다. 화학 시간에 그를 욕했던 애들은 몇 시간이 지났다고 급우가 아파서 보건실에 갔다는 사실이나 본인들이 그를 두고 빈정거린 기억을 까맣게 잊은 것 같았다. 그보다 아이들의 마음을 끄는 건 폭우가 쏟아지고 천둥 번개가 치는 바깥 날씨였다.

"떠드는 사람 있으면 반장이 이름 적어. 무슨 일 있으면 교무실로 오고."

"네."

담임이 나가자마자 우르릉 꽝, 천둥이 또 한 차례 시끄럽게 울렸다. 선호의 시선이 무의식적으로 왼편으로 향했다.

"담탱이는 맨날 반장한테 다 시키지 않냐?"

"자습하면 우리야 좋지."

"그래도. 저래 놓고 월급 챙길 거 아냐."

작게 떠드는 애들 뒤로 늘씬한 남학생이 앉아 있었다. 양팔을 책상 위에 올린 조금 구부정한 자세였다. 들어온 지 얼마나 되었다고 그새 귀에 이어폰을 꽂고 있었다.

'헉, 으헉……! 윽, 흑……. 미안.'

머릿속에서 떠날 줄을 모르는 장면이 또다시 재생되었다. 선호는 재빨리 고개를 돌려 책상 모서리를 보았다.

다 끝난 사건이다. 반장으로서 친구를 도왔으니 그거면 된 거다. 모르긴 몰라도 이명은 그 일을 잊고 싶을 것이다. 데면데면한 사람과 그런 식으로 접촉하는 게 좋을 리 없으니까. 그것도 자신의 치부를 보이고 침을 질질 흘리면서.

그런데 왜 자꾸 그 일이 떠오르는 것일까.

"와, 미쳤다."

"우와, 쩔어!"

"빨리빨리 창문 좀 열어 봐."

한순간 번개 때문에 교실 전체가 번쩍이는 백색으로 물들었다. 할 일을 하거나 졸던 아이들도 고개를 들어 창밖을 보며 한마디씩 했지만 뒤이은 천둥소리 때문에 말소리가 뭉개져서 들렸다. 선호는 다른 아이들과 마찬가지로 멍청한 표정으로 창문을 보았다.

"우와, 바로 옆에 떨어진 거 아냐?"

"대박, 어디?"

"저기 시커먼 데."

그러나 그가 보는 것은 바깥 풍경이 아니었다. 그의 시야 중간에는 몇 시간째 머릿속을 떠나지 않는 소년이 있었다. 빛을 거울처럼 반사하는 널찍한 창을 배경으로 남자아이의 옆모습이 있었다.

교실이 어두운 탓에 그늘진 피부가 은밀한 푸른빛으로 보였다. 콧날과 입술의 부드러운 실루엣이 역광 때문에 도드라졌다. 빛이 조각해 놓은 옆선은 말문이 막힐 정도로 섬세해서 그가 앉아 있는 각도가 우연이라기보단 공들인 연출처럼 보였다.

"비 존나 온다."

"새꺄, 존나가 뭐냐."

"꼰대 새끼."

한동안 그림처럼 가만히 있던 아이는 고개를 뒤로 살짝 꺾더니 귀에 꽂힌 이어폰을 뺐다. 선호는 그 장면에서 어떠한 작은 변화도 놓치고 싶지 않아 눈조차 깜빡이지 않았다. 애들이 떠드는 소리가 천둥소리보다 커졌다는 위기감이 뒤늦게 찾아왔다.

"조용히…… 해."

선호의 경고는 작은 혼잣말이나 마찬가지여서 누구의 주의도 환기하지 못한 채 소음에 묻혔다. 이러다 담임이 돌아올지도 모른다.

"야! 조용히 해!"

선호는 소리를 버럭 지르면서도 곁눈질로 왼편을 주시했다. 잠깐 한눈판 사이 이명이 사라질 리도 없는데 저절로 시선이 갔다.

이명은 다른 철없는 놈들과 마찬가지로 바깥을 보고 있었지만 전혀 다른 생각에 빠진 사람처럼 보였다. 무겁게 내리는 비 때문일까 번개 때문일까, 그도 아니라면 아무 생각 없을까. 눈을 살짝 크게 뜨고 입을 벌린 표정은 선호가 이제껏 보았던 어떤 얼굴과도 비슷하지 않았으며 이렇게 눅눅한 교실이 아닌 더 특별하고 귀한 장소에 어울릴 것 같았다.

귀가 먹먹했다. 애들이 떠드는 소리도 천둥소리도 까마득히 멀었다. 단지 이 시점의 온도와 습도, 빛 그리고 공중에 떠다니는 먼지까지도 이 한 장의 그림을 완성하기 위해 존재한다는 인상만이 강하게 내리꽂혔다.

번쩍.

세상이 또 한 번 새하얘졌다가 다시 본연의 빛깔로 천천히 돌아왔다. 영화의 클라이맥스 같은 순간에 선호는 극한까지 참고 있던 숨을 몰아쉬었다.

다시 교실에 그늘이 깔리며 축축한 배경이 눈에 들어왔다. 그때 이명이 눈을 느릿하게 깜빡였다. 빛이 어지럽게 반사된 눈동자를 완전히 덮었던 눈꺼풀이 올라갔다가 천천히 떨어졌다.

이명은 눈을 반쯤 뜨고서 선호가 한 번도 본 적이 없는 미소를 지었다.

그러자 귓가에 음악이 들렸다. 태어나서 한 번도 들어 본 적이 없는 선율이었다.

7. 열여덟, 여름

7. 열여덟, 여름

아무리 인상적인 일도 시간이 지나면 선명함이 무디어지기 마련이다. 선호에게 큰 충격을 안겨 주었던 그날도 거짓말처럼 멀어졌다.

이명은 그날 고마웠노라고 따로 찾아와서 인사하지도, 그날 일은 정말 이상했다고 너스레를 떨지도 않았다. 그저 조용한 본연의 모습으로 돌아왔을 뿐이다. 아무것도 변한 것은 없었다.

선호는 웬만하면 그날 일을 떠올리지 않으려고 했다. 그건 선호가 이해하기에는 너무나 기이하고 예외적인 일이었기 때문이다. 일부러 애쓰면서까지 외면하지는 않았지만 구태여 들추고 싶지도 않았다.

다만 선호는 이명에 관해 궁금해졌다. 1학년 때 몇 반이었는지, 어디 사는지, 중학교는 어딜 졸업했는지. 이렇게 기본적인 것부터 해서 취미는 무엇일까, 좋아하는 음식은 무엇일까, 맨날 무슨 노래를 듣는 걸까, 바둑은 언제부터 배웠을까, 사복 입은 모습은 어떨까 하는 따위의 개인적인 궁금증까지.

호기심을 채울 길은 요원했다. 주변에 물어서 중학교 어디 나왔는지를 겨우 알아냈지만 그 이상은 불가능했다.

"명이야, 너 무슨 음악 좋아해?"

그래서 지나가는 말처럼 직접 물어봤다. 이어폰을 양쪽 귀에 꽂고서 아무것도 안 하고 있던 이명은 마치 선호가 도를 아느냐고 물어보기라도 한 것 같은 표정을 지었다.

"나 방송부장이잖아. 네가 좋아하는 거 점심시간에 틀어 줄까?"

선호는 웃으며 덧붙였다. 수상한 의도가 전혀 없다는 걸 강조했지만 이명은 조금도 설득되지 않은 얼굴이었다.

"아니, 괜찮아."

그는 이어폰을 빼고 자리에서 일어나 뒷문으로 성큼성큼 나가 버렸다.

'남이 말 거는 게 불편한가? 그래서 늘 혼자 있는 걸까.'

선호는 뒷문을 가만히 바라보다가 이명이 놓고 간 이어폰을 살짝 들어 보았다. 한쪽을 집어 귀에 꽂자 전혀 예상도 못 한 유행가가 흘러나왔다.

'걸 그룹이라니, 의외다. 드뷔시 같은 거 들을 줄 알았어.'

선호는 웃으며 이어폰을 다시 내려놓았다. 그날부터 그가 졸업할 때까지 남산고 점심시간에는 여자 아이돌 노래만 줄기차게 나왔는데, 그 이유를 아는 사람은 아무도 없었다.

3일간 결석했던 이명은 모의고사 전날 나타났다. 어쩐지 안 본

사이에 조금 수척해진 것처럼 보였다.

"재우, 그쪽 창문 좀 열어 줘."

"왜? 에어컨 틀 거 아냐?"

"공기가 안 좋으니까 그렇지. 빨리 열어 줘."

쉬는 시간마다 환기하는 게 조금이라도 도움이 되었을까. 그날 이명은 기침을 한 번도 하지 않았다. 화학 수업 때는 미리 화학실에 도착해 창문을 열어 놓느라 체육복도 갈아입지 못했지만 선호는 그러한 수고가 아깝다고 생각하지 않았다.

그 외엔 평소와 별다를 바 없는 일상적인 날이었다. 수업 듣고, 쉬는 시간에 애들하고 축구하고, 점심 먹고, 축구하고, 또 수업을 들었다. 마지막 수업 시간은 자습이었다.

재우는 맨 앞줄에 앉았으면서도 코를 골며 엎어져 있었고 그의 공부를 도와주겠다던 뒷자리 경민도 같은 자세로 엎드려 있었다. 다른 아이들이라고 나을 건 없었다. 교실의 절반 이상이 잠들어 있는데도 교사는 책을 보느라 그들을 방관했다. 선호 또한 쏟아지는 잠기운에 눈꺼풀이 무거웠지만 가까스로 버티고 있었다.

'법치주의 사회에서 헌법의 의의와…… 기능은……. 기본권의 한계는……. 아, 졸려서 미치겠다.'

손바닥으로 얼굴을 한 차례 쓸고 고개를 들었다. 무심코 주변을 둘러보다가 왼편에 시선이 머물렀다.

그 애는 꾸벅꾸벅 잘도 졸고 있었다. 평소에 그러는 모습을 본 적이 없어서 저절로 웃음이 나왔다. 이명과 코미디라, 전혀 어울리지 않는 조합이지 않나.

'진지한 애가 저러니까 더 웃겨.'

이명처럼 성실한 아이조차 저 지경으로 만들다니, 목요일 마지막 교시에는 졸음과 관련된 저주라도 있나 싶었다.

이명의 고개가 앉은 자리에서 천천히 앞뒤로 까딱거렸다. 그 폭은 조금씩 커지다가, 급기야 코끝이 교과서에 닿을 정도까지 고개가 꺾였다. 그 반동으로 상체가 스프링처럼 튀어 오르는 동시에, 잠에서 깬 이명이 놀란 표정으로 고개를 번쩍 들고 살짝 몸서리쳤다.

'무슨 상황극도 아니고…….'

선호는 그에게서 고개를 돌리며 숨죽여 웃었다.

시간은 느리게 갔다. 선호는 교과서를 세 페이지 정도 더 읽다가 너무 졸려서 자리에서 일어났다. 물통을 갖고 나가 정수기에서 찬물을 가득 떠 마시고 나니 잠이 조금 깼다. 뒷문을 통해 자리로 돌아오는 길, 아예 볼을 책상에 댄 채로 잠든 이명이 눈에 들어왔다. 귀에서 빠져나온 검정 이어폰이 책상 아래로 늘어져 흔들거렸다. 선호는 슬그머니 웃으며 이어폰을 책상에 올려놓았다.

그 뒤로도 시간은 느리게 흘렀다. 자습은 책과의 신경전이 아닌 잠과의 전쟁이었다. 후덥지근한 공기는 자꾸만 눈꺼풀을 끌어 내렸고, 졸다가 본인 눈두덩을 펜 끝으로 찌르는 애들이 속출했다. 선호는 의식의 25% 정도만 깨어 있는 상태로 앉은 자세만 겨우 유지하고 있었다. 생존자가 한 명씩 줄어들다 급기야 다섯 명도 남지 않았을 때 담임이 들어와 종례를 점잖게 시작했다.

"이 셰끼들이, 여기가 호텔인 줄 알아!"

그날 종례 시간에는 다 같이 엎드려서 엉덩이를 한 대씩 맞는 특별 행사가 열렸다.

종례가 끝나고서 대부분의 아이들은 각자 집으로, 혹은 학원으로 흩어졌다. 청소 당번들은 남았고, 도와줄 것도 아니면서 꼭 옆에서 깔짝거리는 아이들도 함께 남았다.

선호는 담임의 심부름으로 친구 세 명과 함께 무거운 박스를 행정실까지 날라야 했다.

"아, 팔 빠질 것 같다고!"

"담탱이 새끼 진짜 좆같네. 지가 들든가, 왜 우리한테 시켜?"

"아오 개빡쳐. 그런 의미에서 피방 고?"

"고오?"

"좋아, 좋아. 2:2 가자."

"머릿수도 딱이네. 선호, 갈 거지?"

선호가 잠시 다른 생각을 하는 사이 화제가 바뀌어 있었다. 아까까진 분명히 담임 욕을 하고 있었는데, 갑자기 PC방에 가자며 세 명이 저를 간절한 눈빛으로 바라보는 것이었다. 그것은 놀랍도록 강렬한 유혹이었다. 선호는 입맛을 다셨다.

'모의고사 전날이라 독서실 가려고 했는데…….'

그는 내면의 갈등을 느꼈지만 금세 죄책감을 털어 버렸다. 어차피 오늘은 공부가 잘 안 되는 날이다. 그러니 2시간 정도 놀다가 들어가면 집중이 더 잘되지 않을까?

"그래, 가자."

"크! 역시 반장은 타의 모범을 보여야제. 나랑 같은 팀 먹자. 그럼 저 새끼들 울 듯."

올해 공부를 열심히 하겠다던 재우가 가장 의욕적이었다.

"지랄을 하세요."

경민이 어김없이 찬물을 끼얹었다. 그가 문득 무언가 생각났다는 듯 손가락으로 재우를 가리켰다.

“아 맞다, 근데 남재 너 그거 되게 잘하잖아.”

“나야 다 잘하지. 뭐? 뭐?”

“나한테 솔킬 따이는 거요, 등시나.”

“……개새끼야.”

선호는 친구들의 일상적인 말싸움을 배경음 삼아 계단을 올랐다.

2층 복도가 눈앞에 펼쳐진 순간, 1반에서 남학생 한 무리가 총알처럼 튀어나와 일제히 복도를 다다다 뛰어갔다.

“어, 재네 왜 저러냐.”

“뭔 일 났나?”

그들은 궁금해서 목을 빼고 두리번거리며 빠르게 걸었다. 몇 걸음 가기도 전에 뒤에서 누가 소리쳤다.

“싸움이래, 싸움!”

“야아아아아……! 5반에 싸움 났다아아아!”

선호와 친구들은 서로 눈빛을 교환하고서 약속이라도 한 듯 달렸다. 애들은 하나같이 싸움 구경에 환장한 눈빛을 하고 있었지만 선호는 처지가 달랐다. 그는 교실에서 무슨 문제가 생기면 함께 불려가는 반장이었다. 어떤 싸움이든 막아야 한다는 생각뿐이었다.

‘대체 우리 반에 싸울 만한 애가 누가 있지?’

남고에서 큰 싸움은 대개 아무 징후 없이 일어나지 않는다. 사건 이전부터 두 당사자 간에 팽팽한 긴장 상태가 전제되며, 그러고서도 미미한 갈등이 한두 번쯤은 발생하고서야 큰 싸움이 터지는 법이었다. 5반은 애초에 학생 구성이 무난한 편이었으며 체육 대회 3관왕을 기점으로 형제애 같은 끈끈함마저 생겨난 분위기였다.

"5반에서 누가 책상 엎었다며? 어떻게 됐어?"

"와, 존나 책상을요? 나 못 봄. 누구임? 누구임?"

"한 명은 오형석이고 한 명은 모르겠어."

뛰어가는 중에도 다른 반 애들이 떠드는 소리가 귀에 들어왔다.

오형석은 못 말리는 다혈질이었다. 평소에 친하게 지내다가도 조금만 기분 상하면 앞뒤 안 가리고 화내는 스타일이라고나 할까. 하지만 가만히 있는 사람한테 선빵 칠 놈은 아니니 분명히 누가 건드렸을 것이다.

'대체 누가 오형석한테 덤볐지?'

반 아이들 대부분이 그를 은근히 무서워했기 때문에 더더욱 짚이는 상대가 없었다.

5반 앞까지 전속력으로 달려간 선호는 바글바글 모여든 인파를 헤치고 뒷문으로 몸을 비집고 들어갔다. 그는 숨을 고르며 두리번거렸다. 교실에는 사람이 너무 많았다. 싸움의 주체를 찾아내기 위해 아이들의 얼굴을 기민하게 살피던 눈매가 어느 순간 찌푸려졌다.

교실 한가운데서 예상대로 오형석이 팔짱을 끼고 날 선 기운을 뿜고 있었다. 소위 '노는 애'라 교복 상태가 불량했고, 매일 종례가 끝나기를 기다렸다가 공들여 세우는 앞머리는 하늘을 향해 빳빳하게 뻗어 있었다. 그의 발아래 널브러진 책상은 각도로 보아 발로 차서 넘어뜨린 게 분명했다.

상대는 놀랍게도…….

"그런 거 아니거든?"

플라스틱 빗자루를 든 채 싸늘한 표정을 짓고 있는 이명이었다.

선호는 심장이 쿵 떨어졌다. 그는 문을 가로막은 애들 몇 명을 헤치고 안으로 들어섰다. 이 상황을 걱정하는 것 같은 애들은 아무도 없었고 죄다 대단한 구경거리라도 났다는 듯 흥미진진하단 눈빛을 하고 있었다. 더군다나 이명은 친구도 없었다. 그러니 이 싸움을 말릴 만한 사람은 전교에서 오로지 자신뿐이었다.

선호는 구경꾼의 벽을 뚫고 앞으로 나아가며 상황을 파악하려 애썼다. 오형석이 책상을 차서 넘어뜨린 정황이 있었지만 아직 대화로 풀 수 있는 여지가 있어 보였던 것이다.

"아니라고? 담탱이 씨발놈이 너만 봐주던데?"

"그건……."

"네 엄마가 뇌물 갖다준 거 아냐?"

오형석은 그 가정을 본인이 생각해 낸 것처럼 자신만만하게 내뱉었지만, 사실은 반에서 공공연하게 도는 소리였다.

상식적으로 이명은 뇌물까지 바쳐 가면서 담임에게 잘 보일 필요가 없었다. 다른 애들이야 대입에 생활 기록부가 중요하니 사정이 다르지만 이명은 대학에 진학하지 않으니까. 냉정하게 말해 김지남 선생은 애초에 그 애의 인생에 눈곱만큼도 도움이 될 수 없는 존재란 것이다.

그러나 아이들은 진실에 관심이 없었다. 단지 이명이 결석하거나 자리를 비워도 담임이 혼내지 않는다는 단편적인 사실만 발췌하여 소비할 뿐이었다.

이명은 오형석의 말을 듣고서 얼음처럼 차갑게 웃었다. 평소에도 냉한 구석이 있었는데, 기분 상했다는 티를 숨기지 않으니 주변의 공기가 다 싸늘해지는 것 같았다.

"청소해야 되니까 좀 가 줄래?"

그가 눈을 치켜뜨며 말하자 주변에서 '오오오오오!'나 '우와아아아!' 따위의 추임새를 넣으며 싸움을 부추겼다. 오형석은 기다렸다는 듯이 눈을 뒤집어 까며 이명에게 이마를 들이밀었다.

"이 새끼가 어디서 잘난 척이야? 병신 주제에!"

그 말에 속 시원하다는 듯 환호성이 터져 나왔다.

"진짜 병신한테 병신이라고 하면 어떡하냐!"

"그냥 팩트 아닌가."

선호는 수도 없이 겹쳐진 구경꾼의 벽을 더욱 거칠게 헤집으며 앞으로 몸을 밀었다. 저도 모르는 새 꽉 쥔 주먹이 떨렸다. 이명이 대체 뭘 잘못했다고 상처를 못 줘서 안달일까. 남에게 피해 끼치지 않는 조용한 아이인데, 가만히 두면 안 되는 건가.

'진작 와서 말렸어야 했어.'

이명이 또 공격당한 것이 제 탓인 것처럼 마음 한구석이 쓰라렸다.

"너 뭐라고 했어, 씹새끼야!"

선호는 날카로운 고함을 듣고서 우뚝 멈춰 섰다. 어느 누구도 예상하지 못한 소리라 분위기가 찬물을 끼얹은 듯 싸늘해졌다. 심지어 한창 열 내고 있던 오형석조차 당황해서 한 대 얻어맞은 것처럼 바보 같은 표정을 지었다.

선호는 그럴 순간이 아닌데도 통쾌하기도 하고 황당하기도 해서 웃음이 픽 나왔다.

"와, 와……. 너, 너너, 너…… 지금 나한테 욕했지?"

"말은 똑바로 해. 네가 먼저 욕했잖아."

"네가 폐 병신이니까 병신이라 불렀지! 뭐가 문제야?"

"하, 그렇게 치면 넌 진작 소각됐어야지. 쓰레기니까."

둘의 체급 차이가 플라이와 슈퍼미들쯤 된다고 생각했는데 커다란 오산이었다. 이명은 겁먹은 기색이 없었고 단 한마디도 밀리지 않았다. 오히려 침착한 어조로 신랄하게 후벼 파는 말 때문에 오형석의 얼굴이 시뻘게졌다.

"듣자 듣자 하니까!"

오형석은 화를 이기지 못해 책상을 하나 더 엎었다. 천장을 향해 포효하는 요란한 퍼포먼스를 마치고서 이명에게 달려들었다.

선호는 늦지 않게 두 사람 사이에 끼어들었다. 그리고 오형석이 이명의 멱살을 쥐기 전에 손목을 강하게 붙들었다. 놈의 손끝이 이명의 와이셔츠 깃에 닿기 직전이었다.

"바, 반장?"

"교실에서 뭐 하는 거야."

선호가 아는 오형석은 말이 안 통하는 녀석은 아니었다. 그래서 차분하게 물어봤을 뿐인데, 그는 어쩔 줄 몰라 하며 눈을 이리저리 굴렸다.

"너…… 저 새끼 편드는 거야?"

"교실에서 뭐 하냐고 묻잖아, 형석아."

선호가 재차 묻자 요란하게 웅성거리던 주변의 소리가 조금씩 잦아들었다. 선호는 오형석이 대답할 때까지 참을성 있게 기다렸으나 그는 대답하는 대신 선호가 쥐고 있던 팔목을 거칠게 뺐다.

저도 모르게 그의 손목을 너무 세게 쥐었나 보다. 오형석이 얼굴을 찌푸리며 발간 자국이 띠처럼 생겨난 손목을 반대쪽 손으로 문질렀다.

"저게 먼저 시비 걸었어."

선호는 한동안 그를 내려다보다가, 고개 돌려 이명을 바라보았다. 그러자 이명이 우물쭈물하며 작게 대답했다.

"청소하려면 책상 밀어야 해서…… 비켜 달라고 한 것뿐이야."

선호는 또 한 번 눈과 귀를 의심했다. 조금 전까지 욕하며 소리 지르던 남학생이 아닌 것 같았기 때문이다. 이명은 어느새 평소의 내성적인 모습으로 돌아가 있었다.

선호는 다시 오형석 쪽을 보며 차분하게 말했다.

"명이가 그렇다는데, 맞아?"

"……."

"청소 당번을 도와주지는 않아도 방해하면 안 되지."

오형석은 선호의 시선을 피하더니 제 자리에서 가방을 거칠게 집어 어깨에 멨다.

"책상 네가 한 거지? 바로 해 놓고 가."

선호는 오형석이 뒷문으로 사라지기 전에 그를 등진 채로 말했다. 조용히 말했지만 교실 안팎에 바글바글한 학생들이 숨죽이고 있어서 소리가 크게 울렸다. 오형석은 한동안 꼼짝 않고 있다가 어느 순간 쿵쿵거리며 안으로 다시 들어왔다.

"아이씨!"

그는 거친 손길로 책상 두 개를 세워 두고 다시 뒷문으로 향했다. 빽빽하게 모인 애들을 힘껏 밀쳐내고 어디론가 사라졌다.

"뭐, 구경났어? 너네 반으로 꺼져."

옆에서 가장 열심히 구경하던 경민이 다른 반 애들을 쫓아냈다. 그놈들은 한창 재미있다 말았다며, 이럴 바엔 괜히 여기까지 왔다며, 마치 김빠진 사이다나 다름없다고 각자 툴툴대며 어디론가 흩어졌다.

스포트라이트를 잃은 이명은 여전히 플라스틱 빗자루를 꼭 쥔 채 창문을 쏘아보고 있었다. 그에게 말 걸기가 영 어색했다. 선호는 헛기침을 하고서 입을 열었다.

“명이야, 너 말고 청소 당번 누구야?”

“……재.”

신호의 시선이 기다랗고 하얀 손가락 끝을 따라갔다. 이명만큼 조용한 남학생 하나가 빗자루로 교실 구석을 열심히 쓸고 있는 게 그제야 보였다.

“너랑 규일이 말고는?”

“다 도망간 것 같아.”

“그럼 너희 둘이 하고 있었던 거야?”

이명은 고개를 작게 끄덕였다. 말싸움의 여파인지 볼이 발갛게 물들어 있었다. 선호는 문득 떠오르는 말이 있었지만 밖으로 꺼내지 않았다.

‘너, 보기보다 용감하더라.’

저보다 덩치도 크고 목소리도 큰 상대와 맞붙으면서 눈 하나 깜짝하지 않다니. 얌전한 외모 이면에 이런 강심장이 있는 줄 누가 알았겠는가.

“반장, 안 가?”

“선호 빨리 와. 애들 기다려.”

어느새 사람이 다 빠져나간 교실은 텅텅 비었다. PC방에 함께 가기로 한 친구 셋이 뒷문에서 고개를 빼꼼 내밀고 있었고 내부에는 선호를 빼면 청소 당번인 이명과 최규일밖에 없었다. 유난히 넓어 보이는 교실은 그날따라 상태가 엉망이었다. 먼지투성이인 거야 매일 그렇다 쳐도, 싸움 구경하러 왔던 다른 반 애들 때문에 분단 구획이 흐트러져 있었다.

선호는 교실을 가만히 살펴보며 말했다.

"너희 먼저 갈래? 게임하고 있으면 이따 합류할게."

"아, 왜! 나랑 팀 먹기로 했잖아. 그냥 여기서 기다릴게."

"아니야. 먼저 가."

"알았어."

재우가 실망스러운 표정으로 돌아서자 경민이 기다렸다는 듯이 옆에서 까불었다.

"이히히히히! 2:1 뜨셔야겠네. 덤벼, 덤벼. 워후!"

"아, 싫다고! 정정당당하게 하라고!"

"선호, 우리 먼저 갈 테니까 빨리 와. 알았지?"

"야 김경민, 인간적으로 반장 올 때까지 딴 거 하고 있자."

"싫은데. 어! 이 새끼, 걸음이 눈에 띄게 느려진 거 보소?"

친구들이 떠난 뒤, 선호는 책걸상을 모조리 교탁 앞까지 밀었다. 그동안 청소 당번 둘이 교실 뒤에서부터 바닥을 쓸었다. 원래는 여섯이서 해야 하는 일을 셋이서 해치우면서도 그들은 서로 소통하지 않았다.

규일이란 애는 워낙 조용해서 선호조차 말을 섞어 본 기억이 거의 없었고, 이명은 선호가 그곳에 없다는 듯 눈도 마주치지 않은 채 청소에 열중했다. 그리고 선호는 혼잣말하는 취미가 없었다. 그래서 청소 시간 30분은 적막 속에서 흘러갔다.

쓰레질이 끝나고 책상을 줄 맞춰 뒤로 민 뒤에야 그들은 서로의 시선을 마주쳤다. 규일은 마땅히 해야 할 일을 했다는 듯, 뿌듯하거나 기쁜 기색도 없이 어깨에 배낭을 멨다. 그러고선 선호를 향해 정답게 손을 흔들었다.

"고생했어, 규일아. 잘 가. 내일 보자."

그는 웃어 보이곤 교실에서 총총 퇴장했다.

그다음은 이명이었다. 그도 어깨에 배낭을 멨다. 그러나 규일과는 달리 선호에게 인사하지 않고 뒷문으로 도망치듯이 빠져나갔다.

선호는 혼자 남아 교실 문을 잠그며 심란한 기분에 휩싸였다. 대가를 바라고서 싸움을 말린 것도, 청소를 도운 것도 아니었다. 하지만 기분이 이렇게 허전한 걸 보면 마음 깊은 곳에선 대가를 원했는지도 모른다. 가령…… 이명과 이야기할 기회라든지.

생각이 거기에 미치자 선호는 전혀 생각지도 않은 충동적인 행동을 했다.

복도를 질주하고서 계단을 두 칸씩 밟아 내려간 것이다. 빠르게 1층에 도착해 주변을 두리번거렸다. 이명은 슬리퍼를 벗어서 신발장에 넣고 있었다.

"명이야."

다가가서 어깨를 살짝 건드렸을 뿐인데 그는 소스라치게 놀라 살짝 튀어 오르며 신발장 문 모서리를 무릎으로 찍었다. 꽤 아팠는지 크게 뜬 눈은 온데간데없이 사라지고 찡그린 얼굴만 남았다.

"어, 명이야……. 괜찮아?"

"괜찮, 괜찮아. 아……. 으으……."

"진짜 괜찮아? 봐 봐."

"아니야. 괜찮다니까."

말은 그렇게 해 놓고도 꽤 아픈지 무릎을 문지르는 손이 보이지 않을 정도로 분주했다. 선호는 그를 돕고 싶었지만 사실상 가만히 서 있는 것 외에는 할 수 있는 일이 없었다.

"하……."

1분 뒤, 부상에서 회복한 이명이 한숨을 쉬며 한쪽 발을 운동화에 집어넣었다. 요란법석을 떤 것이 부끄러운지 얼굴이 발갛게 물들어 있었다. 선호는 비어져 나오는 웃음을 참으려 애쓰며 최대한 정직하게 들릴 말씨로 말했다.

"명이 너, 집 어디야?"

슬리퍼를 벗어 신발장에 넣으며 답을 기다렸지만 대답은 양쪽 운동화를 다 신은 뒤에야 돌아왔다.

"한솔 아파트."

"나도 그쪽 사는데, 같이 갈래?"

사실은 반대 방향에 살았지만 거짓말이 자연스럽게 나왔다.

이번에도 이명은 곧바로 대답하지 않았다. 이제까지 본 바로 그는 말이 느린 편인 것 같았다. 말하는 속도도 느리지만 무엇보다 말과 말 사이의 텀이 길었다. 침묵은 구령대를 지나 운동장 한중간을 가로지를 때까지 이어졌다.

'아……. 그냥 내 말을 씹은 거구나.'

같은 내용을 다시 물어보기가 민망하고 혹시라도 강요하는 것처럼 느껴질까 봐, 선호는 목 끝까지 올라온 질문을 도로 눌렀다. 대신에 교문 앞에서 한솔 아파트 쪽으로 자연스럽게 몸을 틀었다. 그리고 이명과 나란히 걸었다.

전형적인 여름날이었다. 태양이 뜨거운 빛을 내리쬐고 지척에서 매미가 맴맴 울었다. 산책 중인 개들이 주저앉아 혀를 길게 뺀 채 헉헉거렸고 킥보드를 탄 초등학생들이 과일 맛 아이스크림을 물고 자전거 도로 위를 질주했다.

말없이 걷는 동안 선호는 남산고 하복이 이명에게 참 잘 어울린다고 생각했다. 피부가 희어서 그런지 흰색이 잘 받았다. 칙칙하다고 전교생이 혐오하는 회색 바지도 그가 입으니까 단정해 보이기만 했다.

'춘추복을 입은 모습은 어땠더라…….'

아쉽게도, 아무리 기억을 헤집어 봐도 떠오르지 않았다. 처음 교실에 들어와 창가 자리를 차지하려고 쭈뼛거리던 모습만 오래된 사진처럼 희미하게 남아 있었다. 그날은 눈이 왔었다. 한겨울이라 코트를 입고 있었는데, 어느새 땀 뻘뻘 나는 계절이 된 게 신기할 뿐이었다.

선호의 시선이 이명의 각 잡힌 교복 바지를 타고 올라와 도톰하게 튀어나온 엉덩이에 잠시 머물렀다. 그러고서 길게 뻗은 팔을 지나 깨끗한 와이셔츠 깃 위로 뻗은 목으로 미끄러졌다. 그 얼굴의 다른 부분만큼 섬세하고 예쁜 귀 위로 햇빛을 잔뜩 받은 갈색 머리카락이 한들거렸다. 선호는 그의 앞머리가 이마 위에서 부드럽게 날리는 모습을 멍하니 보다가 의식적으로 고개를 돌렸다.

갑자기 걸음걸이 하나하나가 이상하게 느껴지더니 팔을 어떻게 움직이는 건지 잊어버렸다. 선호는 먼 곳의 아파트를 보며 깡통 로봇처럼 어색하게 걸었다. 나무에 붙은 매미들이 그를 놀리듯 쩌렁쩌렁 울어 댔다.

그렇게 이상한 기분으로 걷고 있는데 건너편에 소방서가 보였다.

이명의 집까지 가는 길 중 절반 정도 왔다는 신호였고 적어도 15분 동안 말없이 걸었다는 뜻이었다. 이대로라면 눈 깜짝할 새 그의 집 앞에 도착할 것이다. 이명은 이번에도 아무 인사 없이 들어가 버리겠지.

"왜 안 왔어?"

선호는 급한 마음에 그에게 말을 붙였다. 그런데 마음이 너무 급하다 보니 주어와 부사어를 모조리 생략해 버렸다.

"어……?"

이명은 선호가 방금까지 옆에서 같이 걷는 줄 모르고 있던 사람처럼 놀란 표정을 지었다. 그냥 놀란 것이 아니고 표정이 좀 이상했다. 언짢은 것 같기도 하고 아픈 아이 같기도 했다. 얼굴은 빨갰고 날씨가 더워서인지 땀을 뻘뻘 흘리고 있었다.

선호는 목을 가다듬고 다시 침착하게 말했다.

"너, 요 며칠 왜 학교 안 왔어?"

이명은 선호를 바라보지 않으며 목을 긁적거렸다.

"몸이 안 좋았어."

어쩐지. 안 그래도 안 본 사이에 볼이 조금 핼쑥해졌다고 생각했다.

"호흡기?"

"아니."

이명은 곤란한 질문이라도 받은 것처럼 고개를 숙였다.

'괜한 걸 물어봤나 보다.'

어쩌면 건강이 안 좋은 사람에게 건강에 관해 물은 게 실례였는지도 모른다. 선호는 마음이 타들어 갔다. 그와 대화할 기회를 겨우 얻었는데, 괜히 쓸데없는 소리를 해서 망쳐 버린 것만 같았다.

"감기."

사과하려는 찰나에 이명이 툭 내뱉었다. 기어들어 갈 것처럼 작은 목소리로.

"감기?"

"응."

목소리는 한층 더 작아져서 주의를 기울이지 않으면 들리지 않을 수준이었다. 교실에서 기분 나쁜 말을 듣고서 사납게 화내던 기백은 어디로 갔는지. 동일한 사람 같지가 않았다.

이명은 선호를 힐끔 보더니 중얼거리듯이 말했다.

"여름 감기는 개도 안 걸린대서…… 안 말하려고 했는데."

선호는 입술 사이를 비집고 나오려는 웃음을 꾹 눌러 참았다.

"여름 감기 아냐. 아직 봄이잖아."

6월 초순, 짝짓기에 미친 매미들이 발광하고 아스팔트에 아지랑이가 피어오르는 마당에 파렴치한 소리였다. 이명이 고개를 갸우뚱거렸다.

"그런가? 이렇게 더운데."

"명이 넌 사람이니까……. 아직 여름이 아닌가 보지."

그 말을 마지막으로 꽤 오랫동안 대화가 끊겼다.

선호는 마음 같아서는 더 천천히 걷고 싶었다. 발을 뗄 때마다 목적지에 착실하게 가까워지는 것이 야속하게 느껴졌다. 이명과 이렇게 단둘이 대화할 기회는 흔치 않으니까.

"너 아까."

"어?"

"그, 오형석하고 싸울 때…… 목소리 엄청 크더라."

"……아."

'위로하는 거, 생각보다 어렵구나.'

선호는 괜히 손바닥으로 제 목을 감으며 하늘을 올려다보았다.

"애들 말은 신경 쓰지 마. 뭘 모르고 하는 말이잖아."

"……."

"너에 대해 알지도 못하면서."

덧붙이자마자 후회가 들었다. 자신도 마찬가지면서, 친하지도 않으면서 마치 이명을 잘 안다는 듯이 말한 것 같아서 얼굴에 열기가 올랐다. 옆을 쳐다볼 엄두가 나지 않았다.

한동안 가만히 걷던 이명이 불쑥 말했다.

"너…… 우리 엄마 학교 온 거 봤잖아."

"봤지."

또다시 침묵.

이명이 엄마 화제를 툭 꺼내 놓고 말을 아끼는 동안 선호는 그가 무슨 생각을 하고 있는지 유추하느라 바빴다.

"너는 오해 안 해?"

이명이 조심스러운 어조로 물었다.

"무슨 오해?"

"뇌물…… 줬다고."

오형석이 했던 터무니없는 소리를 계속 신경 쓰고 있었던 모양이다. 선호는 아무렇지 않게 대답했다.

"그날 스승의 날이라 과자 주고 가셨잖아. 아니야?"

"맞아."

"그날 우리도 돈 모아서 롤 케이크 샀는데, 너희 엄마가 주신 게 훨씬 맛있어 보이더라."

"……."

"담탱이도 막, 군침 흘리더라고."

실없는 농담이라도 하면 이명의 기분이 나아지지 않을까 싶어서 슬그머니 덧붙여 봤다. 이런 건 김경민 같은 애들이 잘하는데, 자신이 하니까 영 재미가 없는 것 같았다.

"풋."

그런데 이명이 웃었다. 눈끼풀이 가늘어지며 동그란 눈동자를 가렸고, 경직되어 있던 입가가 움직여 곡선을 그렸다. 선호의 귓가에 음악이 들렸다. 아주 희미하게.

"그 마들렌, 더럽게 맛없어."

"응?"

"맛없다고. 누가 우리 집에 선물 세트로 보냈던 건데, 맛있는 건 나랑 동생이랑 다 먹었어."

"……뭐?"

"그거만 두 박스 남아서 엄마가 유통 기한 지나기 전에 담임한테 갖다준 거야."

선호는 갑자기 돌변한 어투를 가만히 듣다가 웃음을 터뜨렸다. 처음에는 나지막한 웃음이었는데 곱씹을수록 웃겨서 폭소로 변해 갔다.

"하하하, 하하. 진짜 웃겨."

"어?"

"명이야, 너 개그맨 같아. 아하하."

"개그맨은 무슨."

이명의 걸음이 눈에 띄게 빨라졌다. 뒤에서 보이는 뺨과 목 언저리가 불그스름하게 물들어 있었다. 선호는 벌어진 거리를 서둘러 좁혔다.

'헤어지기 싫다.'

조금 있으면 도착할 텐데, 이대로 인사하기 아쉬웠다. 내일 보기야 하겠지만 그들은 학교에서 서로 대화하지 않았다. 이렇게 그와 단둘이 길을 걸을 기회는 다시 오지 않을지도 몰랐다. 선호는 이명을 잠깐이라도 더 잡아 둘 구실을 생각해 냈다.

"명이야."

부를 때마다 일일이 깜짝 놀라는 반응에도 이제 익숙해졌다.

"출출한데 뭐 먹을래?"

"어……?"

"친구네 엄마가 하시는 분식집이 여기 근처거든. 되게 맛있어."

"어? 음……."

"가자. 내가 사 줄게."

이명이 우물쭈물하더니 걸음을 멈추었다. 가만히 서서 자신을 올려다보는 모습이 꼭 눈이 커다란 토끼 같다고 선호는 생각했다. 문득 손을 뻗어 그의 손목을 끌어당기고 싶은 충동이 들었다. 동시에 그러한 생각을 한 자신에게 놀랐다.

이명의 대답을 기다리는 동안 보행자 신호등이 두 번 바뀌었다.

"알았어. 대신…… 내가 사 주면 안 돼?"

"하하, 일단 가자. 저쪽이야."

그들은 횡단보도 앞에서 어색하게 서 있다가 길을 건넜다. 그늘을 벗어나자 뜨거운 햇빛이 눈을 찔렀다. 선호는 손으로 차양을 만들어 이마를 받쳤다. 눈을 내리깔자 땅을 딛는 깨끗한 운동화가 보였다. 그리고 앞뒤로 천천히 움직이는 흰 손등이 눈에 들어왔다. 그리 멀리 있지 않아 자칫하다간 선호의 팔에 스칠 것 같았다.

시커먼 바닥을 밟는 걸음이 거칠어졌다. 동물이 피부 안쪽에서 그르렁거렸다.

녀석이 좋아하는 검은색,

녀석이 기피하는 흰색.

녀석이 좋아하는 검은색,

녀석이 기피하는 흰색.

횡단보도의 띠가 시야에 차례대로 스쳐 지나갔다.

분식점은 길 건너편 골목에 있었다. 학기 초에 한 번 오고서 석 달 만에 다시 찾은 거였다. 초등학교 때는 일주일에 한 번씩은 왔는데, 중학교와 고등학교를 거치며 점점 할 일이 많아져 자연스럽게 출입이 뜸해졌다.

재연이네

파란 시트지가 붙여진 유리문을 열자 테이블 네 개가 옹기종기 놓인 가게가 드러났다. 선호가 2인용 자리에 앉자 이명이 쭈뼛거리며 건너편에 앉았다.

주방에서 김밥을 말던 재우 엄마가 그들을 보지도 않고 크게 인사했다.

"어서 오세요."

"안녕하세요, 아주머니."

"어머, 선호잖아? 오랜만에 왔네. 우리 아들은?"

"재우는 먼저 독서실 갔어요."

선호는 친구를 위해 선의의 거짓말을 한 뒤 옥색 식탁에 팔꿈치를 올렸다. 테이블 표면이 습기로 약간 끈적거렸다. 벽에 붙은 메뉴판을 바라보는 이명은 경직된 어깨 때문인지 긴장한 눈빛 때문인지 그 자리와 영 안 어울렸다.

"명이 너 뭐 좋아해?"

"나 다 괜찮은데."

"그래? 그럼 내가 알아서 시킬게."

선호는 주방으로 걸어가 음식을 몇 가지 주문하고 재우 엄마와 신변 이야기를 조금 나누다 돌아왔다. 이명은 여전히 불편해 보이는 모습으로 앉아 있었다.

선호는 식탁 옆에 비치된 물컵을 꺼내 정수기에서 물을 받아 왔다. 하나는 이명의 앞에 놓고 하나는 반을 마셔 버린 뒤 내려놓았다. 그러고선 괜히 제 손을 만지작거렸다. 손등에 정맥이 튀어나오고 마디마다 뼈가 불거진 손이었다.

자연스럽게 시선이 이명의 손등으로 향했다. 손가락이 그의 몸매처럼 길쭉하고 늘씬했다. 손톱은 연한 분홍빛이었다. 살결은 부드러워 보였으며 이상하리만치 희었다.

재우 엄마가 식탁에 접시를 내려놓았다. 2인분은 족히 넘어 보이는 떡볶이 한 접시와 수북하게 쌓인 모둠 튀김, 쫄면에 어묵까지 나왔다. 단지 떡볶이와 튀김 몇 가지를 시켰을 뿐인데.

선호는 당혹스러웠지만 그녀가 뿌듯하다는 표정을 짓고 있었기에 차마 마다하지 못했다.

"어……. 감사합니다. 잘 먹을게요."

"아니야. 우리 선호가 맨날 재우 챙겨 주는데 내가 더 고맙지. 어휴, 우리 재우가 선호 반만큼만 의젓하면 좋을 텐데……."

그녀는 아주 어릴 때부터 선호를 재우의 과외 선생처럼 대했다. 사실이 그렇지 않은데도. 그녀는 음식을 내려놓고 선호와 이명을 번갈아 바라보며 환하게 웃었다.

"그럼 잘 먹고 가. 선호 친구도, 응?"

그녀가 등을 툭툭 치자 이명이 화들짝 놀라며 고개를 꾸벅 숙였다.

그 뒤로는 전쟁이었다. 5인분쯤 되어 보이는 음식을 모두 해치우기 위해 그들은 한마디도 하지 않고 먹는 일에만 집중했다. 떡볶이를 입에 한 입 넣고 나면 고구마튀김이 기다렸다. 쫄면 접시를 비워야 했고 어묵도 먹어야 했다. 절망적인 건 그들을 흐뭇하게 지켜보던 재우 엄마가 어묵 국물을 채워 주면서 은근히 떡볶이를 더 주었다는 점이었다.

이명은 선호의 생각과는 달리 음식을 잘 먹었다. 깨작거리지 않았고 입이 짧은 것 같지도 않았다. 속도가 느리기는 했지만, 그건 음식을 일일이 앞접시에 덜어 먹기 때문이었다. 실수했다는 생각이 든 게 그때였다.

"나도 앞접시 쓸 걸 그랬나?"

"응?"

"이미 늦었나……. 미안."

선호는 난처한 얼굴로 수저를 내려놓았다. 앞접시를 쓰는 건 다른 사람과 음식 같이 먹는 게 불편해서일 텐데, 아무 생각 없이 친구들이랑 늘 하듯이 편하게 먹은 것이다.

"어? 어? 아니야. 괜찮아."

이명은 눈을 동그랗게 뜨며 손을 저었다.

"넌 그렇게 먹어도 돼. 진짜 괜찮아."

"진짜?"

"응."

선호는 이명과 식사할 땐 앞접시를 꼭 써야겠다고 머릿속에 입력했다. 다음에 또 기회가 있다면.

"난 짜장면 같은 거 먹고 나면 물이 많이 생기더라고……."

"……."

"그래서, 이렇게 하는 거야."

이명이 조용히 내뱉은 말을 듣자마자 입 안이 마르고 얼굴로 피가 몰려들었다. 눈을 뜨고 있는데도, 타액이 뚝뚝 흘러내리던 왼손과 숨을 헐떡이던 소년의 얼굴이 흐릿하게 겹쳐 보였다.

선호는 기묘한 갈증에 마른침을 꿀꺽 삼켰다. 사막처럼 타들어가는 갈증이었다. 그는 조금은 성급하게 그릇을 들고 어묵 국물을 들이켰다. 조금 전에 재우 엄마가 뜨거운 국물을 리필해 줬다는 걸 잊고서 한 행동이었다.

"아뜨, 뜨거……."

그릇을 재빨리 내려놓고 물을 벌컥벌컥 마셨지만 이미 혀를 뎄는지 느낌이 얼얼했다.

"하하, 하하하……."

그때 건너편에서 청량한 웃음소리가 났다. 선호는 제 얼굴이 홍당무처럼 빨갈 것 같아서 고개를 들고 싶지 않았지만 그러지 않을 수가 없었다.

이명이 활짝 웃는 모습을 멍하니 보던 것도 잠시, 선호는 다시 시선을 돌렸다. 그를 빤히 바라보고 싶은 마음과 어디론가 숨고 싶은 마음이 충돌했다. 선호는 가까스로 입을 열고 아무렇지 않게 말했다.

"야, 정말 너무한다. 넌 내가 혀 덴 게 재미있어?"

"미안……."

장난스럽게 한 말에 진지한 사과가 돌아왔다.

"농담이었어."

선호가 재빨리 말하자 이명의 낯빛이 다시 편해졌다. 그는 젓가락으로 떡을 집으며 살짝 미소 지었다.

"난 네가 완벽한 줄 알았거든."

"내가?"

"응."

선호는 완벽과 거리가 먼 학생이었다. 공부를 열심히 하기는 하지만 한참 부족했고, 가끔은 수업 시간에 졸기도 했다. 공부하기 싫어서 일부러 친구들과 축구를 하거나 PC방에 가는 일도 허다했다.

학생으로서도 그럴진대, 인간 한선호는 완벽과 더더욱 거리가 멀었다.

"흐, 헉, 흐읏……."

집에 아무도 없는 걸 알면서도 소리를 죽이려 이를 꽉 악물었다. 숨을 내쉴 때마다 샤워실 유리 벽에 김이 뿌옇게 서렸다.

'난 네가 완벽한 줄 알았거든.'

웃음기 감도는 목소리가 머릿속에서 끊이지 않고 웅웅 울려 댔다. 이런 상황에서 절대로 떠올려선 안 될 다정한 음성이었다.

"아, 읏, 허억, 헉……!"

제 잇새에서 새어 나오는 숨소리와 보건실 가는 길에 들었던 신음이 겹쳐 들리는 것만 같았다. 순수하고 밝게 웃는 얼굴과 괴로워서 처참하게 일그러진 얼굴이 잘 구분되지 않았다. 눈을 질끈 감아서 온통 깜깜해진 시야에 퇴폐적으로 뒤섞여 있을 뿐, 그에게는 똑같은 것처럼 느껴졌다. 그의 안에 살고 있는 동물을 유혹해 내는 위험한 얼굴들. 한선호는 둘 중 어느 모습이 자신을 더 괴롭게 하는지 알지 못했다.

"흐, 흐으."

단단하게 선 성기를 덮은 손이 더 빠르게 움직일수록 이마가 더 강하게 벽에 짓이겨졌다. 한선호는 절정으로 치달아 가는 순간에도 자신이 무엇을 원하는지 정확히 알 수 없었다. 섹스하고 싶은지, 관음증 같은 병의 일종인지, 아니면 단지 부드러울 게 분명한 이명의 살갗을 빨아 보고 싶은 충동일 뿐인지.

30분 전에 보았던 웃는 얼굴이 문제였을까, 아니면 기침 때문에 침을 흘리며 괴로워하던 모습이 문제였을까. 얼굴은 왜 그렇게 하얀 건지, 발목은 왜 그렇게 가느다란 건지, 남자애가 엉덩이는 대체 왜…….

무언가에 쫓기는 사람처럼 화장실에서 몰래 하는 수음이 막바지에 달했다. 한선호는 팔에 힘을 주고서 뱃속에서 소용돌이치는 갈망에 온 힘을 집중했다. 관자놀이의 혈관이 지끈거리다 못해 폭발할 것 같다고 느낀 순간에 손가락이 뜨끈뜨끈하게 젖었다.

"하아, 하아. 하……."

김 서린 유리 벽에 끈적끈적한 욕정이 희끄무레한 자취를 남기며 느릿하게 흘러내렸다. 선호는 그 모습을 얼마간 보고 있다가 샤워기를 틀어 차가운 물로 쓸어 버렸다.

흠뻑 젖은 교복 셔츠를 벗어서 샤워실 밖으로 던졌다. 구겨진 옷이 검은 욕실 타일 위로 천천히 내려앉으며 더러운 색을 그대로 드러냈다.

선호는 다시 샤워기를 틀고 찬물을 몸에 맞았다. 짧은 머리카락을 타고 물이 뚝뚝 떨어져 내리며 입술이 떨렸다. 아무도 그를 보고 있지 않았건만 그는 수치심을 느꼈다.

체온이 금세 떨어져 이가 저절로 딱딱 마주칠 지경인데도 안에서 들끓던 기묘한 욕망은 진정되지 않았다. 선호는 자신을 집어삼키려는 동물이 두려워졌다. 자신을 마치 다른 사람으로 바꿔 놓는 것 같아서.

'어떻게 해야 하지?'

덜덜 떨리는 손으로 벽을 짚었다. 그런다고 답은 나오지 않았다.

선호는 그런 일이 있고서 자신이 이명을 똑바로 바라보지 못하리라 생각했다. 그러나 그에게는 생각 외로 뻔뻔한 구석이 있었다.

죄책감을 늘 마음 한구석에 안고 있긴 해도 이명을 보는 것이 그리 불편하지 않았다. 이명은 늘 그랬듯 조용해서 튀지 않는 아이였고 선호는 반장으로서 할 일을 평상시와 똑같이 해 나갔다. 고개 돌리다 이명과 시선이 마주쳐도 눈을 피하지 않았고 유인물을 나눠 줄 일이 있으면 자연스럽게 건넸다. 개인적으로 대화할 기회는 없었다. 축제 기간이 되기 전까지 내내.

6월 말은 축제를 준비하느라 모두가 바쁜 시기였다. 선호도 그때만은 급우들보다 동아리 애들과 붙어 지내며 축제를 준비했다. 방송부는 축제 홍보 영상을 제작하고 연극부와 합작해 뮤직비디오를 패러디한 짧은 드라마를 만들어야 했으며, 축제 프로그램까지 진행해야 했으므로 영상 촬영 및 편집, 타임라인 정리 및 리허설로 몹시 바빴다. 방송부장인 선호는 세 가지 프로젝트를 총괄하느라 매일 10시가 넘어서야 집에 들어갔다. 직장인으로 치면 야근이 끊이지 않는 나날이었다.

그날도 선호는 홍보 영상 때문에 수업까지 빠지고 방송실에 가 있었다. 교장의 덕담을 30초 정도 넣으려고 했는데 후배가 2분 분량이나 찍어 와서, 이를 1.3배속으로 돌려 교묘하게 편집하느냐 솔직하게 말하고 다시 찍느냐 10분간 회의한 끝에 편집을 맡은 동기가 힘을 내 보기로 했다. 그 외에도 행사 상품을 최종 결정하고 축제 스태프 몇몇을 변경한 뒤 교실로 돌아왔다.

마침 마지막 수업이 끝난 시간이라, 자리에 앉은 지 얼마 안 되어 담임이 들어왔다. 김지남 선생의 유일한 장점은 종례를 빨리 끝내 주는 거라고 했던가. 그는 전달 사항이 없다는 말만 남기고 다시 나가 버렸다.

아이들이 부산스럽게 가방을 싸서 교실을 나가고 청소 당번들이 슬슬 일어나 책상을 밀기 시작했다. 선호도 책가방을 등에 메고서 휴대폰을 확인했다. 오늘도 방송부실에서 일하다 가야 한다고 엄마에게 연락을 하는데 눈앞에 팔이 하나 나타났다 사라졌다. 남자애답지 않게 늘씬하고 햇빛을 한 번도 받아 보지 않은 것처럼 창백한 팔이었다.

일순 몸이 굳었던 선호가 고개를 들었을 때 이명은 이미 등 돌려 걸어가고 있었다.

'뭐지?'

재우네 분식점에서 함께 식사하고서 2주나 지났다. 그동안 한 번도 알은체하지 않던 이명이 갑자기 왜 책상 앞에 와서 얼쩡거렸는지 아무리 머리를 굴려 봐도 알 수 없었다.

'바쁘니까 일단 일어나자.'

자리에서 일어난 순간, 책상에서 무언가가 팔랑거리며 떨어졌다. 책상 색과 비슷해 눈에 띄지 않았던 종잇조각이었다. 선호는 쪽지를 집어 들었다.

♤♠*영화감상부 상영회에 초대합니다*^^**♠♤

☆*언제?*☞☞☞ **축제날 15:00**

☆*어디서?*☞☞☞ **1-8 교실**

☆*무엇을?*☞☞☞ **불후의 명작 '살인자들의 궁전'**

글자도 몇 개 없는 쪽지를 한참 동안 바라보았다. 이 동아리는 얼마나 예산이 없으면 초대권을 색상지에 프린트해서 잘라 주는지, 대체 디자인은 왜 이렇게 조악한지, 명색이 축제인데 왜 이렇게 난해한 영화를 골랐는지, 의문투성이였다.

그보다 이명은 왜 이 쪽지를 버리듯이 주고 가 버린 걸까. 선호는 뒷문을 바라보았으나 미스터리의 주인공은 이미 사라지고 없었다.

선호는 앉은 자리에서 여러 가능성을 따져 보았다. 책상 앞까지

와서 손을 내밀었으니 실수로 떨어뜨리고 간 건 아닐 테다. 이명의 성격상 장난치는 것일 리도 없고.

선호의 시선이 다시 쪽지로 향했다.

초대합니다^^**

'하하. 이명에게 초대를 받다니.'

이명은 늘 혼자 다녀서 누구와도 대화하는 걸 본 적이 없었다. 그러니 아마도 그에게 초대받은 학생은 전교에 단 한 명밖에 없을 것이다. 갑자기 심장이 두근거리는 게 의식되고 손에 땀이 났다. 선호는 쪽지가 쪼글쪼글해지기 전에 얼른 주머니에 넣었다. 그러고선 아무 일 없던 것처럼 방송부실로 향했다.

"선호 선배! 선호 선배! 졸업생 인터뷰 3번 방금 도착했어요."

"그래? 파일은?"

"웹하드에 올려놨어요."

부실은 떠날 때와 마찬가지로 바빴다. 선호는 자리에 앉아 노트북을 열었다. 아나운서가 행사 진행 대본을 수정하면서 감수해 달라고 하는 바람에 다시 읽어 봐야 했다. 문서가 열리는 동안 축제 스케줄 표를 슬쩍 보았다.

'3시면 동아리 공연이랑 시간 겹치네.'

선호는 잠깐 고민하고서 입을 열었다.

"상혁아, 내가 축제 날 3시부터 어딜 가야 해. 2시간 정도."

"정말요? 뭐 급한 일 있으세요?"

"응. 영화 감상부 상영회 초대받았거든."

“네?”

“음향 세팅 다 해 놓고 갈 테니까 무슨 일 생기면 나한테 연락 줄래?”

“어, 네……. 저희 다 있을 거니까 별일 없긴 하겠지만……. 선배 정말 자리 비우시는 거예요? 그, 상영회 때문에요?”

“응. 왜?”

“그냥…… 선배답지 않아서요?”

선호는 대납하는 대신 씩 웃고서 문서 작업을 시작했다.

방송부실에 틀어박혀서 혹사당하는 나날은 축제 당일까지 계속되었다. 모든 영상 제작이 완료된 뒤에도 행사 및 공연 순서와 동선을 맞춰 보느라 수많은 동아리 부장들이 방송부실로 불려 왔다. 같은 반 애들은 수업의 반이나 빠진다며 부러워했지만 선호 입장에선 그리 좋을 것도 없었다. 어차피 나중에 친구한테 필기를 보여 달라고 해서 따로 공부해야 하기 때문이었다.

상영회 쪽지로 선호의 마음에 파문을 일으켰던 이명과는 대화하기는커녕 눈 마주칠 일도 없었다. 선호는 너무 바빴고 이명은 늘 그렇듯 조용했다.

그렇게 축제 당일이 되었다.

선호는 아침 9시부터 교무실과 강당, 운동장, 방송부실을 뛰어다니며 바삐 일했다. 밥도 먹는 둥 마는 둥 하고 아나운서로서 점심 방송을 진행하고 이어지는 이벤트를 모니터링했다. 그동안 부원들이 찍어서 가져오는 영상들은 실시간으로 편집하는 아이들에게 넘겨 축제 마무리 영상을 만들게 했다.

3시가 되기 10분 전, 선호는 일어날 수 있는 모든 변수에 최대한 대비해 둔 채 동기들과 후배들에게 방송부실을 맡기고 퇴장했다.

주머니에 손을 넣자 하도 만지작거려서 너덜너덜해진 종이가 손끝에 닿았다. 꺼내 보지 않아도 내용이 이미 사진처럼 머릿속에 박혀 있었다. 선호는 여유롭게 1학년 8반 교실에 도착했다.

복도는 휑했다. 교실 앞에는 A4용지에 프린트한 포스터가 두 장 붙어 있을 뿐 곧 행사가 열릴 기미는 없었다. 영화 감상부는 그만큼이나 주목을 못 받는 동아리였다. 학교에서 부실을 내주지 않아서 1학년 교실을 빌린 것만 봐도 사정을 알 수 있었다.

선호는 뒷문을 열고 안을 살펴보았다.

내부는 제법 준비를 해 놓은 것처럼 보였다. 책상을 치우고 의자를 늘어놓은 공간은 시시했지만 커튼을 쳐서 적당히 어두웠고 빔 프로젝터와 스크린이 준비되어 있었다. 음향도 꽤 신경 썼는지 교실에서 쓰는 제품이 아닌, 커다란 우퍼가 달린 스피커를 가져다 놓았다.

안타까운 점은 교실 안에 학생이 몇 명 없다는 점이었다. 달랑 관객 한 명이 팝콘 과자를 들고 기대하는 표정으로 맨 앞줄에 앉아 있었고, 컴퓨터를 조작하는 아이 두 명은 동아리 소속인 것 같았다. 놀랍게도 구석 자리에 혼자 앉아 있는 마지막 한 명은 이명이었다.

초대권을 준 걸 보면 이명도 영화 감상부원일 텐데, 컴퓨터 앞에서 얘기하는 아이들과는 전혀 모르는 사이처럼 보였다. 그는 고개를 살짝 뒤로 꺾고 멍한 표정으로 천장을 보고 있었다. 비밀스러운 생각에 푹 빠진 듯 입술이 살짝 벌어져 있었다. 커튼 사이로 새어 들어오는 두세 줄기의 빛이 그 장면을 영화의 한 장면처럼 드라마틱하게 만들어 주었다.

이명은 선호가 바로 앞까지 다가갔는데도 멍하게 있었다. 가까이서 어깨를 톡 치자, 이제까지 본 것 중 가장 과격한 반응을 보여 주었다. 비명을 크게 지르며 의자를 넘어뜨릴 뻔했지만 선호가 때마침 등받이를 잡아서 이무런 사고도 나지 않았다.

"미안. 놀랐어?"

선호는 작게 속삭였다. 교실이 워낙 조용해 어쩐지 영화관에 온 기분이라 목소리가 저절로 작아졌다. 이명은 입술을 꽉 다물고서 고개를 끄덕였다. 평소보다 크게 뜬 눈에 원망이 담겨 있었다.

"거기서 볼 거야? 중간에 앉자."

이명이 고개를 끄덕이며 일어섰다. 아까 너무 놀란 탓인지 걸음걸이가 살짝 비틀거렸다. 그가 선호를 휙 돌아보며 작게 물었다.

"음료수…… 마실래?"

"응. 좋아."

선호가 적당한 중간 자리에 먼저 앉자 이명이 왼쪽에 와서 앉았다. 손에 캔 콜라와 빨대가 들려 있었다. 얼결에 받아 든 캔은 미지근했다.

"명이야, 네 건?"

"네 것만 준비했는데……."

"그러다 목마르면 어떡하려고? 이거 너 마셔."

"아니야. 너 마셔."

진지하게 말하는 사람에게 더 권할 수도 없었다. 선호는 주변을 두리번거리다, 책상에 종이컵과 나무젓가락 같은 집기가 쌓여 있는 것을 보았다. 가까이 가 보니 빨대 뭉치가 있길래, 주저하다가 한 개 더 집어 왔다.

'너무 속 보이는 짓인가…….'

이성은 그리 생각했지만 그의 손은 자연스럽게 캔을 따서 빨대 두 개를 꽂고 있었다. 선호는 당연하다는 듯이 말했다.

"같이 마시자. 이러면 되겠지?"

"난 괜찮은데……."

선호는 콜라를 한 모금 마시고 남은 빨대를 이명 쪽으로 돌려놓았다. 그때 준비가 끝났는지 영화 감상부원이 커튼을 더 꼼꼼하게 치고 교실 문을 닫았다. 나머지 한 명이 크게 말했다.

"영화 감상부 3차 상영회에 와 주셔서 감사합니다, 여러분."

그 '여러분'이 선호와 앞줄에 앉은 남학생을 말하는 것인지, 아니면 이명까지 포함하는지 선호는 궁금해졌다. 이명은 영화 감상부원이면서 스태프다운 행동을 아무것도 하지 않았던 것이다.

"이번 3시 타임에 상영할 영화는, 세기의 역작이죠? 예술적인 광기로 미쳐 버려서 지금은 정신 병원에 있다는 천재 감독 장 오귀스트 샤르도네가 2001년에 제작한 '살인자들의 궁전'입니다. 이 영화로 말할 것 같으면……."

선호는 영화에 관한 장황한 설명을 흘려들으며 목소리를 낮추어 물어보았다.

"명이야, 너도 이 영화 잘 알아?"

"아니. 잘 몰라."

"쟤는 완전 영화 애호가 같은데, 너네 부장이야?"

"잘 모르겠어."

이명을 알면 알수록 불가사의한 점이 늘어났다. 그러나 마침 설명이 멎고 영화가 시작됐기 때문에 선호는 자잘한 의문에 관해서는 신경 쓰지 않기로 했다.

배급사와 제작사 타이틀이 나타나고 음침한 분위기의 음악이 흘렀다. 영화의 시작은 늘 기대되기 마련이었는데, 오늘은 아무 생각도 들지 않았다. 그저 유난히 입체적으로 들리는 음향이 제 심장이 요란하게 두근거리는 소리를 덮어 줄 것 같아서 다행스러울 뿐이었다.

매일 앉는 의자인데 왜 이렇게 불편한지 모르겠다. 그날따라 유난히 작게 느껴지고 등받이도 낮은 것 같았다. 다리를 어떻게 두어야 할지가 헷갈렸다.

이명은 약간 구부정하게 앉아 스크린을 보고 있었다. 어둠이 드리워진 옆모습이 지적으로 보였다. 머리 위에서 쏘는 프로젝터 때문에 얼굴에 그림자가 강하게 졌다. 속눈썹 그림자가 뺨 위로 길게 늘어지고 침침한 빛이 동공에 닿아 은색으로 반짝거렸다.

선호는 미지근한 콜라를 한 모금 빨고서 억지로 스크린을 보았다. 지루한 화면 속에서 학살극이 벌어지고 있었지만 아무런 감흥도 일지 않았다. 청불 등급을 버젓이 상영하는 동아리 부장의 용기가 가상했기는 했지만.

그보다 옆 사람이 말만 걸어도 화들짝 놀라던 이명이 정작 잔인한 장면에 눈 하나 깜짝하지 않는 게 신기했다. 이명은 겁이 많은 사람일까, 아니면 대담한 사람일까. 어떤 장르의 영화를 좋아할까. 영화 감상부는 왜 들어간 걸까. 궁금증이 꼬리에 꼬리를 물었다.

시간은 느릿하게 흘렀다. 선호는 의식적으로 앞만 보고 있었지만 온 신경이 왼쪽에 쏠려 있었다. 비록 똑바로 바라보진 못해도 이명이 자세를 살짝 바꾸거나 팔을 올려 코를 긁는 행동 따위를 예민하게 감지할 수 있었다.

그래서 영화 중반, 잔인한 장면이 모두 지나가고 철학적인 성찰이 무겁게 다뤄지면서, 즉 전개가 극도로 지루해지면서 이명이 꾸벅꾸벅 졸기 시작했을 때 곧바로 알아차렸다.

자습 시간에 졸던 모습이 떠올랐다. 답지 않게 앞뒤로 헤드뱅잉하다 코가 거의 책상에 닿았을 때 깨어났던가. 이명은 어쩌면 잠이 많은 사람이겠구나. 아니면 잠을 잘 못 이기는 사람이거나.

'이번에는 이쪽으로, 이쪽으로…… 제발…….'

선호는 태연한 표정으로 앉아 속으로 간절하게 빌었다.

이명은 고개를 흔들거나 손을 뒤로 보내 제 어깨를 주무르는 등 잠 깨려는 노력을 몇 번 했지만 결국 졸음을 이기지 못했다. 갈 길을 잃은 그의 머리가 앞으로, 뒤로, 이쪽저쪽으로 천천히 쏠렸다가, 기적처럼 오른쪽으로 기울다가…….

선호의 어깨 위로 살포시 떨어졌다.

'만세.'

선호는 응원하는 축구팀이 역전 골을 넣었을 때처럼 주먹을 꽉 쥐었다. 그때부터 영화 소리는 하나도 들리지 않았다. 혈관과 피부를 타고 쿵쿵 울리는 시끄러운 심장 소리와 이명의 고른 숨소리만이 귓가에 크게 울렸다.

왼쪽 어깨에 그의 볼이 얹혀 있다는 게 믿기지 않았다. 팔과 어깨도 얇은 천을 사이에 두고서 살짝 닿아 있었다. 선호가 내쉬는 숨에 갈색 머리카락이 부드럽게 흔들거렸다. 마음만 먹으면 혀를 뻗어 그의 눈두덩을 핥을 수 있을 것 같았다.

'대체 왜 자꾸 이상한 생각이 드는 거야.'

남의 눈두덩을 핥다니, 불쾌하게 대체 왜. 하긴, 남의 침이 묻은 손바닥도 핥고 같은 반 남자아이를 떠올리며 자위하는 놈이 못 할 게 뭐가 있겠는가.

선호의 입매가 자조로 구겨졌다. 이번에는 검은 동물을 끌어올 염치도 없었다. 선호는 자신의 몸을 잠시 동안 떠나, 교실 뒤편에 서서 이명이 기댄 고2짜리 소년을 관찰했다.

어깨를 경직시킨 채 눈알 외엔 아무것도 움직이고 있지 않은 아이를. 같은 반 친구를 대상으로 해선 안 될 생각을 하는 타락한 고등학생을. 온몸의 혈관마다 피와 함께 더러운 욕망이 흐르는 남자를.

한 달 넘게 외면해 왔던 사실은 그의 생각보다 작고 단순했다. 그런 동시에 명료하고 뚜렷했다.

선호는 이명의 손을 잡고 싶었다. 가느다랗고 긴 손가락을 제 손에 가두고 꽉 쥐고 싶었다. 그리고 손을 올려 그의 뺨을 감고 손바닥으로 볼을 쓰다듬고 싶었다. 그를 품에 안아 두 팔로 감싸고 싶었다. 입술을 부드럽게 맞대고 키스하고 싶었다. 어쩌면 욕망이 거기서 멈추지 않을지도 모른다는 예감이 들었지만 선호는 아직 그 너머를 알지 못했다. 그리고 그곳으로 건너갈 생각은 추호도 없었다.

'그래선 안 되는 거잖아.'

선호는 모범을 보여야 하는 반장이었다. 이제까지 완벽한 인간이라고는 할 수 없어도 꽤 바르게 살아왔다. 사실은 사회에서 요구하는 착한 아이, 좋은 아들, 훌륭한 학생의 범주에 들기 위해 피나게 노력한 적은 없었다. 애초부터 어렵지 않은 일이었으니까.

그는 애쓰지 않아도 물속에서 자유롭게 유영하는 물고기처럼, 마음 내키는 대로 살아도 대체로 상식선 안쪽에 있었다. 때때로 자신도 두려울 만큼 비열한 충동이 고개를 들 때가 있었지만 통제할 수 있는 범위 내에 있었다. 그러나 같은 반 남학생한테 반하는 건 상식선을 훌쩍 벗어난 일이었다.

선호는 의식적으로 사고를 멈추었다. 고통스럽고 어려운 일이었다. 교실 뒤편에 서서 자기 자신을 지켜보는 일도, 어깨를 짓누르는 이명의 존재감을 아무렇지 않게 견뎌 내는 일도.

어느새 4시 52분이었다. 웬만한 영화라면 러닝 타임이 끝나 갈 시간, 스크린에서는 처음 보는 인물들이 알 수 없는 행동을 하고 있었다. 이제까지 제대로 보지 않아서 기승전결 중 어디까지 왔는지조차 짐작하기 어려웠다.

선호는 심호흡을 하고서 이명의 이마를 손바닥으로 조심스럽게 받쳤다. 그가 깨지 않도록, 둘이 너무 가까이 붙어 있던 것을 깨닫고 당황하지 않도록, 이상한 오해를 하지 않도록—비록 그것이 오해가 아니더라도—오랜 시간에 걸쳐 조심스럽게 그의 머리를 원래대로 밀어놓았다. 다행스럽게도 이명은 깨지 않았다.

선호는 자리에서 일어나면서 그를 바라보지 않으려고 노력했다. 그리고 자신이 콜라를 빨아 마신 것과 이명이 한 번도 입을 대지 않은, 똑같이 생긴 두 플라스틱 빨대를 뽑아 나가는 길에 쓰레기통에 버렸다.

"일찍 오셨네요?"

"별일 없었어?"

"네. 있었으면 선배한테 바로 전화했겠죠? 공연 중에 진짜 웃긴 거 있었는데. 완전 난리 났어요. 영상 보실래요?"

"응."

그러나 뱉어 놓은 말과는 달리 선호는 창가에서 눈을 떼지 않았다.

그는 방송부실에 앉아 있었지만 사실은 1학년 8반 교실 앞에 서 있었다. 그리고 복도에, 신발장에, 구령대 앞에, 운동장 한가운데에, 교문에, 한솔 아파트 경비실 앞에, 이명이 갈 만한 모든 곳에서 있었다.

냉담한 표정으로 공연 영상을 보는 시선은 몇 초마다 한 번씩 창가로 향했다. 그리고 대략 30분 뒤, 배낭을 메고 운동장을 가로지르는 수많은 남학생들 사이에서 유난히 눈에 띄는 아이를 발견했다.

이명은 햇살 아래 느릿하게 걷고 있었다. 가느다란 손목을 앞뒤로 흔들며, 귀에는 신나는 걸 그룹 음악이 흘러나올 이어폰을 꽂고, 아무 문제도 없다는 듯이. 선호의 시선은 그가 교문을 무사히 통과하는 것을 본 뒤에야 방송부실로 돌아왔다.

다시 모니터를 보았지만 사실은 아무것도 보고 있지 않았다. 그는 태어나서 한 번도 느껴 본 적이 없는 위기감을 느끼는 중이었다. 어쩐지 내장이 꼬이고 핏줄이 헝클어지는 느낌마저 들었다.

세상은 언제나 선호에게 우호적이었다. 그는 유복하고 안정적이고 안전한 환경에서 자라났다. 태어나면서부터 다른 사람들보다 훨씬 많은 것을 쥐고 있었고 불운은 그를 피해 갔다. 주변에는 그의 부모를 비롯해 인격이 성숙하고 마음이 따뜻한 사람들이 많았다.

선호의 세계는 원인과 결과가 뚜렷했다. 유감스러운 일이 일어난

다면 자신이 무언가 서툴렀기 때문이었다. 그래서 부족한 점이 있다면 노력하기만 하면 되었다. 세상은 선호가 보이는 성의에 반드시 보답했기 때문이다.

세상과 선호 사이의 보이지 않았던 협정에, 이제까지 잘 유지되던 신뢰 관계에 금이 가고 있었다. 그의 인생에 이전에 없던 무언가가 들이닥쳤기 때문이다. 그렇게 위험한 것이 비집고 들어오도록 세계가 용납했기 때문이다.

그 무언가는 너무 모호해서 형태도 인과 관계도 보이지 않았다. 무엇인지부터가 불확실했고 선호가 잘못해서 생긴 불행도 아니었다. 그러니 없애기 위해 어떤 노력을 해야 하는지는 당연히 알 수 없었다.

선호는 초조함에 주먹을 꽉 쥐었다. 그나마 다행인 점은 방학이 얼마 남지 않았다는 사실이었다.

9A. 열여덟, 여름

9A. 열여덟, 여름

방학을 기다리는 일주일은 길고도 길었다. 모두가 그날만을 손꼽아 기다렸고, 방학식 당일에는 그들을 속박하는 어른들의 감옥에서 해방되었다는 극도의 환희를 느끼며 교문을 찢고 달려 나갔다.

그러나 방학은 허무할 정도로 빠르게 지나갔다. 일주일이 하루처럼 흘러가는 기묘한 시간의 흐름 속에서 선호는 중심을 잡으려고 노력했다. 그는 방학 내내 이명을 생각하지 않기 위해 '노력'했던 것이다.

결과론적으로 아무 소용없었던 노력. 오히려 역효과를 불러온 노력. 처음으로 그를 배신한 노력.

선호는 매일 자기 전에 한국 기원 홈페이지에 접속하는 버릇을 새로 들였다. 그의 발걸음은 한솔 아파트 근처를 지나갈 일이 있을 때마다 유난히 느려졌다. 길을 가다가, 학원에서, 이명의 동네를 지나갈 때면 마주치고 싶은 마음과 마주치고 싶지 않은 마음이 치열하게 충돌하며 신경이 곤두섰다. 선호는 어느 때보다도 누군가를 그리워하는 상태로 개학을 맞았다.

그런데 개학식 날 나타난 이명은 너무 쉬웠다. 고민하던 세월이 무색하게도, 그는 당연하다는 듯이 선호의 눈앞에 있었다. 뒷모습을 훤히 드러낸 채, 마땅히 있어야 할 자리에. 구김 없는 하얀색 하복 셔츠와 다림질 자국이 남은 회색 바지를 입고, 걸 그룹 노래를 들으며, 무심한 얼굴로.

한 달 동안 그를 보지 못한 선호에게는 그 모습이 어질어질할 정도로 낯설었다. 어둠 속에서 썩어들어 가던 구덩이에 눈 부신 빛이 쏟아지는 것 같아서 당황스러웠다. 그래서 그에게 말 붙이기는커녕 감히 얼굴을 똑바로 바라볼 수조차 없었다.

어차피 그들은 아무 사이도 아니었다. 함께 영화도 한 편 봤고 작은 분식점에서 밥도 같이 먹었지만 여전히 친구라고 부르기엔 서먹한 사이였다.

"정신 못 차리고 들떠서 2학기에 성적 떨어지는 놈들은 각오해라. 매 들 거야. 알았어? 이상."

"차렷, 선생님께 경례."

"반장은 교무실에서 나 좀 보고."

선호는 가방을 챙겨 메고 교무실로 향했다. 다갈색 복도와 먼지 낀 수많은 창문들, 익숙한 얼굴들을 지나쳤다. 한 달이 지나고 돌아온 학교는 그대로였다. 담임이 부르면 가야 하는 처지도, 바퀴가 달리고 등받이가 높은 의자에 왕처럼 앉아 있는 담임의 모습도.

"부르셨어요, 선생님?"

"그래. 일단 중간고사가 다음 달이지? 지금 방학 끝나서 풀어진 놈들 분명히 있을 텐데, 선호가 책임지고 분위기 못 흐리게 딱 잡아야 돼. 알았어?"

"예."

"이건 전달 사항. 내일 조례 시간에 나눠 주고 다음 주 목요일까지 가져오라고 해."

담임이 A4용지 뭉치를 건넸다. 선호는 받아 들자마자 무심코 가장 윗줄을 읽었다.

〈수학여행 참가 여부 조사〉

잠잠했던 호수에 파문이 일었다. 그의 시선이 교장의 인사말과 비용 소개를 건너뛰고 일정표로 향했다.

수학여행지: 제주도

선호의 눈이 크게 떠졌다.

"축구부 애들이랑 이명한테는 안 줘도 돼."

"네?"

한순간 들떴던 마음이 툭 꺾였다. 선호는 서서 기다렸으나 담임은 중지 손톱에 낀 때를 반대쪽 손톱으로 빼내는 데 정신이 팔려 있었다.

"걔네 9월에 전지훈련 간대."

'걔넨 관심 없고요.'

"병욱이 걔 지나가다 봤는데 공 기똥차게 잘 차데?"

'축구 특기생인데 당연하죠.'

"꼭 나 어릴 때 생각나더라고."

'진심이세요, 선생님?'

"이러다 나중에 TV 나오는 거 아냐? 사인받아 놔야 하나. 이명건 진작 받아 놨는데."

담임은 혼잣말처럼 중얼거리고서 하품을 했다. 곧 찢어질 것처럼 크게 벌린 입 사이로 목젖이 보였다.

"이명 말이야."

"네? 네."

"원래 어머니께서 수학여행 같은 건 건강상 안 보낸다고 하셨는데, 이번엔 간다네. 아까 찾아오셨길래 설명지 드렸다."

그전까지 그의 말을 건성으로 듣던 선호의 몸이 굳어 버렸다. 담임이 혀를 차며 이어 말했다.

"골치 아픈 애들은 차라리 빠져 주는 게 속 편한데 말이야. 아픈 것도 아픈 건데……. 좀, 특이한 애잖아. 반장은 무슨 말인지 알지?"

담임은 악당처럼 야비하게 웃으며, 그들만 아는 비밀을 공유한다는 듯이 말했다. 선호는 대답하지 않았다.

"그럼 나가 봐."

"네."

선호는 교무실에서 나왔다. 청소하려고 활짝 열어 놓은 창문 사이로 부드러운 바람을 타고 보라색 꽃잎이 날아 들어왔다. 선호는 너무 작아서 만지기도 조심스러운 꽃잎을 손바닥에 두고 한동안 바라보았다.

먼지 낀 창 너머 등나무 꽃이 흐드러지게 피어 있었다. 모든 것이 그대로였다. 한 가지만 빼면.

어영부영하는 사이 한 달이 금세 지나갔다.

그동안 선호는 인생에서 가장 불안정한 격동의 시기를 보냈다. 문득 가슴이 두근거려서 참을 수 없다가도 급격히 싸늘해져 모든 것이 싫어지기도 했다. 수학여행을 생각하면 기대감이 차올랐고, 그러다가도 화가 나거나 비참한 기분이 들기도 했다. 음악을 크게 틀어 놓은 채 아무것도 안 하고 몇 시간씩 앉아 있을 때도 있었다.

그의 부모는 한 번도 속 썩인 적 없는 외아들이 사춘기를 뒤늦게 겪는가 보다 짐작하고 혼자만의 시간을 보낼 수 있게 내버려 두었다.

선호는 원래 생각이 많은 편이 아니었지만 이때만은 생각하고 또 생각했다. 절대로 결론이 나지 않는, 꼬리에 꼬리를 물고 마음을 답답하게 짓누르는 생각들을 곱씹고 또 곱씹었다.

그러던 중에 중간고사가 새벽처럼 닥쳐왔다. 잠에서 막 깨어난 선호는 눈을 비볐다. 그는 준비되지 않은 아이들 가운데서도 가장 준비되지 않은 예비 낙오자였다.

좋은 대학에 입학해야 한다는 부담, 부모를 실망시키고 싶지 않은 마음, 책임감, 야망 등 여러 욕심들이 최전선으로 불려 나왔다. 원래 그 자리를 지키고 있던 모호한 무언가는 일견 물러나는 듯했지만 여전히 마음속에서 적지 않은 부피를 차지하고 있었다.

친구 필기 베끼기, 서로 설명해 주기, 퀴즈 내기, 교과서 필사,

외울 때까지 읽기, 줄임말로 암기하기, 벼락치기……. 예로부터 성적을 급상승시키는 데 좋다고 알려진 모든 방법이 동원되었다. 수면 시간은 세 시간씩 늦춰졌다. 중간고사 이틀째에는 급기야 코피가 터졌다.

위기를 무사히 넘기고서 옷장에서 다시 춘추복을 꺼내 입은 날, 1학기에 그랬던 것처럼 교실 벽면에 A3 용지가 붙었다.

4등: 한선호 (평균 93.7점)

선호는 점수를 확인하고서 한숨을 쉬었다. 아쉬움이 아닌 안도의 한숨이었다. 거의 모든 과목을 벼락치기로 때운 것치고 운이 상당히 좋았다. 결과는 이보다 훨씬 안 좋을 수 있었다.

"오, 나 2등 올랐다."

"어디? 네 이름, 대체 어디까지 내려가야 되냐……."

선호는 주변 애들이 떠드는 소리를 흘려들으며 위쪽을 훑었다. 그런데 1, 2, 3등 어디에도 그가 찾는 이름이 없었다. 시선이 아래로 빠르게 내려왔다.

13등 : 이 명 (평균 81.9)

친구들은 제 점수만 확인하고 돌아섰지만 선호는 발이 땅에 붙은 듯 한참 동안 종이에 적힌 글자를 읽고 또 읽었다.

평균 점수가 10점 이상 떨어졌다. 80점대 턱걸이라니, 대체 이명에게 무슨 일이 일어난 것일까. 혹시 몸이 안 좋았을까, 방학 동안 집에 무슨 일이 있었을까, 고민이나 걱정거리가 있는 걸까.

"오, 선호. 막판에 코피까지 터지더니 선방했네."

"……어."

"난 점수 올랐다! 아싸."

선호는 벽에서 눈을 떼고 자리로 돌아갔다. 걱정이 물러나자 그 자리를 냉소가 채웠다. 누가 누굴 걱정한단 말인가. 어차피 대학에 진학하지 않는 이명에게는 내신 성적이 아무 의미도 없는데.

생각해 보면 이명이 아이들 사이에서 겉도는 건 당연했다. 그는 교실에 있는 누구와도 다르니까. 그는 컴퓨터용 사인펜과 성적표의 세계가 아닌, 바둑돌과 포털 사이트에서 검색되는 프로필의 세계에 속해 있었다. 지금이야 같은 공간에서 공부하지만 얼마 지나지 않아 홀로 다른 길을 갈 것이다.

이명은 이방인이었다. 선호가 알지 못하는 미지의 안개였다. 그가 자신을 위협하고 뒤흔드는데도 선호는 그에 관해 아는 것이 거의 없었다. 잠이 많고 깜짝깜짝 잘 놀란다는 것밖에는. 보이는 것만큼 소심하지 않으며 밥을 잘 먹는다는 것, 그리고 생김새가 귀엽고 예쁘다는 것밖에는. 그를 조금만 지켜보면 누구나 알 수 있는 단편적인 사실 밖에는.

누가 짝사랑이 솜사탕이나 유리알 같은 것이라고 했던가. 선호에게 처음 해 보는 짝사랑은 마치 당구공으로 하는 농구 경기나 주소를 잘못 쓴 편지 같았다. 힘껏 던져도 되돌아오지 않았고, 답신을 기대할 수 없었다.

한 번도 겪어 본 적이 없어서 이름 붙이기 곤란한 감정이 밀려들었다. 조금도 유쾌하지 않고 더러운 기분이었다. 마치 머리 위로 쏟아지는 차가운 폭우처럼.

'명이는 좋겠네.'

공부 안 해도 돼서.

'명이는 좋겠네.'

아무렇지 않아서.

'명이는 좋겠네.'

늘 그렇게 무심한 표정으로, 가만히 있기만 하니까.

"야, 선호! 안 가냐?"

경민의 목소리가 빗물 웅덩이로부터 선호를 건져 냈다. 그제야 물기라곤 한 점도 없는 하늘이 보였다.

"체육이 오늘부터 체력장 한다고, 빨리 오라 하지 않았어?"

"아…… 그랬지."

선호는 서둘러 셔츠를 벗고 몸을 체육복에 구겨 넣었다. 등이 땀으로 축축했다.

고개를 왼쪽으로 살짝 돌렸을 때, 시야 끝에 얌전하게 앉아 있는 남학생의 어깨가 걸렸다. 그 순간만은 그의 모든 것이 싫었다. 햇살보다 더 하얀 팔꿈치도, 물기라곤 한 점도 없어 보이는 체육복도, 어차피 아무것도 안 하고 나무 아래 웅크리고 앉아 있을 거면서 체육복으로 갈아입는 저 습관도.

"반장 갑자기 왜 저래?"

"성적 떨어져서 그런 듯?"

"왜? 얼마나 떨어졌는데? 하, 남 일 같지가 않다."

"네? 쟤는 4등이고, 님은 34등인데여……?"

"뭐야, 졸라 재수 없네."

선호는 이명에게서 등을 돌리고 교실을 나섰다.

체육 교사는 무신경한 인간이었다. 학생들에게 관심도 없고 기억력도 나빠서, 검은 테이프로 둘둘 만 매를 수시로 건들거리며 '저 새낀 왜 안 뛰어?' 같은 말을 버릇처럼 했다. 선호는 괜히 이명이 눈총받는 게 싫어서 그의 대리인을 자처했었다. 매번 수업 시작하기 전에 교사에게 조용히 말했던 것이다.

'명이는 호흡기가 안 좋아서 뛰면 안 된다고 담임 선생님께서 그러셨어요.'

'명이는 담임 선생님께서 열외로 해 달라고 하셨어요.'

'명이는 뛰지 말라고 담임 선생님께서 그러셨어요.'

그러고 나면 교사는 알 만하다는 표정으로 팔짱을 끼고 혀를 찼다. 그러고선 이명을 요주의 인물처럼 날카롭게 바라보았지만, 다음 시간이 되면 또 무신경한 얼굴로 같은 말을 했다. '저놈은 왜 안 뛰어?'라고.

그늘에 삐딱하게 선 체육 교사에게 버릇처럼 다가가던 선호는 운동장 중간에서 발길을 멈추었다. 내리쬐는 태양이 머리 위로 따끔한 열기를 쏘아 댔다.

체육 교사가 물어보기 전에 기를 쓰고 이명을 열외 시키는 것도, 공기 나쁜 화학실에 미리 도착해서 환기하느라 화학 수업을 체육복 차림으로 듣는 것도, 교실 창문이 모두 닫혀 있지 않도록 신경을 기울이는 것도, 왼쪽 뒤편에서 기침 소리가 나면 몸을 긴장시키는 것도, 기흉 수술 부작용과 과호흡을 진정시키는 요령을 인터넷에서 찾아 읽어 본 것도 다 반장의 의무 때문만은 아니었다.

그것은 선의와 친절이었다. 호감의 발로였다. 조금도 의미가 없는.
"체력장 개싫음."
"그래도 운동장 도는 것보단 낫잖아."
"뭐부터 한대?"
"몰라? 한선호한테 물어봐."
아이들이 정문에서부터 줄지어 나타났다. 그 끄트머리에 체육복을 입은 이명이 있었다. 다른 애들보다 가느다랗고 긴 팔다리가 햇살을 받아 창백해 보였다.
"반장, 부반장, 이리 와 봐."
"네, 선생님."
"오늘부터 체력장인 거 알지? 일단 오늘은…… 100메다, 유연성, 턱걸이 이렇게 한다. 시간 되면 윗몸까지. 다음 시간에 나머지랑 1,000메다 할 거야."
"네."
"내가 결승선에서 초 잴 테니까 반장이 저기 출발선에서 애들 줄 세워서 번호대로 스따뜨 시키고, 부반장 네가 내 옆에서 딱딱 적어. 알겠지?"
선생은 대답도 듣지 않고 나무 그늘에 섰다. 부반장에게 결과표가 끼워진 파일 홀더와 펜을 건네고서 목에 걸고 있던 호루라기를 삑 불었다.
선호는 출발선으로 달려가 아이들을 줄 세웠다.
"1번, 2번부터 나와."
"아, 존나 떨린다."
강 씨 성을 가진 아이 두 명이 출발선 앞에 섰다. 교사가 호루라기를 불자 그들이 먼지바람을 일으키며 출발했다.

선호는 3, 4번을 출발선에 세우고서 손을 펴서 이마에 얹었다. 햇볕이 너무 뜨거워서 그리하지 않으면 눈을 제대로 뜰 수 없었다. 그의 시선이 습관처럼 등나무 아래로 향했다. 무릎을 세우고 쪼그린 자세로 늘 같은 자리에 앉아 있을 소년을 눈으로 찾으려 들었으나 속에서 치밀어 오른 무언가가 그 행위를 끊어 냈다. 미간을 잔뜩 찌푸리며 고개를 휙 돌린 선호는 놀랍게도 애들 틈에 섞여 있는 이명을 보았다.

그는 웅크린 자세도 우울한 표정도 아니었다. 떠들어 대는 아이들 사이에 무표정으로 서 있었다. 마치 다른 세계 사람처럼.

삑! 삐이이익!

신경질적인 호루라기 소리가 그를 상념으로부터 끌어냈다. 선호는 정신이 번쩍 들어 손짓으로 5, 6번을 출발선에 세웠다. 고개를 숙이고 눈 모서리로 이명의 깨끗한 운동화를 노려보았다.

대체 무슨 생각이지?

'체육도 무조건 열외, 알겠지? 너 이거 꼭 기억해 놔야 한다, 응? 체육 쌤한테 내가 따로 말해 놓긴 할 건데, 혹시 까먹고 명이 안 혼내시게 네가 책임지고 잘 해야 돼. 알았어?'

'저번에도 말씀드렸지만 아이가 폐가 많이 안 좋다 보니 숨이 차면 힘들어해요. 심하면 응급실에 가야 할 수도 있으니까요……. 선생님만 믿고 아이 맡겨요.'

폐를 수술한 아이. 아픈 아이. 달리다가 숨이 차면 힘들어하는 아이. 체력장 점수 따위가 문제가 아니다. 뛰어서는 안 되지 않은가.

멍하니 서 있는 사이에 남학생 네 명이 차례대로 지나갔다. 선호는 주먹을 꽉 쥐었다.

'말해, 명이야. 선생님한테 가서, 뛸 수 없다고 어서 말해.'

한쪽에는 이명이 화학실에서처럼 기침하고 숨을 쉬지 못할까 봐 걱정하는 선호가 있었다.

'나랑 상관없는 일이잖아. 얼마나 잘 뛰는지, 어디 한번 보자고.'

그리고 다른 한쪽에는 이명이 차라리 망가지기를 기다리는 냉담한 한선호가 있었다.

선호는 속에서 들끓는 두 가지 감정을 생생하게 느낄 수 있었다. 동시에 존재해서는 안 될 감정들이었지만 마치 이중인격자처럼 마음속에 양립하고 있었다.

삐이이이이익!

또다시 재촉하는 호루라기 소리가 귀에 박혔다.

"13번 뛸 차례, 맞지?"

이명이 선호를 바라보며 작게 물었다. 아무 대답도 하지 않았는데 그가 터벅터벅 걸어가 출발선 앞에 섰다. 담담한 눈빛으로 결승선을 바라보며, 팔을 쭉 뻗어 관절을 풀고 모래 위에 오른발을 부드럽게 두 번 굴렀다.

"야, 반장! 너 뭐 하고 자빠졌어? 빠릿빠릿하게 다음 놈 준비 안 시켜?"

멀리서 체육 교사가 짜증스럽게 소리쳤다.

선호는 고개를 천천히 돌려 학생들의 줄을 바라보았다. 14번은 늘 결석하는 축구부 아이였다. 그러니까 선호는 다음 번호를 이명의 오른쪽에 세워야 했다. 그것이 그의 역할이었다.

그러나 선호는 15번을 부르는 대신 느릿하게 앞으로 걸어 나가 이명의 곁에 섰다.

밝은 햇볕이 어두운 속을 꿰뚫어 보는 것처럼 따갑게 느껴졌다. 손에 땀이 나고 입 안이 말랐다. 쿵, 쿵, 쿵, 쿵. 얇은 체육복 아래서 가슴이 미친 듯이 두근거렸다.

'이래도 되는 걸까.'

저 애는 무슨 생각으로 뒤로 빠지지 않는 걸까. 모친이 그렇게 신신당부했던 제 몸 상태를 모르는 건가. 100m 정도면 괜찮겠거니 싶은 건가. 아니면 아무 생각도 없는 건가.

'내가 걱정할 일이 아니야.'

다른 목소리가 날카롭게 끼어들었다. 이명은 유치원생이 아니고 선호는 그의 보모가 아니다. 뛸 만하니까 뛰는 거겠지. 누구도 이명더러 달리라고 강요하지 않았다. 만약 다친다고 해도 미리 빠지지 않은 그의 책임이다.

삐익!

선호는 호루라기 소리가 떨어지자마자 달려 나갔다. 잔뜩 긴장한 다리가 저절로 움직이고 운동화가 땅을 힘차게 밀어냈다. 폐가 더운 공기로 가득 부풀었다. 땀에 덮인 몸에 티셔츠가 달라붙으며 바람이 소매 사이로 들어왔다.

왼쪽을 구태여 보지 않아도 경쟁자의 존재가 생생하게 느껴졌다. 이명은 눈에 띄게 빠르지 않았지만 그렇다고 느리지도 않았다. 선호는 그가 조금의 여유도 없이 온 힘을 다해 달리고 있다는 걸 직감할 수 있었다. 운동화와 모래가 마찰하는 소리, 팔이 움직일 때마다 체육복을 스치는 소리, 그리고 폐활량이 적은 사람 특유의 짧은 숨소리가 바로 옆에서 들렸으니까.

그의 손목을 붙잡고 보건실 가던 날에 등 뒤에서 들렸던 신음과 비슷하지만 달랐다. 그의 입을 막았을 때 손바닥 사이로 새어 나오던 뜨거운 숨과도 비슷하지만 달랐다. 아스팔트 길 위를 나란히 걸었을 때 들었던 고른 호흡과도 비슷하지만 달랐다.

알 수 없는 오기가 선호를 전심으로 내달리게 했다. 상대를 짓밟고 으스러뜨리고 싶은 욕구는 어느 때보다도 강했다. 그의 안에 사는 비열한 동물은 언제나 경쟁을 좋아하다 못해 숭배했다. 그러나 머리가 어질어질해질 정도로 강렬한 충동에 비하면 이명은 너무 쉬운 상대였다. 경쟁이 되지 않았고, 선호의 앞에 놓인 먹잇감이나 다름없었다.

그보다 훨씬 빠르게 달리면서 우월감을 느끼고 싶은 건지, 그렇게 복수라도 하고 싶은 건지, 그렇게라도 이명이 자신을 봐 주었으면 하는 건지, 자신도 모를 복잡한 감정으로 선호는 달렸다. 한 가지 확실한 건 그간 선호가 그에게 패배하는 기분을 느껴 왔다는 점이었다. 그러니 이번에는 이명이 패배할 차례였다.

주먹에 힘을 꽉 쥐고 다리를 움직였다. 점점 가까워지는 결승선을 노려보며 속도를 올렸다. 발을 한 번 디딜 때마다 곁에서 느껴지던 불안정한 숨결이 멀어져 갔다.

이미 이겼다는 걸 알고 있었다. 그것도 상대를 무참하게 찢고, 부끄러워서 고개도 못 들 정도의 차이를 남기며. 고작 중반이 지난 경쟁 한복판에서 승리의 쾌감에 몸이 떨렸다. 단순한 승리한 부산물이 아닌, 더욱 질 나쁘고 음습한 희열이었다.

"12.2초. 이야, 육상부 기록이네."

속도는 결승선을 통과하고서도 쉽게 멈춰지지 않았다. 무거운 발걸음이 검은 그림자를 남기며 모래를 날카롭게 파고들었다. 한선호는 한참을 더 달리고서야 멈춰 섰다. 온몸이 나무 그늘에 덮인 채로 거칠게 숨을 골랐다. 그러다 그의 고개가 천천히 돌아갔다.

햇볕 아래 하얗게 빛나는 모래밭 위, 짓밟아 놓았다고 생각한 소년이 달리고 있었다. 패배한 주제에 아무 흔들림 없이. 살짝 힘겨워 보였지만 하얗게 빛나며.

결승선을 일찍 밟은 것은 승패에 아무런 영향도 주지 않았다. 이번에도 패배감은 이명이 아닌 한선호의 몫이었다.

'네겐 내가 아무것도 아니구나.'

조금씩 가까워지던 실루엣이 결승선을 5m쯤 남겨 두고 비틀거렸다. 이명이 힘없이 무너져 내렸을 때 선호는 이미 달려 나가고 있었다. 이명이 엎드려서 거친 숨을 몰아쉬던 때 선호는 이미 그의 몸을 일으키고 있었다.

패배니 승리니, 흑백이니 바둑돌이니, 중간고사니 하는 것들이 머릿속에서 깨끗하게 사라졌다. 어차피 결론은 한 가지였다. 보답받을 수 있든 없든 선호의 감정은 한곳에 선명하게 존재하고 있었다. 때론 그늘에 덮이거나 억눌리거나 어딘가로 숨기도 했지만 결코 사라지지 않았다.

'다 나 때문이야.'

품에 꽉 안은 아이가 잘못되기라도 하면 모두 자신의 책임이다. 선호는 비뚤어진 감정 때문에, 자존심 때문에 그를 위험 속에 방치한 자신을 용서할 수 없었다.

"선생님, 선생님!"

보건실 문이 벌컥 열렸다. 이번에도 아무도 없었다.

"대체 왜 맨날 자리에 없는 거야!"

소리를 버럭 지르고 나니 비로소 정신이 들었다. 이명을 안고서 미친 사람처럼 여기까지 달려왔다는 것을 깨달았다. 그제야 옷을 잡아당기는 손길이 느껴졌다. 이명이 불편한 듯 몸부림을 치며 품에서 빠져나갔다. 선호는 숨을 거칠게 몰아쉬며 천장을 바라보았다. 저도 모르게 눈물이 살짝 났지만, 절대로 보이고 싶지 않았다.

"나…… 괜찮아."

"……."

"그냥 다리를 삐끗해서……. 나 정말 괜찮아. 놀라게 해서 미안."

이명은 곤란하다는 어조로 말했지만 정작 곤란한 것은 선호였다. 아직 숨을 헐떡이고 있으면서 도리어 자신에게 사과하는 이명이 당황스러워서, 그의 앞에서 완전히 무장 해제되어 눈물까지 찔끔 흘린 자신과 비교돼서. 선호는 손으로 이마를 짚으며 강하게 뛰는 심장을 진정시키려 노력했지만 잘되지 않았다.

문득 이명에게 영원히 이길 수 없으리라는 예감이 들었다. 그의 세계에 영영 끼어들 수 없을 것 같은 두려운 기분이.

"내가 너무 오버했네. 담임 선생님이, 너 뛰면 안 된다고 하셔서……."

마음을 숨기고 아무렇지 않게 내뱉었지만 목구멍이 뜨거웠다.

"그러게, 그냥 빠질걸. 내 주제에 괜히 뛰었나 봐."

"……."

"너무 한심하다. 끝까지 뛰지도 못하고 넘어지고……."

"미안해, 명이야. 나 때문에……. 지금 가서 재시험 치자."

"괜찮아. 나 체력장 점수 필요도 없는데, 뭐."

이명이 담담하게 말하더니 몸을 돌렸다. 하얀 실루엣이 조금씩 멀어지다가 복도 끝에서 사라졌다. 선호는 눈을 감고 보건실 벽에 등을 기댔다.

창밖에는 해가 밝게 빛나고 있었다. 뜨거운 여름이 축복처럼 빛을 내리쬐어 주고 있었다. 그러나 한선호가 서 있는 곳은 검은 그늘이었다.

세상은 여전히 그에게 우호적이다. 하지만 한선호는 이제 그것으로 만족하지 못한다.

15. 스물일곱, 겨울

15. 스물일곱, 겨울

처음 보는 골목들은 핏줄처럼 서로 얽혀 있었다. 그 안을 수많은 차량과 사람들이 뒤섞여 혈류처럼 빠져나가고 밀려들었다.

가사가 뭉개진 유행가와 고함, 간헐적으로 울리는 차량 경적이 뒤섞인 소음에는 어느 정도 적응이 되었지만 휙휙 바뀌는 광경에는 조금도 익숙해지지 않았다. 한 골목을 지나면 새로운 풍경이 펼쳐졌다. 버거울 정도로 화려한 시각적 자극에 원형은 흐려지고 색만 기억됐다.

짙푸른 거리, 녹색 거리, 노랑과 주황색 빛이 쏟아지는 거리를 지나며 버릇처럼 수를 읽었다. 상대가 취할 법한 행동을 예측해서 내가 취해야 할 행동을 설계한다. 상대를 위협하기 위해 선점해야 하는 요지를 짚어 낸다.

복잡한 전략을 거미줄처럼 확장해 나가면서도 이명은 분석이 무용하다고 느꼈다. 현실은 바둑이 아니며 그의 기재는 바둑판 바깥에서는 전혀 통하지 않기 때문이었다. 게다가 그들은 공평하게 한 번씩 착점하지도 않는다.

현실의 이명은 8년 만에 만난 남자의 손에 이끌려 낯선 장소를 통과하고 있었다. 주도권은 상대가 쥐고 있었고 바둑처럼 기다리면 차례가 돌아온다는 보장도 없었다.

이것은 얼마나 일방적일까. 가만히 저울질해 봤지만 그 질문은 마치 허공을 두드리는 것 같았다. 끌고 가는 한선호 이전에 그의 손을 붙잡은 이명이 있었다. 그 전에 손을 내민 한선호가 있었고, 그보다 훨씬 이전에 한선호를 남몰래 좋아한 이명이 있었다. 누가 주도하고 누가 따른단 말인가. 주도하든 혹은 이끌려 가든 뭐가 달라지는가.

어차피 이미 패배한 것이나 마찬가지였다. 그의 손을 잡은 순간에 속을 활짝 열어 보인 셈이니까. 반면에 한선호는 아무것도 보여주지 않았으니 결국 그가 승리자일까? 이겨서 기쁘다고 생각하고 있을까?

한선호가 꽉 붙잡고 있던 이명의 손을 놓은 건 온통 붉게 번들거리는 거리의 한 건물 안으로 들어선 다음이었다.

"아, 하아……."

"으응……."

매일 다른 사람이 머물다 가는 방은 깔끔했지만 온기가 없었다. 미색 벽에는 정사각형 정물화가 걸려 있었고 그 외에는 필요한 가구만이 존재했다. 복도에서부터 붙어 있던 그들은 연인처럼 서로의 입술을 빨며 발을 움직였다. 쏟아지는 키스에 입술을 활짝 열면서도 이명은 자꾸 뒷걸음질 쳤다.

등이 벽에 닿자 커다란 손이 외투를 긁어내듯이 벗겼다. 이명은 밤처럼 캄캄한 눈동자를 들여다보며 소매에서 팔을 뺐다. 스웨터의 성긴 코 사이로 한기가 스며들어 어깨가 살짝 떨렸다. 입술 위로 쪽, 쪽 소리가 나는 부드러운 키스가 몇 번 반복되더니 잇새로 다시 혀가 들어왔다. 그는 치열을 쓸고 입 안의 여린 점막을 헤집었다. 혀를 찾아 질척하게 얽자 뿌리까지 깊숙이 닿았다.

처음은 너무 놀라서 정신없이 지나갔지만 이번에는 확실한 자각이 들었다.

한선호와 키스하고 있구나. 그 사실을 되새기는 것만으로도 심장이 터질 것 같았다. 어쩌다 이렇게 되었는지, 한선호는 무슨 생각인지, 앞으로 어떻게 될지, 생각을 멈추고 그의 목에 팔을 감았다.

그는 혀도, 목도, 뺨에 닿은 손가락도 체온이 높았다. 셀 수 없이 그려 보았던 장면이었지만 실제는 상상과 비교조차 할 수 없을 정도로 뜨거웠다.

이명의 뺨과 목을 부드럽게 감싸던 손이 천천히 내려갔다. 니트 위로 허리를 만지더니 능숙하게 엉덩이를 쥐었다. 맞닿은 입술 모양이 일그러지는가 싶더니 낮은 웃음소리가 들렸다.

코트와 스웨터를 벗어 바닥으로 휙 던진 한선호는 셔츠 차림이 되었다. 고등학생 때도 흰 교복 셔츠를 입었는데, 그때와는 느낌이 완전히 달랐다. 어릴 때는 순수하고 깨끗해 보였다면 지금은 건드리면 벨 것처럼 날카롭고 어딘가 위험해 보였다. 그런 생각을 하는 사이에 바지가 속옷과 함께 쭉 당겨져 허벅지까지 내려갔다.

민망해할 새도 없이 한선호가 한 손으로 엉덩이를 쥐며 상체를 밀착했다. 견딜 수 없이 부끄러워 그의 눈을 피했더니 이번에는 반대편 손이 성기를 감싸 쥐었다.

"아, 윽……."

이명에게는 너무 빨랐다. 갈빗집 앞에서 키스한 것도, 한선호의 손을 잡고 모텔로 따라 들어온 것도, 들어오자마자 바지가 벗겨진 것도 갑작스러웠다. 자리를 옮겨 술이라도 한잔했다면 좋았을 텐데. 함께 영화를 보러 갔다면 심장이 두근거리다 못해 터져 버렸을지도 모르는데. 중간 과정을 건너뛴 채로 도달한 단계는 이명을 당혹스럽게 했다. 그렇다고 멈출 수도 없었다. 비록 이런 배경에, 이런 식이리라곤 상상조차 못 했지만 그와 가까워지고 싶었으니까.

바르고 순진했던 소년은 기억 속에서 반짝반짝 웃고 있었다. 그러나 현실은 달랐다. 그의 긴 손가락이 이명의 몸에서 나온 점액으로 끈적끈적하게 젖어 갔다. 순진하기는커녕 오히려 비열해 보이는 눈은 그늘에 덮여 있었다. 밤처럼 어두운 시선은 마치 감시라도 하듯 한시도 이명의 얼굴에서 떨어지지 않았다.

"으읏, 흑."

성기를 부드럽게 쥐었다 폈다 하던 커다란 손에 힘이 들어갔다. 엄지가 미끄러운 기둥을 천천히 타고 올라가자 이명의 몸이 움찔거렸다.

"으아, 아…… 앗!"

"뒤로 빼지 말고."

낮은 목소리가 질척거리는 마찰음에 뒤섞였다. 뒤로 빼지 말라면서 그만큼 다가왔다. 그의 성기를 놀이처럼 능숙하게 손안에서 굴리는 한선호는 이명이 모르는 남자였다. 한때 간절하게 알고 싶었던, 그러나 알지 못했던.

"아…… 아!"

다리에 힘이 풀려 그의 어깨에 이마를 묻었다. 후들거리는 몸을 가눌 길이 없어 한선호의 몸에 무게를 실어 버렸다. 단단한 팔에 안기다시피 하며 몸을 움찔거렸다. 심장 박동이 느껴질 정도로 가깝게 붙어 있으면서도 여전히 이명은 한선호를 전혀 모르겠다고 생각했다.

"하아, 응……. 하아……. 앗."

수치심과 함께 성감이 화악 올랐다. 바들거리는 손으로 한선호의 팔을 꽉 잡아 봤지만 다리에 힘이 풀려 몸을 똑바로 일으킬 수가 없었다. 그가 만져 주는 것이 황홀할 정도로 좋으면서도 끔찍하게 싫었다. 훤히 드러난 성기와 허벅지가 부끄러워 그가 보지 않았으면 싶었고, 손대는 대로 흥분하는 제 몸이 원망스러웠다.

한선호가 손을 위아래로 강하게 움직였다. 그의 손바닥이 마찰하는 속도에 따라 이명의 입에서 억누른 비음이 새어 나왔다. 소름 돋는 쾌감이 척추를 타고 흘렀고 땀이 비 오듯이 내렸다. 땀방울이 눈두덩의 굴곡을 타고 흘러 눈시울을 적셨다. 뜨거운 자극에 모든 것이 녹아내렸다. 부끄러움과 오랫동안 간직해 온 기억이, 두려움과 비밀스러운 미련이 한데 얽혀 끈적끈적하게 흘러내렸다.

한선호가 구둣발로 바지를 발목까지 밟아 내렸다. 나지막한 웃음소리가 악당의 음성처럼 들렸다.

"아! 아윽, 읏! 읏……."

그는 이명의 상태를 정확히 아는 듯했다. 더는 참을 수 없겠다 싶은 순간, 손길이 더욱 빨라졌다. 그의 어깨에 이마를 짓이기고 이를 악물었는데도 폐가 신음을 위로 밀어냈다. 절정에 다다르자 눈앞이 흐릿해지고 공기가 모자랐다. 이명은 부끄러운 비명을 지르며 몸을 떨었다.

고개를 들자 턱 끝에서 흐른 땀과 한선호의 손끝에서 미끄러진 정액이 검은 바닥 위로 후드득 떨어졌다.

"하아, 하아……."

한 뼘도 안 되는 거리에 있는 검은 눈동자가 아득히 멀게 느껴졌다. 들여다보아도 무슨 생각을 하는지 조금도 알 수 없었다. 이명은 눈을 감았다.

흥분을 감출 기색이 없는 숨결이 귓가에 부딪혔다.

"명이는 좋겠네."

한선호가 속삭였다. 부드럽고 비열하게, 다정하고 싸늘하게.

돌연 그들이 공유했던 시간이 또 한 번 밀려들었다.

수돗가에서 물로 장난치는 아이들, 이어폰을 뚫고 들어오던 날카로운 예비 종소리, 같은 간격으로 정렬된 책걸상, 쇠 맛 나던 정수기 물, 먼지와 분필 가루가 덕지덕지 붙어 있는 녹색 칠판, 유리로 된 실험 기구가 들어 있던 수납장, 오래된 커튼을 배경으로 떠다니던 먼지 같은 것들이. 시청각실의 자줏빛 의자들, 매캐한 냄새, 들어가자마자 기침이 나던 화학실의 답답한 공기가.

'어휴……. 존나 노답임.'

'와, 저러다 뒈지겠다. 하하하.'

'부럽다. 나도 폐에 빵꾸나 낼까.'

'군대 면제래. 부럽다.'

'병신.'

제법 아련하게 시작한 회상의 끝은 쓰라린 상처였다. 이명이 학창 시절에 대해 간직한 기억이란 게 대체로 그랬다. 좌절 아닌 다른 말로는 설명할 수 없었다.

눈이 번쩍 뜨이듯 그전에는 보이지 않던 것들이 보였다.

'대체 뭐 하는 거지? 바보같이.'

동화 속 주인공이라도 된 양 들떠 있었던 게 못 견디게 우스워졌다. 학창 시절의 짝사랑이라 잠시 헷갈린 모양이다. 그 시절의 미련이 두 눈을 가려 이렇게 하면 그와 가까워질 수 있으리라 착각했나 보다. 상대가 무슨 생각을 하는지도 모르면서. 그도 스트레이트가 아니란 건 놀랍지만 여기까지 따라온 자신의 안일함이 더 놀라웠다.

상대는 생면부지나 마찬가지였다. 이명은 그에 관해 아무것도 알지 못했고 그 반대의 경우도 마찬가지였다. 한선호에게 이명이란 끽해야 단지 폐병 걸려 민폐 끼치던 동창일 뿐일 텐데, 얼마나 만만해 보였으면 여기까지 데려왔을까……. 그것도 약혼반지까지 낀 놈이.

"……미안! 아, 안 되겠어."

양손으로 어깨를 힘껏 밀어냈다. 한선호가 비틀거리며 이명의 팔 길이만큼 멀어졌다.

무서울 정도로 싸늘한 침묵 위로 숨죽인 숨소리만이 흘렀다. 아무 소리도 내지 않으려고 입술을 깨물었지만 폐가 말을 듣지 않았다. 호흡이 걷잡을 수 없이 떨려 흐느끼는 것처럼 들렸다.

한선호의 손이 정액으로 번들거리고 있었다. 평소엔 타자를 치고 서류를 만졌을 화이트칼라의 손이었다. 그가 고개를 옆으로 돌리더니 바람 빠지는 소리를 냈다.

"왜?"

대답할 문장을 만들기 위해선 시간이 필요했다. 이명은 생각도 말도 느린 사람이었다. 한선호가 그런 그를 기다려 줄 것 같진 않았다.

"너, 나 좋아하잖아."

그 순간 낮은 목소리가 화살처럼 귀에 박혔다.

"뭐?"

"동창회도 나 보러 왔잖아. 친구도 없는 주제에."

그가 빈정거리는 듯한 말투로 고개를 까딱거렸다. 아래로 내리깐 눈에 냉기가 감돌았지만 입꼬리는 재미있다는 듯이 살짝 올라가 있었다.

정곡을 찔린 사람은 발끈하기 마련이다. 이명은 비참함과 수치심을 숨긴 채 소리쳤다.

"웃기지 마……!"

한선호는 눈 하나 깜짝하지 않았다. 그저 젖은 손을 뻗어 이명의 성기를 다시 쥘 뿐이었다. 그가 엄지로 귀두를 꾹 문질렀다.

"다 봤는데."

"아, 헉……. 헉, 아읏!"

"술 마시면서 나만 보는 거."

그의 왼손이 손목을 스르륵 스치며 소매 속으로 천천히 파고들었다. 약지에 사랑의 약속을 의미하는 금색 반지가 끼워진 손이었다.

긴 손가락이 뱀처럼 옷감을 천천히 밀어 올리며 팔뚝까지 기어 올라왔다. 한선호는 팔 안쪽의 여린 살갗을 부드럽게 쓰다듬으며 물었다.

"그만할까?"

손바닥의 뜨거운 온도와 냉랭하다 못해 벨 것 같은 차가운 눈빛은 한 사람의 것 같지가 않았다. 모르는 남자였다. 이명은 이런 사람을 알았던 적이 한 번도 없었다.

"나는, 네가 시키는 대로 할게."

그가 느릿하게 말했다. 바들바들 떨리는 입술을 꾹 깨문 이명과 달리 여유롭기 짝이 없는 태도로. 침묵이 그들 사이를 날카롭게 파고드는 동안에 허옇게 드러난 이명의 허벅지 위로 쿠퍼액이 길게 흘러내렸다. 이명에게 수치심을 주려는 게 목적이었다면 한선호는 성공을 거둔 셈이다.

"그만할까?"

꿈에서조차 간절히 닿기를 원했던 입술이 비틀리며 낮은 목소리가 흘러나왔다.

한선호는 선택권이 이명에게 있다는 듯이 말했다. 그러나 이명은 아무 선택권도 갖고 있지 않았다. 그늘에 숨어 양지에서 반짝반짝 빛나던 소년을 지켜보던 그는 철저한 약자였다. 그때로부터 오랜 시간이 지난 지금도 아무것도 변하지 않은 것 같았다. 맨살을 드러낸 채 속 모를 눈을 한 한선호를 올려다보는 이명은 그 앞에서 여전한 약자였다.

숨 막히는 정적에 입 안이 바싹 말랐지만 이명은 뺨 위로 흐르던 땀이 턱 끝으로 흘러내릴 때까지 침묵을 지켰다. 한선호는 그동안 무표정으로 그를 지켜보았다. 시간이 흐른다고 상황이 절로 나아지는 것은 아니었다. 단지 이명은 자신이 마음 밑바닥에서부터 무엇을 원하는지 다시 확인했을 뿐이었다.

앞뒤 상황과 한선호의 속 모를 태도, 자존심, 그리고 그의 손가락에 있는 반지…….

화점마다 흑돌이 깔려 있었다. 이것은 미지의 상대와 두는 아홉 점짜리 접바둑 같았다. 여기서 멈춰야 한다는 걸 알고 있었다. 하지만 짝사랑은 사람을 어리석게 만들어 버린다. 머리 쓰는 걸 업으로 삼은 사람조차도.

이명은 바보가 된 기분으로 다리를 앞으로 뻗었다. 그리고 한선호에게서 멀어졌던 만큼 다시 다가가 허리를 끌어안았다. 기다렸다는 듯이 마주치는 입술을 받아 내며 눈을 감았다. 혀를 깊숙이 섞으며 그의 셔츠 단추를 하나하나 풀어냈다.

"으음……."

한선호의 키스는 자신들이 연인 사이라 오인할 만큼 부드러웠다. 살갗에 닿는 뜨거운 체온과 속을 조금도 드러내지 않는 목소리, 입술을 삼키는 부드러운 키스와 성급하게 몸을 더듬는 손길 – 그중 어느 것이 자신이 알았던 한선호인가.

너무 다정해서 눈물이 날 것 같은 키스를 받아 내며 이명은 무슨 일이 있어도 울지 않겠노라고 다짐했다. 그러곤 그의 입술에 모든 것이 달려 있기라도 한 듯 간절히 매달렸다. 이제는 아무래도 상관없었다. 그렇다고 하더라도…….

"반지……."

싫다고 말할 줄 모르던 음성이 처음으로 거부 의사를 내비쳤다. 그러나 목소리가 너무 작아서인지 주저하듯이 내뱉어서인지 한선호는 듣지 못한 것 같았다.

허리께에서 맴돌던 손이 터틀넥 스웨터를 어깨까지 밀어 올렸다.

창밖에서 흘러들어 온 희미한 달빛이 훤히 드러난 가슴 위로 쏟아졌다.

이명은 더 이상 부끄럽지 않았다. 부끄러워서가 아니라 밑바닥까지 비참해지지 않기 위해 한선호의 팔을 붙들었다.

"반지, 빼."

"왜, 신경 쓰여?"

"빼."

가슴을 더듬던 손이 아쉬운 듯 떨어졌다. 한선호는 두 손을 겹치더니 말없이 반지를 뺐다.

이명은 그거면 되었다고 자위하며 팔을 뻗었다. 근육질로 단단한 엉덩이 위로 손가락을 미끄러트리다, 당장 시작하고 싶다는 듯이 검은 브리프를 벗겨 내렸다. 비참함을 숨기기 위해 차라리 섹스에 미친 남자를 자처했다.

눈앞의 남자는 그가 이해하기에는 너무 어렵고 두려운 존재였다. 잡생각이 머릿속으로 침투할수록 괴로웠다. 이명은 한선호의 옷을 모두 벗겨 내고 그를 서둘러 침대로 이끌었다.

"이쪽으로."

한선호가 손에 소중하게 들고 있던 무언가를 사이드 테이블에 올려놓았다는 걸 소리로 알 수 있었다. 그가 스탠드 전등을 켜자 금빛 반지가 반짝거리며 불빛을 반사했다.

'불, 껐으면 좋겠는데.'

한선호에게 붙잡힌 몸은 잔뜩 굳어서 말을 듣지 않았다. 소리도 낼 수 없었다. 아무리 막아도 목구멍에서 거칠게 튀어나오는 숨을 힘없이 내쉬는 것밖에는 할 수 있는 일이 없었다.

한선호는 이명의 위로 몸을 겹치는가 하더니 그의 몸을 휙 돌렸다. 허리를 잡아당겨 그를 무릎 꿇리고선 등 뒤에서 끌어안았다. 체온 높은 가슴이 등에 가까이 밀착하더니 한선호가 손을 뻗어 페니스를 자연스럽게 쥐었다.

커다란 손은 아무렇지 않게 이명의 몸에서 가장 민감한 부분을 갖고 놀았다. 손바닥으로 기둥을 완전히 감싸고 쓸어 올리기를 반복하다가 돌연 꽉 쥐었다. 그러다 엄지로 귀두를 살살 만지며 안달나게 했다.

“하으, 읏…….”

너무 쉬워 보이고 싶지 않았는데, 어쩔 수 없이 몸이 들리며 또 제멋대로 움찔거렸다. 허리가 비틀릴 때마다 제 등을 감싼 탄탄한 가슴이 느껴졌다. 이명은 한선호의 양팔 안에 갇힌 채 그의 손길 하나하나에 팔딱거리고 있었다.

정신없이 신음을 흘리던 그때 무언가가 허리를 툭 때렸다. 이명이 몸을 비틀 때마다 닿았다 떨어졌다 하던 그것은 곧 엉덩이 사이를 파고들며 위아래로 마찰했다. 낮은 음성이 들렸다.

“내 것도 만져 줘.”

이명은 제 엉덩이 위를 비비던 페니스를 향해 손을 뻗었다. 그와 맞닿은 몸 중에서도 가장 뜨거운 성기는 한 손에 잡히지 않는 데다 쿠퍼액으로 미끌미끌했다. 게다가 자꾸 흔들거려서 손안에서 몇 번이나 빠져나갔다.

이명이 제대로 만져 주지 못했는데도 한선호의 숨결은 금세 거칠어졌다. 그는 몸을 조금 떨며 상체를 바싹 붙이더니, 축축한 혀로 뺨을 핥아 올렸다. 짐승처럼 구는 그의 모습에 두려운 기분이 드는 한편 흥분으로 머리카락이 쭈뼛쭈뼛 섰다.

"하아, 하아……."

한선호는 감질난다는 듯 이명의 허벅지 사이에 성기를 묻고 앞뒤로 비볐다. 동시에 이명의 페니스를 쥐고서 빠르게 흔들었다.

"아……! 아아, 아!"

자존심을 지키겠다는 생각 같은 건 사라진 지 오래였다.

'자존심이 강했다면, 여기까지 들어오지 않았겠지.'

이미 복잡한 생각으로 머릿속이 꽉 차서 자괴감이 파고들 자리는 남아 있지 않았다. 이명은 한선호에게 몸을 완전히 맡기고서 내키는 대로 신음을 내질렀다. 그러고 있으니 정말로 섹스에 미친 사람이 된 것 같은 기분이 들었다.

"자, 잠깐……. 으읏, 나……."

곧 사정할 것 같다고, 그만하라고. 갈라지는 목소리로 애원했지만 문장을 끝까지 완성할 수 없었다. 한선호가 이명을 뒤에서 더 강하게 덮치며 팔을 더 빠르게 움직였기 때문이다. 토하듯이 내뱉는 달뜬 숨결과 목울대에서 그르렁거리는 소리가 귀를 어지럽혔다. 속도가 빨라질수록 그의 팔에 더 애타게 매달렸다.

"아, 아윽, 흣……!"

이명은 절정을 맞는 동시에 앞으로 무너져 내렸다.

팔을 휘청거리며 엎드린 자세로 정신없이 숨을 골랐다. 성기 끝에서부터 쿠퍼액과 정액이 음란하게 엉겨서 아래로 쭉 흘러내렸다. 침대를 받친 팔이 눈에 띄게 떨렸다.

한선호는 그에게 수치심이든 복잡한 감정이든 천천히 곱씹을 시간을 주지 않았다. 운동으로 단련된 가슴이 등에 착 소리를 내며 닿았다. 한선호는 이명이 도망칠 수 없도록 무게로 짓누르고서, 그의 어깨에 살짝 입을 맞추었다.

"넣을게."

강한 손길이 허벅지를 쥐었다. 엉덩이가 억지로 벌어지고 부풀 대로 부푼 성기가 틈새로 파고들었다.

"아, 아읏……."

고통스러운 신음이 입술 사이에서 흘러나왔지만 한선호에게 아무 영향도 끼치지 못했다. 좁은 구멍으로 머리를 들이민 페니스는 느릿하게, 그러나 조금의 주저함도 없이 빽빽한 틈을 비집고 들어왔다.

젠틀했던 건 넣겠다는 예고뿐이었다. 바들바들 떨리는 이명의 허리를 끌어당기며 한선호는 페니스를 끝까지 쑤셔 박았다. 좁은 안이 성기를 감싸 조이자 그가 이명의 목뒤에 얼굴을 묻으며 몸을 눌렀다.

"아, 하아! 윽……."

꿰뚫린 입장인 이명은 당혹스러웠다. 한선호는 페니스를 밀어 넣기만 했을 뿐인데 민감한 부분이 단단한 살덩이에 짓눌리며 눈앞이 새하얘졌다. 사정으로 나른했던 몸이 다시 경직되며 하강 곡선을 그리던 흥분이 도로 치솟았다.

한선호가 몸을 살짝 비틀자 이명은 비명에 가까운 신음을 질렀다. 그것은 그의 몸이 받아 내기엔 너무 두꺼워서 가만히 있어도 내벽을 억지로 밀어냈다. 몸이 쪼개지는 것 같은 통증과 감당하기 버거운 자극이 함께 밀려들었다. 상체가 저절로 들리고 목이 뒤로 꺾였다. 시트를 쥐고서 어떻게든 견뎌 보려고 했지만 입술 사이에서 새어 나오는 흐느끼는 듯한 신음을 억누를 수 없었다.

한선호가 성기를 입구까지 천천히 빼내는 동안 이명은 그의 귀두가 제 몸속에 남긴 궤적을 생생하게 느낄 수 있었다. 누가 입을 막은 것처럼 숨을 참고 있던 그는 성기가 빠져나간 틈에 숨을 몰아쉬었다.

그러나 한선호는 곧바로 강하게 삽입했다. 돌처럼 단단한 페니스가 내벽을 짓뭉개며 이전보다 깊은 곳까지 머리를 들이밀었다.

"아, 아윽, 흑!"

그는 잠깐 빠져나갔다가 또다시 끝까지 밀려들었다. 그렇게 서너 번 반복하고 나니 이명은 이미 진이 빠진 기분이었다. 지쳐 쓰러진 사람에게서나 들을 수 있는 신음이 목구멍에서 흘러나왔고 몸은 수영장에서 막 나온 사람처럼 흠뻑 젖어 있었다. 그러나 이제 시작이었다.

한선호는 이번에는 움직이겠노라고 친절하게 일러 주지 않았다. 그저 이명의 허리를 끌어안고 하체를 일정한 속도로 치댔을 뿐이다. 거칠다곤 할 수 없었지만 그렇다고 다정하지도 않았다. 차라리 기계적이라고 할 법한 운동인데도 이명은 정신을 차릴 수 없었다.

"아……! 윽, 윽!"

움직임이 조금씩 빨라지면서 삽입도 깊어졌다. 처음에 절제하는 것처럼 보이던 왕복 운동은 금세 고환이 엉덩이를 철썩철썩 쳐 대는 피스톤질로 바뀌었다. 입이 벌어져 타액이 턱을 타고 흘러내리고 시트 위로 땀이 투둑투둑 떨어졌다.

"아, 윽!"

그때 한선호가 이명의 등을 손바닥으로 눌러 아래로 밀어 내렸다. 마치 그의 상체가 섹스하는 데 거치적거린다는 듯 냉정한 태도였다.

연인처럼 다정한 행위를 바라지는 않았어도, 얼굴을 시트에 처박고 일방적으로 당하고 싶지는 않았다. 그러나 누르는 힘을 못 이긴 팔이 휘청거리다 접히며 그대로 침대 위로 엎어졌다.

한선호는 기다렸다는 듯이 이명의 한쪽 허벅지를 붙잡아 넓게 벌리며 더욱 가까이서 하체를 쳐올렸다.

"허억, 헉……."

비참한 기분과 머릿속을 하얗게 물들이는 쾌감이 공존하는 게 기이하게 느껴졌다. 이명은 어떻게든 손바닥으로 몸을 지탱하려 했으나 페니스가 안으로 파고들 때마다 몸이 흔들리며 자세가 무너졌다. 한선호는 몸을 오래 맞춰 본 사람처럼 이명이 어디에 약한지 정확히 아는 것 같았다.

퍽퍽퍽, 퍽퍽. 절제된 숨소리 외엔 살갗끼리 부딪치는 마찰음만이 귓가에서 부서졌다. 어느새 이명은 볼을 침대에 댄 채 엉덩이만 들고 엎드려 있었다. 머리가 아래로 처박힌 채, 입에선 원치 않는 신음이 흘러나오고 몸은 힘없이 흔들거렸다. 그런 중에도 성기가 안을 짓누를 때마다 배 속에서부터 번져 나가는 쾌감이 버겁기만 했다.

"아읏. 앗."

그와 몸을 섞고 싶었다. 그러나 이런 섹스를 원했던가.

다행스럽게도 머리카락이 흘러내려 눈가를 가려 주었다. 차라리 그의 얼굴이 보이지 않아서, 그리고 제 볼 위로 흐르는 눈물이 그에게 보이지 않아서 다행이라고 이명은 생각했다. 마치 지금 이 섹스가 서로의 희망 사항이었던 것처럼, 처음부터 공정한 거래였던 것처럼 보인다면 덜 비참할 테니까.

그러니 한선호는 몰라야 했다. 18세의 이명이 얼마나 애타는 마음으로 그를 동경했는지, 27세의 이명이 선뜻 그를 따라온 배경에 어떤 마음을 품고 있었는지. 그것이 보이는 것보다 얼마나 무겁고 끈질기며 오래된 성질을 띠고 있는지.

동물이 교미하는 것 같은 자세로 뒤를 쑤셔 박히고 있는 지금도 눈앞에는 환하게 웃는 소년의 모습이 떠올랐다. 햇살처럼 환하게 반짝거리는.

"아! 흑, 흐윽……."

생각하지 않으려 했는데도 자꾸 사이드 테이블 위로 시선이 갔다. 누군가와의 약속을 저버렸다는 의미로 탁자 위에 난 동그란 모양의 그림자.

"헉, 허억, 읏!"

무너지고 안달하는 것은 이명뿐, 한선호는 행위 중에도 침착하기만 했다.

이렇게 비참해질 줄 몰랐다고 하면 거짓말이다. 침대로 올라오지 말았어야 했는데. 아니, 그보다 전에 그 손을 잡지 말았어야 했는데. 동창회 자리에 들어서서 그와 눈을 마주쳤을 때 이러한 결말을 예상했어야 했는데. 아니다. 애초에 동창회 같은 델 가지 말았어야 했다.

"읏. 흐읏, 흣. 아읏……!"

뺨 위로 눈물과 땀이 뒤섞여 흘러내렸다. 고통스러웠다. 그런데 이 와중에도 만족감을 느끼는 자신이 더욱 비참했다. 거친 행위의 반동으로 몸이 떨릴 때마다 속눈썹에 맺혀 있던 눈물이 시트 위로 뚝뚝 떨어졌다. 이명은 자신이 이깟 쾌락 따위를 얻으려 여기까지 왔다는 것이, 그리고 시체처럼 축 처진 채로도 쾌감을 느끼는 몸뚱이가 못내 증오스러웠다.

사실은 멈추고 싶지 않았다. 사실은 그와 하나가 되고 마음을 나누고 싶었다. 이렇게라도 그와 맞닿고 싶은 욕망이 한심해도, 그게 이명이었다.

숨넘어갈 것처럼 신음을 흘리다 보니 급기야 기침이 나기 시작했다. 마치 쾌감과 고통이 하나의 뿌리를 공유하고 있다는 듯이.

'와, 저러다 뒈지겠다. 하하하.'

'병신.'

이명은 기침하는 모습을 보이고 싶지 않아 침대보에 입을 묻었다. 한선호 앞에서 또 약한 모습을 보이느니 차라리 땅에 파묻히고 싶었다. 그러나 평생 동안 이명을 곤혹스럽게 해 온 기침은 마음대로 조절할 수 있는 게 아니었다.

제멋대로 열린 입이 고통과 절망을 짖듯이 내뱉었다. 물기 어린 신음과 건조하기 짝이 없는 기침이 뒤섞였다.

그때 커다란 손이 어깨를 부드럽게 안아 올렸다. 다 이해한다는 듯이 뜨겁고 따뜻하게.

무의식적인 행동이었을까? 9년 전처럼 손바닥으로 입을 감싸는 행동에 울음이 왈칵 났다. 그러나 손길만 다정할 뿐 조금도 쉬지 않고 박아 대는 허리 짓은 그대로였다. 몸이 받아들이기엔 너무 큰 성기가 좁은 공간에 길을 내며 들락거렸다. 이미 맞닿아 있는데도 더 깊이 들어가겠다는 듯이 집요하게 밀어 넣었다.

'싫어. 약해 보이고 싶지 않아.'

이명은 몸을 일으키며 고개를 뒤로 돌렸다. 고통을 견디며 한선호를 바라본 순간, 눈물이 뺨 위로 흘러내렸다.

끈적거리는 액체가 튀고 달아오른 몸이 맞부딪쳤다. 뜨거운 손바닥이 어깨를 쓰다듬었고 두 개의 몸이 같은 속도로 오르내렸다. 이명은 가장 내밀한 몸의 대화 도중에도 한선호에 대해 전혀 모르겠다고 생각했다.

떨리는 손으로 시트를 쥐고 견뎌도 봐주지 않는 한선호와 다정하게 등을 끌어안는 한선호. 강압적인 행위와 부드러운 손길 중 어느 것이 그의 진정한 모습일까.

"명이야."

낮고 간절한 음성은 아무런 힌트도 주지 않았다.

'모르겠어. 정말 모르겠어.'

귓가에 부딪히는 거친 숨소리 사이로 빗물이 창을 때리는 소리가 들렸다. 천둥이 치고 있었다. 이명은 천둥소리를 좋아했다.

"허억, 흑, 읏……."

"하아, 하아……. 명이야."

"으읏! 흐읏."

한선호가 어깨를 부드럽게 당기자 이명은 그대로 끌려갔다. 곧 뺨에 축축한 입술이 닿았고, 뜨거운 혀가 볼 위로 흘러내리는 눈물을 부드럽게 핥아 올렸다.

"명이야……. 울지 마, 응?"

한 점의 그늘도 없이 반짝반짝 빛나던 소년의 음성이었다. 이명은 가슴이 아리도록 다정한 목소리를 들으며 눈을 감았다.

2B. 열여덟, 겨울

2B. 열여덟, 겨울

개학식에는 폭설이 왔다.

아빠는 차가 밀리겠다고 불평하며 출근했다. 엄마는 말없이 옷걸이에 목도리를 걸어 놓았다. 이명의 부모가 화해하는 방식은 조용하고 겉으로는 티가 나지 않아서 자세히 살펴봐야만 알아챌 수 있었다.

전날 그들은 심하게 다투었다. 이명은 방에서 이어폰을 귀에 꽂고 있었는데도 고성을 들었다. 엄마와 아빠는 이명이 아니라면 그다지 싸울 일이 없을 것 같은 사람들이었다. 엄마는 화가 나도 흥분하는 법 없이 늘 차분했고 아빠는 과묵하지만 속정이 많은 스타일이었다. 이명이 어린 시절에 기억하는 부모님은 싸우는 일이 드물었다. 그가 바둑을 시작하기 전까지만 해도.

'아들이 100년에 한 번 나올까 말까 한 천재인데, 그럼 쓸데없는 데다 시간을 버리라고?'

'당신 인생을 애한테 투영하지 말라니까! 사람 구실을 하려면 고등학교는 나와야 할 거 아냐?'

'말만 잘하지, 그게 무책임하단 거야. 당신은 내버려 두면 애가 알아서 크는 줄 알아?'

'당신처럼 애를 쥐 잡듯이 잡는 건 책임감 있는 태도고?'

기원의 조 원장은 이명에게 초등학교까지만 졸업하고 바둑에 전념하라고 충고했었다. 다른 집 애들은 네댓 살부터 바둑돌을 잡는데, 이만하면 아주 늦은 나이에 시작했으니 아무리 기재를 타고났더라도 더 열심히 해야 한다는 거였다. 바둑 도장의 임 사범도 같은 의견이었다. 기사의 학력은 초졸이면 충분하다고, 어차피 중고등학교에서 배우는 것도 없는데 6년씩이나 허비하다가 다른 연구생들에게 실력이 뒤처질 수 있으니 자퇴해야 한다고 강권했다.

당시에 엄마는 꽤 강경하게 말했다.

'바둑밖에 모르는 아이로 키우고 싶지 않아요. 지금은 애가 좋아하니까 취미 삼아 시키지만, 나중에 어떻게 될지 모르는 거고…….'

그러나 '천재'라는 함정은 그녀의 생각을 서서히 바꿔 놓았다. 기원과 바둑 도장의 모든 선생들이 아드님은 천재 중의 천재라고 입을 모아 말했다. 처음엔 기분 좋은 칭찬에 머물렀지만 이명의 업적이 차차 쌓여 상장과 상금의 형태로 돌아오자 엄마는 결심했다. 아들을 바둑밖에 모르는 아이로 키우겠노라고.

반면에 아빠는 그대로였다. 그는 어떤 이유건 학생이 학교에 가지 않는다는 개념을 이해하지 못했으며 몇 년씩 도장에 갇혀 숙식을 해결하고 온종일 바둑판만 보는 애들을 그릇된 욕망의 비뚤어진 희생양으로 여겼다. 요는 아이는 아이답게 커야 한다는 것이었다. 좋든 싫든 학교에 가서 운동장에서 뛰놀고, 친구들과 어울리고, 가끔 나쁜 짓을 하더라도 크게 엇나가지만 않으면 된다고. 그것이 아빠가 아이에 관해 가진 불변하는 관념이었다.

이명이 중학교에 입학하던 시점과 두 번의 개학식, 이명이 고등학교에 입학하던 시점과 이번 개학식에 똑같은 논쟁이 벌어졌다. 엄마는 아직 학기가 시작하지 않았으니 지금이라도 애를 자퇴시키자고 아빠를 떠보았고, 아빠는 엄마를 자식을 이용하려 드는 파렴치한 야망가로 취급하며 분노로 응수했다.

이명은 엄마의 사랑을 의심하지 않았다. 엄마의 지칠 줄 모르는 열정은 그녀 자신이 아닌 아들을 위한 것이었다. 오히려 그녀는 아들의 커리어를 서포트하기 위해 본인의 직장을 관두는 희생을 치렀다. 그러나 그녀의 입장은 탐욕스러운 마리오네트 인형사처럼 비치기 너무나 쉬운 자리였고, 언제든 그렇게 변질될 위험성이 있기도 했다.

이명은 아들이 몸과 마음이 건강한 어른으로 자라길 바라는 아빠의 마음 또한 이해했다. 그러나 아빠는 이명이 뛰놀 수 없는 특수한 체질에 남을 불편하게 만드는 기이한 침묵을 가진 아이란 걸 간과하고 있었다. 이명은 그의 말처럼 학교에서 세상의 축소판을 배우고 다양한 애들과 뒤섞여 참된 인생을 배울 처지가 아니었다. 그는 학교에서 소극적이고 정적인 행동거지를 고수했으며 아무것도 습득하지 않았다. 아빠의 바람은 거짓으로 꾸며 낸 학교 홍보 팸플릿 같았다.

결과적으로 늘 이기는 건 아빠였다. 아이에게 다양한 세상을 보여 주어야 한다는 논리와 아이를 제일가는 기사로 만들겠다는 의지. 전자가 후자보다 자식을 사랑하고 위하는 것처럼 보이는 게 당연했으므로.

이명은 가타부타 말을 얹는 대신 조용히 있다가 부모의 결정을 따랐다. 안 그래도 둘이 갈등하는데 자신까지 참전해서 일을 크게 만들고 싶지 않았기 때문이었다. 그는 부모를 이혼 직전까지 몰고 갔던 작년의 분위기를 잘 기억하고 있었다. 엄마에게도 아빠에게도, 무엇보다 징에게 씻을 수 없는 상처를 남긴 나날이 다시 반복되는 건 원치 않았다. 한 명만 참으면 모두가 평화롭게 지낼 수 있었다.

이명의 고2 개학식은 아빠에게는 또 한 번의 승리 수성이자 엄마에게는 아까운 기회를 눈 뜨고 놓쳐야 하는 아쉬움이었다. 이명에게는 견뎌 내야 할 시련이었다. 다시 말해서, 좋을 것은 아무것도 없었다.

그날은 바람이 꽤 거세서 눈발이 얌전히 떨어지지 않고 미친 듯이 휘날렸다. 구령대에 달린 태극기도 버티기 힘겨워 보였다. 눈을 크게 뜨면 작은 눈 알갱이가 속눈썹에 달라붙거나 눈알에 부딪혀서 황량한 회색빛 학교 건물을 똑바로 볼 수 없었다. 여기는 네가 올 곳이 아니라는 듯이, 그만 돌아가라는 듯이, 강한 바람이 앞을 가로막았다.

이명은 묵묵히 걸었다. 학교가 자신을 밀어내는 듯한 느낌이 한두 해도 아니고, 못 견딜 것도 없었다. 올해도 없는 사람처럼 지낼 것이다. 그러다가 어떤 애들하고는 갈등을 빚고, 조롱받고, 손가락질당하겠지만, 늘 그랬듯이 기억 속에서 차츰차츰 잊혀지리라.

이어폰에서는 여자 보컬의 음성이 흘러나오고 있었다. 작년에 생각에 빠져 걷다가 공을 맞을 뻔한 이후로는 의식적으로 주변을 한 번씩 살피면서 걸었다. 주변에 아무도 없는 것을 확인하고서도 이명은 운동장을 꼼꼼하게 훑어보았다.

'역시 오늘은 없네. 개학식이라 그런가…….'

그럼 없는 게 당연하지, 하고 제 상념을 끊어 냈다. 어떤 미친 사람이 개학식 아침부터 공을 차겠는가. 그것도 이런 날씨에.

짙은 색 코트나 패딩을 입은 아이들은 모두 바람과 맞서 싸우며 한 방향으로 걷고 있었다. 이명은 지나치는 아이들의 옆모습을 힐끔힐끔 보았지만 역시나 아는 얼굴은 보이지 않았다.

바람에 이리 밀리고 저리 밀리며 겨우 정문까지 왔다. 운동장에 넓게 퍼져 있던 아이들이 깔때기를 댄 것처럼 모여들어 신발을 갈아 신었다.

'몇 반이었지…….'

기억에 남지 않아서 예전 핸드폰 메시지를 확인해야 했다.

'5반이구나.'

구관 2층. 1, 2, 3반 중 하나면 동쪽 층계로 올라갈 것이고, 8, 9, 10반 중 하나면 서쪽 층계로 올라갈 텐데. 5반은 어디로 가도 멀었다. 고2가 되는 것이 마음에 들지 않다 보니, 모든 것이 불만스러웠다.

신발을 실내화로 느릿하게 갈아 신고 아주 천천히 층계를 올랐다. 교실이 가까워질수록 가슴을 옥죄는 불쾌함이 커져 갔다. 도착하고 싶지 않은 마음을 품고 '2-5'라고 적힌 팻말 아래 섰을 땐 조례가 시작하기 13분 전이었다.

'들어가기 싫다.'

매년 반복하는 일이지만 기대감을 느껴 본 적은 한 번도 없었다.

그 대신에 모르는 사람을, 그것도 여러 명을 대면해야 한다고 생각하자 싸한 긴장감이 들었다. 이명은 심호흡을 크게 하고서 문을 열었다.

드르륵.

최소한 스무 명은 넘을 이들의 찌르는 듯한 시선이 느껴졌다. 이명은 주목받는 느낌이 싫었다. 이 순간만은 세상에서 사라져 버리고 싶었지만, 의식하지 않는 척 다리를 움직였다. 모든 새 학기 첫날과 마찬가지로 이번에도 애들은 이명이 별 볼 일 없다는 걸 알자마자 시선을 돌리고 각자 제 할 일을 하기 시작했다.

그리고 이명은 두 번째 위기를 맞았다. 그가 좋아하는 1분단 창가 자리마다 이미 누가 앉아 있었던 것이다.

어디에 앉을 것인지는 학교의 생활에 지대한 영향을 미치는 중요한 요소다. 어차피 첫 조례 시간에 앉은 자리는 임시일 뿐이고 담임이 키나 번호순으로 새로 정해 주기 때문에 지금 좋은 자리를 차지해 봐야 의미 없기는 하지만.

'아무 데나 앉자.'

속으론 그렇게 중얼거려 놓고 미련이 남아 창가 앞에서 기웃거렸다. 시간을 끌어 봐야 아무것도 나아지지 않는데. 원하는 것을 빠르게 포기하지 못하는 것은 그의 단점 중 하나였다.

'중요한 일도 아닌데 왜 이렇게까지 고민하는 거야.'

한숨이 나왔다. 이명은 이렇게 생각이 많은 자신을 한심하다고 여기며 비어 있는 창가 옆자리에 앉았다. 누가 쳐다보는 것 같길래 별 생각 없이 몸을 오른쪽으로 틀었다가 한 남학생과 눈이 마주쳤다.

'엇……!'

팔짱을 낀 채 팔꿈치를 책상에 기댄 남학생은 낯이 익었다. 이명은 그를 처음 어디서 보았는지 금세 기억해 냈다. 소년은 아마 기억하지 못할, 해프닝에 가까운 첫 만남을.

잘생긴 아이는 재미있다는 듯 이명을 바라보다가 씩 웃었다. 이명은 당황해서 재빨리 앞사람의 뒤통수에 시선을 고정했다.

'이럴 수가, 같은 반이라니…….'

갑자기 숨이 차는 듯한 착각이 들었다. 심장이 빠르게 뛰는 것이 느껴졌다. 이명은 주먹을 쥐어 입에 대어 보기도 하고 눈을 한동안 감아 보기도 했지만 떨림은 쉽게 진정되지 않았다.

'어떡해…….'

무엇보다 계속 미소가 입술을 비집고 나오려 해서 입가에 경련이 일어날 것 같았다. 담임 교사가 들어와서 몇 마디 했을 때까지도 이명의 머릿속은 오른쪽 대각선 뒤의 남학생으로 가득했다. 담임이 반장 선거를 하겠다고 후보를 받기 시작했을 때도 이명은 계속 그에 관해 생각하고 있었다.

"타의 모범! 우등생! 공부면 공부, 운동이면 운동, 못하는 게 없는 한선호를 추천합니다, 선생님!"

그와 같은 분단 두 번째 줄에 앉은 애가 손을 번쩍 들었을 때까지만 해도 이명은 반장 선거에 관심이 없었다.

"네가 선호구나. 일어나서 애들한테 얼굴 보여 주고."

"네."

온 신경이 쏠려 있었던 3분단 다섯 번째 자리에서 인기척이 났을 때에야 이명은 자신이 소년을 볼 기회를 얻었음을 깨달았다. 아무 죄책감 없이, 다른 아이들처럼.

일어서서 교실을 둘러보는 남학생에게선 빛이 났다. 새까맣고 짧은 머리카락은 정직한 인상을 주었고 진한 눈썹은 그를 만만해 보이지 않게 했다. 그러면서도 두 눈에서는 서글서글하고 순진한 분위기가 흘렀고 콧날은 높고 또렷했다. 살짝 미소 띤 입매는 여유로우면서 단호해 보였다.

이명은 그를 정신없이 보고 있다가 소년이 다시 자리에 앉고 나서야 고개를 원상대로 돌렸다.

'혹시 꿈인가?'

이명은 사람이 이렇게 많은 와중에 제 뺨을 꼬집어 볼 용기는 나지 않아, 오늘 일어난 일을 찬찬히 떠올려 보았다. 아빠가 두르고 나갔던 목도리 무늬까지 기억날 정도인데, 꿈이라면 이렇게까지 자세히 기억나지 않을 것이다.

가슴이 울렁거렸다. 이 증상이 더 심해지면 아침에 먹은 걸 토하고 싶어질지도 모른다. 입가에 자꾸 번지는 웃음을 지우려고 혼자만의 전쟁을 한창 치르고 있는데 작은 투표 용지가 책상에 올라왔다.

'어쩌지…….'

딴생각을 하느라 다른 후보가 누군지조차 보지 못했다. 얼굴만 보고 반장을 뽑아도 되는 건가 진지하게 고민이 되었다. 아니, 얼굴만은 아니다. 그 애는 운동 신경도 뛰어난 것 같고, 성격도 무척 좋아 보이니까…….

'이렇게 적었다가, 재가 알게 되는 건 아니겠지?'

이명은 한참 동안 망설이다 샤프를 굳게 쥐었다. 글씨를 처음 쓰는 사람처럼 긴장한 채 세 글자를 적었다.

'이름도 예쁘다.'

제 필체로 적힌 그의 이름이 마음에 들었다. 비록 손이 떨려서 선이 곧지 않기는 해도.

곧 두 번 접은 종이가 걷히고 가장 앞줄에 앉은 애들 중 하나가 끌려 나가 표를 집계했다.

"한선호, 한선호, 한선호, 한선호, 기권, 한선호……."

서른네 개의 표는 금세 분류되었다. 결과가 너무 압도적이라 긴장감은 없었다. 반장 선거는 번갯불에 콩 볶아 먹듯 빠르게 지나갔으며 시시하고 단조롭게 끝나 버렸다. 담임은 점심 메뉴를 읊듯이 심드렁한 목소리로 결과를 발표했다.

"스물다섯 표 받은 선호가 오늘부터 반장이다."

그는 손을 들어 교실 중간을 가리켰다.

"자, 반장. 친구들에게 할 말 있어?"

이명은 제 일이 아닌데도 갑자기 숨이 턱 막히는 기분이었다.

'갑자기 저런 걸 시키면 당황스러울 텐데…….'

그는 1학년 때 매달 12일마다 학교에 가기 싫었다. 12번이었던 그에게 문제를 풀거나 책을 읽으라고 시키는 교사가 꼭 한 명씩 있었기 때문이었다. 만일 자신을 갑자기 반장에 선출하고 예고도 없이 소감을 발표하라고 시켰으면 도망치고 싶었을 것이다. 그러나 한선호는 의자를 뒤로 밀며 자리에서 주저 없이 일어났다.

"안녕. 만나서 반가워. 반장으로 뽑아 줘서 고맙고, 도움이 필요한 일 있으면 뭐든 말해 줘. 어……. 그럼 잘 부탁한다, 애들아."

짝짝짝. 사방에서 들리는 박수 소리에 둘러싸인 이명은 저도 모르게 함께 손뼉을 치고 있었다.

'괜한 걱정이었네.'

새삼 소년이 선출된 게 당연하다는 생각이 들었다. 한선호는 태어났을 때부터 반장이었다고 해도 믿길 정도로 '반장다운' 아이였으니까. 짝짝짝짝짝. 이명은 소리가 잦아들다 사라지기 직전까지 손뼉을 쳤다.

그는 처음으로 학교가 좋아졌다.

3. 열여덟, 겨울

3. 열여덟, 겨울

그날의 메뉴는 오징어 볶음과 연근 조림이었다. 이명은 된장국을 식판에 올리고서 빈자리를 찾아 두리번거렸다.

체육 시간이었던 4교시가 끝나고서 곧바로 급식실에 오는 대신 옷을 갈아입으며 시간을 끌었다. 그가 도착했을 땐 가장 북적거리는 시간대가 지난 뒤였다. 이명은 커다란 기둥 옆자리에 앉았다. 그곳은 급식을 혼자 먹어도 반대편에서 안 보인다는 장점이 있었다. 혼자 밥 먹는 게 하루 이틀도 아니었지만, 가끔 힐끔거리는 애들이 있어서 신경이 쓰이곤 했다.

핸드폰 어플로 음악을 재생하고 양쪽 귀에 이어폰을 꼈다. 뿅뿅거리는 전자음이 높은 천장을 울리던 소음을 덮자 기분이 좋아졌다. 상큼하고 청량한 보컬이 부르는 노래를 들으면 자연스럽게 생각이 멎고 하던 일에 집중할 수 있었다. 이명은 숟가락을 들어 된장국을 한 숟갈 떠먹었다.

머리를 비우고 식사한 지 얼마나 되었을까, 기둥 건너편에서 의자 빼는 소리가 음악 소리를 뚫고 들어왔다.

“와 씨발, 오늘 밥 뭐냐?”

“이게 개밥이야 사람 밥이야?”

한 무리의 남학생들이 험한 소리를 하며 자리에 앉았다.

“암튼 거기서 골이 들어가는데 개쩔었다니까. 거의 메시였어.”

“무릎으로 한 번 띄우고 그담에 골대 왼쪽 위에 꽂는데, 캬.”

“지렸다.”

이명의 엄지가 + 버튼을 찾아 두 번 눌렀다.

“왼발 킥 아니었음? 난 그렇게 봤는데.”

“아, 무슨. 전혀 아님.”

“맞거든, 띨빡아?”

그들은 조금 전까지 축구를 하다 왔는지 단체로 흥분해 있었다. 목소리가 너무 커서 볼륨을 꽤 크게 올렸는데도 음악 소리를 뚫고 고막을 때려 댔다. 이명은 + 버튼을 연타했다. 귀가 슬슬 아파질 수준까지.

“아니라고! 내가 봤다고!”

“뭔 소리야, 걔 오른발잡인데. 내가 초딩 때부터 봤는데 그걸 모르냐?”

“어쩌라고, 그럼 내가 본 건 뭐야?”

+, +

“네 눈이 삐었나 보지.”

+, +, +

“본인한테 직접 물어봐. 야, 선호.”

이명의 손이 멈추었다. + 버튼을 꾹 누르고 있었던 탓에 볼륨이 한계까지 다다다다 올라갔다. 보컬들이 귀에 대고 비명을 지르는 것 같았다. 서둘러 일시 정지 버튼을 누르자 급식실의 소음이 다시 돌아왔다.

"반장, 너 아까 왼발로 찼어, 오른발로 찼어?"

시끌시끌하던 옆 테이블이 갑자기 조용해졌다. 이명은 입가까지 올렸던 숟가락을 물고 덩달아 숨을 죽였다.

"기억 안 나는데? 오른발이었겠지 뭐."

다른 아이들과 달리 어른스러운 목소리에는 자연스럽게 주목하게 되는 힘이 있었다. 가슴을 두근거리게 하는 탓에 밥 먹을 때 듣기 좋은 음성은 아니었지만. 이명은 음악 플레이어를 슬그머니 종료해 버렸다.

"뭐야, 네가 찼으면서 왜 기억이 안 나?"

"그럼 너는 아까 나한테 무슨 발로 패스했는지 기억나냐?"

"오, 그러네. 기억이 안 나네."

그 애들은 계속해서 조금 전 축구 시합에서 인상 깊었던 장면에 관해 이야기했고 이명은 모든 대화를 엿들었다. 반장은 뜻밖에도 과묵했다. 친구가 많길래 정처럼 활달하고 애교가 많은 성격일 줄 알았는데, 그는 오히려 경청하는 타입이었다. 가만히 듣고 있다가 의견을 내고 싶을 때만 한마디씩 했다.

그는 언제나 관심의 중심에 있었지만 나서서 주의를 끄는 스타일은 아닌 듯했다. 농담하거나 장난치는 모습도 보지 못했고 다른 아이들처럼 욕이나 험한 말을 쓰는 일도 없었다. 그런데도 친구가 많은 게 신기했다.

"우리 이번에 운동 잘하는 애들 많아서 체육 대회 때 쩔겠다."

"예? 지금 3월인데 벌써 체육 대회요?"

"그래 봤자 다른 반에서 축구부 애들 나오면 끝나는 거 아니냐."

"우리 반에도 축구부 두 명 있을걸?"

"누구?"

이명은 식사를 끝냈지만 일어나기 아쉬워서 괜히 젓가락으로 남은 반찬을 쿡쿡 찔렀다. 반장과 같은 반이 되어서 좋기는 했지만 접점이 전혀 없어서 목소리 들을 기회가 '차렷, 경례' 때 말곤 거의 없었기 때문이다.

'그래도 신기해.'

열 개나 되는 반 중에서 하필 그와 같은 반이 된 건 엄청난 행운이었다. 만일 다른 반이었다면 졸업할 때까지 이름조차 모르다 기억에서 서서히 잊혔을 텐데.

아니, 어쩌면 불행일지도 모른다. 최근에는 그에게 궁금한 점이 점점 많아져서, 갈수록 시선을 뗄 수 없어져서 걱정될 때가 있었다. 작년에는 운동장을 지나갈 때 오늘은 있으려나 힐끔거리는 정도였지, 이렇게 매일같이 그의 생각을 하지는 않았었다.

"축구부만 있는 줄 아냐? 우리 반에 바둑부도 있어."

반장이 입을 열기를 기다리며 핸드폰을 만지작거리던 이명은 훅 들려온 소리에 몸을 굳혔다.

"바둑부?"

"아, 바둑부가 아니고 기사."

"택시?"

"아니, 말길을 못 알아듣냐? 우리 반에 바둑 두는 애가 있다고."

이명은 입을 꾹 다물고 그들이 무슨 말을 하는지 귀를 기울였다.

"뭐, 근데 어쩌라고."

"그냥 그렇다고."

"누군데?"

"김명?"

"누군지 모르겠다. 아직 이름 다 못 외웠어."

이름이 잘못되었는데도 아무도 정정하지 않았다. 하긴, 이명도 거기 앉아 있는 다섯 명 중에 이름을 제대로 아는 건 한 명밖에 없었다. 그리고 그 한 명은 아까부터 한마디도 하지 않고 있었다.

"바둑 하는 애들 좀 이상하지 않냐?"

"왜?"

"나 초딩 때 한 명 있었는데 존나 병신이었음. 맨날 혼잣말 중얼거리고."

"나도 한 명 봤는데 걘 잘난 척이 쩔었어."

"맨날 바둑만 둬서 머리가 어떻게 된 거 아니야?"

"그러니까. 그래도 기사 되면 돈은 잘 벌걸? 걔 3단이라는데, 우리 아빠가 그 정도면 하버드 간 거보다 훨씬 대단한 거래."

"근데 성격은 병신이고? 아, 누구지? 왠지 안경 썼을 것 같다."

이명은 불안한 듯 손가락을 만지작거렸다. 남들이 그를 두고 뒤에서 험담하는 거야 하루 이틀 일도 아니었지만, 저 중에 소년이 있다는 게 문제였다.

"걔 안경 안 써."

그때 부드러운 음성이 귀에 꽂혔다. 시끄러운 소음을 뚫고 주목할 수밖에 없게 하는 소리가.

"그리고 착해 보이던데. 아직 잘은 모르지만."

침착한 목소리는 이명에게 따스하고도 단단한 방어막을 쳐놓고 소음 속으로 다시 사라졌다.

이명은 싸늘하게 식은 국을 앞에 두고 눈을 깜빡거렸다. 누가 뒤에서 자신을 욕하는 걸 들은 적은 셀 수 없이 많았지만, 잘 알지도 못하는 사람이 변호해 준 적은 처음이었다.

"천재로 사는 긴 어떤 기분일까? 나도 하루만 돼 보고 싶다."

이명은 마치 저쪽 일행처럼, 웃음을 터뜨린 다른 애들과 같은 타이밍에 키득거렸다. 누가 봐도 티 나지 않을 정도로 작게. 그렇지만 어깨가 들썩거리는 건 어쩔 수 없었다.

"닥쳐, 반장. 니도 천재잖아."

"내 말이……. 존나 재수 없어. 공부도 잘하면서."

다른 애들이 핀잔을 주자 소년이 부드러운 소리를 내며 웃었다. 순수하고 청량하게. 그들 사이를 가로막은 기둥이 없었다면 주변까지 환하게 만드는 미소를 볼 수 있었을 것이다. 그렇게 생각하니 무척 아쉬웠다.

"난 저 얼굴이 제일 재수 없다."

"동감. 잘생긴 놈들 다 죽었으면……."

"윽! 나 방금 사망함."

"……네, 영생을 누리실 분."

"에휴. 다 먹었으면 일어나자."

의자 끌리는 소리가 차례차례 나고 아이들이 식판을 들고 일어났다. 이명은 그들이 떠드는 소리가 아주 멀어진 뒤에도 한동안 자리를 지키며 대화를 곱씹었다.

'착해 보이던데.'

아직 새 학기가 시작되고서 일주일밖에 지나지 않았는데, 그가 자신의 존재를 알고 있다니. 두 귀로 똑똑히 듣고서도 믿기 어려웠다.

'나도 하루만 돼 보고 싶다.'

'내가 되어 보고 싶다니, 말도 안 돼.'

그의 음성을 다시 떠올리자 얼굴이 화끈거렸다. 이명의 입술 사이에서 한숨이 흘러나왔다.

이런 건 얼마든지 바꿔 줄 수 있으니까, 자신이야말로 하루만 한선호로 살아 보고 싶었다. 뭐든지 잘하고 모든 이들에게 사랑받는 완벽한 소년으로 살아가는 건 어떤 기분일지, 상상조차 하기 어려웠으므로.

6. 열여덟, 봄

6. 열여덟, 봄

"이명 3단! 여기야!"

교문 앞에서 길쭉한 인영이 손을 흔들고 있었다. 이명은 주변 눈치를 보며 그녀를 향해 빠르게 걸었다.

"밖에서 만나자니까, 정아……. 외출증도 썼는데."

"이 김에 남의 학교도 들어와 보고 신기하네."

정은 신기하다는 듯 주위를 둘러보며 안으로 성큼성큼 걸어 들어왔다. 무릎까지 오는 교복 치마를 입은 그녀는 남학생만 바글바글한 운동장에서 몹시 눈에 띄었다. 이명은 누가 그녀를 보는 것도 싫었고 괜히 자신에게 시선이 쏠리는 것도 싫었다. 그래서 정이 빨리 용건을 마치고 가 주길 바랐지만 그녀는 놀러 온 사람처럼 즐거워 보였다.

"맞다. 여기, 교과서."

어젯밤에 정은 수학 문제를 가르쳐 달란 핑계를 대고 이명의 방에 와서 수다를 떨고 갔다. 나가는 길에 펴지도 않은 제 수학 교과서는 책상에 놓고 이명의 교과서를 실수로 들고 나간 게 문제였다. 학교에 와서야 책이 바뀌었다는 사실을 알았다.

수학 교사는 교과서 안 가져온 놈들에게 무안 주는 것을 인생의 낙으로 심는 사람이었다. 책상에 교과서가 올라와 있지 않은 학생만 보면 온갖 기괴하고 참신한 방법으로 괴롭혀 댔으니 말이다. 이명은 남들 앞에서 노래를 부르거나, 세숫대야를 머리에 이고 뒤에 서 있거나, 빗자루로 허벅지를 맞거나, 그런 식의 곤욕을 당하기는 싫었으므로 점심시간에 정과 만나기로 약속한 것이다.

이명은 정이 내민 책을 받고서, 팔에 끼고 온 교과서를 그녀 가방에 쏙 집어넣었다.

“고마워. 이제 가.”

“여기까지 왔는데? 남고 구경은 해 보고 가야지.”

정은 운동장 안으로 들어오며 이명을 난처하게 만들었다. 지나다니던 남학생들이 힐끔힐끔 쳐다보았으나 그녀는 조금도 신경 쓰지 않는 듯했다.

“여자 대신 남자가 득실거리는 거 빼면 우리 학교랑 똑같네.”

그녀의 말에 이명은 웃어 버리고 말았다. 그보다 한 살 어린 정은 그보다 훨씬 당차고, 똑똑하고, 착한 아이였다. 이명은 세상의 모든 사람이 정과 같았으면 좋겠다고 가끔 상상해 보곤 했다. 그러면 우울해질 일도 없을 텐데.

“햇볕이 좀 뜨겁네. 그늘에 앉아 있을까?”

“어? 그래.”

이명은 혹시 동생이 불편할까 봐서 서둘러 그늘로 데려갔다. 일부러 그런 건 아닌데, 땅에 궁둥이를 대고 보니 체육 시간마다 늘 앉는 곳이었다. 무의식적으로 무릎을 세우고 앉은 자세까지 여느 수업 때와 똑같았다. 차이라면 교복 차림인 것과 곁에 손님이 있다는 것뿐.

정은 양반다리를 하고서 앉더니 배낭을 무릎에 올려놓았다. 그녀가 위를 올려다보았다.

"예쁘네. 저거 무슨 꽃이지?"

고개를 뒤로 꺾자 시야가 온통 보랏빛으로 가득 찼다. 작은 꽃들이 덩어리로 피어 주렁주렁 늘어진 모습이 포도송이처럼 보였다. 한두 송이가 아니었다. 천장에 포도가 잔뜩 열린 것 같았다. 그 주변으론 싱그러운 넝쿨이 얽혀 있었고 역광을 받은 나뭇잎들이 바람에 살랑거렸다. 여기에 앉아 있었던 적이 한두 번도 아닌데, 그간 자세히 본 적 없다는 게 이름 모를 꽃에게 괜히 미안해졌다.

"그러게."

"냄새도 좋고."

"응. 진하다."

"벌레 안 떨어져? 송충이라든지."

"안 떨어지던데……."

이명은 말끝을 흐렸다. 사실은 잘 모른다. 체육 시간이면 운동하는 애들을 구경하느라 바빴기 때문이다. 머리 위로 송충이가 떨어졌대도 아마 알아채지 못했을 것이다.

"꽤 더워졌다. 좀 있으면 하복 입어야겠어."

"맞아."

정이 콧노래를 흥얼거리는 소리가 한동안 기분 좋게 들렸다.

"오빠."

"응?"

"오늘 급식 맛있었어?"

"아니. 너네는?"

"완전 별로였지. 뭐 나왔어?"

"뭐더라, 짜장밥이랑…… 모르겠어. 요구르트밖에 생각이 안 나."

"오? 우리도 어제 짜장밥 나왔는데. 난 그냥 먹었는데 윤슬기는 헛구역질을 하더라고."

늘 급식을 혼자 먹는 이명과 달리 정은 친구가 많았다. 그녀는 사랑스러운 사람이라 늘 주변에 사람이 끊이지 않았다.

"진짜 토했어?"

"아니. 근데 그 직전까지는 간 것 같았어."

"다행이다."

"걘 자주 그래. 입맛이 고급이거든."

정은 아무렇지 않게 말해 놓고 제 말이 우습게 느껴졌는지 작게 킥킥거렸다.

바람이 불었다. 촘촘하게 천장을 덮고 있던 나뭇잎이 흔들거리며 틈새로 새어 든 햇빛이 눈을 찔렀다.

"오빠, 위에 봐."

고개를 든 이명은 대답하는 것을 잊었다. 아름답게 늘어진 보라색 바다가 바람에 따라 출렁이고 있었다. 여린 꽃잎들이 햇살을 한껏 받아 차례대로 돌아가며 동전처럼 반짝였다. 꿀처럼 달콤한 내음을 뒤집어쓴 것처럼 향기가 진하게 풍겼다. 이윽고 보랏빛 소나기가 내렸다. 온몸을 적실 정도로 듬뿍.

"진짜 벌레 안 떨어지는 거 맞지?"

정이 고개를 흔들어 머리 위에 수북하게 쌓인 꽃잎을 털어 냈다. 그러고선 이명의 콧잔등과 속눈썹에 붙은 걸 가리키며 웃었다. 고개를 숙여 봐도 그것들은 잘 떨어지지 않았다. 이명은 한참 동안 꽃잎과 씨름하다가 무심코 운동장을 보았다.

별생각 없이 시선을 둔 곳에서는 한 무리의 남학생들이 축구에 열중하고 있었다. 점심시간에 잠깐 하는 건데도 죽기 살기로 열심이었다. 이명은 공을 향한 그들의 집착과 지치지 않는 체력, 그리고 태클을 걸 때 허벅지와 종아리에 불룩 나타나는 근육 같은 것들이 신기하다고 늘 생각했다. 그에게는 없었으므로.

"축구가 재미있나?"

이명의 시선을 따라간 정이 무심하게 물었다.

"잘 모르겠지만…… 재미있으니까 하는 거 아닐까?"

"오빠도 하고 싶어?"

"응……. 가끔은."

"그럼 나랑 할래?"

그녀의 스스럼없는 말에 이명은 배시시 웃어 버렸다.

"어떻게 하는지 몰라."

그는 초등학생 때부터 기사가 되기 위해 철저히 훈련받았다. 결과적으로 목표를 이루었지만, 그러느라고 세상의 반쪽을 배우지 못한 채로 살았다. 초등학교 저학년 때는 그래도 친구가 몇 명 있었는데, 방과 후에 도무지 함께 놀 시간이 없었다. 그때 그 애들과 축구를 했더라면 지금 저 무리에 낄 수 있었을까.

"그냥 공만 차면 되겠지. 별거 있나."

"그런가."

"나 왠지 잘할 수 있을 것 같은데. 내가 또 한 튼튼 하잖아."

"네가 나보다 더 잘할 거야. 넌 뭐든 잘하니까."

실없는 대화를 하면서도 이명의 시선은 한 점을 따라갔다. 운동장에서 그 누구보다도 바쁘게 움직이는 존재. 빠르게 달리며, 공을 골대로 차 넣었다가, 기뻐서 뛰어오르기도 하고, 잘 안 됐을 땐 고개를 저으며 반대편으로 달리는 점은 활활 타오르는 불꽃에 둘러싸인 것처럼 보였다.

"오빠."

"응?"

"흐음……."

이명은 정이 생각에 잠겨 조용해진 틈에 마음 놓고 축구 경기를 구경했다. 정확히 말하자면 선수 한 명과 불특정한 애들을.

공은 왼쪽에서 오른쪽으로, 오른쪽에서 왼쪽으로 치열하게 오갔다. 그러다 유난히 키가 큰 소년이 상대편으로부터 공을 빼앗아 길게 패스했다. 멀리 떨어진 공은 TV에서 보던 것처럼 정확히 아군의 앞으로 떨어졌으나, 공을 받은 아이가 헛발질을 해서 중요한 기회를 놓치고 말았다. 상대편 아이는 공을 몰고 골대로 진격했지만 얼마 안 가 주도권을 다시 빼앗겨 버렸다. 어느새 그 지점까지 달려온 소년이 태클로 공을 다시 가져갔기 때문이었다. 발밑에서 공을 지키며 질주하는 모습이 날쌘 동물처럼 보였다. 방해꾼 서너 명이 들러붙었지만 때론 힘으로, 때론 스피드로 그들을 따돌린 소년은 골문 앞에서 그림 같은 골을 넣었다.

저도 모르게 주먹을 꼭 쥐고 있었던 이명은 그제야 긴장을 풀며 안도의 한숨을 작게 쉬었다.

소년은 늘 있는 일이라는 듯 크게 기쁘다는 기색 없이 씩 웃으며 제 포지션으로 돌아갔다. 그러나 같은 팀 애들이 환호성을 지르며 소년에게 한꺼번에 달려들어 안기고선 떨어지려 하지 않았다.

"저 사람 뭐야? 엄청 잘하네."

이명은 제 칭찬도 아니건만 기분이 좋아서 슬며시 웃었다.

"축구부야?"

"축구부는 아니야."

"오빠 아는 사람인가 봐."

"어? 우리 반인데……."

"그렇구나."

속셈이 있는 듯한 어조를 뒤늦게 알아챈 이명이 고개를 돌렸다. 그러나 정은 아무렇지 않은 표정이었다.

"이름은 뭔데?"

"한……."

이명은 성까지 말하고서 멈추었다. 이름을 말하는 거야 아무렇지 않았지만, 어쩐지 정이 제 속을 들여다본 것 같은 느낌이 들었기 때문이었다. 그녀는 아주 어려서부터 모르는 게 없었고 말하지 않은 것도 척척 알아챘다. 이명은 정을 그래서 좋아하기도 했지만 이번만은 조금 두려웠다.

"잘생기고, 키 크고, 축구 엄청 잘하는 한 씨 오빠."

"……."

"누가 싫어하겠어, 저런 사람을."

"그치?"

정은 그때부터 이명이 곤란해할 만한 말은 한마디도 하지 않았다. 교복 얘기, 그녀가 미워하는 선생 얘기, 수업 시간에 졸리면 하는 행동에 관한 얘기……. 이명은 평소와 다름없는 정의 목소리를 들으며 그녀가 무언가 알아챘을지도 모른다고 어렴풋이 생각했지만 구태여 묻지 않았다.

"어, 시간이 언제 이렇게 됐지?"

"그러게."

"가야겠다. 몽둥이로 엉덩이 맞지 않으려면."

이명은 그녀를 따라 일어나려 했지만 정이 손바닥으로 어깨를 꾹 눌렀다. 그녀는 배낭을 메고 일어서며 하늘을 보았다.

"그냥 앉아 있어. 아직 일어나기 싫잖아."

"……."

"나 갈게. 집에서 봐, 오빠."

이명은 빠르게 멀어지는 동생의 뒷모습을 멍하니 바라보았다. 그녀에게 마음을 읽는 능력이 있는지 진심으로 궁금해졌다.

이명은 정이 교문 밖으로 안전하게 빠져나가는 것을 확인하고서 운동장 한가운데로 시선을 옮겼다. 비밀스러운 보라색 꽃이 몸을 숨겨 주는 그늘 아래 웅크려 무릎 위에 턱을 대고서, 남이 보면 티 나지 않을 정도로 작은 미소를 지은 채.

"반장, 패스 패스 패스!"

"야, 재 막아!"

그들은 한번 축구를 시작했다 하면 예비종이 치기 전, 마지막 1분까지 멈추지 않았다. 아직 종이 치려면 12분이나 남아서 다행이었다.

8. 열여덟, 여름

8. 열여덟, 여름

이명은 자신이 오늘 저지른 짓을 도무지 믿을 수 없었다. 분풀이하듯 이마를 주먹으로 쳤지만 아프기만 할 뿐 아무 도움이 되지 않았다.

'미쳤어……!'

그는 이마를 문지르며 천천히 걸었다. 하필이면 날씨도 너무 더웠다. 모래 깔린 운동장이 타들어 가는 사막처럼 느껴질 정도로 목이 턱턱 막히고 힘이 빠졌다. 비라도 내렸으면.

"후……."

긴 한숨은 후회로 가득했지만 이미 기회를 놓쳐 버렸다.

발걸음이 빨라졌다. 강당에 모인 남학생들의 고함이 운동장까지 울렸지만 이명은 교문으로 향했다. 집으로 걸어가는 대신 버스 정류장에 섰다. 이대로 집에 가면 분이 풀리지 않을 것 같았다.

착각할 만한 사건이 있었다. 한선호는 이명이 휘말린 말다툼을 정리해 주었고, 청소도 도와주었으며, 우연히 하교 시간이 겹쳐서 집에 함께 걸어가던 길에 분식집에 가서 음식도 먹었다. 양이 정말 많았지만 그는 늘 그렇게 먹는 모양이었다. 이명은 그를 실망시키고 싶지 않아 기를 쓰고 먹었다.

반장이 자신에게 친절하게 대해 주는 바람에 이명은 착각하고 말았다. 그들이, 어쩌면…… 아주 살짝 '친구'와 비슷한 관계가 되지 않았을까 하는 착각. 그런 생각 때문에 초대권을 주머니에 넣고 일주일 동안 이랬다가, 저랬다가, 백 번, 천 번 고민하다가 인생 최대의 용기를 내서 그에게 줬었는데……. 이렇게 될 거였으면 애초에 주지 말 걸 그랬다.

또다시 왼손이 들려 이마를 때렸다. 유난히 둔탁한 소리가 나는 바람에 옆에 앉아 있던 할머니가 놀란 표정으로 돌아보았다.

'사실은 안 올 줄 알았어.'

그런데 그는 정말로 나타나 버렸다. 이명이 뺨을 붉힐 수밖에 없는, 싱긋 웃는 친절한 얼굴을 하고서. 그 둘도 없는 기회를, 오랫동안 기다리고 용기 내어 움켜쥔 기회를 날려 버린 건 바로 이명 자신이었다.

'화가 나서 나가 버린 게 이상하지 않지.'

이명은 오늘만 몇 번째인지 모를 한숨을 내쉬고 버스에 탔다. 손잡이를 잡고 몸이 흔들거리게 놔두며 또 아무 소용도 없는 후회를 반복했다.

세 정거장을 지나 내렸다. 눈 감고도 다닐 골목을 헤집고 들어가 지저분한 유리문을 어깨로 연 뒤 퀴퀴한 냄새가 나는 상가 계단을 두 층 올라가자, 시트지로 '대한 기원'이라는 글자를 크게 잘라 붙여 놓은 문이 나왔다. 그 앞에는 배달 음식 그릇이 쌓여 있었다.

띵동.

문을 열고 들어서자 촌스러운 벨 소리가 나며 공기에 찌든 담배 냄새가 코를 찔렀다.

평일 오후, 기원에는 바둑 두는 사람이 네 명밖에 없었다. 한 명은 어슬렁거리며 남의 바둑판을 구경하고 있었고, 조정환 원장을 포함한 셋은 소파에 앉아 선풍기 바람을 쐬고 있었다. 그들은 한 명도 빠짐없이 문가를 바라보았다.

"우리 명이 왔구만. 최 선생, 알지? 이명 3단."

"모르면 간첩이게? 훤칠하니 잘생겼다. 거 무슨 TV에 나오는 연예인 같네."

"내가 아홉 살 때부터 1년 동안 가르친 것도 알지?"

"그거 자네 인생의 자랑이잖아. 귀에 딱지 앉겠어, 이 사람아."

이명은 조 원장과 모르는 남자에게 고개를 꾸벅 숙이고 안으로 걸어 들어갔다. 말없이 검은 가죽 의자에 앉자 조 원장이 머쓱한 듯 웃었다.

"어허허, 원래 좀 숫기가 없어."

"천재가 그런 기벽이 있어야지 암."

"승빈아, 뭐 하냐? 형 왔는데."

조 원장이 발을 공중에 흔들어 슬리퍼를 떨어뜨리더니, 맨발로 조카의 궁둥이를 밀었다. 소파에 앉아서 핸드폰으로 게임하던 소년, 조승빈이 짜증을 내며 일어났다.

"아, 발로 차지 말라고!"

사실 승빈은 조 원장이 조카랍시고 막 대할 만한 애가 아니었다.

조 원장도 기원 1~2급을 오가는 고수라지만 승빈은 올해 입단한 프로 기사였기 때문이다. 삼촌과 조카 사이에는 3점 접바둑을 두어야 할 만큼의 기력 차이가 있었다. 반집으로 승패가 갈리는 꾼들에게 그것은 하늘과 땅 차이였다.

얼마 전까지만 해도 기원의 벽에는 정성스럽게 코팅된 유영섭 9단과 이명 3단의 사인이 나란히 붙어 있었는데, 이번에 조승빈 초단의 사인이 추가되었다. 승빈은 저래 봬도 조 원장의 제일가는 자랑거리였다.

"저 형은 심심하면 맨날 양학하러 오더라."

녀석이 투덜거리면서도 이명의 반대편 의자에 앉았다. 그는 말도 없이 흑돌을 집더니 좌상, 좌하, 우상, 우하 네 귀에 척척 얹었다.

같은 프로끼리 접바둑이라니, 뻔뻔하기 짝이 없다. 하지만 이명은 말없이 가방에서 안경집을 꺼냈다. 어차피 대단한 명승부를 벌이러 온 것도 아니고 사실 오늘만큼은 승패에도 관심이 없었다. 단지 마음이 너무 답답해서 바둑을 마음껏 둘 상대가 필요했을 뿐.

안경을 코에 걸치자 15세 소년의 통명스러운 얼굴이 주근깨까지 자세히 보였다.

"나 오늘 기분이 안 좋아, 승빈아. 네가 이길 수 있는 기회인 것 같은데."

"……뭐?"

"오랜만에."

덧붙인 말에 승빈이 이를 드러내며 웃었다.

"이 형은 어떻게 된 게 안경만 쓰면 재수 없어져."

승빈은 도발이 잘 통하는 상대였다. 기본적으로 욱하는 성질인

데다 그간의 히스토리가 그의 열등감을 손쉽게 부추겼다. 둘은 같은 해에 바둑을 시작했으나 성장하는 속도가 달랐기 때문이다. 6세의 조승빈은 불세출의 천재 소년으로 통했고 9세의 이명은 도장에서 발에 채는, 바둑을 늦게 시작한 아이 중 하나에 불과했다. 그때는 승빈에게 갖가지 방법으로 지는 게 일상이었다. 그러나 10세의 이명은 7세의 승빈과 제법 대등하게 싸웠으며 11세 이후론 승빈에게 진 적이 한 번도 없었다.

오늘은 시시한 내기가 아닌 불꽃 튀는 대전이 필요했다. 그게 아니라면 침울한 기분 속으로 잠겨 들 것 같았다.

이명은 바둑통을 열었다. 손가락을 찔러 넣어 윤기 나는 백돌들을 촤르르르 겹쳐 소리 내고서 한 알을 뽑아 천원에 꽂았다.

"참나."

승빈은 장난스럽게 중얼거렸지만, 곧이어 미소가 사라지며 진지해졌다. 반드시 이기고 싶어 하는 갈망. 세상에 그게 없는 프로 선수는 존재하지 않는다고 임 사범은 말한 적이 있었다.

승빈이 취한 화점 옆 삼삼에 백돌을 놓자 그가 얼굴을 찌푸렸다. 프로 경기에서라면 두지 않을 수로 이명은 일관했다.

심사숙고는 사치였다. 순간순간에 단순히 하고 싶은 대로 두었다. 미래를 걱정하지 않고 세력을 넓혔으며, 그러다가도 야금야금 제 살을 뜯어 먹는 상대가 거슬리면 칼을 빼 들고 죽여 버렸다. 대마를 신나게 뒤쫓다가도 주워 먹고 싶은 게 있으면 귀퉁이에서 실리를 취했다.

체계와 목적이 흐릿해진 바둑에 실수란 없었다. 모든 수가 그 자체로 이명의 의지고 자유였다. 버릇처럼 자연스럽게 하는 계가까지 의식적으로 멈춘 채로 속기로 두었다.

이명이 본 적 없는 해괴한 방식으로 나오니 승빈의 얼굴엔 당황한 기색이 역력했다. 상대가 개차반으로 두는데도 '이명이니 무슨 속셈이 있겠거니' 조심스러워하는 태도로 막는 데 급급했다. 그러면서도 자존심 때문에 차마 장고하지 못하는 바람에 판은 속기 대결로 흘러갔다.

"이거 완전히 꼴통 바둑이네."

의식하지 못한 새 다른 테이블에서 바둑 두던 사람들끼지 와서 구경하고 있었다. 그중 한 사람이 고개를 저으며 혀를 끌끌 찼다. 조 원장이 자랑스럽게 말했다.

"우리 이명 3단 별명이 '떨어지는 빗물' 아닙니까. 워낙 어디로 튈지 몰라요."

목숨을 위협받던 흑마가 활로로 도망가 버리자 이명은 쉽게 단념해 버렸다. 대신에 그 아래쪽에 있던 승빈이 용의주도하게 형성해 둔 세력에 칼을 들이밀었다.

현실의 이명은 좋아하는 사람에게 고백하기는커녕 작은 종이쪽지 하나 전하지 못해서 일주일 동안 마음 앓이 하던 한심한 소년이다. 그러나 바둑판 위에서라면 무엇이든 될 수 있었다. 그는 무시무시한 도살자였고 피도 눈물도 없는 사형 집행인이었다. 그러다가도 비열한 저격수나 용의주도하게 덫을 놓는 사냥꾼이 되기도 했다. 머리가 터지도록 고민해 놓고서 수많은 것을 포기해야 하는 현실과는 달리 바둑판 위에서는 무엇이든지 할 수 있었다.

이명은 승빈이 명맥만 이어 놓은 하단의 세력을 위협하고서 그의 얼굴이 흙빛으로 변하는 것을 지켜보았다.

"기분 나빠."

그가 작게 중얼거렸다. 이명은 백돌을 집어 주저 없이 공격에 박차를 가하며 그의 눈을 마주 보았다. 승빈이 흑돌 두 개를 손안에서 굴렸다.

"형 완전 막 두고 있잖아. 바둑돌 처음 잡은 애처럼. 근데도 밀린다는 게 짜증 나."

흑돌이 공세를 막아섰다. 피해를 줄이기 위한 처절한 몸짓이었지만 이명은 창끝을 늦추지 않았다. 어떤 손해를 보더라도 저 대마의 목을 베어 버리고 말리라는 의지가 딱 소리를 내며 손끝에서 떨어졌다.

"진짜 유리 멘탈이라니까."

"……뭐?"

"무슨 일 있었지? 그래서 나한테 분풀이하는 거지?"

바둑 하는 애들은 흔히 조숙하다고들 한다. 어른 흉내를 제법 잘 내는 열다섯 살짜리 프로 기사를 보며 이명은 그 말을 떠올렸다. 기원에 밥 먹듯이 들락거려서인지 말투는 애늙은이 같은 데다 소파에 기댄 자세도 불량했다. 그가 턱을 살짝 들고 그럴듯하게 중얼거렸다.

"다 티 나, 형은. 기분이 좋은지 안 좋은지, 무언가에 동요하고 있는지."

"……."

"그리고 걸리는 게 있을 땐 허점이 많아져."

승빈이 이명이 버려둔 우상귀의 세력을 단수하며 피식 웃었다. 실리와 세력을 동시에 잡는 좋은 수였다. 프로 경기였더라면 평정심을 일순간에 잃을 정도로 뼈아픈 피해였겠지만 이명은 조금도 신경 쓰지 않고 좌단 대마에 달려들었다.

"와……. 대놓고 샌드백 취급이냐. 이럴 거면 내기 바둑을 하든가, 과자값이라도 벌게."

승빈이 의자에서 벌떡 일어나더니 억울하다는 듯 불만을 쏟아 놓았다. 이명은 팔짱을 끼고서 그를 올려다보았다.

"내기 돈 걸면, 입 다물고 둘 거야?"

옆에서 구경하던 남자들이 웅성거렸다. 바둑을 두다 말고 내기 바둑으로 전환하는 것도 웃겼고, 미성년자끼리 그리하는 게 온당한 일도 아니었지만 그들은 재미를 위해 만 원만 걸라고 부추겼다.

"내기 없이 무슨 재미로 하나."

"아무리 학생이어도, 만 원만 걸지?"

엄마는 이명이 기원에 가는 것을 탐탁지 않아 했다. 첫째는 담배 냄새가 난다는 이유였고 둘째는 내기 바둑을 배울까 봐서였다. 그녀는 이명에게 내기 바둑을 절대로 두지 않겠다는 약속을 받고서 기원에 보내 주었다. 하지만 이런 상황에 한 번쯤은 소액을 걸어도 괜찮을 것 같았다. 어차피 조 원장은 이명에게 기료를 한 푼도 받지 않았으니까. 모르긴 몰라도 이제까지 면제해 준 걸 다 합치면 수십만 원쯤 될 것이다.

"잠깐만, 현금 있나 보고."

이명은 주머니에 손을 넣고 내용물을 꺼내 손바닥을 폈다. 1,000원짜리 몇 장과 영수증이 구겨진 채 뒤섞여 있었다.

"만 원 안 될 것 같은데."

"에이 기분인데 내가 내준다! 명이는 우리 아들내미나 다름없는

데, 뭐.”

조 원장이 지갑에서 꾸깃꾸깃한 만 원짜리 한 장을 꺼내 바둑판 옆에 올려놓았다. 승빈이 어이없다는 듯 삼촌을 올려다보았다.

“대체 누가 조카인지 모르겠네.”

이명은 손에 가득한 종이를 정리하느라 정신이 없었다. 돈만 따로 모으려다 기어이 그것들을 탁자 아래로 떨어뜨리고 말았다. 어쩔 수 없이 의자에서 내려와 쪼그려 앉았다. 한숨을 쉬며 지폐만 골라서 주머니에 다시 넣고, 영수증은 버리려고 집어서 하나하나 구겼다. 그런데…….

“엇…….”

어지럽게 널린 종이 사이에 영수증이 아닌 무언가가 눈에 띄었다. 이명은 바닥에 쪼그린 채 두 번 접힌 네모 종이를 들었다. 조심스럽게 펴자 길쭉길쭉하고 단정한 손 글씨가 나타났다.

방송부 일 때문에 먼저 갈게 ^^
-선호

짧은 쪽지를 읽은 이명은 눈을 크게 뜨고 몇 번 깜빡였다.

친하지도 않은 애가 초대권을 줘서 어쩔 수 없이 가서 억지로 영화를 보았는데, 그 애가 무례하게 의자에 기대 쿨쿨 자길래 화가 나서 나왔다 - 그렇게 상황을 파악하고 있었던 이명은 쪽지를 다시 읽었지만, 아무리 살펴봐도 그 안에서 분노하는 기색을 찾을 수 없었다.

빠르게 뛰던 심장은 서서히 진정되었다. 분명히 자신에게 실망해서 자리를 떠났으리라 생각했는데……. 그게 아니었나 보다.

이명은 '선호'라는 글씨를 뚫어져라 바라보며 그 이름이 소년과 얼마나 잘 어울리는지 새삼 생각했다. 작은 웃음 표시는 무슨 뜻으로 적었을까. 그 귀여운 문자 뒤에 귀엽게 웃는 소년의 모습이 보이는 것 같았다. 조금 전까지만 해도 기분이 바닥까지 가라앉아 있었는데 한순간에 구름 위로 올라온 것처럼 몽롱해졌다.

"그 밑에서 뭐 해? 아직도 다 안 주웠어?"

탁자 아래로 승빈의 머리가 빼꼼 나타났다. 이명은 쪽지를 서둘러 주머니에 넣고 영수증을 손에 구기며 일어났다.

"내기는 4,000원만 하자. 내가 그것밖에 없어서."

이명은 돈을 꺼내 바둑판 옆에 올려놓고서 만 원짜리를 조 원장에게 내밀었다.

"감사하지만 괜찮아요."

조 원장이 이 아이는 어쩜 이렇게 예의마저 바르냐고 칭찬하는 동안 승빈은 탐탁지 않다는 듯 이명의 얼굴을 빤히 바라보았다. 그는 1,000원짜리 네 장을 꺼내 이명의 내기 돈 위에 올려놓고서 팔짱을 꼈다.

이명은 손에 쥐고 있던 흰색 기석을 손안에 굴리며 다시 바둑판을 바라보았다. 조금 전에 일어난 사소한 사건 때문에 세상이 달라 보였다.

'아깐 왜 저렇게 두었지…….'

하나, 둘, 셋, 넷, 머릿속 한구석에선 계가하며 다른 한구석에선 자신의 약점을 파악했다. 승빈의 말대로 처음 바둑을 두는 사람처럼 제멋대로 두었다. 그 결과로 바둑판 한쪽을 시원하게 난도질했지만 손해도 만만치 않았다. 꽤 괜찮은 수도 보였지만 비효율적인 것이 훨씬 많았다.

이제는 수습할 차례였다. 이명은 충분히 고심한 끝에 타개의 수를 놓았다. 지켜보던 남자들이 '와' 하고 감탄을 내뱉었다.

"형이 무슨 만화 주인공이냐?"

지루하다는 듯 팔짱을 끼고 있던 승빈이 허리를 세우고 앉았다. 이명은 바둑판에서 눈을 떼지 않으며 대답했다.

"그게 무슨 말이야?"

"아까랑 기력이 다르잖아."

흑돌과 백돌이 번갈아 가며 놓였다. 이전처럼 속기로 두지 않았다. 제 페이스를 찾은 이명은 생각이 단순해졌다. 바둑의 본질대로 이기고 싶어서 최선을 다할 뿐, 이제 그 외엔 목적이 없었다.

한동안 적막 속에 돌 놓는 소리만이 간간이 났다. 앉아 있는 사람들이나 서 있는 사람들이나 무섭도록 말이 없었다. 모두가 첨예한 대결 속에서 끊고 끊어지는 흑과 백의 연결에만 집중하고 있었다.

그러다 어느 순간, 승빈이 상체를 낮추더니 비밀스럽게 속삭였다.

"아까 보던 거, 연애편지였지?"

"응? 아냐."

이명은 고개를 저으며 121번째 수를 놓았다. 연애편지면 좋겠지만, 아쉽게도 아니니까.

조승민이 흑돌을 들고 고민하는 동안 이명의 생각은 잠시 바둑판을 떠났다.

'연애가 아니어도 상관없지 않나? 이렇게 기분이 좋은걸.'

별일 일어나지 않아도 한 공간에 있는 것만으로 기뻤다. 그러다 작은 접촉이라도 생길 때면 설레서 어쩔 줄을 몰랐다. 연애 같은 건 꿈도 꾸지 않는다. 이렇게 멀리서 지켜보고, 머리 아프도록 고민한 끝에 한 발짝 나아가고, 조금이라도, 아주 조금이라도 가까워질 수 있었으면.

아무 짓도 하지 않을 테니까. 언감생심 아무것도 바라지 않을 테니까. 늘 그 자리에서 웃어 주었으면.

흑돌이 소나무 판에 닿는 타격음에 이명은 다시 바둑판 위로 돌아왔다. 그가 있어야 할 곳, 361개의 자리와 그보다 훨씬 많은 길이 있는 세계로. 비록 현실처럼 아름답지는 않지만 어디든 갈 수 있는 곳으로.

이명은 손을 뻗어 백돌을 검지와 중지 사이에 끼웠다.

98. 열여덟, 여름

9B. 열여덟, 여름

"야, 나 체육복 좀."

이명은 제 자리 앞에 와서 체육복을 맡겨 놓기라도 한 듯 요구하는 남학생을 올려다보았다. 눈이 쭉 찢어지고 입술이 두꺼운 아이였다. 평소에 말을 섞어 본 적이 한 번도 없는.

"나 입어야 되는데."

"오늘 체력장이래. 니 어차피 안 뛰잖아."

빌리러 온 주제에 퉁명스럽게도 내뱉는다. 너 같은 것에게 체육복이 무슨 소용이냐는 듯.

맞는 말이기는 했다. 이명은 체육 시간마다 그늘에 앉아 있는 게 다였으니까. 그렇다고 해서 체육복을 입지 않아도 되는 건 아니었다. 체육 교사는 체육복을 입고 오지 않는 학생들을 엎어 놓은 채 엉덩이를 열 대씩 때리고, 그것으로도 모자라 1시간 내내 손을 들고 있게 했다.

"미안. 나도 입어야 해서."

이명은 가방에서 체육복을 꺼내 한 손에 들고 일어섰다. 교실 뒤편에 다다랐을 때 뒤에서 중얼거리는 소리가 들렸다.

"저 새끼 때문에 나 오늘 뒤졌다."

이명의 발길이 한순간 멈칫했으나 그 소리를 못 들은 척 뒷문으로 빠져나갔다.

화장실에서는 늘 오물의 악취와 걸레 썩는 냄새가 났다. 모르는 남학생 두 명이 소변기 앞에 나란히 서 있었다. 이명은 그들을 지나쳐 마지막 칸 문을 열고 들어갔다. 체육복을 옷걸이에 얹어 두고 와이셔츠 단추를 푸는 과정이 제법 매끄러웠다. 이명은 늘 화장실에서 옷을 갈아입어서 꽤 능숙하게 할 줄 알았다.

중학생 때까지는 단순히 누가 가슴과 옆구리 사이에 남은 수술 자국을 볼까 봐 그랬다. 아주 자세히 보지 않으면 티 나지 않는데도 그때는 그게 그렇게 신경 쓰였다. 현재는 조금 더 복잡한 문제였다. 그는 누가 자신의 허여멀겋고 빈약한 몸을 보는 게 싫었고 반대로 동갑내기 아이들의 건강한 신체를 보고 싶지도 않았다. 비단 자신과 비교되어서는 아니라, 남자아이를 좋아하게 된 이후로는 남자의 벗은 몸을 보는 것이 못 견디게 불편해진 탓이었다.

좁은 화장실 칸에서 옷을 모두 갈아입고서 교실로 돌아왔을 땐 애들이 교실 벽면에 모여들어 웅성거리고 있었다.

"오, 나 2등 올랐다."

"어디? 네 이름, 대체 어디까지 내려가야 하냐……."

모두 중간고사 얘기로 바쁜 가운데, 이명은 혼자 자리에 앉아 체력장에 관해 생각했다. 이전에는 체력장을 제대로 받아 본 적이 없었다. 엄마가 무리하지 말라고 당부하기도 했지만, 작년까지는 몸이 정말 안 좋았다.

'오늘 *체력장이래. 니 어차피 안 뛰잖아.*'

오늘은 다른 아이들처럼 뛰고 싶다는 오기가 들었다. 오래달리기 같은 건 무리겠지만 100m 달리기 정도는 괜찮을지도. 올해는 기침이 심하게 난 적 한두 번을 제외한다면 꽤 멀쩡하게 지내고 있었으니까. 아무도 신경 쓰지 않겠지만, 만약 완주할 수 있다면 무척 의미 깊은 일이 될 것 같았다.

곧 체육복을 갈아입은 애들이 교실에서 우르르 빠져나갔다. 이명은 교복을 책상 위에 접어 놓고 행렬의 끄트머리를 따라갔다.

그날은 평범하게 무더운 여름날이었다. 햇빛이 등을 억누르고 습기가 팔다리를 모래 밑으로 끌어들이는 느낌이 드는, 그토록 발걸음이 무거운 날에 이명은 달리기로 결심한 것이다. 가슴이 조금 두근거렸다.

"너희 작년에 100m 몇 초 나옴?"

"나 13초 초반."

"12초."

"나나 11초!"

"씨발, 다들 자메이카인들이세요?"

다른 아이들의 대화를 엿들어 보니 15초 안으로만 들어가도 '선방'한 것이라고들 했다. 이명은 한 번도 기록을 재 본 적이 없어서 겁이 났다.

'이러다 나만 20초 넘으면 어떡하지? 그럼 다 쳐다볼 텐데. 그냥 빠질까…….'

운동화 앞코에 꽂혀 있던 시선이 갈 곳을 잃고 흔들렸다. 눈앞이 캄캄해지고 식은땀이 났다. 이대로라면 달라지는 게 아무것도 없지 않은가.

담임에게 특별 취급받는 이명, 무슨 짓을 해도 혼나지 않는 이명, 언제나 예외인 이명, 아프고 약한 이명, 늘 도와줘야 하는 이명, 불쌍한 이명.

'*명이는 좋겠다.*'

다시는 그런 소리를 듣고 싶지 않았다. 소년과 동등한 입장에서 서고 싶었다. 단 한 번만이라도.

이명은 눈에 힘을 주고 고개를 들었다.

그때 계시처럼 호루라기가 삑 울렸다. 육안으로 보기에도 멀리 떨어진 곳에 체육 교사가 서 있었다. 반장이 1, 2번을 부르자 남학생 두 명이 긴장한 표정으로 출발선 앞에 서서 준비 자세를 잡았다.

이명은 까치발을 들고 눈썹 위에 손바닥을 대어 햇빛을 가렸다. 눈으로 따라가 본 100m 트랙은 까마득히 길어 보였다. 달리다가 중간도 넘기지 못하고 쓰러지는 자신의 모습을 어렵지 않게 상상할 수 있었다.

"6번, 7번 나와."

아이들이 차례대로 모래바람을 일으키며 달려 나갔다. 호루라기 소리가 나면 당연하다는 듯이 출발했다. 체력장을 처음 해 보는 사람도, 이런 체계에 익숙하지 않아서 가슴 졸이는 사람도 자신 단 한 명뿐인 것 같았다. 저마다 조금 더 빠르고 느리고의 차이는 있었지만 이명처럼 완주할 수 있을지를 걱정하는 녀석은 아무도 없어 보였다.

"11번, 12번."

그의 앞에 길게 이어졌던 줄은 서서히 줄어들더니 이제 아무도 없었다. 선두에 선 이명은 전쟁을 앞둔 병사 같은 기분을 느끼고 있었다.

'끝까지 뛰기만 한다면 기록이 느려도 상관없어.'

그의 눈빛에 의욕이 감돌았다. 피가 빠르게 도는 것 같은 느낌이 들며 가슴이 묵직하게 쿵쿵거렸다. 반장이 '아, 너구나? 기흉. 빠져야지, 왜 거기 있어?' 하고 저지하지만 않는다면, 다른 아이들과 마찬가지로 달리게 될 것이다.

한선호는 이명을 보고서도 아무 말도 하지 않았다. 오히려 한참 동안 가만히 서 있는 바람에 결승선에 서 있는 체육 교사가 호루라기를 신경질적으로 불었다.

"13번 뛸 차례, 맞지?"

이명은 그에게 물으며 첫 번째 트랙 앞에 섰다. 문장은 의문문의 형태였지만 확인받기보다는 선언하겠다는 목적을 띠고 있었다. 지금이 내 차례이며 나는 뛸 것이라고. 비록 아무도 관심 갖지 않겠지만 이명 자신에게는 중요한 일이었다.

"야, 반장! 너 뭐 하고 자빠졌어? 빠릿빠릿하게 다음 놈 준비 안 시켜?"

선생이 멀리서 신경질을 냈다. 한선호가 다음 사람을 부르지 않아서 두 번째 트랙이 아직 비어 있었다. 14번은 학교에 오는 일이 거의 없는, 이명처럼 '특수한' 학생이었기 때문이다.

'그렇다면 15번과 나란히 뛰게 되겠구나.'

이명은 살짝 뒤돌아 같이 뛸 아이의 얼굴을 확인했다. 그러나 막상 그의 오른쪽에 선 건 15번이 아닌 32번 한선호였다.

"……!"

순식간에 얼굴이 빨갛게 달아올랐다. 이런 일은 조금도 예상하지 못했다. 반장과 함께 달리게 되다니……. 조금 전까지만 해도 차분하게 있었는데 갑자기 너무 떨려서 서 있기가 버거웠다.

'어쩌지, 어쩌지.'

그전까지 손을 어디에다 두고 있었는지가 헷갈리고 숨 쉬는 게 의식되었다. 너무 많은 일이 동시에 일어나는 것 같은 착각이 들었다. 출발도 하지 않았는데 벌써 숨이 찬 기분이었다.

삐익!

붕 떠 있다가 날카로운 호루라기 소리에 현실로 돌아왔다. 준비 자세를 취하고 있던 한선호는 곧바로 달려 나갔고 시작하자마자 등을 보였다. 이명은 결승선에 시선을 고정시키고서 살짝 뒤늦게 출발했다.

첫걸음은 놀랍도록 상쾌했다. 공중으로 몸을 박차는 느낌이 생각보다 더 좋아서 나도 뛸 수 있구나 하는 자신감에 벅차올랐다. 그러나 발은 곧바로 퍼석퍼석한 모래 위로 떨어졌고 억지로 다리를 뻗어야 했다. 그때까지만 해도 괜찮았지만 이윽고 한 걸음 한 걸음 뗄 때마다 조금씩 버거워졌다. 아주 어릴 때 이후로 한 번도 뛰지 않았으니 당연한 결과였다. 그러나 이명은 포기하고 싶지 않았다.

눈앞에 보이는 소년의 널찍한 등이 그를 달리게 했다. 늘 어두운 곳에서 몰래 바라보았던 등이었다. 불가항력적으로 그를 바라보게 하는 존재와 나란히 뛰고 있다는 사실이 이명을 고무시켰다. 달리는 행위가 숭고하게 느껴졌다. 그것은 아무도 막을 수 없는, 이명만이 할 수 있는 비밀스러운 고백이었다.

보답 받으리란 기대는 애초부터 없었다. 그가 동경하는 한선호는 늘 앞을 보고 있었다. 애초에 뒤돌아봐 주기를 바라지 않았고 그럴 필요도 없었다. 그와 나란히 달릴 수 있다면 그것으로 충분했다.

한선호와의 거리는 자연히 벌어지다, 트랙의 반을 지났을 땐 육상 선수가 와도 좁힐 수 없을 지경이 되었다. 이명은 이 경주가 시작한 순간부터 패자였지만 개의치 않았다. 뛰기 전에 머릿속에 있었던 모든 고민과 20초니 뭐니 하는 수치 따위는 날아가 버린 지 오래였다.

한선호가 달리기를 마친 뒤에도 이명의 레이스는 계속되었다. 숨이 차고 땀이 비 오듯 흘렀지만 결승선을 보며 다리를 계속 움직였다. 속도는 처음보다 훨씬 느려져 있었다. 체육 교사와 다른 아이들의 시선이 따갑게 느껴졌다.

결승선에 근접했을 땐 뛰는 것보다 걷는 것에 가까웠다. 호흡이 가빠서, 숨을 들이쉬자마자 폐가 공기를 내뱉도록 종용해서 도무지 달릴 수가 없었다. 익숙하지 않은 운동에 팔다리가 후들거렸다. 땀이 속눈썹에 고여 뚝뚝 떨어졌고 찌르는 햇빛 때문에 앞이 잘 보이지 않았다.

눈을 깜빡거리자 결승선이 희미하게 보였다. 5m 정도밖에 남지 않았다. 체육 교사가 지루하다는 듯이 손짓했다. "빨리 들어와, 이 새끼야." 하는 소리를 들은 것도 같았다. 조금만 더 가면 된다. 조금만 더…….

이명은 어떻게든 이 경주를 끝내겠다는 신념 하나로 비틀거리면서도 앞으로 나아갔다. 그런 그때 무언가를 밟으며 발목이 꺾였다.

날카로운 통증이 가해지며 몸뚱이가 옆으로 기울어졌다.

'아, 안 되는데……!'

야속한 중력이 몸을 끌어당겼다. 눈을 질끈 감은 순간에 맨 팔이 거친 모래에 쓸렸다. 좌절감 때문에 고통을 느낄 수조차 없었다. 다시 일어나려고 손바닥으로 땅을 짚었으나 팔에 힘이 들어가지 않았다. 너무 부끄러워서 눈물이 날 것 같았다. 이런 거 하나 똑바로 못 하는 자신이 너무 한심해서, 기껏 같이 달릴 기회를 얻었는데 완주하지 못한 자신이 증오스러워서 화가 났다.

웅성거리는 소리를 무시하기 어려워 눈을 떴을 땐 얼굴이 하얗게 질린 한선호가 코앞까지 와 있었다. 그가 팔을 끌어당겨 상체를 일으켜 줬다. 조금 전까지 들리던 소리가 한순간에 사라지고 그의 입술이 열렸다 닫히는 것만이 느릿하게 보였다.

한선호가 이명의 팔을 제 목에 두르더니 교사를 향해 뭐라고 소리쳤다. 핏줄 불거진 목의 울대가 말할 때마다 움직였다. 이명은 그의 땀 냄새를 아주 가까이서 맡을 수 있었다. 그리고 머리카락과 관자놀이에 맺힌 땀방울이 흐르는 모양도 볼 수 있었다.

땀방울이 뚝 떨어지는가 싶더니 몸이 쑥 일으켜졌다. 이명은 가쁜 숨을 몰아쉬었다. 그가 캑캑거리자 아래쪽 허벅지에 뜨거운 살갗이 넓게 닿으며 몸이 아예 공중으로 들렸다. 한선호는 말릴 새도 없이 달리기 시작했다.

그가 설명할 틈도 주지 않은 탓에 이명은 몹시 당혹스러웠다. 키도 크고 어깨도 넓다는 건 알았지만 자신을 단번에 안아 들 수 있을 줄은 몰랐던 데다가, 한쪽 팔로는 제 등을 감싸고 다른 한쪽 팔로는 허벅지 안쪽을 안은 자세가 민망하기 짝이 없었다. 그런 식으로 사람을 안고 뛰다 보니 이명의 어깨는 그의 가슴에, 허벅지는 그의 배에 계속해서 부딪치는 것이었다.

가장 참을 수 없는 건 한선호가 오해하고 있다는 사실이었다. 이명은 아프지 않았다. 발목이 조금 삐기는 했지만 심한 정도는 아니었고 체력이 떨어져서 몸을 가누기 어려웠을 뿐이다. 그는 무언가 착각하고 있었다.

한선호에게 안겨 있는 건 기쁘기보다 수치스러웠다. 이런 결말을 바란 게 아니었다. 이명은 단지 그와 함께 달리고 싶었던 것뿐이다. 그게 과한 욕심이었나 보다.

강한 팔은 아무리 당겨도 미동도 없었다. 한선호는 이명을 조금도 보지 않았고 미친 사람처럼 뛰기만 했다. 본관에 도착하고서는 신발도 갈아 신지 않고 곧바로 안으로 뛰어들어 가 보건실 미닫이문을 거칠게 밀었다.

"선생님, 선생님!"

안에 아무도 없는 것을 확인하자 목에서 낮게 그르렁거리는 소리가 났다.

"대체 왜 맨날 자리에 없는 거야!"

그가 그렇게 화내는 건 처음 보았다. 팔꿈치에 맞닿은 가슴이 크게 오르내렸고 입에선 더운 날숨이 쏟아져 나왔다. 숨뿐만이 아니었다. 그와 닿은 곳은 어디든 불에 덴 듯 뜨거웠다. 이명은 차마 어떤 말도 하지 못하고 그의 팔을 잡아당기기만 했다. 한선호는 그제야 이명을 발견한 듯 눈을 크게 떴다. 이명은 재빨리 그에게서 떨어져 뜨거워진 볼을 손등으로 눌렀다.

한동안 끔찍한 침묵이 흘렀다. 이명은 쥐구멍에라도 숨고 싶었지만, 그 전에 변명해야 할 필요성을 느꼈다.

"나…… 괜찮아. 그냥 다리를 삐끗해서……. 나 정말 괜찮아. 놀라게 해서 미안."

그 짧은 문장을 완성하면서도 숨을 몇 번이나 들이마셨는지 모른다. 한선호가 황당하다는 듯 이마를 짚는 모습을 보며, 이명은 주제넘은 짓을 했던 것이 죽을 정도로 후회되었다.

같은 반 애가 숨을 못 쉬어서 문제가 생길까 봐 보건실까지 뛰어온 반장, 책임감 넘치는 소년이 한동안 숨을 고르더니 낮게 말했다.

"내가 너무 오버했네. 담임 선생님이, 너 뛰면 안 된다고 하셔서……."

"그러게, 그냥 빠질걸. 내 주제에 괜히 뛰었나 봐. 너무 한심하다. 끝까지 뛰지도 못하고 넘어지고……."

주저리주저리 늘어놓고 있자니 눈물이 날 것 같았다.

"미안해, 명이야. 나 때문에……. 지금 가서 재시험 치자."

왜 별것도 아닌 일로 여기까지 뛰어오게 했느냐고, 네가 처음부터 나대지 않았으면 모든 게 평화로웠을 거 아니냐고 화내도 모자랄 판에 한선호는 도리어 사과를 했다. 잘못한 것도 없으면서. 그의 말에 눈시울이 더욱 뜨거워졌다.

"괜찮아. 나 체력장 점수 필요도 없는데, 뭐."

이명은 그렇게 말하고서 몸을 돌렸다. 한선호를 등지자마자 볼 위로 눈물이 주르륵 흘러내렸다. 그는 아무 소리도 내지 않으려고 노력하며 담담하게 걸었다. 다행히 한선호는 따라오지 않았다.

잘 해 보려고 했던 일이 마음처럼 안 된 경험은 누구에게나 있을 것이다. 고등학생 정도면 그깟 일로 울 나이는 아니다. 특히나 수도 없는 승패와 부침을 겪어 온 승부사라면 더더욱.

그러나 이런 건 남들에게 아무것도 아니라는 사실이 이명을 괴롭혔다. 기껏 100m 달리는 것에 대단한 결심이라도 한 듯 들떠 있었던 감정이나 그 거리마저 완주하지 못하고 남들 앞에서 추한 꼴을 보인 점, 그 때문에 좋아하는 사람에게 민폐를 끼쳤다는 사실까지, 비밀스럽고 작은 마음을 짓누르다 못해 터뜨리기에 충분했다.

가장 가까운 화장실 팻말이 흐릿하게 보였을 때쯤 이미 이명의 얼굴은 눈물범벅이었다. 그는 마지막 칸으로 숨어들어 커버가 덮인 변기 위에 앉아 소리 내어 울었다.

"여기서 이상한 소리 나지 않았냐?"

"뭐야, 존나 무섭네."

남학생 두 명이 문을 몇 번씩 쾅쾅 두드리고 가고서 한참 뒤에야 이명은 화장실에서 빠져나와 세수를 했다. 아직 수업 시간이라 학생들은 거의 다 교실과 운동장에 있었다. 이명은 2학년 교무실에 가서 담임에게 조퇴하겠다고 이야기한 뒤, 아무도 마주칠 일이 없는 뒷문으로 빠져나갔다.

집에 도착했을 때는 2시 반이었다. 아빠와 정은 집에 없었고 엄마는 거실 컴퓨터 앞에 앉아 재택근무를 하고 있었다. 프리랜서인 그녀는 일할 때만 안경을 썼다. 이명은 그 습관을 그대로 배웠다.

"명이 왔어?"

엄마가 안경을 벗으며 뒤를 돌아보았다.

"네."

"왜 이렇게 일찍 왔어?"

"기분이 안 좋아서요."

엄마가 핏 웃었다.

"늦게 오는 사춘기가 무섭다더니. 선생님께서 뭐라고 안 하셨어?"

"이거 주시던데요."

이명은 가방을 열어 반으로 접힌 흰 종이를 엄마에게 건넸다. 엄마는 지난 기말고사보다 평균 10점 이상이 떨어진 시험지를 쓱 보고 책상에 내려놓았다. 그녀는 이명의 학교 성적에 관심이 없었다.

"이게 문제가 아니고……."

예감이 안 좋았다. 심각한 화제를 앞둔 사람 특유의 비장한 말투였다.

"아까 임 사범님한테 전화 왔는데 말이야."

아니나 다를까, 엄마가 조심스럽게 말을 꺼냈다. 이명은 듣지 않아도 무슨 얘기인지 알 수 있었다. 그는 프로에 입단한 뒤에도 한 달에 두세 번씩은 도장에 찾아가 임 사범과 바둑을 두었다. 어제 임 사범은 이명에게 집중력이 떨어졌다면서, 무슨 일이 있냐고 물어보았다.

"별거 아니에요. 요 며칠 좀 피곤해서 그랬어요."

이명은 엄마의 잔소리가 시작되기 전에 미리 선수를 쳤다. 그러나 엄마의 불만스러운 표정은 변함이 없었다.

"사범님 말씀으로는 너 정신이 아주 다른 데 가 있다던데?"

"……."

"후……. 그래, 사춘기 누구나 겪지. 너 작년부터 힘들어했던 것도 다 알아. 근데 올해 들어 괜찮았잖아. 갑자기 또 뭐가 문제야, 응?"

요즘은 기분이 하루에도 몇 번씩 변하곤 하니 어쩔 수 없었다. 그 아이와 한마디라도 하는 날이면 구름에 둥둥 떠 있는 것 같아서 진정이 되지 않았다. 반대로 오늘 같은 날은 바둑돌 같은 건 쳐다보고 싶지도 않았다.

그러나 이런 걸 엄마한테 설명할 순 없다. 아무리 몸이 약해서 부모를 실망시키기만 하는 아들이라도, 같은 반의 남자아이를 좋아한다고 당당하게 말할 순 없었다.

"그건, 사범님이…… 뭘, 뭘 몰라서 그러시는 거예요. 연습 경기는…… 원래 스트레스 풀려고, 막, 막 둘 때도 있는 건데."

"그래? 정말이야?"

"네."

엄마가 음울한 한숨을 뱉어 냈다.

"아무래도 수학여행을 취소하는 게 낫겠다."

"……갑자기 그건 왜요?"

그녀의 말은 안 그래도 쓰라린 상처에 소금을 친 효과를 냈다. 이명은 너무 속상해서 또 눈물이 왈칵 날 것 같았다.

"네가 하도 졸라서 허락해 주기는 했다만……. 그때쯤 내년 기전 스케줄 뽑아서 준비할 시기기도 하고 랭킹도 슬슬 신경 써야 하는데, 너 그런 데 가서 2박 3일씩이나 시간 버리는 거 마음에 안 들어. 게다가 제주도까지 간다니 마음도 안 놓이고."

"……주세요."

"응?"

"보내 주세요……. 진짜, 열심히 할게요."

엄마가 입을 열었다가 다시 다물었다. 그녀는 이명의 눈을 가만히 보더니 한숨을 길게 쉬었다.

"마지막이라서 아쉬워?"

"그냥…… 한 번만 가 보고 싶어요."

내내 굳은 표정이던 엄마가 살짝 웃었다.

"너도 애는 애구나."

"수학여행, 가도…… 돼요?"

엄마가 엄한 표정으로 그에게 눈짓하고서 고개를 끄덕였다. 그러자 우울하기만 하던 이명의 눈동자에 희망이 떠올랐다.

이명은 방에 들어가 문을 잠갔다. 그러곤 교복을 갈아입지도 않은 채 침대 위로 쓰러졌다. 좋아하는 사람이 생기고선 기분이 하루에 열 번씩은 변하는 것 같다. 기뻐해야 할지 슬퍼해야 할지 모를 기분으로 눈을 감았다.

10. 열여덟, 가을

10. 열여덟, 가을

버스가 펜션에 도착했을 땐 저녁 9시가 지나 있었다. 첫날 일정은 수목원 한 군데와 저녁 식사가 다였지만 이동 시간이 워낙 길다 보니 이명은 진작부터 녹초가 되어 있었다. 버스, 비행기, 버스, 버스, 버스. 이쯤 되면 여행지가 제주도가 아니라 버스인 것 같았다.

버스가 주차장 앞에 정차하자 맨 앞자리에 앉아 있던 담임이 일어나서 아이들을 향해 섰다. 그는 첫째 줄 등받이에 팔꿈치를 기대더니 차량에 비치된 관광용 마이크를 들었다. "아, 아. 마이크 테스트"라고 말하는 동안 마이크가 귀를 찢는 기계음을 내며 그때까지 졸고 있던 아이들을 깨웠다.

"야, 다 일어나! 재 좀 깨워라."

하품하거나 기지개 켤 시간이 잠시 주어졌다. 담임은 귀찮다는 듯 주머니에서 구겨진 A4 용지를 꺼내곤 애들이 내는 우두둑우두둑 뼈 꺾는 소리를 배경으로 내일 일정을 설명하기 시작했다. 한림

공원, 천지연 폭포, 중식, 가상현실 박물관, 우주 과학 테마파크, 석식……. 모두 그리 흥미롭게 들리지는 않았다.

'그래도 내일은 조금 더 재미있겠지?'

이명은 품에 껴안은 배낭에 얼굴을 묻었다.

엄마를 설득하고 설득해서 겨우 허락을 받아 낸 첫 수학여행이었다. 달력에 표시해 두고 손꼽아 기다렸고 전날에는 설레서 잠도 설쳤다. 이동만 하다 끝난 첫날은 기대에 못 미쳤지만, 아직 기대감은 사라지지 않았다.

"숙소 들어가서는 자유 시간인데……."

"와아아아아악!"

"시끄러워!"

힘없고 졸려 보이던 아이들은 '자유 시간'이란 말에 쌩쌩함을 되찾았다. 일정상 취침할 일만 남았는데, 왜 저렇게 좋아하는 걸까. 이명은 아이들이 잠자는 시간에 열광하는 게 좀 의아했다.

"들어가서 씻고 조용히 잠만 잔다. 알았어?"

"네에!"

"경고했다, 어? 내일 아침에 못 일어나는 놈 가만 안 둬."

"네에에에에엣!"

아무래도 5반 아이들은 이명만 모르는 비밀을 공유하고 있는 눈치였다. 모른 척 넘어가 준다는 식의 태도를 보이는 담임까지 포함해서.

담임은 종이를 다음 장으로 넘겼다.

"방은 두 개로 나눠서 잔다. 1, 2조는 B동 203호에 들어가고 반장이 인솔해."

그가 맨 앞자리에 앉은 반장의 어깨에 손을 가볍게 얹었다. 동그란 뒤통수가 의자 위로 살짝 튀어나와 있었다. 이명은 매우 운 좋게도 반장과 같은 1조였다. 학교를 한동안 결석하다 출석했을 때 이미 그렇게 결정되어 있다는 걸 알았다.

"3, 4조는 B동 204호. 부반장이 책임지고 인솔하고."

담임은 부반장을 향해 손짓하더니 하품을 크게 했다.

"10시에 점호할 거니까 취침 준비 마치고 떠들지 말고 있어."

"네!"

40인승 버스의 문이 열리자 담임이 가장 먼저 내렸다. 앞쪽부터 아이들이 차례차례 내리는 동안 이명은 앉아 있었다.

'이 자리 마음에 들었는데, 아쉽다.'

같이 앉을 친구가 없는 이명에게 버스를 탈 때마다 자리가 바뀐다는 건 은근한 스트레스 요인이었다. 오늘은 운 좋게 창가 자리에 앉았지만 내일은 어떻게 될지 모르니까. 오늘은 운 좋게 혼자 앉거나 옆에 반장이 앉았지만 내일은 모르는 거니까…….

이명은 창문 위에 입김을 불었다. 소매를 끌어당겨 쓱쓱 문지르자 어둑한 배경이 나타났다. 밤의 밑자락은 검은색이었지만 윗부분은 진한 보랏빛이었다. 이명은 유난히 밝은 달 테두리를 따라 동그라미를 그리고서 버스에서 내렸다.

숙소는 여러 동으로 된 높은 흰색 건물이었다. 멋스럽기보다는 단순했고 그만하면 깨끗해 보였다. 건물끼리 비슷하게 생겼으며 조약돌 길로 연결돼 있었다. 조장들은 조원들을 불러 모아 인원을 체크하고서 B동으로 향했다. C동 앞에서도 한 학급이 모여 출석을 부르고 있었다. 뒤에서도 모르는 아이들 한 떼가 걸어왔다.

'정말 정신없다.'

이명에게는 1조에 배정된 것이 천만다행이었다. 걸으면서 다른 생각을 하다가 뒤늦게 정신이 들어도 조장을 찾기가 쉬웠으니까. 한선호는 다른 아이들보다 머리 하나가 더 있는 장신이기도 했지만 그게 아니더라도 어디서나 눈에 띄었다.

그는 교복이 잘 어울리는 만큼 사복 차림도 근사했다. 다른 아이들처럼 티셔츠에 청바지를 입었을 뿐인데도 키가 크고 어깨가 넓어서 모델처럼 보였다.

"방에 짐 풀고서 반장, 그리고 명이는 101호로 와."

"네."

담임은 B동 앞에서 열쇠를 반장과 부반장에게 전달하고서 어디론가 가 버렸다. 5반 아이들은 짐이 든 가방을 하나씩 메고 시시덕거리면서 건물로 들어갔다.

내부는 외부보다 훨씬 허름했다. 천장에는 깨지거나 갈라진 흔적이 있었고 벽에는 다리 긴 벌레가 벽지 무늬처럼 다닥다닥 붙어 있었다. 형광등이 세 개에 하나꼴로 나가 있어서 조명이 침침했다. 그렇게 어두컴컴한 곳을 삼십여 명이 한꺼번에 움직이려니 보통 혼란스러운 게 아니었다. 이명은 이리 치이고 저리 치이며, 파도와도 같은 인파에 휩쓸려 얼결에 돌계단을 올랐다.

"5반 1, 2조 이쪽으로!"

2층에 도착하자마자 한선호가 크게 소리쳤다. 그가 앞장서자 아이들이 아기 새들처럼 뒤꽁무니를 졸졸 따랐다. 이명은 그중 가장 끄트머리에서 반장의 뒤통수를 놓치지 않으려 안간힘을 쓰며 걸었다. 반장이 203호의 문을 열자 반 전체가 들어가도 될 만큼 넓은 공간이 나왔다.

"와, 존나 넓어."

"이날만을 기다렸다!"

남학생들은 지친 기색도 없이 폴짝폴짝 날뛰며 방으로 뛰어들었다. 그들은 익룡이 연상되는 고음을 내며 장판 위를 데굴데굴 굴렀다. 이명만 빼고 거의 모든 애들이 극도의 흥분 상태인 것처럼 보였다. 한 아이가 서랍장을 열자 다른 녀석들이 이불과 요를 마구 끄집어내 바닥에 던졌다.

"이불 개좋은데?"

"우리 집 거보다 부들부들함."

깨끗하게 비어 있던 바닥이 순식간에 아무렇게나 펼친 이불로 가득 찼다.

'자리……! 어떡하지?'

자리가 어떻게 배정되는지 내심 신경 쓰였는데 선착순이었나 보다. 이명은 위기감을 느끼면서도 어쩔 줄을 몰라 했다. 머리는 당장 뛰어들어 가서 이불을 하나 낚아채라고 명령하는데 몸은 딱딱하게 굳어서 움직여지지 않았다.

그때 누군가가 어깨에 메고 있던 스포츠 백을 안으로 휙 던졌다. 무심코 옆을 보았더니 한선호가 팔짱을 낀 채로 방 안을 살펴보고 있었다.

"반장, 반장! 담탱한테 갈 거지? 언제 잘 건지 떠봐."

"반장아, 이 방 넓은데 우리 그냥 다 여기서 자면 안 됨?"

"혹시 소화제 있어?"

온갖 문의 사항이 빗발쳤다. 버스에 핸드폰을 놓고 내렸다는 녀석부터 충전기를 그새 잃어버렸다는 녀석까지, 일반적으로 시답잖고 개인적인 사항들이었다. 반장이 총대 메고 담임과 담판을 지으러 가기라도 한다는 듯 진지하게 응원하는 녀석도 있었다. 한선호는 문 앞에 서서 어떤 건 웃어넘기고 어떤 건 차분하게 대답해 주었다. 그러다 문득 이명을 향해 조용히 말했다.

"가방 내려놔. 담임 선생님이 짐 놓고 오라고 하셨잖아."

이명은 황급히 배낭을 풀어 벽면에 조심스럽게 세워 놓았다.

"가자."

눈이 마주쳤지만 잠깐이었다. 한선호는 고개를 휙 돌리고서 캄캄한 복도 위를 앞장서서 걸었다. 이명은 문을 닫고 그를 뒤따랐다.

한 걸음 걸을 때마다 반 아이들이 흥분해서 왁자지껄 떠드는 소리가 멀어졌다. 그리고 어느 순간부터는 전혀 들리지 않았다. 203호와 충분히 멀어져서일까, 아니면 너무 설레서 아무것도 안 들린다고 착각하는 걸까.

천장에 붙은 형광등 하나가 깜빡깜빡 점멸했다. 미미한 불빛이 꺼졌다 켜졌다 반복하는 걸 제외하면 복도엔 사선으로 들어온 월광이 군림하고 있었다. 그 폭군이 색을 모조리 빼앗아 버린 것처럼 세상에는 온통 창백한 회색만 남았다.

소음도 색채도 없는 복도에는 그들 둘뿐이었다. 이명은 아무런 기대도 하지 않았다. 그와 마주 보지 않아도 충분했다. 등을 바라보는 것만으로도 행복에 겨웠다.

온 힘을 다해 달리던 소년의 등. 친구들과 축구하던 소년의 등. 늘 앞장서는 소년의 등. 언젠가 이명이 곤란했을 때 손을 잡아 주었던 소년의 등.

"명이야, 오고 있……."

한선호가 고개를 휙 돌렸다. 넓은 등에 쏟아지던 광선이 뺨과 목 위로 부드럽게 미끄러졌다. TV에서 본 액상 초콜릿 광고에서처럼 물결무늬가 남을 것만 같았다. 그가 말을 하다 말고 입을 다물었다.

이명은 자신이 한참 전에 걸음을 멈추었다는 걸 그제야 깨달았다. 한선호의 발치에서부터 길게 진 그림자가 흰 러닝화 앞코에 닿아 있었다.

"아……."

잿빛 입술이 달싹거렸다. 무슨 말을 내뱉고 싶다는 듯이. 그러나 그 입술은 끝내 열리지 않았다.

빛에 흠뻑 젖은 소년이 이명을 바라보았다. 이명은 무채색의 아름다운 소년과 아주 오랫동안 시선으로 연결되어 있었다. 아니, 사실은 찰나에 불과했는데 그 순간이 이어지기를 바라는 마음이 빚어낸 착각이었는지도 몰랐다. 심장 박동을 세기에는 너무 빨랐고 벽에는 시계가 없었다. 그곳에는 그들과 창백한 회색뿐이었다.

고요한 무중력 상태를 깨 버린 건 웅성거리는 소음이었다. 군화를 신었나 싶을 정도로 요란한 발소리가 이명을 현실로 끌어내렸다.

"여기다!"

복도 끝에서 머리 몇 개가 보이더니 남학생들이 우르르 등장했다. 그중 맨 앞에 있던 녀석이 손을 들고 한선호에게 반갑게 아는 척을 했다.

"5반도 2층이구나? 몇 호야?"

"아, 203호, 204호."

"바로 옆이네. 술 넉넉하면 우리 좀 나눠 줘. 담임한테 다 뺏겼다."

다른 반 반장이 문을 열자 조금 전에 본 광경의 데자뷔가 이는 듯했다. 아이들이 까악까악 소리를 지르며 방으로 뛰어든 것이다. 조금 질린 표정으로 그 광경을 보고 있던 이명은 다시 한선호와 눈이 마주쳤다. 그가 황당하다는 듯이 살짝 웃었다.

한선호가 턱짓으로 층계를 가리키고선 긴 다리로 성큼성큼 내려갔다. 이명은 그를 따랐다.

101호는 숙소의 임시 교무실 같은 역할이었다. 비교적 작은 방에는 얼굴이 눈에 익은 남자 교사들이 모여 있었다. 진짜 교무실과의 차이점이라면 그들이 애들과 마찬가지로 드러누워 있다는 것이었지만.

“애들 술 가져왔지?”

담임은 한선호를 보자마자 심드렁하게 물었다. 한선호는 아무 대답도 하지 않았다.

“적당히 마셔. 알겠어?”

“…….”

“웬만큼 눈감아 줄 테니까, 내일 아침에 못 일어나는 새끼 없도록 하란 거야. 매 가져온 거 알지? 꺼낼 일 없게 해.”

“네.”

“이따 10시 점호 잘 준비하고.”

“네. 소화제 하나만 가져갈게요, 선생님.”

담임은 방 한구석에 있던 약통에서 뭔가를 꺼내 한선호에게 던졌다. 그리고 하품을 쩍 하더니 양반다리로 고쳐 앉았다. 발가락 양말 사이에 손가락을 넣어 벅벅 긁으며 이명을 보았다.

“그래, 명이는 수학여행 오니까 어때? 불편한 점은 없었어?”

이명은 그의 발가락을 보지 않으려 노력하며 고개를 끄덕였다.

“바둑도 중요하지만 가끔 이렇게 바람도 쐬면 좋지? 어머니께서 잘 결정하신 거야."

"……."

"힘든 일 있으면 바로 반장한테 말하고, 응?"

예기치 않게 들린 단어에 이명은 움찔하며 곁을 보았다. 한선호의 옆얼굴은 무표정했다.

"반장도, 명이 불편하지 않게 특별히 옆에 붙어서 잘 챙겨야 한다."

"네."

이렇게 특별 취급을 받기는 싫은데. 얼굴이 화끈거렸다.

"그럼 둘 다 가 봐."

한선호가 고개를 꾸벅 숙였다. 이명은 그를 따라 했다. 그들은 함께 101호에서 나왔다.

돌아가는 길도 조용했다. 이번에는 나란히, 그러나 멀찍이 떨어져서 걸었다. 그것은 그들 사이의 거리였다. 모르는 사이는 아니지만 그렇다고 친구도 아닌.

차라리 한선호가 담임의 특별한 부탁에 관해 먼저 이야기를 꺼내거나 불평하면 마음이 편할 텐데, 그는 마치 그런 일이 없었다는 듯 태연하게 행동했다. 이명은 그가 무슨 생각을 하고 있을지 몹시 신경이 쓰였다.

'얘들 말은 신경 쓰지 마. 뭘 모르고 하는 말이잖아. 너에 대해 알지도 못하면서.'

함께 하교하던 날, 그 말을 듣기 전까지는 한선호도 다른 녀석들과 마찬가지로 자신을 경멸하는 줄 알았다. 몸이 약하다는 이유로 체육 시간에는 아무것도 안 하고 수업에 마음대로 빠져도 혼나지 않는 이명. 특별 취급받는 재수 없는 이명. 당연히 그렇게 생각하고 있을 줄 알았는데, 그는 달랐다.

'네가 잘해 주니까 자꾸 욕심이 나…….'

한선호는 원래 책임감이 강하고 친절한 아이일 뿐인데, 그의 행동 하나하나에 이명의 기분은 끓는점과 어는점을 오갔다. 바라보는 것만으로 충분하다고 생각했다가도 어떨 때는 턱없이 부족하게 느껴졌다. 그가 시야에 들어오기만 하면 행복하던 때가 있었는데. 그러다 보니 대화하고 싶어졌고, 같이 걷고 싶어졌고, 영화를 함께 보고 싶어졌고, 나란히 달리고 싶어졌고, 이제는 친구가 되고 싶었다. 이명의 욕심은 밑바닥이 없는 구덩이 같아서 끝이 보이질 않았다.

그들은 말없이 왔던 길을 되돌아갔다. 층계를 오르고 다른 반 애들이 묵는 방을 지나 긴 복도를 통과했다. 어느 순간부터 시끌벅적한 소음의 낌새가 나더니 203호가 보일 때쯤엔 문을 닫아 놨는데도 애들이 빽빽거리는 소리가 밖으로 새어 나와 귀를 찔렀다. 한선호는 담담한 표정으로 문손잡이를 쥐었다.

"으어어억! 어억!"

"어! 어휴, 반장이네. 간 떨어지는 줄."

가방에서 보온병을 꺼내던 아이가 요란하게 죽는 시늉을 했다. 분명히 203호와 204호에 반씩 나눠서 자도록 조까지 짜 주었건만, 아이들은 왜인지 모르게 죄다 203호에 와서 이불을 펴 놓았다. 넓은 방은 이제 거의 발 디딜 데가 없었다.

"4반 애들은 다 뻗었다는데."

한선호가 문을 닫으며 말하자 방이 순식간에 조용해졌다. 그는 신발을 벗어 신발장에 올려놓으며 지나가듯이 중얼거렸다.

"우린 마셔도 된대."

그러자 고막을 찢고도 남을 함성이 울렸다. '월드컵 우승' 같은 헤드라인을 붙이면 어울릴 만한 장면이었다.

"대신 내일 못 일어나면 알아서 하래."

덧붙인 말은 연이은 환호에 파묻혔다. 그 와중에 한 녀석이 소주를 생수병에 옮겨 담고 천으로 감싼 뒤 테이프를 박박 붙여 바지통에 숨겨 왔는데, 왜 검사를 안 하냐면서 억울해했다. 이명은 뒤늦게 그들이 술 얘기를 하고 있다는 걸 알아챘다.

'그러고 보니 자리를 차지했어야 했는데…….'

덜컥 걱정이 들었다. 아무 데서나 잘 자는 편이기는 해도 모르는 애들 사이에서 자기는 껄끄러웠다. 아마 그 애들도 이명이 끼어드는 걸 좋아하지 않을 것이다. 다른 애들처럼 진작 뛰어들어 가 구석 자리를 잡았어야 하는데. 네 귀퉁이와 세 변은 진작 점거되었고 남은 자리는 요가 들어가지 않을 만한, 비뚤어진 공간뿐이었다.

'차라리 옆방에 가서 잘까?'

오는 길에 슬쩍 보았던 204호는 거의 비어 있다시피 했다. 하지만 이명은 203호에서 자야 하는 1조 소속이었다. 함부로 방을 바꿔도 되는지 확실하지 않았다.

"어디서 잘 거야, 명이야?"

귀 따가운 소음을 비집고 나지막한 음성이 들렸다. 옆으로 고개를 돌리자 제게 말을 건 적이 없다는 듯 태연한 한선호의 옆모습이 보였다.

"어……. 나는……."

"창가?"

그는 다른 곳을 보고 있으면서도 마치 이명의 마음을 읽은 것처럼 중얼거렸다.

"응? 응."

한선호는 방으로 성큼성큼 걸어 들어갔다. 서랍장에서 요를 꺼내 품에 안더니, 창가가 있는 오른쪽 벽면으로 향했다. 귀퉁이에는 이미 남학생 한 명이 자리를 깔고 누워 핸드폰을 보고 있었다.

"거기서 뭐 하냐?"

한선호는 발로 그의 옆구리를 찌르며 장난을 쳤다. 그 애가 깍깍 웃으며 몸을 뒤집었다.

"저리 가, 반장!"

"네가 저리 가. 저기 왼쪽으로."

"아, 왜? 내 자리야!"

"너 3조잖아. 여기 네 자리가 어디 있냐?"

남학생이 킬킬 웃으며 입을 다물었다. 이명은 자연스럽게 친구의 요를 옆으로 밀어내는 한선호를 신기하게 바라보았다. 남의 기분을 상하지 않게 하면서도 감쪽같이 자리를 빼앗다니, 자신은 절대로 할 수 없는 일이었다.

한선호는 구석에 요를 가지런히 깔고서 이불과 베개를 갖다 놓았다. 그러고선 문가에 선 이명에게 손짓했다.

구경에 정신이 팔렸던 이명은 그제야 정신을 차리고 신발을 벗었다. 운동화를 집어 들어 신발장에 올려놓고, 남의 이불을 밟지 않으려 노력하며 조심스럽게 걸었다. 이명이 비틀거리며 요를 살짝 밟았을 때 누군가가 눈을 부라리며 신경질을 냈다.

"아이씨, 뭐야?"

"……미안."

다른 애들이 자리를 턱턱 밟고 다녔을 땐 웃어넘겼으면서, 그에게만 까칠하게 굴었다. 이런 취급이 하루 이틀 일이 아닌 데도 이명은 쉽게 익숙해지지 않았다. 교실에서 아이들이 그에게 무관심했다면 이곳에서는 적대감이 더 피부로 와닿았다. 핸드폰을 보며 낄낄거리다가도 그만 지나가면 고개를 휙 돌리며 노려보는데 느끼지 않을 수 없었다. 여긴 네가 있을 곳이 아니라는, 너는 이곳에 속해 있지 않다는 메시지를.

오른쪽 구석 자리가 이렇게 멀었던가. 한선호가 맡아 놓은 자리에 도착했을 때 이명은 진이 빠져 있었다.

'수학여행, 힘든 거였구나…….'

무릎을 잡고 잠시 숨을 골랐다. 허리를 다시 펴고서 고맙다는 말을 하려는데 한선호는 어디론가 가 버린 뒤였다.

"후……."

이명은 한숨을 쉬며 스르륵 주저앉았다. 작아지는 기분을 느끼며 벽 모서리에 몸을 맞추었다. 누구에게도 방해가 되지 않도록 무릎을 접어 올리고 등을 웅크렸다.

"야, 점호 15분 남음!"

"3, 4조 애들 일단 옆방으로 돌아가."

"이불 정리는 하고 가야지, 미친 새끼들아!"

가만히 앉아 있는 이명과 달리 다른 애들은 정신이 없었다. 마구잡이로 끄집어 놓았던 이불을 다시 장에 쑤셔 넣고 트럼프 카드 팩과 화투를 이불 아래 숨겼다. 남학생들로 바글바글하던 방은 곧 인구 밀도가 절반으로 줄었다. 때는 9시 52분이었다.

툭.

이명은 오른쪽에서 들린 부스럭거리는 소리에 고개를 슬쩍 들었다. 어느새 흰 티셔츠로 갈아입은 소년이 서서 이불을 펴고 있었다.

'엇…….'

"반장, 너 구석탱이에서 잘 거야? 여기 남는 이불 있는데?"

문 근처에서 누군가가 소리쳤다. 한선호는 허리를 숙여 요와 이불의 모서리를 맞추며 대답했다.

"어. 나 여기서 자려고."

"왜?"

"너 코 골까 봐."

같은 방에서 자는 것만으로 설렜는데 바로 옆에서 자게 될 줄이야. 이명은 입술을 이불에 파묻고 아주 천천히 숨을 내쉬었다. 그가 멀쩡하게 고개를 들 수 있었을 때쯤 담임이 문을 벌컥 열었다.

점호는 종례만큼 빠르게 끝났다. 담임은 인원을 확인하고서 경고의 말을 몇 마디 던진 뒤 불을 껐다. 문이 닫힌 뒤 발걸음 소리가 멀어졌다.

방 안은 조용했지만 완전히 고요하지는 않았다. 이명은 누구의 것인지 모를 숨소리와 부드러운 속삭임, 낄낄거림 따위를 들었다.

방 안은 어두웠지만 완전히 깜깜하지는 않았다. 벽에 기다랗게 난 창문이 열려 있었기 때문이었다. 재질이 얇아서 뒤가 비쳐 보이는 흰색 커튼이 머리 위에서 부드럽게 하늘거렸다.

몸을 뒤척이는 척 오른쪽을 슬쩍 보았다. 한선호는 제 팔을 구부려 뒤통수를 받친 채 천장을 보고 있었다.

'자기는 글렀다.'

이명은 이불을 코까지 끌어 올려 덮으며 속으로 중얼거렸다. 그리고 이런 게 수학여행이라면 오기를 정말 잘했다고 생각했다.

끼익.

그때 문소리가 나더니 형광등이 일제히 켜졌다. 어둠에 익숙해진 눈이 자동으로 찌푸려졌다.

"좋은 말씀 전하러 왔습니다, 형제님들……."

옆방 소년들이 줄지어 입장했다. 예물로 갖가지 음식과 음료를 옆구리에 낀 행렬이 한동안 이어졌다. 누워 있던 아이들이 일어나 이불을 밀치고 둘러앉았다. 가운데 생긴 공간에는 간식과 음료를 늘어놓았다. 보온병과 텀블러, 주스 병 등 용기는 각양각색이었지만 하나같이 투명한 액체로 가득했다.

누군가가 종이컵을 꺼내 아이들에게 하나씩 돌렸다. "반장, 빨리 와." 부르는 소리에 한선호도 자리에서 일어났다. 무슨 일이 일어나고 있는지 영문을 모르는 건 이명뿐인 듯했다.

"뭐야, 흘렸잖아."

"술잔 이렇게 받는 거 아냐? TV에서 봤는데."

"그건 높은 사람한테만 하는 걸걸?"

종이컵에 액체를 따르는 소리와 과자 봉지 뜯는 소리가 났다. 이명은 그들의 말씨에서 숨길 수 없는 기대감을 읽어 냈다.

'이걸 위해서 자유 시간을 그토록 기다렸구나. 고작…… 술 때문에.'

어쩐지 시시했다. 이명은 술이라면 이미 기원에 출입하는 어른들 틈에 껴서 맥주부터 고량주까지 도수별로 마셔 보았다. 처음 마셔 본 건 중2 때, 소주였는데 맛이 없어서 뱉었던 기억만 났다. 반 애들이 왜 그렇게 술에 집착하는지 그로서는 이해할 수 없었다.

"너네 다 온 거? 빽태 안 보이는데."

"어제 겜하느라 밤샜다고 잔대. 내일부터 달리겠다나."

"아, 재미없는 새끼."

"자자, 받으세요. 안 먹을 놈은 옆방으로 꺼지시고……."

술 마실 사람은 203호, 잘 사람은 204호. 동그라미 안의 아이들은 203호, 그 외는 204호. 그것이 수학여행의 규칙인가 보다.

이명은 조금 주저하다 몸을 일으켰다. 그는 아무도 찾지 않는 아이였고 여기는 그가 있을 곳이 아니었다. 옆에 놔두었던 배낭을 메고 일어섰다. 그들만의 원을 빙 둘러 바깥으로 나가려는데 누군가가 이름을 불렀다.

"명이야."

잘못 들을 수 없는 음성이었다. 학교에서 그를 그렇게 다정하게 부르는 사람은 한 명밖에 없었다. 이명은 우뚝 섰다. 그러자 서른 명의 시선이 제게 쏠리는 것이 느껴졌다.

"……왜?"

"너 자는 줄 알았는데. 안 잘 거면 같이 놀자."

"어?"

'나 나가려던 참인데.'

'옆방 가서 자려고.'

'아니야. 난 됐어.'

웬일로 대답할 말들이 빠르게 떠올랐지만 이명은 입술을 열지 않았다. 그는 아무 말 없이 서 있던 자리에서 무릎을 낮춰 앉았다. 그를 탐탁지 않다는 듯이 바라보던 주변 아이들이 원을 넓히며 공간을 만들어 주었다. 이명은 얼결에 그들 사이에 끼어 앉았다.

마치 엄연한 5반의 일원이라는 듯이, 그의 앞에도 작은 종이컵이 하나 놓였다. 이걸 황송하다고 해야 할지. 이명은 떨떠름한 기분으로 오렌지 주스 병을 기울여 작은 종이컵에 소주를 가득 담았다.

"자자, 다 받았지?"

"그럼 건배!"

술을 마시기도 전에 볼이 상기된 아이들이 일제히 첫 잔을 비웠다. 반응은 곧바로 나타났다.

"아악! 왜 이렇게 써?"

"윽, 원래 이런 거야?"

술을 마시고도 태연한 건 이명을 포함해 몇 명 되지 않았다.

아이들이 처음 술 마신 소감을 제각기 내놓는 동안 두 번째 잔이 채워졌다. 좀 마셔 봤다는 애들은 어디서 주워들은 술자리 예법을 자랑스럽게 소개하기도 했다.

이명과 한참 멀리 떨어져 앉은 한선호는 말이 없었다. 술을 마셔야 할 때 마셨고, 입가에 미소를 살짝 띤 채 누구의 말이든 들어 주었다.

술이 석 잔씩 돌아갈 때까지는 아무 일도 일어나지 않았다. 넉 잔째부터는 두 명이 쓰러져 잠들었고, 하나가 노래를 부르기 시작했다. 다섯 잔째부터는 싸움이 벌어져 격리 조치가 실시되었다. 여섯 잔째 들었을 땐, 놀랍게도 멀쩡하게 앉아 있는 사람이 3분의 2밖에 남지 않았다.

"저 저, 허접 새끼드을. 나중에 사회생활 어떻게 하려고 그러냐아……! 하하하하!"

"와하하, 마셔, 마셔!"

"우리 그거나 할까? 진실 게임?"

"으, 씨발. 남자끼리 진실 게임? 으웩!"

그때부터 '원샷'을 벌칙으로 건 게임이 시작되었다. 그들은 공동묘지와 당근 게임, 후라이팬 게임, 바보 게임 등 '진실 게임'만 제외하고 온갖 게임을 했다. 실수한 사람은 벌칙으로 술을 한 잔 마셔야 했다. 이명은 게임 방법을 몰라서 슬그머니 뒤로 빠져 구경했지만 아무도 문제 삼지 않았다.

그다음엔 누군가가 무서운 이야기를 하겠다면서 불을 껐다. 엘리베이터 창문을 통해 귀신을 본 이야기, 10층짜리 베란다 밖에서 누가 길을 물어봤다는 이야기, 가위눌린 이야기를 듣는 동안 세 명이 하얗게 질려서 옆방으로 도망쳤다.

새벽 1시가 되었을 때 생존자는 이명을 포함해 일곱 명뿐이었다. 그중에는 뺨이 적당히 빨개진 한선호도 있었다. 불은 여전히 꺼진 채였고 주변에는 술 취한 애들이 명란젓처럼 서로 겹쳐져 쿨쿨 잠들어 있었다.

이명은 문득 창밖을 보았다. 쪽빛 하늘 남쪽에 노란색 동그라미가 걸려 있었다. 굵은 굴곡으로 물결치는 커튼이 노래를 부르는 것처럼 보였다. 저런 밤 풍경에 기분이 좋아지는 걸 보니 아무래도 조금 취한 것 같았다.

"야, 너네 왜 진실 게임만 안 해 주냐아……."

"여자도 없는데 무슨 진실 게임이냐고, 미친 새끼야."

"어휴……. 그냥 하라고 해."

"저렇게 하고 싶어 하는데, 함 시켜 줘라."

이명은 '진실 게임'이 그들이 이제껏 했던 놀이와 같은 종류이겠거니 짐작했다. 순발력과 약간의 계산 능력으로 자신을 방어하고 남을 곤경에 빠뜨리는 게임들. 그러나 실상은 완전히 다른 내용이었다.

꾸준한 어필 끝에 목적을 이룬 아이가 실실 웃으며 소주가 반쯤 찬 헛개수 용기를 바닥에 대고 돌렸다. 1.5L짜리 페트병이 빙그르르 돌아가다가 천천히 멈추었다. 갈색 뚜껑이 지목한 아이가 짓궂은 미소를 지었다.

"나부터냐? 음……. 박민혁한테 물을게. 섹스해 봤냐?"

첫 질문을 듣자마자 얼굴이 빨개졌다. 이명은 눈을 어디에 둘지 몰라 바닥을 보았다. 진실 게임이란…… '진실'만을 말하도록 강요당하는 게임이었다!

"당연하지, 새꺄. 마셔!"

"워어어어어!"

놀림이 다분하게 섞인 환호는 열 명도 안 되는 애들이 낸 소리 같지 않았다. 1층에서 자던 담임이 도끼눈을 뜨고 달려올 것 같은 음량이었다. 질문을 한 아이는 그만한 가치가 있었다는 듯 술잔을 단번에 비웠다. 그는 다시 페트병을 돌렸다.

다음에 걸린 아이는 고심하는 듯 눈을 가늘게 뜨고 아이들을 한 명씩 쳐다보았다. 이명은 그가 자신을 발견하고서 곤란한 질문을 던질 것 같은 기분에 숨을 죽였다.

"다음 질문! 나도 박민혁한테 묻는다. 누구랑 했냐?"

"윗집 누나."

"어어어어억! 어억!"

한동안 게임의 주인공은 박민혁이었다. 그 후로도 두 명이 외설적이고도 구체적인 질문을 하고서 대답을 들은 대가로 술을 마셨다. 그리고 다섯 번째 아이가 말했다.

"선호, 너도 해 봤지?"

"뭘?"

"뭐기는, 섹스!"

"아니."

한선호는 태연하게 답했고 질문한 아이는 뜻밖이라는 듯 놀라며 술을 마셨다. 나머지 아이들이 재미없다며 핀잔을 주었지만 그는 여유로운 미소로 웃어넘겼다. 그리고 그다음 차례에 페트병 뚜껑이 운명처럼 한선호를 가리켰다.

"음……."

한동안 뜸을 들이던 그가 조용히 내뱉었다.

"이명."

안 듣는 척 그쪽에 온 신경을 집중하고 있던 이명은 뜻밖의 소리를 듣고 고개를 들었다. 처음엔 너무 신경을 쓰느라 잘못 들은 줄 알았다. 그런데 아이들의 눈빛이 자신을 향해 쏠려 있었다.

바닥을 보고 있던 한선호가 눈을 들었다. 심장을 쥐어짜는 것처럼 긴장되는 그 순간에도 살짝 웃는 얼굴이 잘생겼다고 생각했다.

"너 취했어?"

'응?'

그건 앞서 나왔던 질문들에 비하면 너무 시시했다. 굳이 진실 게임이 아니라 그냥 물어보았어도 대답해 주었을 만한 물음이었으니까. 아니나 다를까, 주변 애들이 그게 무슨 질문이냐면서 혀 꼬부라진 소리를 냈다. 이명은 그의 눈을 들여다보며 작게 답했다.

"아니."

한선호는 시선을 다시 아래로 떨어뜨리더니 종이컵에 가득 담긴

술을 한 번에 마셨다. 그 행동은 이명의 가슴을 쿵쿵 뛰게 했다. 그러나 그 순간에 머물러 있는 건 이명뿐, 차례는 금세 다른 아이에게로 넘어갔다.

"김경민, 너 아까 차에서 방귀 꼈냐?"

"크흐흐흐, 어."

"씨발 새꺄, 내가 물어봤을 땐 절대 아니라매! 진심 냄새 존나 심했다고."

순식간에 원 안이 웃음바다가 되었다. 질문한 애가 씩씩거리며 술을 마시고서 페트병을 돌렸다. 팽이처럼 빠르게 돌다 차츰 느려지는 자취가 불길하게 느껴졌다.

"어……."

이명은 자신을 똑바로 가리키며 멈춘 병뚜껑을 믿을 수 없다는 듯이 바라보았다. 당황해서 얼굴에 열이 올랐다.

'어쩌지.'

황급히 생각해 봤지만 꺼낼 질문이 없었다. 재치 있거나 다른 애들을 웃게 할 만한 질문을 생각해 내는 건 애초에 불가능했다. 한선호에 관해선 궁금한 게 많았지만 찔려서 물어볼 수 없었고, 나머지 다섯 명에 관해선 궁금한 게 정말이지 단 하나도 없었다.

"난, 물어볼 거…… 없어."

좌중 침묵. 화기애애하던 공기가 순식간에 싸늘해졌다.

"……분위기 보소."

"뭐야, 쟤……."

"아, 그럼 빨리 마시고 넘어가든가."

어떤 애가 짜증스럽게 잔을 손짓했다. 이명은 죄인처럼 빠르게 잔을 비우고서 페트병으로 손을 가져갔다. 다른 아이들이 잡았을 때와 달리 시원찮게 돌던 병은 이명의 오른쪽에 앉은 아이를 선택했다.

"내 차례네? 음……. 반장!"

"오냐."

"하루에 딸 몇 번 잡냐?"

낮 뜨거운 질문에 이명은 제 일도 아니건만 목이 뜨거워졌다. 그러나 한선호는 아무렇지 않게 대답했다.

"한두 번?"

"와아아아 반장, 그 정도면 현잔데?"

플라스틱병이 또 한 번 돌아갔다. 다음 차례인 아이도 음흉한 표정으로 반장을 바라보았다.

"뭐 보면서 쳐?"

한선호는 지난번과는 달리 이번엔 한동안 입을 열지 않았다. 그는 대답하는 대신 무표정한 얼굴로 종이컵을 들어 단번에 비웠다.

"하하하하, 대박. 반장 뭐야!"

"하드한 거 보나 보다. 공유 좀……."

"나 얘랑 초딩 때부터 같이 다녔는데 이걸 몰랐네?"

귓가가 화끈거렸다. 그러게, 한선호도 사람인데 성욕이 있겠지 싶으면서도 믿기지 않았다. 이명에게 그는 너무 환하고 반듯한 사람이었다. 성적인 무언가와는 거리가 아주 먼.

그 뒤부터 한동안 모든 질문이 한선호를 겨냥했다. 키스해 본 적 있냐, 연애해 본 적 있냐. 대답은 둘 다 '아니요'였다. 그는 고백 받아 본 적 있느냐는 질문에만 '예'라고 답했다.

그러다 덜컥 한선호의 차례가 되었다. 애들은 복수의 시간이라며, 피바람이 불 거라며 호들갑을 떨었지만 한선호는 무덤덤하게 물었다.

"김경민, 비밀 하나 말해 줘 봐."

그 질문은 평범한 편이었지만 아이들은 기대하는 눈빛으로 경민을 바라보았다.

"음……. 나 똥을 3일 동안 못 쌌어."

"아 씨바, 그래서 아까 버스에서……! 으웨에에에엑!"

"에헤헤헤헤, 뿡!"

그가 방귀 뀌는 흉내를 내자 모두가 쓰러지며 폭소를 터뜨렸지만 이명은 웃을 수 없었다. 그는 또 걸릴 것을 대비해서 질문을 생각해 둬야 했다.

한선호에게 묻고 싶은 건 셀 수 없이 많았다. 몇 명에게 고백 받아 봤는지, 그중 마음에 드는 사람은 없었는지, 이상형은 무엇인지, 이제까지 사귀어 보고 싶은 사람은 없었는지. 취미는 무엇인지, 주말에는 뭘 하는지, 나중에 무슨 직업을 갖고 싶은지, 무슨 음식을 좋아하는지, 어느 과목이 제일 좋은지, 낮이 좋은지 밤이 좋은지, 화창한 날이 좋은지 비 오는 날이 좋은지……. 사실은 그의 모든 것을 알고 싶었다.

'물어보면 안 되겠지.'

이번에는 차례가 돌아오면 곧바로 술잔을 비워야겠다고 생각했다. 분위기가 안 좋아지기 전에 되도록 빠르게.

낄낄거림이 잦아들자 한선호가 페트병 목을 손가락으로 톡 쳤다. 핑그르르 돌던 플라스틱 용기가 한선호의 왼쪽에 앉은 아이를 가리켰다.

"나! 나아아아, 음, 반장!"

그 애는 상체를 까딱거리는 모습이 몹시 취한 것처럼 보였다. 한선호가 그를 물끄러미 바라보다, 어깨를 짚으며 괜찮으냐고 물어 봤다. 이명은 그 녀석이 부럽게 느껴졌다.

"반장! 좋아하는 사람…… 있어?"

애들이 재미없고 유치한 질문이라고 투덜거렸다. 어차피 남고인데 그딴 걸 알아서 뭐 하냐는 분위기였다.

그 순간 이명은 한선호와 눈이 마주쳤다. 우연히 그가 보는 방향과 자신이 보고 있는 방향이 겹친 건가 싶었다. 그러나 한선호는 그런 것치고 오랫동안 이명의 눈을 마주 봤다. 다른 곳으로 무심하게 고개를 돌리거나 씩 웃지 않고 지극히 무표정하게.

주변의 소리조차 사라진 고요함 속에서 한선호는 종이컵을 아주 천천히 들어 올렸다. 그리고 이명의 시선을 마주한 채로 술을 입 안으로 털어 넣었다.

"아악! 이 새끼 토하잖아……."

"화장실 데려가, 얼른!"

이번에도 아주 오랜 시간 동안 그가 자신을 봐 주었다고, 그래서 기억할 만한 순간이었다고 마음대로 생각하고 싶었는지도 모른다. 심장 박동을 세기엔 너무 빨랐고 벽에는 시계가 있었지만 보지 않았다. 어느덧 난장판이 된 술자리를 보니, 그리고 본인이 비워 놓은 종이컵을 밟으며 급하게 일어난 한선호가 입에서 뭔가를 게워 내기 시작한 친구를 급히 화장실로 옮기는 뒷모습을 보니 시선이 맞닿은 건 지극히 찰나였던 것 같았다.

'취했나…….'

조 원장이 그랬다. 명이 너는 보기와 다르게 말술이라고. 꺽해야 두세 병 마시고 취했을 리가 없었다.

'그런데 기분이 이상하게 좋네.'

이명은 실실 웃으며 일어났다. 화장실에 들어간 두 명을 제외하고선, 게임하던 아이들은 어느새 제각각 앉아 있던 자리에서 쓰러져 자고 있었다.

이명은 한선호가 맡아 준 제 자리에 앉아 배낭을 열었다. 세면도구를 꺼내 비어 있는 두 번째 화장실에서 양치했다. 그러고 나니 눈이 깜빡깜빡 감겼다. 어느새 새벽 2시였다.

'내일 8시 반에 일어나려면 빨리 자야겠다.'

자리에 눕자 이상한 기분이 들었다. 술을 마셔서인지 가슴이 감당하기 어려운 두근거림으로 가득했다. 어쩌면 오른쪽에 난 창으로 쏟아지는 광선이 달빛이라기엔 너무 밝아서일지도.

'수학여행 오기를 잘했어.'

이명은 눈을 감았다. 한선호가 돌아오는 걸 기다리고 싶었는데, 옆자리에서 잠든 그의 모습을 엿보고 싶었는데, 참을 수 없이 졸음이 밀려왔다.

'내일도 옆에서 잤으면 좋겠다.'

이명은 기분 좋은 웃음을 지으며 잠들었다.

"담임이 10분 안에 안 나오면 알아서 하래!"

"반장, 어디 있어?"

수학여행 마지막 날은 혼돈 그 자체였다. 어쩌다 보니 본래 15인이 묵기로 되어 있었던 방에서 2박 3일 동안 남자 청소년 서른한 명이 꾸역꾸역 구겨져 잠들었다. 떠나기 전에 방을 정리하려니 혼란도 이런 혼란이 없었다.

옷이 없어졌다고 난리 치는 놈들이 너무 많아서 웬만한 일로는 조금도 주목받지 못했다. 가방 지퍼 뜯어진 놈, 남의 안경 밟은 놈, 남에게 안경 밟힌 놈, 남의 바지에 물 엎지른 놈, 변기 막은 놈, 린스로 머리 감은 놈……. 사고도 갖가지였다.

조용한 구석 자리에서 잔 이명은 여유롭게 짐을 챙기고 이불까지 개어 놓을 수 있었다. 챙기지 않은 게 있나 주변을 확인하던 그는 베개 밑에서 옷을 하나 꺼냈다. 제 건가 싶었지만 흰색 티셔츠는 펼치고 보니 너무 컸다. 'XL' 사이즈를 표시하는 상품 태그 아래 정자체로 주인의 이름이 적혀 있었다.

한선호

그 짧은 순간에 얼마나 많은 생각이 머릿속을 스쳤는지 모른다. 새삼 한선호의 체격이 크단 생각에서 시작해 이 티셔츠를 입었을 때 그의 등이 얼마나 넓어 보였는지가 떠올랐고, 코에 대고 냄새를 맡아 보고 싶다는 이상한 욕망까지 들었다.

"어, 그거 뭐야? 내 거 아니야?"

이명은 깜짝 놀라서 티셔츠를 배낭에 쑤셔 넣었다. 괜히 이상한 생각을 한 걸 들킬까 봐 찔려서 무의식중에 한 행동이었지만, 이름도 모르는 남학생은 그의 곁을 휙 지나가 버렸다.

"니 내 거 입었잖아, 도적 새꺄! 빨리 벗어."

“어? 이거 네 거냐?”

다행히 다른 애에게 한 말이었다. 이명은 미친 듯이 뛰는 심장을 진정시키려 숨을 느릿하게 들이마셨다 내쉬었다. 한쪽 손은 배낭 안에서 공처럼 구겨진 흰색 티셔츠를 꽉 쥐고 있었다.

‘꺼내야지. 빨리 꺼내야지. 그리고 자연스럽게 주인한테 건네줘야지.’

우연히 주웠는데 태그를 보니 네 이름이 써 있더라 – 이런 식으로 말하면서 주면 될까? 혹시 이상하게 생각하진 않을까.

‘으으……!’

고통스러운 고민은 한동안 지속되었다. 이명은 그냥 티셔츠를 원래대로 베개 아래 깔아 두고 모른 체해야겠다고 마음먹었다.

그러나 그는 운이 지독하게 없었다. 티셔츠를 배낭에서 꺼내려던 순간에 하필 한선호가 나타났기 때문이다. 이명은 그를 보자마자 배낭 지퍼를 굳게 잠가 버렸다. 정말로 무의식적인 행동이었다.

한선호는 제 자리를 쓱 살펴보더니 주변 애들에게 물었다.

“내 잠옷 못 봤어?”

“뭔 잠옷인데?”

“흰 티야.”

반의 절반 이상이 팬티나 안경이나 양말이나 잠옷을 잃어버린 마당에 한선호라고 뾰족한 수가 있을 리 없었다. 다른 애들처럼 바닥을 무릎으로 기어 다니며 요와 이불을 들추는 수밖에는. 티셔츠를 원상 복귀해 놓을 타이밍을 재고 있던 이명의 속이 타들어 갔다.

“분명히 여기에 벗어 둔 것 같은데, 이상하네. 그걸 누가 가져갔을 리도 없고…….”

이윽고 한선호가 무릎을 세우고 구석에 앉은 이명을 바라봤다. 그가 고개를 다시 돌리며 크게 말했다.

"흰 티 본 사람?"

"난 못 봤는데."

괜히 찔려서 손을 들고 말하는 이명이었다. 한선호의 시선이 다시 그에게로 돌아왔다.

"네 가방 열어 보면 막 있고, 그런 거 아냐?"

그는 농담을 던지고서 일어났다.

"뭐, 뭐야? 줘도 안 가져!"

이명은 아무렇지 않은 척 내뱉어 보았지만 그의 뒷모습은 이미 멀찍이 사라진 뒤였다. 뒤늦게 진한 자괴감이 밀려왔다.

'망했다……!'

남의 옷을 훔치는 건 변태들이나 하는 짓인 줄 알았다. 자신이 이런 짓까지 하게 될 줄은 정말이지 상상도 못 했다. 빽빽 소리 지르는 아이들 틈바구니에서 이명은 정체성에 혼란을 느끼며 입술을 잘근잘근 깨물었다.

이윽고 그는 원대한 계획을 세우기 시작했다.

집에 가자마자 방문을 잠그고 가방에서 한선호의 잠옷을 꺼낼 것이다. 딱 한 번만 냄새를 살짝 맡아 보고서 세탁기에 돌릴 것이다. 그러고선 잘 말려서 학교에 가져가 한선호의 사물함에 몰래 넣어 놓을 것이다.

'그러면 아무 문제 없겠지.'

아무도 자신이 이런 짓을 했다는 걸 몰라야 한다. 부디, 부디 걸리지 않게 해 주세요……. 그는 알지도 못하는 신에게 간절히 빌었다.

11. 열아홉, 겨울

11. 열아홉, 겨울

오랜만에 가는 학교는 낯설었다. 이명에게 학교란 언제나 낯설었지만, 이번에는 한 달 만에 가는 것이라 유독 그랬다.

머리카락을 헝클어뜨리는 바람이 차갑게 느껴졌다. 마지막에 등교했을 땐 가벼운 춘추복 차림이었는데 어느새 재킷과 코트까지 갖춰 입어야 하는 겨울이었다.

'축하한다, 명아. 이제 네가 나를 가르쳐도 되겠어.'

이번에 이명은 국내 대회에서 우승하며 5단으로 승단했다. 초등학생 때부터 드나들던 바둑 도장의 부원장인 김 사범과 동급이었다. 비록 그와 겨뤄서 지지 않게 된 지는 몇 년이 지났지만 그는 여전히 이명의 선생이었고 이명은 그의 제자였다. 그런 점에서 아무것도 달라지지 않은 것 같았다.

이명은 달라지는 것들과 달라지지 않는 것들을 생각하며 걸었다. 한 달만 더 다니면 고등학교도 졸업이다. 다른 애들은 성인이 되어 이전까지 금지되었던 일들을 거리낌 없이 하고, 알바도 하고, 대학에 가고, 새로운 세계가 펼쳐질 것이다. 그러나 자신의 생활은 오히려 지금보다 더 단조로워지리라. 단순해 보이지만 그 안에 무수한 길이 있는 가로 19줄, 세로 19줄의 격자무늬 세상이 그의 전부가 될 것이다.

프로 바둑의 세계는 정글이나 다름없었지만 이명은 두려워해 본 적이 없었다. 그렇다고 엄마처럼 바둑돌로 세상을 집어삼킬 수 있으리라 낙관하지도 않았지만. 그저 할 수 있는 일을 할 뿐이었다.

아홉 살짜리 이명은 바둑판에 361개의 교차점이 있다는 사실에 열광했다. 특히 화점이 동그랗고 검은 원으로 강조되어 있는 것을 좋아해서, 어릴 때는 그 위에 포석 까는 걸 유난히 즐겼다. 프로 선수로 입단한 지 4년이 된 지금도 이명은 바둑을 놀이라고 생각했다. 그의 은사인 임 사범은 그래서 이명이 '그렇게 약한 멘탈'로도 잘 버티는 것 같다고 했다. 아직도 바둑을 좋아하기 때문에.

걷다 보니 벌써 정문 앞이었다. 오늘도 어김없이 발바닥 아래 모래가 돌아다니고 있었다. 신고서 달려 본 기억이 거의 없는 러닝화를 벗어 거꾸로 잡고 공중에 흔들자 삽으로 퍼 넣은 것 같은 양의 모래가 바닥으로 후두두 쏟아졌다.

'신발이 문젠가, 아니면 내가 이상하게 걷는 건가.'

실내화에 발을 밀어 넣고서 괜히 앞코를 땅에 툭툭 찍어 내렸다. 죄 없는 실내화에 살짝 화풀이하기는 했지만, 교문을 통과하면서부터 들뜬 기분은 그대로였다. 이래 봬도 그는 한 달 만의 등교를 몹시 고대하고 있었다.

엄마는 어차피 수업 일수도 다 채웠으니 이제부터 학교에 가지 말고 내년에 있을 국제 대회를 준비하라고 설득했지만, 그는 고집을 부리며 책가방을 어깨에 멨다.

'명이 너, 언제부터 학교 가는 걸 그렇게 좋아했어?'

'그런 거라기보단…… 수능도 끝났으니 수업 시간에 영화 틀어 줄 것 같아서요.'

'영화라면 집에서 보면 되잖아?'

엄마에게 왜 학교에 가고 싶은지 설명하기란 아주 어려웠다.

이명은 학교 건물이 싫지 않았다. 아주 커다랗다는 점에서 그랬다. 그는 늘 교실이 무척 넓다고 생각해 왔는데, 이어폰을 끼고 자리에 앉아 있으면 비록 사람들 사이에 있더라도 혼자 있는 기분이 들었다. 긴 복도를 걸을 때 창문 사이로 들어오는 서늘한 바람이 목을 스치면 소름이 돋으면서도 시원할 때가 있었다.

시험이 끝나고 나면 애들은 수업하지 말자고 선생을 조르곤 했다. 선생이 못 이기는 척 영화를 틀어 줄 때마다 이명은 마음속으로 행복해했다. 자습 시간에 몰래 엎드려 자는 것도 은근히 즐기는 편이었다. 잠기운에 나른해지는 기분도, 항복의 표시로 책에 볼을 댔을 때 맡을 수 있는 눅눅한 종이 냄새도 좋아했다. 지금처럼 음악을 들으며 층계 위를 걸을 때, 수많은 발걸음에 마모된 나무 바닥 위로 실내화가 스르르 미끄러지는 느낌도 싫지 않았다.

그리고 무엇보다…….

"T자 주차? 그건 강사님이 알려 주는 대로만 하면 되는데."

"어떻게? 우리 형이 그거 어렵댔는데."

교실에 입장하는 순간은 언제나 긴장되었다. 초등학교 1학년 때부터 고3인 지금까지 한 번도 그러지 않은 적이 없었는데, 오랜만에 등교하는 것이다 보니 더욱 용기가 필요했다.

이명은 누가 인사라도 할까 봐서 고개를 푹 숙이고 걸었다. 어차피 아무도 그에게 인사하지 않았으니 쓸데없는 걱정이었지만.

"음, 아닌데. 별로 안 어려워."

교실 뒤편에선 무슨 게임을 하는지 애들 몇 명이 실내화를 벗은 채 바닥에 앉아 있었다. 이명은 그들을 방해하지 않기 위해 조심해서 걸으며 교실 중앙을 곁눈질했다. 밤톨 같은 뒤통수는 한 달 전과 변함이 없었다. 그동안 머리가 전혀 길지 않은 건 아닐 텐데, 그새 또 잘랐나 보다.

'귀여워.'

양쪽 팔꿈치를 책상에 대고 몸을 살짝 앞으로 기댄 소년은 나른한 표범 같아 보였다. 온몸이 검은 털로 뒤덮인 어린 표범.

한선호는 옆자리 아이의 말을 들으며 살짝 웃었다. 이명은 그 옆에 앉았다는 이유만으로 매일 아침마다 한선호와 잡담을 아무렇지 않게 하는 그 애가 세상에서 제일 부러웠다.

이명은 배낭을 빼서 의자에 걸고 자리에 앉아 관심도 없는 시간표를 열심히 확인했다. 미리 책을 꺼내 놓느라 부산한 동안에도 신경은 오른쪽 뒤편에 쏠려 있었다.

"봐봐. 여기가 주차 공간이잖아. 차가 이쪽에서 들어간다고 치자……."

'운전 얘긴가……. 나도 설명 듣고 싶어.'

교실이 워낙 시끄럽다 보니 한선호의 목소리가 퍼져서 들렸다. 이명은 문득 무언가 생각났다는 듯 연기하며 일어섰다.

사물함 찬스!

그는 몸을 돌리면서 한선호가 노트에 무언가를 그리는 모습을 스치듯이 보았다. 정면으로 자세히 보는 건 금물이었다. 그러면 관심이 온통 그쪽에 가 있다는 게 들통 날 테니까.

이명은 교실 뒤편으로 걸으며 신경 쓰이는 자리를 더욱 자세히 곁눈질했다. 한동안 노트를 보며 그림 그리던 한선호가 시선을 들어 짝과 눈을 마주쳤다.

"차폭이 있으니까 살짝 오른쪽으로 틀어 줘야 후면이 안 부딪히고 들어갈 수 있잖아."

다시 그의 눈동자가 노트로 향하며 펜이 부드러운 곡선을 그렸다. 이명은 물건도 몇 가지 없는 사물함을 뒤지는 동시에 뒤를 힐끔힐끔 돌아보았다.

"어디서 틀어야 할지 어떻게 알아?"

한선호는 펜으로 종이를 툭툭 치며 대수롭지 않게 말했다.

"왼쪽 사이드 미러로 여기 코너를 봐야지."

"아나, 빡대가린가? 존나 모르겠어."

"아니야. 직접 해 보면 훨씬 쉬워."

살짝 숙이고 있던 고개가 들리며 옆얼굴에 귀여운 웃음이 번졌다. 이명은 저도 모르게 그를 따라 웃었다. 그런데 그쪽을 엿보던 게 이명 혼자만은 아니었나 보다. 어느새 운전면허 시험에 관심 있는 아이들 대여섯이 한선호의 주변으로 몰려들며 그를 에워쌌다.

"선호, 그럼 너 도로도 나가 봤어?"

"응. 주말에 엄마 옆에 태우고 일산 가 봤어."

"어때? 시험이랑 많이 달라?"

"비슷해. 내비만 잘 보면 돼."

“나도 엄마가 면허 따라는데, 어느 학원이 좋냐?”

아이들은 운전에 관해 궁금한 것이 정말 많았는데, 한 선생은 하나하나 성실하게 대답해 주었다. 운전면허 학원의 가격과 장단점, 도로 주행 시험 요령, 시험과 실전의 차이점, 차량 종류, 가솔린과 디젤의 차이까지 주제가 뻗어 나갔을 때 종이 쳤다. 아이들이 투덜거리며 제각각 자리로 돌아가 앉았다. 사물함 앞에 한참 동안 쪼그리고 앉아 있었던 이명도 마찬가지였다.

사실은 수업을 듣는 것보다 한선호의 이야기를 1시간 동안 듣는 게 훨씬 유익할 것 같았다. 그저 사심 때문만이 아니라, 그는 정말로 공부도 잘하고 설명도 잘하는 완벽한 반장이었으니까.

자리로 돌아온 이명은 손바닥에 턱을 괴고 창밖을 보았다. 누군가의 음성이 더 이상 들리지 않는 게 아쉬웠지만 괜찮다. 조금만 기다리면 다시 들을 수 있으니까.

“차렷…….”

‘아, 오랜만에 들으니 좋다.’

“선생님께 경례.”

그가 학교에서 가장 좋아하는 시간이었다. 이명은 선생을 향해 고개를 꾸벅 숙이면서 남몰래 웃었다.

12. 열아홉, 겨울

12. 열아홉, 겨울

하늘이 회색이었다. 일기 예보에서는 비까지는 아니고 날이 흐릴 거라고 했다. 이명은 검은 구름이 꾸물거리며 몸을 부풀리는 모습을 가만히 바라보았다. 물을 잔뜩 안고 있으면서도 비를 한 방울도 뿌리지 못하는 답답한 하늘이 단순한 자연 현상처럼 보이지 않았다. 제 기분을 그대로 표현한 것 같은 날씨였기 때문이다.

온종일 보고 있을 수 있는 하늘이지만 이명은 창밖으로부터 일부러 고개를 돌렸다. 오늘이 마지막이라는 것을 의식한 탓이었다. 학교에서 벌어지는 어떤 일에도 집중한 적이 없었지만 오늘만은 달라야 할 것 같았다. 마지막은 늘 특혜를 입기 마련이다.

"다들 그동안 공부하느라 수고가 많았다."

교실 바깥에서 기다리는 학부모들을 의식한 담임의 덕담은 그날따라 다정한 듯이 들렸다. 그런다고 해서 본질적인 무관심함이 변하지는 않겠지만. 담임은 늘 이명에게 필요 이상으로 상냥하게 대했는데도 이명은 그의 목소리에서 온기를 느낀 적이 한 번도 없었다.

이명은 따뜻하고 밝은 사람들을 좋아했다. 세상에는 천성적으로 성격이 밝아서 주변마저 환하게 만드는 사람들이 가끔 있었다. 담임처럼 꾸며 낸 친절을 베푸는 것이 아닌, 기질적으로 상냥한 사람들이.

마지막 종례라 집중할 법도 한데 몽상은 계속되었다. 복도에서 기다리고 있을 부모님과 동생이 안겨 준 꽃다발을 물끄러미 바라보고 있었지만 생각은 다른 곳으로 내달렸다.

"한 번 더 준비하는 사람들은 너무 기죽지 말고."

손끝에 벨벳 같은 질감의 졸업장 케이스가 만져졌다. 검지로 금색 자수를 쓸어 보자 그 질감만큼 이질감이 들었다. 이 문서는 이명이 교과 과정에 따라 학업을 마쳤다는 증명이라는데, 과연 얼마나 진실에 가까울까?

'난 배운 게 없는데…….'

무언가를 끝마쳤다고 자랑스럽게 말하기엔 과정이 너무 지지부진하지 않았나. 교과서에 적힌 지식도, 평생 동안 기억할 스승도, 학교의 규율도, 학생들 사이에 형성되어 있는 작은 사회도, 이명에게는 그 무엇도 남지 않았다. 학교에서 주는 모든 것을 마지못해 입에 넣었지만 한 가지도 씹어 넘기지 못했던 것이다.

지식에는 관심이 없었다. 선생은 가까이하고 싶지 않았다. 아이들은 개인으로서 낯설었고 사회로는 두려웠다. 학교는 그의 것이 아니었다. 애초에 가져 본 적이 없으니 끝났다고 해서 섭섭하지도 슬프지도 않았다.

"대학 가는 놈들은…… 어? 안 죽을 정도로만 마셔!"

기분이 습한 날씨처럼 축 가라앉은 이유는 학교와 아무런 상관도 없었다. 마음 밑바닥을 묵직하게 채운 서운함의 원인은 따로 있었다.

그것은 강건한 책임감, 순수한 선의, 따스한 동정심 같은 추상적인 개념과 관련이 있었다. 또한 어두운 사람이 빛나는 무언가에 끌리는 심리와 성치 못한 사람이 강하고 멀쩡한 것에 끌리는 마음에서 비롯되었다. 그리고 예기치 않은 순간에 쏟아진 미소처럼 단순한 것들로부터.

눈을 뜨고 있는데도 넓은 운동장을 배경으로 달리는 뒷모습이 시야에 아른거렸다. 넓은 어깨를 감싼 흰색 티셔츠가 바람에 펄럭거리는 자취가 보였다. 여름 냄새에 둘러싸인 채 옆구리에 축구공을 끼고 어딘가를 향해 손짓하는 모습도 떠올랐다. 공을 공중에 띄운 뒤 힘껏 차고서 그쪽으로 달려 나가던 진지한 얼굴도. 그리고 무엇보다 환한 미소가 기억났다. 보는 사람이 두근거리다 못해 마음이 조각조각 부서지는 비참함마저 느낄 정도로, 그 애는 해사하게 웃었다.

이제는 다 끝이었다.

"자, 반장."

이명은 오른쪽을 돌아보았다. 교실 중앙에서 훤칠한 소년이 일어서자 음침하던 교실이 환해졌다. 장신의 소년은 교탁을 바라보고 꼿꼿하게 섰다. 뒷문 밖에 서 있는 학부모들이 '쟤가 반장이구나'라고 소곤거리는 소리가 들렸다.

"차렷."

소년은 살짝 잠긴 목소리로 내뱉더니 긴장한 듯 헛기침을 했다. 그와 같은 반이었던 2년 동안 그런 모습은 한 번도 본 적이 없었다. 이명은 소년이 졸업을 아쉬워하고 있을지 궁금했다.

"경례!"

아마도 그럴 것이다. 그 아이는 이명이 한 번도 갖지 못한 것들, 이를테면 정든 교정과 친구들과의 즐거운 시간, 존경하는 선생님 같은 것들을 잔뜩 향유했으니까.

"감사합니다!"

아이들이 책걸상을 밀며 요란스럽게 일어났다. 보통 때와 다름없이 서로 말을 건네기도 하고 감상에 잠겨 평소라면 하지 않을 말을 내뱉기도 했다.

이명은 감상적인 기분이 들어서 선뜻 일어날 수 없었다. 그렇다고 자리에 버티고 앉아 고등학교 시절을 추억할 친구가 있는 것도 아니었다. 근처에 앉은 애들에게 인사라도 해 볼까 했지만, 다들 빠르게 어디론가 가 버렸다. 마지막 날도 첫날과 똑같았다. 무리에 소속되어 있지 않다면 그들에게 없는 사람이나 마찬가지였다.

'괜찮아. 인사하고 싶은 사람은 따로 있으니까.'

이명은 심호흡을 하고서 자리에서 일어났다. 그런데 오른쪽으로 몸을 돌리려는 찰나, 앞문이 열리며 학부모 무리가 교실로 우르르 들어왔다. 그 소란은 이명을 자연스럽게 다시 자리에 앉게 했다.

'하……. 그냥 가서 말 걸면 되지, 바보같이 앉긴 왜 앉아!'

주먹으로 이마를 친다고 달라지는 건 없었다. 이명은 하릴없이 텅 빈 서랍에 손을 넣어 무언가를 정리하는 척하며 앞쪽을 살폈다.

분위기는 아주 어수선했다. 교탁 쪽은 시끌시끌했고 애들은 제각기 떠들거나 자기 부모에게 손을 흔드느라 정신이 없었다. 담임은 갑자기 공손한 인격자로 변하기라도 한 것처럼 인자한 미소를 짓고 있었다. 그와 인사하려고 줄 서서 기다리는 어른 중에는 엄마도 있었다. 그녀는 신문사로부터 선물로 받은 육포 세트를 들고 서 있다가 이명과 눈이 마주치자 살짝 웃어 보였다.

가장 앞에서 담임과 이야기하던 키 크고 안경을 쓴 여자가 교실 중간을 향해 손짓하자, 한선호가 벌떡 일어나 그쪽으로 걸어갔다. 반장 엄마의 얼굴에는 자랑스러운 미소가 걸려 있었다. 한선호가 교탁 앞에서 고개를 꾸벅 숙이자 담임이 그의 어깨를 감싸며 웃는 낯으로 뭐라고 말했다. 학부모들이 모자에게 흐뭇한 시선을 보내며 한마디씩 거들었다. 모두에게 사랑받는 반장과 그를 신뢰하는 담임, 그리고 얼굴에 미소를 띤 학부모들. 그것은 공익 광고에 나와도 이상하지 않을 것처럼 비현실적인 광경이었다.

이명은 한선호의 자리에 자신이 서 있는 그림을 상상해 보았다. 쭈뼛거리는 태도와 굳은 표정으로 주변 사람들을 불편하게 하리라. 그러면 엄마는 '애가 숫기가 없어요'나 '성격이 내성적이에요'처럼 늘 꺼내는 레퍼토리로 변명할 테다. 저 앞에서 한선호가 물속의 고기처럼 자연스럽게 하는 행동을 이명은 절대로 흉내 내지도 못할 것이다.

질시인지 선망인지 모를 모호한 감정이 이명을 자리에서 일으켰다. 그는 가방을 등에 메고 한 번도 속해 있지 않았던 세계로부터 등을 돌렸다.

미처 정리되지 않은 감정의 찌꺼기가 발목을 감고 잡아당기는 것 같았다. 자꾸만 뒤돌아서 그의 이름을 크게 부르고 싶었다. 막상 할 말도 없으면서, 우스운 일이었다. 어쩌면 용기 없는 사람에게 욕망은 그 자체로 고통이 아닐까. 물기를 가득 품고서 쏟아 내지 못하는 비구름처럼 이명은 축축한 걸음을 힘겹게 옮겼다.

뒷문 밖에는 한 살 터울인 동생, 정이 양손을 패딩 주머니에 찔러 넣은 채 아빠와 나란히 서 있었다.

“어이, 사회인! 기분이 어때?”

정이 장난스럽게 물었다. 이명은 기분이 상당히 우울했고, 졸업했다고 해서 이전과 달라진 점을 아무것도 체감할 수 없었다. 하지만 정에게 그럭저럭 재치 있는 대답을 해 줘야 한다는 책임을 느꼈다.

“학생은 말해 줘도 모를걸.”

“뭐야, 알려 줘!”

“……메롱.”

혓바닥을 슬쩍 내밀자 정이 주먹으로 어깨를 쳤다. 힘이 들어가 있지 않은 펀치였다. 아빠가 그들을 한동안 바라보다가 멋쩍게 웃었다.

“이명, 3년 동안 고생했다.”

이명은 아빠가 진심으로 자랑스러워한다는 걸 알 수 있었다. 아빠는 아이는 뛰어놀고 학생은 공부해야 한다고 믿는 남자였다. 그런 의미에서 이명은 그를 늘 실망시켰지만, 이번에 가져온 고등학교 졸업장은 어떤 대회 수상 실적보다도 아빠를 만족시킨 것 같았다. 이 졸업으로 인해 득 볼 사람이 한 명이라도 있어서 다행이었다.

“뭐 먹으러 갈까?”

“음…….”

이명은 말없이 어깨를 으쓱거렸다.

“나 땐 졸업식 하면 짜장면이었는데 말이야. 요즘은 뭣들을 먹나…….”

"뭐야, 아빤. 몇십 년 전 얘기를……. 뷔페 가요, 뷔페."

"뷔페?"

"응. 킹크랩 무한 리필 되는 해물 뷔페. 오빠도 괜찮지?"

이명이 뭐라고 답하기 전에 엄마가 앞문에서 나왔다. 마치 자신이 졸업하기라도 한 듯 후련하다는 표정이었다.

"고생했다, 우리 아들!"

엄마의 말 뒤에는 '그러니 이제 바둑에 전념하자'라는 문장이 숨겨져 있었다. 엄마는 특별한 재능은 그에 걸맞은 방식으로 서포트해야 한다고 믿는 여자였다. 그녀에게 이명의 고등학교 졸업장은 이제 아들이 학교에 시간을 빼앗기지 않아도 된다는 증명서나 다름없었다.

이 졸업을 만족스러워하는 사람이 둘이나 된다. 그거면 된 거 아닐까.

"여보, 정이가 해물 뷔페 가자는데."

"웬 뷔페? 그거 어디 있는데? 명이 졸업식인데, 애 먹고 싶은 거 먹여야지."

"전 다 괜찮아요."

가족들이 무엇을 먹을지 상의하며 복도를 걸어가는 동안 이명은 힐끔힐끔 뒤를 돌아보았다.

'인사하고 싶었는데.'

말 걸고 싶은 마음을 눌러 참은 적이 어디 한두 번이었던가. 지금껏 마음이 드러나지 않도록 꼭꼭 숨겨 왔다. 어차피 포기하는 건 숨 쉬듯이 자연스러웠고 멀리서 지켜보는 건 익숙했다. 그렇기는 해도…….

'마지막으로 꼭 인사하고 싶었는데.'

가족들에게서 조금씩 뒤처지며 5반 교실을 곁눈질했지만 그가 찾는 사람은 시야에 들어오지 않았다.

'이제 다시는 볼 일 없을 텐데…….'

바보 같긴. 종례 끝나자마자 자리로 걸어가서 졸업 축하한다고, 그동안 고마웠다고 한마디 했으면 됐을 텐데. 아쉬움이 쿠르르릉 몸을 부풀리며 마음속을 뒤덮었다. 그러나 스스로 회초리질 해 봐야 때늦은 자책일 뿐이다. 이제 정말 끝이니까.

"오빠, 표정이 안 좋네. 많이 아쉬워?"

삐걱거리는 나무 층계를 내려가는 동안 정이 물었다.

"그럼 3년 동안 다닌 학굔데, 명이도 아쉽겠지."

아빠가 자신 있게 오답을 말했다.

"아쉽기는, 학교 좋아하는 애가 어디 있어? 얘가 얼마나 학교 가기 싫다고 노래를 불러 댔는데. 작년부터야 좀 괜찮아졌다지만."

"학교가 뭐 가기 싫다고 안 갈 수 있는 곳인가? 당신은 그 이상한 사고방식이 있어."

"어머, 이 사람 봐. 그게 뭐가 이상해?"

또 시작이네. 정이 짜증스럽게 중얼거리더니 엄마와 아빠 사이를 비집고 들며 양팔에 팔짱을 꼈다.

"저기요? 이렇게 좋은 날 싸우는 건 아닌 것 같습니다. 밥은 먹고 합시다, 네?"

그녀가 자연스럽게 부모의 입을 다물게 하고선 성큼성큼 끌고 가 버리자, 이명은 졸지에 혼자 남았다. 그는 쓸쓸한 기분으로 인적 드문 1층 복도를 천천히 걸었다. 슬쩍 들여다본 1학년 교실들은 텅 비어 있었다. 게시판과 벽은 깨끗했고 1년 동안 생활했을 아이들의 흔적이라곤 책상에 남은 낙서 정도밖에 없었다.

그 또한 한때 이곳에서 수업을 들었는데, 이제는 어떤 추억도 남지 않았다는 게 신기했다.

고1은 그의 인생 최악의 시절이었다. 건강은 어느 때보다도 안 좋았고 때늦은 사춘기 때문에 멘탈이 불안정했다. 집안에선 부부 싸움이 끊이질 않았으며 정이 가출하는 일까지 있었을 정도로 분위기가 안 좋았다. 당연히 기력에 있어서도 슬럼프가 심했다. 대회에선 실수를 연발했고 연습에 집중할 수 없었다.

그러다 고2 때부터는 전부 달라졌다. 거짓말처럼 모든 게 좋아졌던 것이다. 그 계기를 떠올린 이명은 복도가 무너지도록 깊은 한숨을 지었다.

"하아……."

바깥의 날씨처럼 어두운 기분이 가슴을 옥죄었다. 마지막 인사를 못 한 게 이렇게 아쉬울 줄은 몰랐다.

'남들에겐 쉬운 게 나한텐 왜 다 어려울까.'

아무것도 없는 허공을 괜히 발로 차며 걸었다. 어차피 인사를 하든 안 하든 끝인데, 왜 이렇게 신경 쓰일까. 좋은 대학에 진학한 그 애와는 이제 접점도 없고 우연히 마주칠 일도 없을 텐데. 그렇다면 말 몇 마디 더 해 봐야 무슨 의미가 있겠느냐고 합리화를 했다.

감당하기 어려운 짝사랑이었다. 그는 숫기 없고 내성적인 자신이 바라보기 미안할 정도로 완벽한 소년이었으니까. 같이 달리지도 못하는 이명에게 그를 좋아할 자격이 있을 리 없었다. 더군다나 그들은 둘 다 남자아이들이었다. 아무에게도 말하지 못하고 묻어 둔 감정은 영원히 묻혀 있을 수밖에 없는 운명이었다.

"우리 아들 천천히도 온다. 양반이네."

"그러게, 당신 닮아서 애가 참 느긋해."

"어째 뼈가 있는 것처럼 들리네."

이명이 가족들과 합류했을 때 즈음, 나무 층계에서 굉음이 들리면서 외투를 두껍게 입은 남학생들이 우르르 내려왔다. 다른 반의 졸업식도 이제 막 끝난 모양이었다. 이명 가족은 저마다 품에 꽃을 안은 남학생들에 밀려 함께 운동장으로 쓸려 나왔다.

"그래도 학교 앞에서 기념사진은 찍어야 하지 않겠어?"

"그래. 아빠가 오랜만에 맞는 말 했다. 명이 너 거기 서 봐."

이명은 두 손으로 꽃다발을 들고 어색하게 서서 렌즈를 바라보았다. 엄마가 표정을 좀 피라고 했지만 그럴수록 얼굴이 더 딱딱하게 굳었다. 그다음에 정과 둘이서 사진을 몇 장 찍었고, 아빠가 모르는 학생에게 핸드폰을 건네며 가족사진을 찍어 달라고 부탁했다.

"하나, 둘, 셋! 웃으세요!"

찰칵.

아무래도 사진은 잘 안 나올 것 같았다. 하필 그때 비구름이 햇빛을 가려 운동장에 그늘이 짙게 졌기 때문이었다.

"여기요, 확인해 보세요!"

"고마워요. 어디 한번……. 음, 명이 표정이 너무 안 좋네. 졸업식이 아니고 무슨 장례식 같다. 한 장만 다시 찍어 줄래요?"

"아, 네……."

아빠가 옆에 서더니 이명의 입꼬리를 손가락으로 끌어 올렸다.

"평생에 한 번 있는 순간인데 웃어야지, 명아."

이명은 문득 고개를 들어 하늘을 봤다. 검은 구름이 종례 때와는 비교가 되지 않을 정도로 커져 있었다. 구름이 뭉개지며 공간이 찢기는 소리가 났다. 그리고 툭, 콧등에 물이 떨어졌다.

"찍습니다! 하나, 둘…… 셋!"

재빨리 정면을 보았다. 명색이 졸업식 사진인데, 먹구름이 일가족을 집어삼키는 순간을 포착한 것처럼 보일 것 같다고 생각하니 웃음이 조금 나왔다.

아빠가 달려가 핸드폰을 가져오더니, 아까보다 훨씬 낫다고 말했다.

툭, 툭. 빗물이 뺨을 때렸다. 이명은 또다시 하늘을 올려다보았다.

"어, 비 온다. 아빠! 비 와요!"

"응? 한겨울에 눈도 아니고 웬 비가……."

묵직한 빗방울은 얼마 지나지 않아서 눈에 띄게 굵어졌다.

허둥대는 건 그들뿐만이 아니었다. 운동장을 꽉 메운 인파가 흩어지며 누구는 모자를 뒤집어썼고, 누구는 갑자기 달리기 시작했고, 누구는 건물로 다시 들어갔고, 누구는 차를 가져오라고 소리쳤다. 그 와중에도 여유롭게 우산을 꺼내는 소수의 사람들이 있었는데 이명의 엄마가 그중 하나였다.

"자, 명이랑 정이는 이리 와. 여보, 당신은 차 가져와. 애들하고 정문 앞에서 기다리고 있을게."

"그러면 되겠다. 10분만 기다리고 있어!"

아빠가 외투를 머리 위로 뒤집어쓰며 정문을 향해 뛰쳐나갔다.

"이게 갑자기 무슨 일이니? 졸업식인데 웬 날씨가……."

"으, 이럴 줄 알았으면 더 따뜻하게 입고 올걸. 오빠, 뭐 해? 이리 와."

정이 얼른 우산 아래로 들어오라고 재촉했지만 이명은 목을 한껏 뒤로 꺾고서 홀린 듯이 하늘을 바라보고 있었다. 비구름이 물기를 한계까지 머금고 있다가 참다못해 비를 쏟아 내는 모습을.

한 방울 한 방울 떨어진 빗물이 머리카락을 적시다 관자놀이를 타고 뺨 위로 흘러내렸다. 축축한 감각에 알 수 없는 그리움이 밀려들었다.

'평생에 한 번 있는 순간.'

이명은 교실에 무언가 놔두고 왔다는 걸 깨달았다.

"엄마, 나 사물함에 우산 있어요."

"그래? 다녀올래?"

"금방 갔다 올게요."

이명은 어디서 났는지 모를 용기를 안고서 정문을 향해 몸을 돌렸다. 결심을 하고 나자 심장이 쿵쿵 뛰었다.

"아, 뭔……. 눈이나 오지 비가 오고 지랄이냐."

남학생들이 욕하며 옆을 뛰어갔다. 이명은 툭툭 떨어지는 빗줄기를 정수리와 어깨에 맞으며 걸었다. 운동장을 가로지르고 구령대를 지났다. 정문의 신발장을 통과해 보건실이 있는 복도를 걸었다. 삐걱거리는 나무 층계를 거꾸로 올라갔다. 그는 특별한 추억이 있다고 하기엔 어려운 장소들을 지나며 조바심을 느꼈다.

학생들이 빠져나간 3학년 복도는 텅 비어 있었다. 간간이 교원이 한두 명씩 지나갔지만 교복 차림인 학생은 보이지 않았다. 아마 죄다 운동장으로 나간 것 같았다.

'너무 늦었나…….'

실망스러운 마음에 고개를 떨어뜨렸다.

이명은 뭐든지 느렸다. 그래서 시간이 다른 사람보다 많이 필요했다. 바둑 경기에선 제한 시간이 모자랐던 적이 없었지만 현실에서는 늘 때를 놓치고 말았다.

'내가 그렇지 뭐.'

이명은 한 손으로 머리카락의 물기를 털며 아무도 없는 2반 교실을 터벅터벅 지나쳤다. 원래 우산을 가져오겠다는 건 핑계였지만 이제는 진짜 목적이 되어 버렸다.

3반, 4반을 지나 5반 교실이 가까워졌다. 익숙한 모양의 팻말 아래 뒷문이 활짝 열려 있었다. 마지막으로 나간 녀석이 졸업하는 마당에 열어 놓고 뛰쳐나간 모양이었다. 텅 빈 교실을 상상하자 냉소적인 웃음이 나왔다.

'하하, 기분인데 그 자리에나 한번 앉아 볼까…….'

교실 한가운데, 어느 위치에서든 잘 보이는 자리는 어디서든 눈에 띄는 소년과 잘 어울렸다. 구태여 그 자리에 앉지 않았더라도 어디서든 돋보였을 테지만.

한숨을 쉬며 뒷문을 터벅터벅 통과한 이명은 몇 걸음 가기 전에 우뚝 멈추었다.

"엇……!"

그리고 비현실적인 광경에 눈을 두어 번 깜빡거렸다.

불 꺼진 교실은 어둠에 잠겨 있었다. 대낮이었지만 잿빛 구름이 하늘을 뒤덮어 어두침침했다. 그런 교실 한중간에 한 남학생이 곧은 자세로 앉아 있었다.

상상 속에서나 그리던 뒷모습을 홀린 듯이 바라보고만 있는데, 그가 인기척을 느끼고서 뒤를 돌아보았다. 검게 그늘진 눈이 크게 떠졌다.

살짝 비친 햇빛이 제법 남자 티가 나는 소년의 얼굴을 비쳤다가 금세 사라졌다. 빛이 반사되어 반짝이던 눈동자도 다시 어둠 속으로 잠겨 들었다.

바깥에서 천둥이 치고 있었다. 이명의 심장은 그 소리 못지않게 요란하게 박동했다. 머리카락 끝에 매달린 빗방울이 침묵을 어지럽히며 바닥에 툭, 툭 떨어졌다. 쏴아아아, 바깥에는 비가 쏟아지는데 이명의 입 안은 말라 갔다.

소년의 얼굴을 본 순간 깨달았다. 미처 정리되지 않은 감정의 찌꺼기가 아니었다. 그것은 숨길 수는 있어도 부인할 수는 없는 그의 일부, 현재 진행형인 생생한 감정이었다.

마지막 기회가 눈앞에 있었다. 아무 방해도 받지 않고 어떤 말이든 할 수 있는 기회. 소년에게 고마움을 표시하고 그의 앞길을 축복할 수 있는 유일한 기회. 그리고…… 기를 쓰고 감추었던 진심을 열어 보일 기회.

콰광!

천둥이 울렸다. 하늘이 쪼개졌다 해도 이상하지 않을 것 같은 굉음은 이명에게 불가사의한 용기를 주었다. 한 번도 상상조차 못 한 일이었지만, 지금이라면 할 수 있을 것 같았다.

"저기……."

"명이야."

그들은 동시에 서로를 불렀고 그 때문에 동시에 조용해졌다.

번개가 번쩍 치는 순간 소년의 얼굴이 창백한 백색으로 뒤덮였다. 한선호는 캄캄한 눈동자를 살짝 들어 이명을 바라보았다. 본인이야 그럴 의도가 전혀 없었겠지만 짝사랑하는 사람을 감전시키는 시선이었다. 이명의 용기는 10초 만에 날개가 꺾여 빗물 웅덩이에 처박히고 말았다.

"졸업 축하해, 명이야."

먼저 침묵을 깬 건 그였다. 오늘 학교에서 수도 없이 남발되며 껍데기만 남은 말이 그의 입에서 나오니 진정성이 담긴 것처럼 들렸다. 그것은 세상에서 가장 달콤하고 멋진 말이었다.

"……고마워."

"넌 앞으로…… 기사 하는 거야?"

"응? 응."

"하긴, 지금도 기사지?"

"응."

평범한 대화가 끊기지 않도록 의욕적으로 대답했다. 그러나 말재주가 없다 보니 기어이 대화를 끊고 말았다.

"너, 너는?"

"응?"

"너는…… 앞으로 뭐 할 거야?"

피식. 입가에 머물던 작은 미소가 눈꼬리를 아래로 휘게 하는 순진한 웃음으로 번졌다.

"글쎄. 정치 외교학과 나와서 뭐 할지 천천히 생각해 봐야지. 선배들 말로는 굶어 죽기 딱 좋대."

"축하해."

내뱉고 보니 오해의 소지가 있는 말처럼 들렸다. 이명은 서둘러 덧붙였다.

"그러니까 내 말은, 굶어 죽는 거 말고…… 대입, 축하한다고.

아, 아니. 졸업도 축하해. 그…… 대학교 졸업 말고 고등학교 졸업 말이야.”

이명은 머리가 새하얘진 기분으로 입을 다물었다. 엉망이었다. 끔찍할 정도로 엉망진창이었다. 그는 버둥거릴수록 더 깊은 수렁으로 가라앉고 있었다. 교실이 어두워서 망정이지, 불이라도 켜져 있었으면 얼굴이 빨개진 걸 한선호가 보고서 이상하게 여겼을 것이다.

“그래. 고마워, 명이야.”

온 힘을 끌어모아 애쓴 보람도 없이 대화는 끝나고 말았다. 한선호와 마지막으로 이야기할 수 있는 행운이 바닥을 보이고 있었다.

어색한 침묵이 한동안 감돌다 의자 끌리는 소리가 났다. 한선호는 배낭을 메고 의자를 책상 안으로 밀어 넣더니 이명을 향해 걸어왔다.

뚜벅뚜벅, 어두운 실루엣이 점점 가까워지다가 손을 뻗으면 손가락 끝이 겨우 닿을 법한 거리에서 멈추었다. 친구도 무엇도 아닌, 아무것도 아닌, 이명과 한선호의 관계를 닮은 거리를 두고 시선이 마주쳤지만 잠깐이었다.

한선호는 이명을 그대로 지나쳤다. 느릿한 발소리는 점차 멀어지다가 뒷문 앞에서 또 한 번 멈추었다. 그의 일거수일투족에 온 신경을 곤두세운 그 시간은 한없이 늘어져서 끝나지 않을 것처럼 느껴졌다.

한선호는 손을 문틀에 얹더니 몸을 이명이 서 있는 방향으로 살짝 돌렸다.

“난 뭘 놓고 왔길래 다시 왔어. 졸업식이라 정신이 없네.”

"어? 나…… 도."

이명은 그의 눈을 보지 않으며 제 사물함을 가리켰다.

"밖에 비 오는 거 알아? 우산을 사물함에 놓고 갔더라고."

괜히 찔려서 사물함을 활짝 열어 보였다. 우산 때문에 교실에 다시 왔다는 증거를 보여 주려고 했는데, 당황스럽게도 사물함은 텅 비어 있었다.

"어? 어……! 분명히 여기……."

낮은 웃음소리가 들렸다. 한선호가 손가락으로 이명의 뒤편을 가리켰다.

"너 13번이잖아, 명이야."

'이런, 바보!'

이명은 '10번'이라고 적힌 사물함 문을 재빨리 닫았다. 한 칸 오른쪽 사물함을 열자 덩그러니 놓인 3단 우산이 보였다. 이명은 우산을 성급하게 꺼내, 시선으로 터뜨릴 수 있다는 듯이 쏘아보았다.

한선호가 제 표정을 보지 않았으면. 허둥거리다 더 한심한 짓을 하기 전에 차라리 빨리 가 버렸으면!

그러나 한선호는 한동안 문 앞에 선 채로 가만히 있었다. 이명은 그동안 그의 얼굴을 볼 엄두가 나지 않아 실내화 끝에 시선을 고정했다. 아무 의미 없는 잡담조차 똑바로 하지 못하는 주제에, 잠시라도 고백하겠다는 마음을 먹은 게 우스울 뿐이었다.

"아까 할 말 있어서 나 부르지 않았어?"

나직한 음성은 부드러웠지만 이명은 그 때문에 팔에 소름이 돋았다. 의도적으로 피했던 시선을 어쩔 수 없이 마주하는 수밖에 없었다. 커다란 개처럼 아무 꾸밈 없는 한선호의 눈을.

'좋아한다고 말하면 저 눈빛이 어떻게 변할까.'

아무리 성격 좋은 녀석이지만 남자가 좋아한다는데 표정 관리가 쉽게 되지는 않으리라. 어쩌면 한 대 맞을지도 모르고. 이명은 뺨에 멍이 든 채로 킹크랩을 접시에 담는 자신의 모습을 상상해 보았다.

"졸업 축하하려고…… 불렀어."

"그렇구나."

대수롭지 않은 수긍이 돌아왔다. 이제 정말 끝이었다.

"너라면 앞으로도 잘할 거야, 이명. 2년 동안 즐거웠다."

"나도!"

이명은 소리를 빽 지르듯 내뱉고서 뒷문으로 행진했다. 가만히 서 있던 한선호와 점점 가까워졌지만 아무 일도 일어나지 않았다. 그를 지나치는 순간에 심장이 쿵쿵 뛰고 배 속이 찌르르 울렸을 뿐이다. 흔하디흔한 짝사랑의 감각이었다.

'그동안 나한테 잘해 줘서 고마워. 그리고…… 좋아해.'

이명은 목구멍에 맴도는 말을 속으로 삼키며 빠르게 걸었다.

16. 스물일곱, 겨울

16. 스물일곱, 겨울

이명은 잠에서 깼다.

머릿속이 복잡하고 눈꺼풀이 무거웠다. 본래 꿈을 잘 꾸는 편이 아닌 그에게 밤이 소낙비처럼 쏟아 놓은 기억의 파편은 낯설고 어지럽기만 했다.

"으음……."

감각은 천천히 돌아왔다. 척추에 날카로운 통증이 느껴지며 미간이 찌푸려졌다. 곧 이명은 손끝에 만져지는 이불의 감촉이 익숙지 않다는 걸 알아챘다. 이윽고 따뜻하다 못해 더운 체온이 몸을 완전히 감싸고 있다는 걸 느꼈다. 그게 무엇인지 정체를 짐작할 만큼 정신이 깨어났다. 전날의 기억이 밀어닥치기까지는 오래 걸리지 않았다.

눈을 뜨자마자 블라인드 사이로 들어온 빛이 각막을 찔렀다. 그보다 당혹스러운 건 제 어깨를 안은, 검고 흰 줄무늬 문양이 비친 팔이었다. 햇살을 한껏 받았는데도 붉은 기가 감도는 단단한 팔은 이명을 연인이라도 된다는 양 다정하게 안고 있었다.

이명은 눈을 감은 남자의 얼굴을 가까이서 살폈다. 짧고 숱 많은 속눈썹이 얌전하게 아래로 내리깔린 모양을, 조각처럼 솟아오른 콧날과 부드럽게 떨어지는 콧방울을, 이제 어린 느낌보다 위압감을 풍기는 눈매와 살짝 벌어진 입술을. 그러나 여전히 입매만큼은 어딘가 아이처럼 순진해 보이는 인상이 남아 있는 것도 같았다.

저도 모르게 손가락을 한선호의 입술로 가져갔다가 의식적으로 멈추었다. 눈을 질끈 감으며 고개를 짧게 흔들었다.

'너, 나 좋아하잖아.'

과거엔 그랬지. 너를 처음 본 순간부터 고등학교 시절 내내 좋아했어. 가장 바보 같은 방식으로 짝사랑을 했지. 하지만 지금은 달라.

'동창회도 나 보러 왔잖아. 친구도 없는 주제에.'

맞아. 다 잊었다고 생각했는데 미련이 남아 있었나 봐. 네가 알아챘을 정도면 얼빠진 사람처럼 너만 보고 있었나 보지. 네가 손을 내밀길래 잡고서 하룻밤을 즐겼어. 그래서 뭘 어쨌다는 거야?

이명은 눈을 번쩍 뜨고서 남자의 가슴이 고르게 오르내리는 모습을 지켜보았다. 그러는 동안 그의 눈매에 서려 있던 독기가 흩어졌다. 의식적으로 천장으로 눈길을 돌렸다. 한선호를 계속해서 보고 있어선 안 될 것 같았다.

이명은 상대방의 의중을 읽도록 훈련받았으며 계산을 숨 쉬듯이 편하게 할 줄 아는 사람이었다. 잠에서 깨어난 한선호가 자신을 보고서 얼마나 무관심한 표정으로 어떤 식의 독설을 내뱉을지 짐작할 수 있었다. 그러나 그런 것을 자연스럽게 넘기거나 보기 좋게 받아칠 자신은 없었다. 아직 일어나지도 않은 일 때문에 마음이 쓰라렸다.

기사가 아니더라도 누구든 손쉽게 알 만큼 뻔한 일이었다. 반지를 낀 남자가 잘 알지도 못하는 동창과 밤을 함께 보냈다고 한들 그게 무슨 대단한 의미겠는가. 환상과 같은 잠깐의 안락함과 머지않은 미래에 반드시 닥쳐올 곤경. 둘 중 어느 것이 더 무거운지 저울질하는 것 자체가 어리석은 일이었다.

깨어나지 않은 척, 마치 연인인 양 품에 안겨 있고 싶은 욕심이 들었지만 이명은 한선호의 팔을 조심스럽게 들어 올렸다. 몸을 꼼지락거리며 그의 품으로부터 빠져나오는 동안 한선호는 크게 뒤척일 뿐 깨어나지 않았다.

큰 소리가 날까 봐 샤워는 꿈도 못 꾸고 세면대에서 간단하게 씻었다. 어차피 몸은 정사의 흔적이 남지 않았을 정도로 깨끗했다. 전날 기절하듯이 잠든 것 같은데 머리카락에서는 모르는 샴푸 냄새가 났고 아무렇게나 벗어 놨던 옷은 탁자 위에 곱게 개어져 있었다. 그래서 더욱 꿈결처럼 느껴졌다.

이명은 가장 위에 놓인 터틀넥 스웨터를 거칠게 당겨 머리 위로 입었다. 옷을 하나하나 걸치면서도 시선은 자꾸 침대로 향했다.

'이런 식의 관계가 어지간히 익숙한가 보다.'

스스럼없이 모텔로 데려갔을 때부터 알아봤어야 했다. 방에 들어서자마자 성기로 손이 가는 것도 상당히 자연스러웠지. 상대가 누구든 상관없다는 듯 몰아붙이는 행위, 그리고 못 버티고 기절한 파트너에게 베푸는 깔끔한 마무리까지.

"하하, 하룻밤 상대에게 하는 것치고 서비스가 좋네……."

여유로운 척 중얼거려 봤지만 이명은 이미 지나간 일들 때문에 고통을 느꼈다. 또한, 앞으로 다가올 일들이 두려워 견딜 수가 없었다.

침대에 눈길을 주지 않은 채 문을 밀고 밖으로 나섰다. 정신없이 들어오느라 기억에 조금도 남지 않은 침침한 복도를 비틀비틀 지나쳐, 작은 엘리베이터에 몸을 실었다. 죄인처럼 몸을 수그리며 바깥으로 나가자 공명정대한 햇살이 무자비하게 내리쳤다. 지난밤에 대해 추궁당하고 채찍질 당하는 것 같아서 고개를 들 수가 없었다. 이명은 한기를 느끼며 한 걸음 한 걸음을 힘겹게 내디뎠다.

특별한 무언가를 기대하지 않았다. 기대해서는 안 됐다. 그전까지는 기대감이 있었을지도 모르지만, 술자리에서 반지를 본 순간부터 희망이 사라졌단 걸 알았다.

'반지, 빼.'

자조적인 웃음이 입가에 떠오르며 자신을 해쳤다.

그깟 반지를 빼면 뭐가 달라진다고 그런 말을 했을까. 반지를 뺀다고 그를 잠시나마 가질 수 있다고 착각이라도 한 건가. 끝까지 왜 그렇게 순진하고 바보 같았을까. 버릇과도 같은 복기는 이명을 더욱 비참하게 만들었다.

흰 돌, 검은 돌, 흰 돌, 검은 돌. 곱씹을수록 한선호의 손바닥 위에서 끌려다니기만 했다. 대충만 셈해 봐도 빼앗긴 집 수가 따낸 집 수에 비할 바가 아니었다. 잃은 것은 여럿인 데 반해 얻은 것은 한 가지도 없었으니까.

스물일곱 살 한선호는 이명의 첫사랑이란 대마를 죽였다. 실제와 괴리된 채 환상 속에서 애지중지 키워 온 아름다운 말을 포위해 숨통을 끊었다. 검은 밤하늘처럼 서늘한 표정의 사내가 페인트처럼 덧칠된 바람에 환하게 웃고 있는 완벽한 소년의 모습을 떠올릴 수 없었다. 그것은 이명이 힘들 때마다 떠올렸던, 무엇보다도 소중한 기억이었다. 이제 그는 돌아갈 곳이 없었다.

'그래선 안 됐는데.'

후회해 봤자 소용없는 일이야. 이명은 불쑥 들린 마음의 소리를 일축했다.

'욕심이 났어.'

장발장은 배가 고파서 빵을 훔쳤지. 선악과를 딴 이브는 뱀이 부추겼다지. 네겐 아무 핑곗거리도 없잖아.

'그래도 내게 관심을 보여 줬을 땐 기뻤어.'

그야 그랬지만, 그런 건 제대로 된 관심이라고 할 수 없어.

'결국 자서 좋았잖아. 그거면 된 거 아니겠어?'

급기야 그 불쾌한 소리는 치부를 건드리고 말았다. 한선호가 자신을 하룻밤 사이 갖고 놀 만한 장난감 취급하는 걸 알면서도 그의 손길에 황홀해하지 않았던가. 거친 행위를 힘들어하면서도 그가 멈추지 않기를 바라지 않았나. 외면한다고 해서 없던 일이 되지는 않는다. 그가 이명의 몸에 새겨 놓은 쾌감은 그림처럼 생생하고 조각처럼 뚜렷했다. 그렇게 생각하면 딴 집이 한 개라도 있다고 봐야 하나.

"최악이다."

머리가 깨질 듯이 아팠다. 아무렇게나 움직이는 다리에는 힘이 없었다. 정처 없이 걷던 이명은 어깨를 세게 치는 무언가 때문에 고개를 들었다.

"앞 좀 보고 다녀요!"

뒤를 돌아보았지만 신경질적으로 소리친 여자의 뒷모습은 이미 멀어진 뒤였다. 정신을 차려 보니 층계 한중간이었다. 이명은 주변을 둘러보고서야 자신이 지하철 역사로 들어왔다는 걸 알게 되었다.

'정말 대책 없다.'

주머니 속을 더듬자 손끝에 전원을 꺼 둔 핸드폰과 신용 카드가 만져졌다. 기화 호텔에서 발급해 주었는데 미처 반납하지 못한, 두꺼운 플라스틱 출입증도 있었다. 그제야 까맣게 잊고 있던 전날의 대국이 떠올랐다.

세계 대회의 결승에서 흔치 않은 실수로 패배했다. 그건 술김에 동창과 몸을 섞은 것보다 훨씬 심각한 문제였다. 이명의 인생 전체를 놓고 보았을 때 더 큰 영향을 미칠 텐데, 그런데도 전자는 아무렇지도 않고 후자에만 신경이 쓰이는 게 우스웠다.

'그냥 택시 탈 걸 그랬어.'

어슬렁어슬렁 느린 걸음으로 개찰구를 통과했다. 계단을 다시 지나갈 자신이 없어서 그냥 들어왔지만, 이곳에는 사람이 너무 많았다. 이명은 간절하게 혼자 있고 싶었다.

지하철 열차가 그의 주변으로 더욱 많은 사람을 쏟아 냈다. 어떤 남자가 어깨를 밀치고 가는 바람에 하마터면 넘어질 뻔했다. 무례한 뒷모습을 쏘아보고 있다가 다시 허리를 펴며 일어났을 땐 열차가 플랫폼을 떠난 뒤였다.

'되는 게 하나도 없어'

어쩔 수 없이 대기선 앞에 서자 수많은 얼굴이 이명의 곁을 지나갔다.

어릴 땐 사람들의 얼굴이 다 다르게 생겼다는 게 신기했다. 현실이 바둑판과 확연히 다르다는 걸 알게 된 건 훨씬 나중의 일이었다. 이명은 모두 똑같이 생긴 기석을 꽤 잘 다뤘지만 사람 사이의 일에 관해서는 젬병이었다.

사람들은 저마다 다른 사연을 갖고 있고 저마다 다른 곳으로 흘러갔다. 이명 또한 살아가면서 우연히 사정이 비슷한 사람을 마주쳤고 잠시 동안 누군가와 같은 길을 걸어간 적도 있었다. 그러나 대부분 이명을 이해하지 못했고 그 반대도 마찬가지였다. 서로 다른 상황 때문에, 살아가는 세계가 달라서, 이기심 때문에, 혹은 겁이 나서 이명은 늘 흐름 뒤로 한 발짝 물러섰다. 결과적으로 그에게는 가족 외엔 아무도 남지 않았다.

아무것도 아닌 인연, 과거와 달라진 모습.

한선호까지 갈 것도 없이 동창회에서 본 얼굴들은 얼마나 변해 있었던가. 모두 어디론가 움직이고 있었다. 정체되어 있던 건 바둑판 안에서 살아온 자신뿐인 것만 같았다.

'한심하네.'

플랫폼 위로 해가 떠오르며 머리 위로 쨍한 빛이 쏟아졌다. 이명은 눈을 반쯤 감으며 열차가 곧 들어온다는 안내 신호를 가만히 들었다. 눈을 내리깔고 빛으로 양분화된 선로를 바라보았다. 한쪽은 환하게 드러난 반면 반쪽은 검은 그늘에 잠식되어 있었다.

부드러운 키스와 손가락의 반지.

뜨거운 숨결과 차가운 표정.

다정한 손길과 거친 몸짓.

18세의 한선호와 27세의 한선호.

"부질없다."

첫사랑은 이루어지지 않는 법이라고 했다. 8년 동안 미련을 버리지 못하고 간직해 온 어리석음의 종착역이 여기였다. 이명은 이번에야말로 한선호를 제 인생에서 스쳐 보낼 때라고 생각했다. 다른 사람들처럼 아무것도 아닌 인연으로. 아무 영향도 미칠 수 없는 기억으로.

'머리 아파.'

왼손을 들어 이마를 짚었다. 그런데 시야 한구석에 이질적인 무언가가 보였다. 이명의 손가락에 무언가 끼워져 있었다. 금속 테두리에 빛이 반사되며 반짝 눈을 찔렀다.

해를 등지고서 열차가 들어오고 있었다. 덜컹거리는 소리가 귀를 울리며 진동이 돌바닥을 통해 살짝 전해졌다.

처음에는 잘못 보았나 싶었는데 눈을 몇 번을 깜빡여도 금색 고리는 사라지지 않았다. 이명은 태어나서 반지를 한 번도 껴 본 적이 없었다. 게다가 그 반지는 그의 손가락 둘레보다 커서 한참 겉돌았다.

왼손이 눈높이로 서서히 내려왔다. 플랫폼 뒤에서 비추던 햇빛이 열차에 가려졌다가 차창을 통해 쏟아지기를 반복했다. 은은하게 윤이 나는 반지 표면 위를 환한 빛이 1초마다 찬란하게 장식했다.

반짝반짝. 반짝반짝. 반짝반짝.

이명은 멍한 표정으로 제 손등을 바라보았다.

"……!"

국면은 조금 전과 판이해졌다. 상대의 의도를 파악할 만한 강력한 근거가 손에 들어왔기 때문이다. 흐릿하고 모호했던 무언가는 어느새 감정이 아닌 논리의 영역에서 해결할 수 있는 문제가 되어 있었다. 한 가지 가설을 가능한 한 모든 기억에 적용해 보자, 심장이 점점 더 빠르게 뛰었다.

또 한 번 열차가 사람을 쏟아 내고 새로운 승객을 잔뜩 태웠다. 이명은 지하철에 승차하지 않고 천천히 닫히는 문을 바라보았다. 그는 스크린 도어가 닫히기 전에 몸을 반대 방향으로 휙 돌렸다.

낡은 러닝화가 돌바닥을 힘차게 밟으며 몸을 앞으로 밀어냈다. 모르는 얼굴들을 헤치고 누구보다 빠르게 앞으로 나아갔다. 계단과 복도를 지나, 개찰구를 통과해 아스팔트 길을 만나도 속도를 늦추지 않았다.

손끝이 얼 정도로 추운 날이었다. 이명은 제가 입에서 뱉어 내는 숨의 색을 볼 수 있었다. 구름 모양의 흰색 입김이 점점 흐트러져도, 숨이 조금씩 차올라도 그는 멈추지 않았다.

'명이야, 너 무슨 음악 좋아해?'

'명이야, 괜찮아?'

'명이 너, 집 어디야?'

'명이야, 출출한데 뭐 먹을래?'

뒤죽박죽 두서없는 기억의 고리가 열차처럼 밀려들었다. 한선호가 단지 반장으로서 다른 아이들에게도 보이는 친절을 자신에게도 동등하게 베풀었다고 생각했다. 만약에, 만약에 그 가정이 틀렸다면…….

느릿하게 걷는 사람들을 스쳐 달렸다. 칼바람이 머리카락을 가르고 외투 안으로 들어왔지만 도리어 몸에서 열이 나는 것 같았다. 아직 셔터를 올리지 않은 회색빛 상가 건물들이 휙휙 지나갔다. 학생 때 이후론 달려 본 적이 없어서 들은 적도 없는 종류의 숨소리가 귓가에 웅웅거렸다.

'그래도 담배 말고는 변한 게 없네.'

8년이 지난 지금까지 무엇이 변했고 무엇이 변하지 않았는지 전부 기억하고,

'다 봤는데, 술 마시면서 나만 보는 거.'

계속 나를 지켜보고 있었을까.

'나 좋아하잖아.'

너도…… 날 좋아하는 걸까.

"헉, 허억, 헉, 헉……."

폐가 찢어질 듯 아팠다. 그러나 이명은 그 순간만은 가슴이 터져도, 몸이 부서져도 상관없었다. 늘 달려가는 그의 뒷모습을 지켜봐 왔다. 이번에는 자신이 원하는 것을 찾기 위해 달려 나가고 싶었다. 단 한 번만이라도.

이명은 앞을 가로막는 막을 뚫고 달렸다. 좌절의 기억을, 모르는 사람들의 조롱을, 무관심한 말소리를, 아무도 앉고 싶어 하지 않는 그의 옆자리를, 그를 뒤로 잡아끌던 엄마의 걱정을, 100m 출발선과 결승선을, 그를 병신이라고 손가락질하던 모든 음성을.

나약한 이명, 자신감 없고 숫기 없는 이명, 아무도 사랑하지 않는 이명. 자신이 그와 어울리지 않는다는 자조를 뒤에 버려둔 채, 가슴이 터지도록 달렸다.

"헉, 헉……!"

익숙한 거리가 눈에 들어왔을 때 이명은 걸음을 늦추었다. 결승선이었다. 성취감을 느끼기 이전에 폐가 호흡하느라 바빴다. 귀가

제 들숨과 날숨 소리로 시끄러웠다.

이명은 무릎에 손을 얹고 숨을 골랐다. 고개를 다시 들 힘을 비축하기 위해선 한참 동안 그러고 있어야 했다. 거칠었던 호흡은 조금씩 안정되었고 그러고 나니 흐릿했던 시야가 천천히 초점을 되찾았다.

전날 색정적인 불빛으로 뒤덮여 있던 거리는 평범하고 조용해 보였다. 눈에 익은 건물 앞에 한 남자가 그림처럼 서 있었다. 검은 코트 주머니에 한 손을 찔러 넣은 모습이었다. 이명은 용감하게 달려온 게 무색하게도 그를 보자마자 몸이 경직되어 버렸다.

이명을 발견한 한선호가 굳은 표정으로 고개를 들었다. 이명은 시선을 바닥으로 떨어뜨리고서 아직 반지를 빼지 않은 왼손을 오른손으로 꽉 붙잡았다.

'무슨 말을 해야 할지…….'

막상 그를 보니 자신감이 감쪽같이 사라지고 불현듯 다른 생각이 치밀었다. 혹시 계산이 틀렸던 건 아닐까. 아니, 애초에 제대로 계산하기는 한 걸까. 여기까지 확신을 하고 달려왔으나 그 믿음에 얼마나 구멍이 많은지. 거기까지 생각이 미치자 입술이 덜덜 떨렸다. 모든 것이 불완전한 한 가지 가설에서 시작되었다. 반지, 그놈의 반지 때문이다. 왜 남의 손가락에 반지를 끼워 놓아서…….

'나는 왜 이렇게 대책이 없을까.'

입술을 꽉 깨물어도 뾰족한 수가 없었다. 상대에겐 하룻밤의 유희였을지도 모르는데, 감 하나만 믿고 달려와서 그를 곤란하게 만드는 건 아닐까. 하지만, 그렇다면 반지는 왜…….

"명이야."

부드러운 목소리는 이명을 더 헷갈리게 했다. 안절부절못하며 제 신발만 보고 있는데 먼 곳에서 인기척이 났다.

화났을까? 다시 찾아온 게 문제일까? 그렇게 말도 없이 가 버린 게 문제였을까? 내가 없는 방에서 깨어나서 언짢았을까?

한선호는 대체 무슨 생각인 걸까. 전혀 모르겠다.

이윽고 침착한 구두 소리가 들렸다. 뚜벅 뚜벅 뚜벅. 그가 코앞에 올 때까지 도무지 할 말을 찾을 수 없었다. 이명은 겁에 질려 있다가 어쩔 수 없이 고개를 들었다.

그 순간에 건물 그늘, 어둠 속에 묻혀 있던 실루엣이 환한 햇살 아래로 걸어 나왔다.

"가 버린 줄 알았잖아."

햇살을 한껏 받은 한선호가 눈꼬리를 내리며 웃고 있었다. 10년 전, 그를 처음 보았던 날처럼.

이명은 그물에 꽁꽁 묶인 사람처럼 움직일 수가 없었다. 목과 귀에 열이 뜨겁게 올랐다. 어떻게 대처해야 할지 몰라서 우왕좌왕하다가 고개를 돌렸다. 왜 여기까지 다시 왔는지 설명해야 하는데 몸이 굳어서 어떤 말도 할 수 없었다.

"반지, 반지 때문……."

더듬거리는 동안 한선호가 한달음에 가까워졌다. 바로 앞까지 성큼 다가오더니 이명의 어깨를 와락 당겨 안았다. 반지 같은 것에는 조금도 관심이 없다는 듯이, 지나다니는 사람들의 시선은 신경 쓸 거리도 아니라는 듯이 그를 품에 꼭 안았다.

단단한 가슴에 뺨이 닿았다. 그 순간, 머릿속으로 떠올렸던 수많은 생각이 무색해졌다. 이명은 애써 구축했던, 그러나 별 소용없었던 울타리가 일시에 허물어지는 것을 느꼈다. 눈물이 날 것 같은 기분으로 한선호의 허리를 끌어안았다.

한선호는 이명을 품에 더욱 깊이 안더니 그의 어깨에 코를 비볐다. 이어서 오해할 여지가 없는 표정으로 그를 내려다보며 이마에 입을 맞추어 쪽 소리를 냈다.

그러자 머릿속을 떠돌던 수많은 의문들 중 하나가 확실하게 풀렸다. 해답은 지금, 여기에 있었다. 제 몸을 뒤덮은 남자의 뜨거운 체온이 말해 주고 있었다.

1. 열일곱, 여름

1. 열일곱, 여름

두 시간 전에 들은 말이 아직까지 머릿속을 맴돌았다. 뒤에서 욕하는 걸 흘려들은 적은 많았지만 누가 얼굴을 보며 그 단어를 똑똑히 말한 적은 이번이 처음이었다.

너무 화가 나다 보니 머릿속이 새하얘지고 입술이 덜덜 떨렸다. 말을 한마디라도 했다가는 눈물이 날 것 같아서 그 녀석을 노려보기만 했다. 결국 반격조차 못 한 게 상처로 남았다.

'난 바본가.'

체력장을 한다길래 달리기 종목에서 빼 달라고 반장에게 미리 말했다. 지난달에 쓰러진 이후로 그전보다 기침도 자주 나고 체력이 약해졌기 때문이었다. 학교라면 꼴도 보기 싫었지만 엄마와 아빠가 싸우는 게 싫어서 억지로 얼굴만 내비치고 있었다. 출석도 겨우 하는 마당에 1,000m 달리기 같은 걸 할 처지는 아니었던 것이다.

반장은 알겠다고 말해 놓고서 당일에 이명을 아무렇지 않게 출발선 앞에 세웠다. 이명은 그가 잊어버렸겠지 싶어서 같은 말을 한 번 더 반복했다. 뛸 수 없다고. 그러자 반장은 짜증을 냈다.

'존나 어이없네. 병신인 게 뭐 자랑이라고.'

날 선 대화가 몇 차례 오가다가 들은 말이 저거였다.

'정말 짜증 나.'

지금이라면 똑똑히 말할 수 있을 것 같았다. 나는 건강 상태가 안 좋아서 숨이 차도록 달릴 수 없다고 미리 네게 말했다고. 내가 몸이 안 좋은 게 문제가 아니라 이 간단한 전달 사항을 선생에게 똑바로 전하지 않은 네 무능함이 문제라고.

하지만 늦어도 너무 늦었다. 내일 학교에서 다시 따져 물어봤자 그 애는 이 사건을 기억조차 못 할 것이다.

애들은 늘 그런 식이다. 뭐든지 함부로 말하고 잘 몰라도 일단 지껄이고 본다. 그러고 나서는 금세 잊어버리지. 아, 그런 일이 있었던가? 응? 누구? 이…… 명? 기억이 안 나네. 그게 누구더라? 모르겠고 매점이나 가자.

곱씹을수록 화가 났다. 무심코 던진 돌에 맞았다고? 돌이 아니라 바위겠지. 사람을 열 받고 슬프게 해서 죽일 수도 있는 바위. 그 자리에 사람이 있는지 없는지, 있다면 네가 별생각 없이 내뱉은 말을 듣고 어떤 감정을 느낄지 전혀 생각이 안 미치는 거야? 앞을 보고 있어도 눈 감은 거나 마찬가지인 네게는 애초에 무리인 거야? 과연 우리 둘 중에 누가 정상인이지? 내가 볼 때 너는 기억력이 떨어지거나 성격이 나쁘거나 둘 중 하나인 것 같은데, 이래도 내가 병신이야? 내가 병신이라면, 아무 생각도 없는 돌머리나 다름없는 넌 대체 뭔데?

퍼석퍼석한 모래 위로 운동화가 신경질적으로 박혔다. 모래가 잔뜩 들어와 발밑에 겉돌았다.

'정말 짜증 난다.'

운동장에 굳이 모래를 깔아 놔야 했을까, 이명은 자연스럽게 불만을 품었다. 사춘기가 시작된 이래 그는 세상과 치열하게 대치하고 있었다. 불행히도 그보다 압도적으로 힘이 센 세상은 늘 좌절을 안겨 주었지만.

핸드폰을 꺼내 음악 음량을 끝까지 높였다. 이어폰이 쏟아 내는 소리는 불쾌할 정도로 시끄러웠지만 듣고 있자니 답답한 속이 약간 풀리는 것 같았다.

'다 싫어. 특히 학교, 정말 싫어.'

이명은 아무것도 없는 바닥을 세게 찼다. 거칠게 튄 모래가 햇빛을 받아 반짝거렸다. 쓸데없이.

'아빠만 아니면 안 다녀도 될 텐데. 진짜 싫다.'

볼륨을 최대치로 해 놨는데도 왼편에서 떠들썩한 소음이 이어폰을 뚫고 들어왔다. 머리가 텅텅 빈, 시끄러운 놈들이 끼치는 민폐였다.

'축구하는 애들, 세상에서 제일 싫어.'

하나같이 멍청할 게 분명할 애들이 땀을 뻘뻘 흘리며 공을 차고 있었다. 비슷한 나이 또래 애들은 대체로 이명을 이해하지 못했지만, 그중 특히 건강한 애들은 이명을 막 대해도 상관없다고 착각하는 경향이 있었다. 아무 노력 없이 활력 넘치는 신체를 타고난 것뿐이면서, 자신들이 선천적으로 폐가 안 좋았던 이명보다 우월한 인간이라고 믿는 것 같았다.

'나도 이렇게 태어나고 싶지는 않았어.'

남들 하는 거 다 하면서 살고 싶었다. 햇살 아래서 땀 흘리고, 공도 차 보고, 무엇보다 숨이 턱 끝까지 차오를 정도로 뛰어 보고 싶었다. 저 골 빈 놈들처럼 아무 생각 없이.

울분을 느끼며 걷고 있던 그때 축구하던 무리가 이명에게 빠르게 다가왔다. 어떤 멍청한 녀석이 그쪽으로 패스하는 바람에 핑그르르 회전하는 공이 시야 한가운데 들어찼다.

피하려고 했을 때는 이미 늦었다. 공은 빠른 속도로 가까워지고 있었다. 이명은 곧 머리에 공을 맞겠구나 직감했다. 본능적으로 몸이 경직되고 눈이 질끈 감겼다.

순간, 가까이에서 땀 냄새가 훅 나며 팔꿈치가 누군가의 탄탄한 팔에 부딪혔다. 잔뜩 움츠린 몸이 강한 힘에 밀리며 이명은 눈을 떴다.

그를 밀친 남자아이는 조금 전까지 이명의 머리가 있던 곳으로 날아온 공을 가슴과 한 손으로 받았다. 그러고서 반대편 손으로 비틀거리는 이명의 팔을 잡아끌었다.

"미안, 안 다쳤지?"

소년이 씩 웃으며 말했다. 이명은 온몸이 굳은 나머지 움직일 수가 없었다. 그저 눈을 크게 뜨고 그를 바라보았을 뿐이다. 소년이 의아하다는 듯이 눈을 몇 번 깜빡이자, 이명은 그제야 고개를 작게 끄덕였다. 그는 다치지 않았다. 그리고 만약 다쳤더라도 사실대로 말하면 안 될 것 같았다. 소년은 절대로 실망시켜선 안 될 것 같은 얼굴을 하고 있었기 때문이다.

"다행이다."

그는 이명의 손목을 놓았다. 공을 살짝 던지고 공중에서 뻥 차더니 그쪽으로 달려 나갔다. 금세 멀리 가 버린 소년은 아무 일 없었다는 듯 다른 아이들과 뒤섞였고, 이명은 우두커니 서서, 바보가 된 기분으로 어느새 작아진 실루엣을 바라보았다.

정말 이상한 아이였다. 어깨도 넓고 키도 웬만한 어른보다 큰데, 얼굴은 아이처럼 귀여웠다. 이명이 아는 한 세상에서 그보다 청량하게 웃는 사람은 없었다.

조금 전의 상황으로 변한 건 아무것도 없었다. 한 떼의 시끄러운 애들이 먼지를 일으키며 공을 차다가 사소한 일로 잠시 멈추었고, 그 무가치한 시합이 재개되었을 뿐이다. 그런데 이상하게도 다른 애들은 흐릿해 보이고 소년이 돌아다니는 모습만이 또렷하게 보였다.

'정말 이상한 일이었어. 뭐가 이상한지는 잘 모르겠지만…….'

이명은 뒤늦게 자신이 굉장히 기분 나쁜 상태로 하교하던 중이란 사실을 기억해 냈다. 억지로 발걸음을 옮기자 다리가 왜인지 어색하게 느껴졌다. 조금 전에 귀에서 떨어졌던 이어폰 두 쪽이 모래 위에서 질질 끌리고 있었다. 선을 끌어당겨 살펴보자 음악이 흘러나오는 구멍마다 모래가 박혀 있었다.

이명은 이어폰을 손바닥에 대고 털며 운동장에 모래가 깔려 있는 게 역시 이상하다고 생각했다. 바닷가도 아닌데 왜 하필 모래일까. 대안은 없는 걸까.

어느새 조금 전까지 그를 사로잡았던 분노는 어디론가 사라지고 없었다. 대신에 알 수 없는 훈기가, 간지러운 바람을 닮은 미소가 어깨를 움츠러들게 했다.

이명은 남몰래 웃고서 정말 이상하다고 생각했다. 무엇이 이상한지는 잘 모르겠지만.

17. 스물일곱, 겨울

17. 스물일곱, 겨울

"……치명적인 자충수 이후 17수 만에 불계패를 선언하였습니다. 대한민국의 선전을 바라던 바둑 팬들에게는 참 실망스러운 일이 아닐 수 없는데요. 국내에선 경기 중 기사의 판단을 존중해야 한다는 의견과 그래도 끝까지 책임을 다하며 스포츠맨십을 보였어야 한다는 여론이 팽팽하게 맞서는 가운데, 홍랴오치 9단이 경기 직후의 인터뷰에서 이 대국에 관해……."

이명은 택시에서 흘러나오는 라디오를 흘려듣고 있었다. 평소였다면 분명히 속상했을 내용이 알쏭달쏭한 외국어처럼 들렸다. 그는 휙휙 흘러가는 시가지의 풍경을 멍하니 바라보며 손가락을 만지작거렸다.

한동안 생각에 잠긴 듯 조용하던 한선호가 옆을 돌아보았다. 시선이 마주치자, 무표정하던 눈매가 가늘어지며 그가 미소를 지었다. 이명은 어떻게 반응해야 할지 몰라서 눈을 깜빡거렸다. '저거

네 얘기지?' 하고 순진하게 묻는 건가, 아니면 놀리는 건가. 어쩌면 라디오를 듣지 않았는데 그냥 웃은 걸까.

아무 반응도 보이지 않자 그가 '다 왔어' 하고 입 모양으로 말했다. 이명은 고개를 여러 번 끄덕이고서 창밖으로 시선을 돌렸다. 자신의 모든 행동이 자연스럽기를 간절히 바랐지만 확신이 없었다. 눈치 보는 게 티 나지 않을까, 자신감 없어 보이지 않을까. 숫기 없고 서툴러 보이겠지. 말주변도 없고 분위기를 처지게 하겠지. 어쩌면 한선호는 벌써부터 후회하고 있는지도 모른다. 이런 남자를 선택한 것을…….

'선택이라고?'

하룻밤을 함께 보내고 손가락에 반지를 끼워 준 건 사실이지만, 서로 마음을 확인하고 포옹한 것도 사실이지만, 그렇다고 해서 '선택'처럼 거창한 말을 붙이기는 일렀다.

소리 없는 한숨이 나왔다. 조금 전까지만 해도 기뻤는데, 흥분이 조금 가라앉고 나니 냉정해졌고, 두려워졌고, 자신감이 사라졌다. 기화생명배 결승전을 치를 때만 해도 이렇게 될 줄은 몰랐다. 그때부터 지금까지 일어난 모든 일이 현실과 동떨어진 꿈같았다.

이명은 왼쪽 주머니 속에서 네 번째 손가락에 끼워진 반지를 만지작거렸다. 한선호의 마음을 확인하는 계기가 된 증표. 이 덕에 그에게 무작정 다시 달려왔지만, 이 관계가 어디로 향해 갈지는 미지수였다. 그는 이런 식으로 연애를 시작해 본 적이 한 번도 없었다.

'돌려줘야 할까…….'

크기가 커서 겉도는 반지를 손끝에 걸치고 슬쩍 내려다보았다. 손톱 주변에서 달그락거리는 반지를 엄지로 살살 돌리던 중에 무언가가 어깨를 톡 쳤다. 깜짝 놀라 어깨를 움츠리는 바람에 반지가 다시 약지에 쑥 끼워졌다.

"우리 집 다 왔어."

고개를 들자 한선호가 팔을 내리며 흠잡을 데 없는 미소를 짓고 있었다. 그 모습을 보고서 복합적인 감정이 들었다. 속을 옥죄는 기분은 토할 것처럼 긴장했다는 증거였다. 목을 타고 올라와 뺨을 달구는 열기가 무엇인지 이명은 잘 알고 있었다. 그 이면에는 의아함이 있었다.

'왜 저렇게 웃는 거지……. 잘 모르겠어.'

의아함은 금세 두려움으로 진화했다. 한선호가 카드로 택시 요금을 계산하는 사이 이명의 머릿속에는 도망치고 싶다는 생각이 가득했다. 그러나 현실의 그는 자연스럽게 손을 붙잡은 한선호에게 끌려가듯이 택시에서 빠져나오고 있었다.

찬 공기가 기다렸다는 듯이 노출된 피부를 갈겨 댔다. 구매하고서 오늘 처음으로 제 취지대로 사용되었던 러닝화가 땅을 밟았다. 이명은 고개를 꺾고 고층 오피스텔에 둘러싸인 풍경을 천천히 둘러보았다. 그러나 한 바퀴 둘러보기도 전에 그를 단단하게 붙잡은 따뜻한 손이 몸을 끌어당겼다.

정말 자연스러웠다. 마치 이 나라에선 남자 둘이서 손을 잡고 걷는 게 당연하다는 태도였고, 어제 만난 사람이 아니라 오래 알고 지낸 친구라도 되는 듯한 당당함이었다. 친구끼리 손을 잡고 다니지는 않겠지만…….

이명이 어물쩍거리는 사이 그들은 한쪽 벽이 은빛으로 빛나는 커다란 건물 앞까지 왔다. 한선호가 주머니에서 열쇠고리가 달린 카드를 꺼내 센서에 갖다 대자 '삑' 소리가 났다. 넋을 놓고 있던 이명은 정신이 번쩍 들었다.

'이러다, 설마 또 어제처럼 되는 거 아니야?'

정신을 똑바로 차리지 않으면 5분 뒤엔 침대에 누워 있을지도 모른다. 오늘은 그럴 만한 몸 상태도 아니고 지금은 그럴 기분도 아니었다. 짧은 시간 동안 너무 많은 일이 일어났으니까 생각을 정리할 시간이 필요했다.

이명은 우뚝 서서, 한선호의 손아귀를 비집고 제 손을 빼냈다. 약지에 걸린 금속이 거슬렸다. 제 것이 아니니 돌려줘야 했다.

이명이 결심이라도 한 듯 반지를 빼는 동안 한선호는 그를 가만히 내려다보고 있었다. 금색 반지는 손가락에서 쉽게 분리되어 손바닥에 톡 떨어졌다. 이명은 반지가 든 주먹을 앞으로 내밀었다.

"나…… 가 볼게."

"어딜 가려고?"

차가운 어조에 어깨가 저절로 움츠러들었다. 자신 있게 내민 손이 우물쭈물하다, 기에 눌려 주머니 속으로 슬금슬금 기어들어 갔다.

'혹시 화났나…….'

한선호는 아무 일 없었다는 듯이 다시 카드를 집어 들었다. 드르륵. 미닫이문이 열리고 그의 뒷모습이 시야를 채웠다.

잠시 후, 그들은 당연하다는 듯이 엘리베이터에 나란히 서 있었다. 층 버튼의 8자 모양 음각을 따라 흰색 불이 번들거렸다. 이명은 자신의 곁에, 그러나 너무 가깝지 않게 선 한선호의 존재감을 생생하게 느낄 수 있었다. 미친 사람처럼 가슴이 뛰었지만 아무렇지 않은 척 문 위에 난 네모난 전광판으로 시선을 옮겼다. 4…… 5……

6…… 7…… 빠르게 올라가던 숫자가 8에서 멈추더니 '띵' 소리가 났다. 그리고 이명은 본의 아니게 한선호의 집 앞에 서 있었다.

'……어쩌다 여기까지 왔지?'

아무것도 설명해 주지 않는 한선호는 고등학생 시절만큼 말이 없었다. 전날엔 그가 다른 사람처럼 변했다고 생각했지만, 다시 보니 8년 전과 그대로인 점들이 눈에 띄었다. 불필요한 말을 하지 않는 거나, 꾸밈없는 눈으로 사람을 빤히 쳐다보는 거나, 심장을 덜컥하게 하는 미소 같은 것들이.

"뭐 해, 명이야?"

"어, 어? 미안."

이명은 그가 가리키는 문 사이로 몸을 비집고 들어갔다. 일견 깔끔해 보이는 현관에는 슬리퍼와 운동화 두 켤레가 놓여 있었다. 뒤에서 덜컥 난 문 닫히는 소리가 마치 다시는 이전으로, 한선호를 평화롭게 짝사랑하던 시절로 돌아갈 수 없다는 신호처럼 들렸다.

이명은 마른침을 삼키며 러닝화를 천천히 벗었다. 자세를 낮추어 뒤꿈치에 손가락을 넣으면서 시선을 들어 내부를 엿보았다.

직선 구조의 오피스텔은 모던한 디자인의 가구로 채워져 있었다. 수입이 어느 정도 보장된 직장인이 혼자 살 만한, 모델 하우스 같은 느낌이 나는 집이었다. 왼쪽으로 슬쩍 보이는 주방에는 철제 테이블과 의자를 놓았고 길게 트인 거실에는 검은색 소파를 배치했다. 그 뒤로는 창이 넓게 나 있었다. 바닥은 회색빛이 도는 원목, 천장은 같은 재질의 원목 프레임과 깨끗한 미색이 조화를 이루고 있었다. 그러나 현대적이고 깔끔한 것은 인테리어뿐 살림살이는 너저분한 감이 있었다.

먼저 구두를 벗고 안으로 걸어 들어간 한선호가 바닥에 떨어진 물건들을 주우며 집 안을 정리하기 시작했다.

'……의외로 깔끔하진 않구나.'

소파 테이블 위에 있던 맥주 캔 두 개가 눈 깜짝할 새 제거되었다. 소파 위에 널브러진 검은 티셔츠를 널찍한 등이 가리는 듯하더니, 잠시 뒤에는 그 자리에 아무것도 없었다. 그 외에도 속옷인지 뭔지, 검은 천 쪼가리와 양말로 보이던 흰색 무언가가 자세히 보기도 전에 주인의 급한 손길에 의해 치워졌다.

'급하게 외출했나 봐.'

이명은 맨발로 거실에 들어서며 작게 웃었다.

바닥에는 훈기가 전혀 없었다. 원래 이렇게 춥게 해 놓고 사는 건가, 아니면 집을 비워서 이렇게 된 건가. 잠깐 서 있었는데도 싸늘한 냉기가 얇은 양말을 뚫고 발바닥에 전해졌다. 조금 차가운 정도가 아니라 마치 빙하 위에 맨발로 서 있는 것 같았다. 얼마 지나지 않아 이명은 어쩔 줄 모르고 발을 동동 구르기 시작했다.

"너 왜 웃었어?"

한선호의 목소리와 함께 등에 묵직한 무게감이 느껴진 게 그때였다. 그가 뒤에서 몸을 완전히 감싸 안는 바람에 이명은 굳어 버렸다.

'왜 웃었냐고…….'

네가 보이는 것처럼 빈틈없지 않아서. 집을 어질러 놓은 모습이 의외이기도 하고, 귀엽기도 해서. 그런 생각을 하는데 가슴 위에서 교차했던 한선호의 팔이 허리로 내려왔다. 돌연 몸이 뒤로 꽉 당겨지더니 발이 땅에서 떨어졌다.

"엇……! 뭐 하는 거야?"

발이 차갑기는 했지만 못 견딜 정도는 아니었는데……. 그냥 슬리퍼를 빌려주거나 앉아 있을 곳을 알려 주면 되는데…….

한선호는 살짝 당황한 이명을 물건처럼 집어 든 채 거실을 가로질렀다.

조금 전까지는 조금 춥다고 느꼈는데 지금은 감각이 무뎌진 것 같았다. 그의 품에 안겨 있는 시간이 길어질수록 뺨이 점차 달아오르다, 살짝 어둑한 침실에 들어왔을 땐 얼굴이 화끈거려서 집 안이 추운지조차 모를 지경이 되었다.

한선호의 침실은 거실보다도 간소했다. 무늬 없는 짙은 색 이불이 조금 흐트러진 채 2인용처럼 보이는 침대 위를 덮고 있었다. 그 외엔 사이드 테이블과 붙박이장이 다였고 다른 가구나 잡동사니는 없었다. 넓은 창문에는 블라인드가 반쯤 쳐져 있었다.

한선호는 아무런 힘도 들이지 않고 이명을 침대 위에 털썩 내려놓았다. 어쩌다 보니 이불 위에 엎드린 자세였다. 이명은 민망한 기분에 양손으로 침대를 짚고 몸을 뒤집었다.

"어……."

그러나 고개를 돌리자마자 이렇게 가까이서 한선호를 마주칠 줄은 예상하지 못했다. 얼굴에 그늘이 비스듬히 진 남자는 기분 좋은 미소를 띠고 있었다.

그의 얼굴이 점점 다가왔다. 이명은 황급히 뒤통수를 이불에 눌렀지만 둘 사이의 거리는 바라는 만큼 벌어지지 않았고 머리카락만 이마 위로 어지럽게 흩어졌을 뿐이다. 눈을 질끈 감았지만 아무 일도 일어나지 않았다. 거친 키스도, 비웃음도, 예상 범위에 있었던 행동 중 아무것도. 이명은 눈을 살짝 떠 그대로 자신을 내려다

보는 한선호와 시선을 마주했다.

'바보 같아.'

그의 행동 하나하나에 놀라고, 겁먹고, 지레짐작하고. 정말로 그러고 싶지 않은데. 첫사랑이라 조심스럽고 떨려서 그렇다는 건 고등학교 시절에나 통할 핑계였다. 한선호의 아무렇지 않은 태도와 제 것을 비교하자니 얼굴이 더욱 화끈거렸다.

'너는 이렇게 어른스러운데, 나만 그대로야.'

속에 있는 용기란 용기는 모조리 끌어내 그의 눈을 바라본 지 얼마나 되었을까, 한선호의 손이 천천히 다가왔다. 이명은 몸을 움찔거렸지만 햇볕에 그을린 손가락은 이마 위를 천천히 맴돌다 머리카락을 조심스럽게 만질 뿐이었다. 머리카락 몇 올일 뿐인데, 마치 함부로 해선 안 될 여리고 연약한 무언가를 대하는 듯한 태도였다.

"왜 도망갔어?"

한선호가 이명의 눈을 보며 말했다.

"……어?"

"아침에 말이야."

"아침?"

"응. 아침에. 이런 풍경을 상상하면서 일어났는데, 네가 도망가고 없었잖아."

바보 같은 대화가 오가고서야 이명은 자신이 추궁당하고 있다는 사실을 깨달았다. 비록 심문관은 한없이 따스한 눈빛을 하고 있었지만.

그것은 한마디로 대답할 수 없는 골치 아픈 질문이었다. 표면상으로는, 네가 결혼했거나 진지하게 만나는 사람이 있는 줄 알았다고 말하면 그만이지만 그 이면에는 훨씬 복잡한 감정이 뒤엉켜 있었다.

네가 왜 나 같은 사람과 몸을 섞었는지 이해할 수 없었다고. 아침에 네 곁에서 깨어나는 사람이 나일 리 없다 생각했다고. 괜히 기대했다가 절망 속으로 추락하고 싶지 않았다고. 너라는 불꽃에 매혹되어 날개를 태우고 마는 날벌레는 정말이지 되고 싶지 않았다고. 나는 다치고 싶지 않았다고. 여러 가지 방아쇠가 연쇄적으로 당겨져서 이명은 도망쳤다.

'뭐라고 대답해야 할지 모르겠어.'

게다가 지금 한선호와 함께 있다고는 해도, 아침에 이명을 괴롭혔던 고민들은 거의 다 변함없이 그대로였다. 모텔로 달려가서 그를 만났을 때는 머릿속이 단순했는데, 현실로 돌아오자 모든 것이 도로 복잡해진 것이다.

그가 자신에게 호감을 느낀다는 것만은 분명했다. 그러나 그 같은 남자가 왜 자신을 좋아하는지는 이해할 수 없었다. 한선호 곁에 나란히 서 있는 사람이 이명인 것은 아무래도 이상하지 않은가. 그와 더 잘 어울릴 만한, 어른스럽고 아름답고 강한 사람이라면 몰라도…….

이명은 침을 꿀꺽 삼키며, 무슨 생각을 하는지 알 수 없는 남자의 눈을 바라보았다.

"저기, 나 집에 가야 해."

뜻밖의 말을 들었다는 듯 한선호의 눈썹이 살짝 꿈틀거렸다.

"집?"

이번에야말로 화가 난 것 같아서 이명은 그늘이 진 사내의 얼굴 근육을 샅샅이 살폈다. 한선호는 이명의 머리카락을 손끝으로 정리해 넘기고서 눈을 빤히 바라보았다.

"가족들하고 같이 살아?"

"어, 음……. 혼자 살기는 하는데, 엄마 집에서 지낼 때도 많고……. 일주일에 반쯤은 가 있는 것 같은…… 데……."

대답하기 어려운 질문도 아니었건만 횡설수설하게 되었다. 이명은 막 생각났다는 듯이 덧붙였다.

"경기가 끝나고……. 아, 어제 기전, 그러니까 상금이 걸린…… 바둑 경기가 있었거든……."

"알아."

"알아? 어……. 보통 끝나고서 가족들이랑 집에 가는데, 나는…… 어제 그냥 빠져나오는 바람에……. 집에 연락하기는 했지만, 그래도 걱정할 테니까……. 너무 오랫동안 이렇게…… 연락을 안 하면."

'정말 바보 같다.'

비록 달변이었던 적은 없다지만, 언제부터 문장 하나 제대로 완성하지 못하는 사람이었나.

"헤어지기 싫은데, 꼭 지금 가야 돼?"

그런 이명의 속도 모르고 한선호는 그의 결심을 흩어 놓는 말을 아무렇지 않게 던졌다.

'나라고 너와 헤어지고 싶을 리 없잖아.'

이명은 8년 만에 기적처럼 만난 첫사랑을 앞에 두고 걱정과 의심의 장벽을 치는 스스로가 마음에 들지 않았다. 설레고 기뻐하기에도 모자랄 판에 왜 이렇게 뒷걸음질을 치는 걸까. 머리로는 알고 있지만 마음속에는 여유가 부족했다.

한선호는 벌거벗겨지는 기분이 들게 하는 시선으로 이명을 한동안 바라보다가 한숨을 쉬며 멀어졌다. 침대에 걸터앉은 그가 품에서 가죽 지갑을 꺼냈다. 조금 뒤, 그의 손에는 빳빳한 명함이 들려 있었다.

이명은 얼결에 명함을 받았다. 세상 물정에 어두운 그조차 한눈에 알아볼 수 있는 글로벌 기업의 로고에는 홀로그램이 씌워져 있어서 옅은 무지갯빛 광택이 반들거렸다.

반도체 사업부
해외영업1팀
사원 한선호

'좋은 데 취직했구나.'

대학생들이 취업하고 싶어서 국가고시처럼 준비하는 기업이라고 주워들었는데. 정치 외교학과 나와서 굶어 죽기 딱 좋다며 실없는 소리를 하던 졸업식 날의 한선호가 문득 떠올랐다.

사실은 내내 궁금했다. 그가 8년이란 세월 동안 무엇을 했는지, 뭘 하고 있을지, 무엇이 되었을지, 어떤 어른으로 살아가고 있는지. 지금도 그 모든 것이 너무나 궁금하지만 이명은 그의 소속과 직책 외엔 더 이상의 정보를 뱉어 내지 않는 명함을 붙들고서 활자를 읽고 또 읽을 뿐이었다.

"이거 네 번호, 맞아?"

한선호가 침묵을 깨며 핸드폰을 눈앞에 들이밀었다. '13번 이 명'이라는 이름 아래, 고등학교 시절부터 바꾸지 않은 제 전화번호가 저장되어 있었다. 이명은 고개를 살짝 끄덕였다.

"8년 동안 번호 안 바꿨구나."

"그러는 너도…… 마찬가지잖아."

그가 의아하다는 듯 눈썹을 올렸다.

"여기, 번호."

이명은 손끝으로 명함을 가리켰다. 반듯한 글씨로 인쇄된 연락처는 고2 수학여행 때 암기했던 열한 자리 숫자와 동일했다. 그제야 한선호가 의미심장한 미소를 지었다.

"맞아. 그러고 보니 나도 안 바꿨네."

반 아이들의 전화번호 목록을 그대로 저장해 놓았던 반장 한선호, 유사시를 대비해 반장의 전화번호를 암기해 두었던 이명. 전화번호를 교환할 만큼 친하지도 않았던 그들이 서로의 연락처를 지금까지 기억하고 있다는 게 신기하게 느껴졌다.

이명은 명함을 주머니에 넣으며 침대에서 일어났다. 잠시 잊고 있었던 차가운 공기와 아이스 링크 같은 바닥을 헤치고 현관을 향해 재빨리 걸었다. 상체를 웅크리고 운동화를 다시 신는 동안 그를 따라잡은 한선호가 발끝을 구두에 넣었다.

"집 앞까지 데려다줄게."

거절하고 싶은데 그럴 만한 구실이 없었다. 그들은 말없이 집에서 나와 엘리베이터를 기다렸다. 오래 걸리지는 않았다. 문이 열리고, 그들이 타고서 문이 다시 닫혔다. 밀폐된 공간 속 어색한 분위기에 어깨가 저절로 움츠러들었다. 무슨 말이라도 해야 하는데 머릿속이 텅 빈 것처럼 아무 화제도 떠오르지 않았다.

'남들은 이럴 때 무슨 말을 하지…….'

고민하는 사이에 LED 전광판의 숫자는 하나씩 줄어들었고 엘리베이터는 지하 1층에 도착했다. 복잡한 머릿속 때문에 걸음걸이가 축축 처진 이명과 달리 한선호는 아무 걱정도 없어 보였다. 그가 무거운 회색 철문을 열자 주차장이 나타났다. 그리고 문이 다시 닫히기도 전에 그의 손이 아무렇게나 흔들리던 이명의 손을 감쌌다.

"엇……."

따뜻하고 단단한 손길은 확신에 차 있는 것처럼 느껴졌다. 이명은 그의 보폭에 맞춰 걸으며 작아지는 기분을 느꼈다. 나는 재미없고 말주변도 없는데, 외롭고 불안정한 사람인데, 너는 알고서 이 손을 잡은 걸까.

"손이 왜 이렇게 차?"

한선호가 두툼한 손가락을 옮겨 이명의 손가락 사이를 깍지 껴 잡더니, 자연스럽게 팔을 올려 입가로 가져갔다. 장난스럽게 숨을 불자 따뜻한 입김이 경직된 손가락에 닿았다. 한선호는 씩 웃었지만 이명은 너무 긴장한 나머지 마주 웃을 수 없었다.

"안 잡아먹으니까 그런 표정 짓지 마."

"……내가 뭘."

한선호는 그런 그를 가만히 내려다보고 있다가, 오른손을 주머니에 넣어 차 키를 꺼냈다. 삐빅, 바로 옆에 주차된 SUV의 주행등이 켜졌다. 크고, 검고, 멋있고. 한선호와 잘 어울리는 차량이라고 이명은 막연하게 생각했다.

"집은 어디야?"

"영산동……."

"이사 안 갔어?"

"응."

차에 타서 시동을 건 뒤, 한선호는 내비게이션에 '영산동 한솔 아파트'를 입력했다.

'아파트를 다 기억하네.'

반 애들 주소를 아직까지 외우고 있다니, 역시 반장은 대단하다고 이명은 속으로 감탄했다.

잠시 후 차는 주차장을 부드럽게 빠져나갔다. 볼륨이 작게 맞춰진 라디오에서 흘러나오는 노래는 마음을 편안하게 했고 은은한 방향제 향기는 기분 좋았다. 한선호는 꼭 그와 어울리는 스타일로 자동차를 운전했다. 여유롭고, 안정적이며, 능숙하게.

차에 탄 뒤로 무릎만 보고 있던 이명은 용기를 내 한선호의 옆모습을 힐끔 엿보았다. 무표정한 미남의 얼굴은 도무지 오늘 아침에 모텔에서 나온 사람 같지가 않았다. 짙은 색 코트가 넓은 어깨와 길게 뻗은 팔을 완벽하게 감싸고 있었다. 운전하는 자세는 반듯했고 옆얼굴은 근사했다. 한마디로 말하자면 그에게선 자동차 광고에 나올 법한 엘리트의 분위기가 흘렀다.

요란하지도, 과시적이지도 않은데 한선호에게서는 은은한 자신감이 느껴졌다. 늘 호의적인 환경에 둘러싸여 있기 때문에 불신하거나 성급하게 굴 필요가 없는 사람의 여유였다. 이명으로서는 한 번도 가져 본 적이 없어서 그저 상상할 수밖에 없는.

그는 걸음걸이도, 말투도, 눈빛도, 자신감 있고 당당했다. 그리고 섹스할 때도…… 그의 말과 손짓 하나하나에 반응한 건 자신이었지, 그는 처음부터 끝까지 능숙하기만 했다.

다시 무릎으로 시선을 내려 한선호에 대해 곱씹고 있는데, 문득 옆얼굴에 시선이 느껴졌다. 이명은 무심코 왼쪽을 보았다가 운전대 위에 팔목을 얹고서 알 수 없는 눈빛을 하고 있는 한선호와 시선이 마주쳤다.

그는 환자를 관찰하는 의사처럼 이명을 면밀히 바라보았고 이명은 속마음을 들킬까 봐 숨을 참고 눈을 크게 떴다. 한선호는 할 말이 있는 사람 같기도, 아닌 것 같기도 했다.

"명이야."

좌회전 신호가 들어온 것과 동시에 그가 다시 앞을 보며 말했다.

"……응?"

사륜차가 그의 음성처럼 부드럽게 움직였다.

"아니야."

200m 정도 직진하다 골목에 들어서면 집이었다. 내비게이션 화면의 경로가 빠르게 짧아지다가 점에 가까워졌다. 이명은 한선호와 헤어지는 것이 아쉬운 동시에 기꺼웠다. 이미 그와 대면하느라 기력을 다 썼기 때문이었다.

아파트 단지 안까지 들어선 차량이 서서히 느려지다 정차했다.

"몇 동이야?"

"102동……."

"다 왔네."

한선호의 목소리는 아쉬워하는 것 같기도 아무렇지 않아 하는 것 같기도 했다. 이명은 침을 꿀꺽 삼키고서 안전벨트를 풀었다.

"고마워, 데려다줘서."

손가락을 문손잡이에 갖다 댄 순간 낮은 음성이 어깨를 잡았다.

"그냥 가려고?"

고개를 돌려 본 왼쪽에는 조금 전과 마찬가지로 흠잡을 데 없는 모습인 한선호가 반듯하게 앉아 있었다.

"키스도 안 해 주고 갈 거야?"

"……어?"

그의 음성은 평온했으나 거역할 수 없는 힘이 있었다. 이명은 제 의지가 아니라 끌려가는 것처럼 한선호에게 천천히 다가갔다. 민망한 기분으로 콘솔 박스를 손으로 짚었을 때, 한 뼘 정도 되는 거리에 있던 입술이 움찔 움직였다.

곧 입술이 닿을 거리인데도 한선호는 침착한 모습 그대로 눈을 뜨고 있었다. 이명은 약간 오기가 들어 그의 코트 깃을 붙잡고 끌어당겼다. 두 눈을 감으며 입술을 갖다 댔는데도 한선호는 입을 꾹 닫고만 있었다.

'키스하라더니, 뭐지…….'

아무래도 가벼운 뽀뽀로 끝내야 할 것 같았다. 이명은 자신을 놀리듯이 가만히 있는 상대의 입술 사이에 혀를 밀어 넣을 용기 따위는 없었으니까.

쪽. 원래 그러려고 했다는 듯 산뜻하게 입을 맞추었다. 이제 집으로 돌아가야 할 순간이었다. 그런데 그때, 일순간 강한 힘이 목 뒤를 감더니 이명을 다시 끌어당겼다. 그리고 어느새 입술이 벌어진 한선호의 입 안으로 이명의 혀가 부드럽게 빨려 들어갔다. 두툼하고 뜨거운 혀가 당연하다는 듯이 치아 사이를 비집고 들어왔다.

이명의 몸이 움찔거렸고 눈이 번쩍 뜨였다. 숙맥처럼 군 걸 부끄럽게 하려고 작정하기라도 한 듯, 한선호는 침착하게 눈을 감은 채 영화에서처럼 고개를 틀어 입술을 완전하게 맞추었다. 목뒤에 머물렀던 손이 등을 쓸어내리며 허리까지 내려오자 이명은 재빨리 눈을 다시 감았다. 뻗지도 숨기지도 못하고 모호하게 들고 있던 손이 한선호의 가슴에 닿았다. 그것이 기폭제라도 된 듯, 치열 안쪽의 연한 살을 느릿하게 쓸던 혀가 더욱 깊숙이 들어와 이명의 혀뿌리에 얽혔다.

분명히 행동 하나하나가 다정한데도 이명에게는 버거웠다. 커다랗고 강한 신체가, 거대한 존재감이, 그와 키스하고 있다는 사실 자체가 감당하기 어려웠다. 엮이고 포개어지는 움직임에 숨이 금세 찼다. 코로 숨을 쉴 새 없이 들이마시는데도 한참 모자랐다.

'왜 너랑 있으면 숨 막히는 일이 생기는 걸까.'

한선호는 이명이 호흡 곤란으로 그를 밀어내기 직전에 떨어졌다. 눈을 감은 채로 이명의 입술에 묻은 타액을 느릿하게 핥았다. 그리고 마침내 천천히 눈을 떴다.

차 안이 이렇게 더웠던가. 부끄러운 열기가 뺨을 달구었다. 한선호는 아주 가까운 거리에서 이명의 눈을 한동안 빤히 바라보다가 쪽 쪽 소리를 내며 입술을 살짝 맞댔다. 이런 게 TV에서 말하는 '선수'인가 보다. 이명은 당황한 티를 내지 않으려 애쓰며 자리로 되돌아갔지만 심장은 과격하게 박동하고 있었다.

'큰일이다.'

아무래도 이명은 한선호를 한 단계 더 좋아하게 된 것 같았다. 빠르게 심호흡을 하고서, 최대한 아무렇지 않은 척 말을 내뱉었다.

"나, 갈게. 안녕."

차에서 쫓겨나듯이 내리자 차가운 공기가 몰아치며 정신을 번뜩 들게 했다. 차 문을 본의 아니게 조금 거칠게 닫고서 빠르게 걸었다.

'……너무 차갑게 말했나.'

걸음은 조금씩 느려졌다. 아무리 오해받는 데 익숙해도 한선호에게는 오해받고 싶지 않았다. 비록 내가 너무 떨려서 마음 같지 않은 행동을 많이 했을지도 모르지만 사실은 널 좋아한다고, 다음에 또 만나고 싶다고 말해 주고 싶었다. 그러나 이명은 고개를 살짝 저으며 다시 빠르게 걸었다.

아무리 생각해도 한선호는 매사에 너무 능숙했던 것이다. 그는 아주 잠깐 몇 마디 하는 것부터 잠자리에서까지 이명을 원하는 대로 쥐락펴락했다. 이명은 매 순간 긴장해야 하는 반면 한선호는 늘 여유로웠다.

조금 억울하다는 기분이 들었다. 그것은 기력이 훨씬 뛰어난 사람과 바둑을 둘 때 느끼는 감각과도 비슷했다.

아파트 출입구 앞에서 호수를 입력하고 호출 버튼을 누르자 조금은 급한 듯한 엄마의 목소리가 들렸다.

— 명이, 명이니?

"네."

— 너는…….

그녀가 한숨을 쉬었다.

— 빨리 들어와.

잠시 후 유리로 된 미닫이문이 스르륵 열렸다.

이명은 안으로 들어서기 전에 뒤를 슬쩍 돌아보았다. 차량은 여전히 그 자리에 있었다. 그러나 햇빛이 번들거리는 창문은 운전자의 표정을 보여 주지 않았다.

본가에 돌아온 후로 이명은 틈만 나면 잠자고 무언가를 먹어야

할 때만 일어나는 단조로운 나날을 보냈다. 집이란 기묘한 곳이어서, 발만 들였다 하면 아무것도 안 하는데도 시간이 쏜살같이 지나갔다.

이명이 종일 침대나 소파에 웅크려 시간을 보내는 데도 엄마는 그를 내버려 두었다. 평소처럼 잔소리하지 않았고 결승에 관한 화제를 피하는 등 이명을 배려했다.

그녀는 아들이 패배의 후유증을 겪는다고 짐작했겠지만, 실은 이명은 어느 때보다도 바둑에 무관심했다. 그의 머릿속은 다른 것으로 꽉 차 있었고, 생각할 것이 너무 많아서 오히려 아무 생각도 들지 않았다. 꽉 차 버리니 역설적이게도 텅 빈 거나 마찬가지였다.

"오빠, 오는 길에 귤 좀."

화장실에서 막 나온 이명은 귤 바구니를 집어 들고 거실로 향했다. 엄마와 정은 이미 소파에 자리 잡고 있었다. 올해 졸업반인 정은 취업 준비 때문에 바빴지만 집에서는 주로 누워 있었다. 이명은 정의 발을 피해 소파 끄트머리에 앉았다. 테이블에 바구니를 올려놓자 그녀가 귤을 가져가서 껍질을 벗기기 시작했다.

"정아, 일어나서 먹어라."

"귀찮아요."

"너 밥 먹자마자 그렇게 누우면 소 된다."

"음메에."

지나치게 사실적인 동물 흉내에 엄마가 당혹스럽다는 듯 웃어 버렸다.

TV 화면 속에서는 작은 아이가 뒤뚱뒤뚱 걸어 다니고 있었다. 자막에선 귀엽다는데, 이명의 눈에는 다른 애들과 특별히 달라 보이지 않았다. 아무리 봐도 아이들은 다 똑같이 생긴 것 같았다.

그의 표정을 힐끔 본 정이 물었다.

"오빠, 걔 안 귀여워?"

"어, 음……."

"어린애 별로 안 좋아하지, 참."

"걔보다 너 어릴 때가 더 귀여웠어."

두 번째 귤을 까던 정이 웃음을 터뜨렸다.

"참 나, 내가 애기였을 땐 오빠도 애기였거든?"

"그래도 다 기억나."

보통 연년생 남매는 싸운다는데, 어린 시절 정은 이명의 가장 소중한 보물이었다. 이명은 늘 그녀의 손을 꼭 잡고 다녔으며 그녀가 없으면 아무 데도 가지 않으려 했다.

"맞아. 정이 네가 걔보다 훨씬 예뻤어."

"오, 엄마까지?"

"명품으로 낳아 놨는데 다 크니까 소가 돼 버렸네?"

정의 웃음소리 때문에 한동안 아무것도 들리지 않았다. 그녀가 음메, 음메 몇 번 더 하자 엄마가 질색하며 이제 그만하라고 했다. 그러는 동안 TV 속 가족은 소풍 준비에 한창이었다. 유명한 여자 배우가 유모차를 챙기는 동안 그녀 남편인 모델이 아이를 품에 안아 들었다. 아이가 그렇게 작지도 않은데, 전혀 힘들이지 않고 한 손으로 들어 올리는 모습이 누군가를 떠올리게 했다.

남자는 어깨가 넓은 역삼각형 체형이었다. 몸에 붙는 옷을 입어서 가슴과 배의 근육이 두드러져 보였다. 어쩐지 몸매도 비슷한 것 같았다. 키는 그가 좀 더 큰가…….

이명은 괜히 부끄러워져서 TV로부터 눈을 돌렸다.

“여자는 연속극에서 많이 봤는데 남자는 누군지 모르겠다, 야.”

“잘나가는 모델이에요. 둘이 진짜 잘 어울리지 않아요?”

잘 어울리는 커플, 선남선녀. 안 그래도 복잡하던 머릿속을 비집고 의구심 하나가 끼어들었다. 사람들은 어떨 때 두 사람이 잘 어울린다고 말하는 걸까. 성격이 잘 맞거나, 외모가 서로 닮아야 할까. 적어도, 한쪽이 다른 쪽보다 명백하게 보잘것없는 경우는 아니겠지.

“딴 데 틀면 안 되니? 남의 애들 재롱부리는 거 봐서 뭐 해.”

“왜, 예쁘잖아요.”

“애기가 그렇게 예쁘면 너도 빨리 낳아.”

“무슨 스물여섯짜리 딸한테 그런 말을 해요?”

“엄마가 딸한테 그런 말도 못 해?”

이명은 심상치 않은 분위기를 느끼고 몸을 슬며시 일으켜 세웠다. 다른 생각에 잠겨 있는 사이 대화가 난처한 방향으로 흘러가버린 것이다.

“아직 생각 없으니까 그러죠! 엄마는 맨날…….”

“알았어, 알았어. 말 나온 김에, 명이 넌 여자 친구 없니?”

기어이 불똥이 엉뚱한 곳으로 튀었다. 이명은 할 말이 없어서 눈만 깜빡였다. 왜인지 모르게 정의 얼굴이 빨개졌다. 그녀가 급하게 리모컨을 쥐고 채널을 바꿨다.

“어! 뉴스 보자, 뉴스. 산불 났대.”

이명을 취조하는 시선으로 바라보던 엄마가 TV로 고개를 획 돌렸다. 그러나 이런 주제가 나왔을 때 그녀의 주의를 다른 곳으로 돌리기란 쉽지가 않았다.

"몰래 연애도 좀 하고 그래. 저렇게 신부님처럼 살다가 언제 장가가려고 그러나 몰라."

난감한 상황에 이명을 구한 건 난데없는 전화벨 소리였다.

엄마의 베토벤 소나타 벨 소리도, 시도 때도 없이 울리는 정의 벨 소리도 아닌, 여간해선 울리지 않아 모두에게 낯선 벨 소리였다. 순간적으로 정적이 감돌며 모두가 소리 나는 곳을 보았다. 그곳이 제 방이란 걸 깨달은 이명은 정지 사진 같은 구도를 깨뜨리곤 방을 향해 달렸다.

'핸드폰, 어디다 뒀더라?'

방을 마구잡이로 뒤지던 손이 점점 바빠졌다. 소리는 분명히 가까이에서 나는데, 이불 속에도 가방 속에도 아무것도 없었다. 전화가 곧 끊길 것 같다고 생각한 순간, 이명은 마지막으로 입었던 외투 속에서 휴대 전화를 찾았다.

"여보, 여보……."

숨이 차서 그 짤막한 문장조차 완성할 수가 없었다.

— 여보라니, 듣기 좋은데.

발신자는 예상했던 그대로였다. 이명은 민망한 기분으로 호흡을 골랐다. 한동안 불안한 침묵이 계속되었다. 그리고 이명이 입을 연 순간…….

"왜."

— 명이야.

동시에 한선호가 그를 불렀다. 5초 정도의 적막이 지나가고, 이명이 용기 내어 먼저 말했다.

"……왜?"

— 뭐 하고 있었어?

정말 어색한 대화였다. 이런 걸 대화라고 할 수 있다면. 이명은 이불을 손으로 꼭 쥐며 대답했다.

"저녁 먹고…… 가족들하고 TV 보는데."

— 그래? 그럼 잠깐 만날래?

지금? 당장? 어디서? 너 어딘데? 머릿속이 순식간에 물음표로 가득 찼다.

— 너희 집 앞이야.

한선호가 그런 이명의 머릿속을 읽기라도 한 것처럼 태연하게 말했다.

"뭐라고?"

— 잠깐 나올래?

이명은 침대에서 벌떡 일어났다. 창문에 코를 대고 유심히 보았지만 밖이 캄캄해서 형태를 구분하기가 쉽지 않았다. 놀이터 앞에 언뜻 보이는 검은 덩어리와 불빛을 보고 그의 차겠거니 짐작할 뿐이었다.

이명은 침묵이 길어지는 것이 두려워서 무작정 입을 열었다.

"알았어."

— 커피 마실래? 뭐 좋아해?

"아무거나 괜찮은데."

— 아메리카노 괜찮아?

"아무거나 괜찮아. 그럼 끊을게."

이명은 핸드폰을 내려놓자마자 입고 있던 티셔츠를 벗었다. 옷장에서 깨끗한 옷을 꺼내 몸에 걸치면서 화장실로 달려가 칫솔에 치약을 짰다.

"명아, 어디 가?"

"잠깐 나갔다 올게요……!"

"어디 가는데?"

"친구…… 만나러요."

그딴 핑계, 아들에게 친구 따위 없다는 걸 잘 아는 엄마에게 통하지 않겠지. 하지만 한선호를 달리 설명할 말도 없었다. 동창회에서 만나 어쩌다 인연이 이어지게 된 사이라고 해야 할까. 그들이 무슨 사이인지는 이명 본인조차 정의 내릴 수 없었다.

양치와 세수를 하고, 옷을 갈아입고, 밖으로 나왔을 때는 아주 오랜 시간이 흐른 것처럼 느껴졌다. 이명은 벌써 지쳐 있었다.

'어디 있지? 여기에 정차한 줄 알았는데…….'

길가에 서서 아무리 두리번거려도 검은색 SUV는 보이지 않았다. 어두워서 그런가 싶어서 눈을 부릅떠 보아도 마찬가지였다.

"하……."

한숨을 깊이 내쉬자 더운 입김이 공중으로 흩어졌다. 외투를 걸치고 목도리까지 두르고 나왔는데도 바깥은 아주 추웠다. 주머니에서 핸드폰을 꺼내자마자 손가락 끝이 얼어붙는 것 같았다.

'전화를 하면 좀 그런가.'

그는 최근 통화 목록에서 저장되어 있지 않은 번호를 한동안 바라보다가, 고개를 저었다. 기다리다가 지쳐서 돌아갔다면 지금 운전하는 중일 텐데, 전화하면 분명히 방해가 될 것이다.

주저하던 손가락이 배경 화면에서 메시지 애플리케이션을 찾았다. 이명은 정이 그저께 보낸 메시지를 확인하고 광고 몇 개를 지웠다. 그리고 가장 최근 목록, 모르는 번호로 온 내용을 확인했다.

[010-****-****: 뭐 해?] 1일 전

[010-****-****: 잘 잤어?] 09:24

[010-****-****: 명이야] 15:33

화면을 뚫어지도록 쳐다보고 있는데, 뒤에서 인기척이 느껴졌다. 돌아보려는 순간에 무언가 따뜻한 것이 볼에 닿았다.

"……엇."

이명은 별안간 시야에 들어찬 테이크아웃 컵을 멀뚱멀뚱 바라보았다.

"명이야."

작은 속삭임과 함께 귓가에 뜨거운 입김이 부딪쳤다. 전에도 맡아 본 적 있는 시원한 발삼 향과 함께. 이명은 고개를 작게 끄덕거렸다.

"밤엔 잘 잤어?"

"어? 응……."

"어젠 뭐 했어?"

"그냥, 아무것도 안 했는데."

종이컵을 두 손으로 받아들자 온기가 전해졌다. 이명은 몸을 돌려 그의 바로 뒤에 서 있던 한선호를 올려다보았다.

"고마워."

잘생긴 얼굴에 그림 같은 미소가 번졌다. 달을 등진 한선호는 창백하게 빛은 조각상처럼 보였다. 그를 다시 만난 지금도, 이명에게는 맑게 웃던 소년이 더 익숙했다. 그대로 자란 건 아니어도 소년의 모습을 간직하고 있는 얼굴은 이명의 가슴속에 수많은 생각을 불꽃처럼 피워 냈다. 이명은 그의 눈을 피하며 빠르게 말했다.

"커피 말이야. 잘 마실게."

"응. 춥지?"

큼지막한 손이 목으로 다가와 목도리를 여몄다. 이명의 얼굴 전체를 가릴 만큼 크고, 닿는 곳마다 온기를 전하는 손이었다. 그의 손가락이 목을 스친 순간에, 이명은 저도 모르게 움찔거리며 눈을 감았다. 그러자 부드러운 웃음소리가 귓가에 닿았다.

"좀 걸을까?"

한선호는 이명의 외투 지퍼를 끝까지 올린 뒤에 그렇게 말했고 이명은 고개를 끄덕였다. 그들은 말없이 걸었다.

어둠이 비친 놀이터를 지나고 불법 주차 차량이 줄지어 점거한 골목을 통과했다. 큰길로 나오자 셔터 내린 몇몇 가게와 편의점이 보였다.

이명은 커피를 한 모금 마시고서 다시 양손으로 쥐었다. 그는 평소에 커피를 달게 마시는 편이지만 이상하게도 이 순간만은 쓴맛이 조금도 거슬리지 않았다.

이상한 건 그뿐만이 아니었다. 어릴 때부터 살았던 아파트 단지에서는 솔잎 향이 났고, 때 이른 크리스마스 장식이 눈에 들어왔다. 큰길의 보도블록 중 몇 개가 갈색인 걸 알아채는 등 한 번도 관심 가져 본 적 없던 것들이 감각의 범위 안으로 성큼 들어섰다. 늘 지나다니던 흔한 거리일 뿐인데, 한선호가 곁에서 걷고 있다는 이유로 특별하게 느껴졌다.

'정말 이상하다. 이제는 춥지도 않아.'

양손으로 소중하게 들고 다니던 컵을 입술에 갖다 대자 진한 커피 향기가 났다. 한선호가 직접 사다 주었다는 이유로 특별해진 커피였다. 이명은 컵을 기울여 입술을 살짝 축였다. 그러면서 왼손을 내리자 손끝이 자연스럽게 한선호의 손아귀로 쏙 들어갔다.

'뭐지……?'

대체 어떻게 했는지 모를 정도로 귀신같은 솜씨였다. 옆으로 고개를 돌리자 한선호가 평온한 표정으로 눈을 마주쳤다. 그에게는 의외로 뻔뻔한 면이 있었다. 이명은 입술을 비집고 나오려는 미소를 숨기려고 노력하며 마찬가지로 아무렇지 않은 척했다.

다행히 거리에는 사람이 별로 없었다. 지나가는 사람이 몇몇 있기는 했지만 갈 길이 바쁜지, 손을 잡고 느릿하게 걷는 두 남자에게 관심을 기울이지 않았다.

이명의 시선이 맞닿은 손에서부터 팔을 따라, 한선호의 어깨로 올라갔다. 떡 벌어진 어깨 위로 며칠 전에 팔을 감았던 두툼한 목이 자리 잡고 있었다. 힘줄 돋은 목선 위로 툭 튀어나온 목젖이 눈에 띄었다. 소년기에도 또래보다 덩치가 훨씬 크기는 했지만 그때는 천진하고 귀여운 인상이 있었다. 예전에는 뒤에서 남몰래 바라보던 어린 표범이 이토록 강인하고 멋진 모습으로 자라났다는 것을 믿기 어려웠다. 그런 그와 손을 잡고 나란히 걷고 있는 게 자신이란 건 더더욱.

'……좋다.'

이런 순간을 늘 꿈꿔 왔다는 걸 너는 알까. 고2 때도 이 길을, 비록 반대 방향을 향해서였지만 함께 걸었던 적이 있었는데 너는 기억할까. 그날 내가 얼마나 긴장했는지, 그리고 지금도 얼마나 긴장한 상태인지 너는 꿈에도 모르겠지.

"소방관들은 힘들겠다."

앞을 보고 걷던 한선호가 뜬금없이 말했다.

"응?"

그가 눈을 마주치며 엄지로 길 건너편을 가리켰다. 늦은 시간인데도 소방서엔 조명이 환하게 들어와 있었다.

"초등학생 땐 소방관이 되고 싶었어."

이명은 고개를 끄덕였다. '너라면 좋은 소방관이 됐을 거야'와 '정말 잘 어울렸을 것 같아'란 대답이 심사대에 올라와 있었다. 그는 잠시 고민하다, 그 말이 한선호의 현재 직업을 폄훼하는 것처럼 들릴까 봐 아무 말도 하지 않았다.

"근데 소방관이 3교대랬나……. 난 야간 근무 때문에 힘들 것 같아. 잠이 많거든."

'나도 그래.'

이명은 소리 없이 대답했다. 마주 잡은 손이 부드럽게 흔들렸다.

"하긴, 별로 진지한 꿈은 아니었어. 그땐 반 애들 장래 희망이 대통령, 연예인, 소방관 셋 중 하나였으니까."

"난 아니었는데."

"넌 뭐였는데? 기사?"

장래 희망이라……. 사실 그의 장래 희망은 기사가 아니었다. 이명은 단지 바둑을 좋아했을 뿐이다. 기사가 되고 싶어서 되었다기보다는, 어쩌다 보니 그렇게 되었다는 게 올바른 표현이었다. 어쨌든 대통령이나 연예인, 소방관이 되고 싶지 않았던 건 확실했다.

"장래희망 같은 거 없었어. 난 다 별로야. 특히 대통령."

누가 시켜 준다고나 했나, 자조하는 말이 자연스럽게 떠올랐다. 아니나 다를까, 옆에서 풋 하고 바람 빠지는 소리가 났다.

"기호 1번, 귀엽당 소속 이명."

"……나도 안 어울리는 거 알아. 놀리지 마."

한선호는 한동안 웃음을 멈추지 않았다. 무척 기분 좋은 웃음소리였다. 그 소리는 이명의 얼굴을 빨개지게 하는 한편, 가슴을 빠르게 뛰게 했다.

"연예인은 어때?"

한선호가 웃음기 남은 목소리로 물었다. 연예인, 당연히 싫다. 그보단 불가능하다는 말이 맞겠지만.

"노래도 못 하고 춤도 못 춰서 안 돼."

"얼굴엔 자신 있는 거지?"

"……아니야."

한선호의 농담거리가 되는 건 이상하게도 기분이 조금도 나쁘지 않았다. 그저 유쾌하고 두근거릴 뿐이었다. 그와 조금은 친한 사이가 되지 않았을까, 하는 착각이 들 만큼.

"너 연예인도 잘 어울릴 텐데."

"왜?"

"예쁘니까."

"……."

그러는 넌 대통령, 연예인, 소방관 다 어울려. 이명은 머릿속으로만 생각하고 입 밖으로 말하지 않았다.

걸은 지 너무 오래되지 않았나 하는 생각이 덜컥 든 건 그때였다.

'직장인들은 일 끝나면 피곤해서 쉬어야 하지 않나.'

이명은 직장을 가져 본 적이 없어서 상상하기 어려웠지만, 그 또한 긴 경기를 마치고 나면 피로해서 빨리 집에 가고 싶은 마음이 들지 않았던가.

"저기……."

이명은 돌연 맞잡은 손을 빼려고 했다. 그러나 한선호는 손을 놓기는커녕 더 꼭 잡으며 걸음을 천천히 늦추었을 뿐이다.

"그만 돌아가자."

한선호는 이명이 해석할 수 없는 표정을 지었다. 그는 무표정한 얼굴일 때 무슨 생각을 하는지 도무지 알기가 어려웠다.

한동안 입 다물고 있던 그가 조용히 말했다.

"난 예전부터 저 소방서가 싫었어."

이명은 불안한 눈빛으로 커다란 건물을 바라보았다. 미리 알았으면 이 길을 피해서 걸었을 것이다.

이명이 생각하느라 바빠진 동안 한선호가 손을 놓았다. 뜨거운 손바닥이 감싸고 있던 살갗에 차가운 공기가 닿으며 허전한 느낌이 들었다.

"반대쪽 손."

한선호가 손바닥을 내밀며 말했다. 이명은 복종하지 않으면 먹이를 먹을 수 없는 개가 된 기분으로 손을 순순히 내밀었다. 한선호는 빈 종이컵을 빼앗아 휴지통에 버리고 그 자리를 차지했다. 동시에 그의 미소도 돌아왔다. 다행스럽게도.

돌아가는 길은 한층 더 짧게 느껴졌다. 말은 거의 오가지 않았다. 한선호가 몇 시쯤에 자느냐고 물어봐서 잘 모르겠다고 대답한 게 다였다.

대화는 쉽게 이어지지 않았다. 하고 싶은 말이 머릿속에 맴돌았지만 목구멍이 막힌 것처럼 말이 나오지 않았던 탓이다.

그가 언제 자는지, 몇 시에 일어나는지, 야근은 잦은지, 어디 사는지, 그의 집 근처에도 소방서가 있는지, 남는 시간엔 뭘 하는지, 취미는 무엇인지, 커피는 달게 마시는지, 야식은 자주 먹는지, 무슨 음식을 좋아하는지. 물어보고 싶은 것이 한두 가지가 아니었지만 이명은 조용히 흘려보냈다.

그들은 침묵했다. 침묵은 보통 분위기를 불편하게 만들지만, 이 경우에는 조금 달라서 긴장감 사이에 기묘한 편안함이 깃들어 있었다. 이 손을 잡고 발맞추어 걸을 수만 있다면 어디든 갈 수 있을 것만 같았다.

'너도 기분이 이렇게 좋을까.'

이명은 깎아 놓은 것처럼 반듯한 한선호의 옆모습을 힐끔힐끔 훔쳐보았지만 대답을 얻기란 쉽지 않았다. 그의 얼굴은 미소 짓는 것처럼 보이기도 했고, 무표정인 것처럼 보이기도 했기 때문이다. 한선호는 이명이 이제껏 만나 본 사람 중에 가장 불가사의하고 난해한 기풍의 상대였다.

모든 바둑 경기가 유한하듯이 이 여정 또한 뚜렷한 끝이 있었다. 걸어온 길을 모두 되돌아가자 헤어질 때가 되었다.

이명은 한선호와 떨어지게 되어 아쉬웠지만 한편으로는 기뻤다. 그의 손을 잡고 어디든 갈 수 있다고 생각한 게 불과 몇 분 전이었지만, 이제는 빨리 그 손을 놓고 싶었다.

102동 앞에서 이명은 몸을 돌리며 걸음을 멈추었다.

"집 다 왔는데."

"그러네."

"차는?"

"저쪽에 세워 놨어."

"너 가야지."

"응."

한선호는 대답까지 해 놓고서 멀뚱멀뚱 서 있을 뿐, 갈 기미가 없었다. 한동안 그와 민망한 눈싸움을 계속하던 이명은 문득 한선호가 이틀 전에 무엇을 요구했는지 기억해 냈다.

'반장은 서양식이구나.'

키스를 받고 잠에서 깨어나는 공주 이야기는 들어 봤어도 키스를 받아야 집에 돌아가는 왕자 이야기는 들어 본 적이 없었다. 어쨌거나 한국적인 스타일은 아니지 않나. 이명은 주변에 아무도 없는 걸 확인했다.

눈을 감으며 발뒤꿈치를 들었을 때, 몸이 기울어지며 가슴이 한선호의 품에 파묻혔다. 그의 따스한 손바닥이 양 뺨을 감싸며 몸이 끌어 올려졌다. 눈을 다시 뜨자마자 입술이 한선호의 입 안으로 빨려 들어갔다. 겉으로는 차분해 보였는데, 그는 이명이 깜짝 놀랄 정도로 격정적으로 키스했다.

짧은 입맞춤은 이명에게 남아 있던 냉기와 에너지를 빼앗아 갔다. 한선호가 천천히 입술을 뗐을 때 이명에게는 서 있을 힘도 남아 있지 않았다. 다리가 풀려 휘청거리는 이명의 팔을 잡아 주며, 한선호는 한참 모자란다는 듯이 입맛을 다셨다.

"이번 주는 야근이 많을 것 같은데."

그는 타는 듯한 눈빛으로 이명을 바라보며 아무렇지 않게 말했다. 이명은 숨을 고르느라 아무 대답도 할 수가 없었다.

"시간 내 볼게, 오늘처럼."

"……괜찮은데."

한선호는 그가 겨우 짜낸 말을 못 들은 척했다.

"그럼 연락할게, 명이야."

"잘 가."

이명은 얼버무리듯이 내뱉고서 102동을 향해 빠르게 걸었다. 이명은 집 호수를 호출하고서 유리문이 열리기만을 기다렸다가 아파트 안으로 뛰어들어 갔다. 더 이상 바깥이 보이지 않는 캄캄한 복도에 들어서서야 등을 벽에 대고 미끄러져 내렸다.

'엄청난 데이트였어.'

엘리베이터 위에 붙은 시계가 10시 반을 가리키고 있었다. 이명은 한선호에게 최대한 피해가 없기를, 그가 내일 출근하는 데 지장이 없기만을 바라며 숨을 몰아쉬었다.

"읏……! 헉, 헉, 흣……."

단단한 어깨를 쥔 핏기 없는 손이 파르르 떨렸다. 어떻게든 오므려 보려고 애쓰던 허벅지는 올라탄 남자의 가슴팍을 향해 활짝 벌어져 있었다. 그의 신체는 이명이 감당하기에 너무 무겁고, 뜨겁고, 단단했다. 두 손목은 한선호가 감아쥐어 벗어날 수 없었고, 그의 상체에 깔린 몸은 미동조차 할 수 없었다. 이명이 할 수 있는 건 견디는 것뿐이었지만, 그조차 쉽지 않았다.

"으윽, 잠…… 깐. 아!"

쥐어짜듯이 겨우 소리를 낸 순간에 검붉은 기둥이 하얀 엉덩이 사이를 들쑤셨다. 뿌리까지 박을 듯이 빠르게 들락날락하자 살갗이 마찰하는 소리가 크게 났다. 장시간의 섹스에 지치지 않는 남성을 받아 낼 때마다 구멍에서 흰 점액이 허벅지 안쪽으로 삐질삐질 흘러내렸다. 그것은 한선호가 젤 대신 사용했던 이명의 체액이었다.

힘줄이 무섭게 돋은 페니스는 주름을 벌리고 내벽을 밀어내며 끊임없이 들락거렸지만 사정하는 기색이 없었다. 한선호는 고른 속도로 피스톤질을 했다. 이따금 귀에 닿는 숨결이 거칠어지거나 갑자기 키스할 때가 있었는데 그럴 때면 이명의 몸이 뒤흔들릴 정도로 거칠게 삽입한 뒤에 다시 움직였다.

"흑, 으흑……. 읏……!"

"왜, 명이야. 네가 또 넣어 달라고, 했잖아."

낮은 속삭임이 뜨거운 입김과 함께 귓가에 부딪쳤다. 마주 보는 자세가 민망해 적응이 되지 않았다. 눈을 뜨면 욕망에 젖어 자신을 똑바로 바라보는 눈동자가 보였고, 시선을 조금 내리면 굵은 근육이 조각처럼 잡힌 목이 보였다.

몇 번인지 모를 사정으로 흠뻑 젖은 이명의 페니스는 한선호가 무게를 실으며 아랫배 안쪽을 올려칠 때마다 쿡쿡 고개를 들었다. 게다가 아무리 이를 악물고 참아 봐도 입이 저절로 열리며 제 음성이라곤 믿을 수 없는 신음이 났다. 자신이 그에게 어떻게 보일지 고려하거나 민망해할 경황조차 없었다. 이명은 이불보를 꽉 쥐고,

고통을 줄이기 위해 하체에 힘을 풀려고 노력했다.

그렇게 반복했는데 접합부는 헐거워지지도 않는지, 어떻게 된 게 한 번 한 번이 모두 버거웠다. 첫 관계 때와 무언가 달라질 거라 생각했는데, 한선호가 밀고 들어올 때마다 몸이 부서지고 쪼개지는 기분은 그때와 똑같았다. 그는 이명의 상태를 고려하는 기색이 없이, 힘없이 바르르 떨리는 허리를 손으로 꽉 잡은 채 골반을 쳐올릴 뿐이었다. 한선호가 낮게 숨을 내뱉을 때마다 등허리에 소름이 돋아났다.

“명, 이야.”

“응, 으응……!”

“그저께, 왜 그랬어.”

왜 그렇게 일찍 들어가려고 했냐고, 바쁜 일이 있었냐고, 자기와 산책하기가 싫었냐고, 한선호는 이명의 귀에 입술을 바싹 붙인 채로, 이틀이나 지난 이야기를 캐물었다. 이명은 아무 생각도 할 수가 없어서 떠오르는 대로 뱉어 냈다.

“아, 아! 네가, 네가 피, 피곤할……! 으응!”

“나 그날, 하나도, 안 피곤했어.”

한선호는 태연하게 “명이야” 하고 덧붙이며 이명의 입술 사이에 혀를 넣었다. 한참을 휘저은 뒤, 그가 이명의 입술을 살짝 문 채로 중얼거렸다.

“사실은…… 흣, 너랑 더, 걷고 싶었어.”

“으, 흐윽, 미안, 미안……!”

“사과할 것까진 없고.”

허리 놀림이 점점 빨라지며 행위를 받아 내는 게 갈수록 버거워졌다. 그때쯤 가지런하던 한선호의 숨소리도 제법 거칠어졌다. 쪽, 하고 그가 볼에 입을 맞추더니, 그대로 목선을 따라 입술을 미끄러뜨렸다. 뺨에 열기가 느껴졌고, 짧은 머리카락이 닿은 곳이 까끌거렸다. 이명은 그의 얼굴을 똑바로 바라보며 황홀함을 느꼈다.

자신을 안은 팔에 힘이 들어간다 싶었는데, 한선호가 아예 무게를 실으며 빠르게 박아 대기 시작했다. 도저히 견디기 어려운 무게였고 자극이었다.

"아, 흣……."

"으읏, 응……! 응, 아! 아아!"

절정을 향해 내달리며 이명은 눈앞에 보이는 한선호의 어깨를 물고서 애원하듯 울부짖었다. 그와 살갗이 닿은 곳은 어디든 뜨거웠고, 찢기는 것 같았다. 그러다 도저히 참을 수 없게 된 순간, 이명은 눈을 질끈 감았다. 온몸에 힘이 잔뜩 들어갔다가 모든 긴장이 일시에 풀렸을 때, 격렬했던 움직임도 멈추었다. 한선호는 이명의 안에 페니스를 깊이 박아 넣고서 한동안 움직이지 않았다.

"하아, 하아……."

"윽, 흐윽, 으……. 흐으……."

이명은 흐느끼듯 신음을 흘리며 그의 어깨에 얼굴을 묻었다. 폭풍 같던 쾌감이 휩쓸고 지나가자, 그제야 민망함이 몰려들었다.

'……정말 엉망이다.'

첫 관계야 이미 지나갔으니 어쩔 수 없지만 이번에는 잘해 보고 싶었다. 한선호 정도로 능숙할 순 없더라도, 의연하고 차분하게 그의 눈을 들여다보며 사랑을 나누고 싶었다. 난생처음 섹스했던 순간에도 이명은 이토록 허둥대지 않았다. 왜 한선호 앞에서는 뭐든지 초보처럼 행동하게 되는 걸까.

불쑥 허리가 들리며 한선호가 그를 안고 옆으로 돌아누웠다. 한선호의 팔이 자연스럽게 이명을 감싸며 손끝이 배에 닿았다. 정액으로 얼룩져 더러운 배였다. 이명은 그가 그것을 만지지 못하도록 그의 손을 팔로 밀었다.

아직 빠져나가지 않은 페니스가 내장을 제 모양대로 짓누르고 있었다. 이명은 불편함에 몸을 조금 비틀었다.

"하아, 하아, 저기……."

"응?"

"나, 눌렸어……. 잠깐……."

팔꿈치로 기어 그와 거리를 벌렸다. 길쭉한 성기가 빠져나오기까지는 한참이 걸렸다. 이명은 그제야 공기를 폐에 가득 담으며 호흡할 수 있게 되었다. 엎드려 헐떡거리는 사이, 옆으로 누운 한선호가 그를 지그시 바라보았다. 어둠 속에서도 근육 잡힌 가슴이, 그 사이로 땀이 흘러내리는 것이 보였다.

"명이야, 괜찮아?"

이명은 말없이 고개만 끄덕였다. 이번에도 자연히 비교 심리가 고개를 들었다. 건드리는 족족 사정하고 행위 내내 발버둥 치면서 비명을 지르는 자신을 보며 한선호가 무슨 생각을 했을지 궁금했다. 지금도, 땀 흘리고 가슴이 오르내리는 정도인 그에 비하면 자신은 어디서 얻어맞고 온 사람처럼 초토화되어 힘없이 늘어져 있지 않은가.

한선호는 그런 이명의 심정도 모르고 환하게 웃었다. 그가 다가와 입술을 부드럽게 빨아들이자, 잠시 동안 마음에 머물렀던 속상한 감정이 일시에 날아가 버렸다.

'네가 좋아.'

민망해서 말로는 못 꺼내겠지만 정말로 그래. 이명은 뜨거운 입술이 제 것을 핥는 것을 느끼며 눈을 감았다.

격렬했던 섹스와 달리 부드럽고 다정한 키스가 끝나고, 한선호는 이명의 뒤통수를 끌어당겨 품에 껴안았다. 허벅지에 닿은 성기가 여전히 단단해서 당황하기는 했지만—이명은 더 이상 뭘 할 힘이 남아 있지 않았다—포옹은 무척 기분이 좋았다.

'커다란 개 같아.'

커다란 몸집이, 뜨거운 체온이, 지치지 않는 체력이, 무엇보다 행복감이 가득한 눈빛이 그런 연상을 하게끔 했다.

한선호는 평소에 젠틀한 남자가 잠자리에서 얼마나 달라질 수 있는지 보여 주는 표본 같았다. 섹스 버릇이 나쁘다거나 일부러 거칠게 구는 스타일은 분명히 아니었다. 다만 그의 기준에서 아무렇지 않은 모든 것이 이명에게 힘겨울 뿐이었다.

문득 이명은 창밖이 캄캄하다는 걸 알아챘다. 고개를 휙 돌려 시계를 보고서 눈이 크게 떠졌다.

'언제 11시가 됐어?'

이명은 한선호의 어깨를 밀어냈다. 아니, 밀려고 애썼으나 불가능했고 그가 스스로 몸을 일으킬 때까지 기다려야 했다.

"왜 그래?"

"벌써 11시야. 너 가야지."

"명이는 내가 불편한가 봐."

"뭐?"

"맨날 가래."

결국 오해받았다.

이명은 난처했으나, 이것은 꼭 필요한 오해라는 생각이 들었다. 조리 있게 말하는 능력이 부족한 자신이 한선호가 집에 가야 하는 이유를–즉, 이번 주에 야근이 많다던 그가 주중의 한중간인 수요일에 무리해서 찾아온 것부터가 문제인데 오늘 너무 늦게 들어가면 내일 업무에 지장이 생길 테고, 그러면 야근을 더 많이 해야 하고, 그가 불행해지는 건 싫기 때문에 반대한다고–정확히 설명하려면 분명히 얘기가 길어질 텐데, 그들은 그렇게 오래 이야기해 본 적이 없었기 때문이다.

"가. 욕실 써도 돼."

"같이 씻을까?"

"아니. 난 너 간 다음에 씻을 거야."

이명은 단호하게 말하곤 이불에 몸을 숨겼다. 어쩌다 이런 사이가 되었다지만 그가 환한 불빛 아래서 자신의 볼품없는 몸을 보게 하고 싶지 않았다.

한선호는 이명을 한동안 빤히 바라보다, 한숨을 작게 내쉬곤 침대에서 일어났다. 그는 이명과 달리 제 몸을 부끄러워하지 않는 듯했다. 그래서 이명은 그의 엉덩이와 허리 사이에 조각처럼 파인 홈과 헬스 잡지 사진에나 나올 것처럼 근사하게 잡힌 등 근육을 곁눈질로 엿볼 수 있었다.

한선호가 샤워하는 동안 이명은 이불 안에 숨은 채 물소리를 가만히 들었다. 그러는 동안 떠오른 하나의 의문은 아무리 골똘히 생각해도 풀 수 없을 불가사의였다.

'한선호는 나를 왜 좋아하는 거지.'

외모는 평범하고 늘 주눅 들어 있다. 성격은 어둡고 말주변도 없었다. 스스로가 보기에도 자신은 어디 하나 호감 생길 만한 구석이 없었다.

물소리가 그쳤을 때, 이명은 재빨리 눈을 감고 자는 척을 했다. 이런 기분으로 한선호를 배웅했다간 더 자신 없는 모습만 보이게 될 것 같았다.

얼마 지나지 않아 문소리가 나며 인기척이 가까워졌다.

"명이야."

이명은 이불 속에서 몸을 웅크린 채 움직이지 않았다. 곧 따뜻한 손끝이 그의 앞머리를 쓸어내리더니, 입술에 부드러운 것이 와 닿았다가 쪽 소리와 함께 떨어졌다.

"빨리도 잠들었네."

재미있어하는 말투였다. 그가 현관문을 열고 나갈 거란 이명의 예상과는 달리, 매트리스가 다시 출렁였다. 한선호가 옆에 누운 것이다. 곧 온몸에 소름을 돋게 하는 나지막한 속삭임이 귓가에 들렸다.

"명이야, 씻겨 줄까?"

'……이런.'

그러고 보니 동창회 다음 날, 깨어났을 때 온몸이 깨끗하지 않았나. 이명은 자신이 이미 수치감으로 너덜너덜해졌다고 생각했지만 놀랍게도 더 수치스러울 여지가 남아 있었다. 어쩔 수 없이 눈을 떴다.

"싫어……. 너 간 다음에 씻을 거라고 했잖아."

"왜 자꾸 가라고 해?"

"그건……."

"가지 말라고 네 눈빛에 써 있는데."

온몸이 합심해서 한선호를 집에 보내야 하는 이 중요한 순간에 눈빛이 배신을 한 모양이다. 이명은 그 말을 무시하고 심각한 표정을 지었다. 그러자 한선호가 한숨을 쉬며 침대에서 일어났다.

옷을 다시 입는 데는 오래 걸리지 않았다. 그는 보고 싶었다고 속삭이며 이명을 침대 위로 밀었던 몇 시간 전처럼 훤칠한 정장 차림으로 돌아왔다. 그를 보며 이명의 마음에는 또 예의 의문이 떠올라 속을 콕콕 찔러 댔다.

이명은 멀뚱멀뚱 서 있는 한선호를 한동안 바라보다, 그가 무엇을 원하는지 뒤늦게 알아챘다.

"이쪽으로."

손짓하자 한선호가 뚜벅뚜벅 침대를 향해 걸어왔다. 이명은 이불에서 팔을 꺼내 길게 뻗고, 코트의 깃을 붙잡아 그를 끌어 내렸다.

작별의 키스. 한선호는 한 손으론 베개 옆을 짚고 다른 한 손으론 이명의 볼을 감쌌다. 그의 행동 하나하나에 동요하고 싶지 않았지만 달콤한 키스에 머릿속이 텅 비어 버렸다. 이명은 한선호의 목을 끌어당겨 혀를 깊숙이 섞었다.

서로의 입술이 떨어지는 순간이 아쉬운 듯, 몇 번을 다시 가볍게 붙였다 뗐다. 한선호가 이명의 눈을 똑바로 들여다보며 나직이 말했다.

"거봐. 나 가는 거 싫잖아."

"아니거든."

거짓말에도 기술이 필요한 법이다. 이명은 어릴 때부터 바둑에 매진하느라 그런 기술을 배우지 못했다.

한선호는 속아 넘어가 준다는 표정을 지으며 돌아섰다. 그는 주변을 둘러보며, 자신이 멀리 밀어냈던 의자를 도로 식탁 아래 넣어 두고 바닥에 떨어져 있던 목도리를 주워서 둘렀다.

"주말에는 자고 가도 되지?"

"……응."

"그때까진 어떻게든 살아 있어야겠네."

한선호는 답지 않게 농담을 중얼거렸다. 이명은 그를 보고 싶은 마음에 이불을 망토처럼 두르고 일어섰다. 그러면서도 한선호가 제 몸을 볼 수 없도록 꼼꼼하게 가렸다. 다리가 후들후들 떨렸지만 벽에 기대니 좀 나아졌다.

현관 앞에 서 있던 한선호가 그 모습을 보고 웃었다. 갑자기 걸어와서 이명을 깜짝 놀라게 하더니, 몸을 터뜨릴 것처럼 꽉 안았다.

"무슨 인내심 테스트도 아니고 말이야……."

그는 그런 말을 남기고 다시 현관으로 뚜벅뚜벅 걸어갔다.

"잘 자, 명이야."

"너도, 잘 자."

한선호가 사라지고 문이 닫힌 후에야 이명은 침대 위로 풀썩 쓰러졌다. 그의 심장은 섹스가 끝났을 때처럼 강하게 뛰고 있었다.

"미쳤어……."

갑자기 걸려 온 전화, 그리고 도착하자마자 말도 없이 의자를 밀치고 키스를 쏟아붓던 한선호의 모습을 회상하자 뺨이 뜨거워졌다. 이 관계는 뭘까, 하루하루가 이렇게 심장 떨리는데 이런 걸 어디까지 버틸 수 있을까.

수많은 의문이 머릿속에 쓰였다가 지워졌다. 마지막으로 남은 건 가장 뿌리 깊은 한 가지였다. 이명을 우울하고 기분 나쁘게 만들지만, 해결하기 전까지는 없앨 수 없는 질문이었다.

'한선호는 왜 이명을 좋아하는 걸까.'

이명은 울적한 기분으로 이불 속에서 빠져나와, 맨몸으로 욕실 문을 열었다.

목요일과 금요일은 고작 이틀일 뿐인데 놀라울 정도로 느리게 지나갔다. 이명은 밥을 먹을 때도, 샤워할 때도, 침대에 누워 있을 때도 한선호를 생각했다. 뭘 하고 있을지, 일이 많은지, 잠은 충분히 자고 있을지 등 수많은 가벼운 의문이 생겨났다 사라졌다.

그는 이틀 동안 바둑판을 치워 놓고 그들의 관계를 복기했다. 자신이 어디에 서 있고 어떤 식으로 포위되어 있는지, 어떻게 하면 사석을 늘리지 않을 수 있는지, 상대의 세력을 어떻게 단수할 수 있는지, 즉 '어떻게 주도권을 가져올 수 있는지'에 매달렸다.

두 번의 잠자리도 지나고 보니 분석할 대상일 따름이었다. 섹스에 있어서도 이명은 기력이 훨씬 떨어지는 약체였다. 체격, 완력, 체력 어느 것도 한선호의 발치에도 못 미치니 말이다. 그렇다고 해서 손 놓고 누워 있을 순 없었다.

'더 잘할 수 있는데.'

생각하면 생각할수록 후회가 들며 이제까지 했던 모든 행동이 실수처럼 느껴졌다. 상상 속에서라면 뭐든지 매끄럽게 바로잡을 수 있지만, 막상 현실에선 그러한 생각이 바로바로 떠오르지 않았다. 왜 좋은 생각은 꼭 시간이 한참 지나고 과거를 곱씹을 때 떠오르곤 하는 걸까.

그래도 이번에는 시간이 이틀이나 있어서 다음 경기를 대비할 여유가 충분했다.

이명은 상영 중인 영화 목록을 파악하고 외출용 옷을 고심해서 골라 놓았다. 서울 시내에 산책할 만한 곳을 찾고 맛집도 검색했다. 토요일 점심을 함께 먹고서 데이트한 후 밤을 함께 보내고, 일요일 날 점심을 함께 먹고 헤어지면 될 것 같았다.

그렇게 이번에는 숙맥처럼 굴지 않고 자연스러운 모습만 보이리라 다짐했는데…….

"하, 아윽, 하아, 하아……."

"명이야, 뭐라고?"

"바, 밖에……. 헉, 흣, 읏……!"

"응? 밖에 나가고 싶어?"

"으, 으읏, 아!"

한선호가 집에 들어선 지 5분도 안 되어 이명은 또다시 침대 위에 엎드려 있었다. 밝은 햇살이 창을 통해 쏟아지는 토요일 낮이었다.

"커, 커튼, 읏, 커튼 쳐……!"

"응. 괜찮아."

한선호는 커튼에는 손도 대지 않았다. 그의 한 손은 끈적이는 젤에 젖은 채 이명의 엉덩이 사이로 미끄러지고 있었다. 다른 손은 그가 이불에 고개를 묻을 수 없도록 턱을 단단히 쥔 채였다.

"으, 으……."

한선호의 손가락은 그의 몸의 다른 부위들처럼 길쭉하고 두꺼웠다. 하나는 견딜 만했으나 곧 안에서 구부러지며 두 번째가 안을 비집고 들어왔다. 한선호는 이명의 고개를 제 쪽으로 돌려 입술을 가볍게 물었다. 두꺼운 혀가 입 안으로 들어온 동시에 손가락이 비좁은 틈을 천천히 벌렸다. 빠져나가는가 하더니 더 푹 들어와 질척거리는 소리를 내며 예민한 점막을 부드럽게 눌렀다.

무릎에 힘이 빠져 누가 허리를 아래로 끌어당기는 것처럼 척추가 휘어졌다. 하얗게 핏기 가신 팔꿈치가 바들바들 떨렸다. 지난번처럼 일방적으로 흘러가게 둘 수 없단 생각에 이명은 팔 한쪽을 휙 빼서 한선호를 향해 뻗었다. 하지만 그 때문에 휘청이며 자세가 옆으로 무너졌다.

"윽……! 헉, 헉……."

눈을 질끈 감은 순간, 등이 부드럽게 받쳐지며 자연스럽게 침대에 누운 꼴이 되었다. 이명은 눈을 뜨자마자 보이는 잘생긴 얼굴이 당혹스러워 고개를 돌렸지만 한선호가 턱을 쥐며 다시 저를 보게 했다.

밝은 대낮에 이런 짓을 하는 게 조금도 부끄럽지 않다는 듯, 그는 이명의 허벅지를 누르며 벌렸다. 손가락이 성기처럼 푹푹 처박힐 때마다 이명은 허리를 움찔거렸다. 저는 실오라기 하나 안 걸치고 있는데, 한선호는 상의를 갖춰 입고 있다는 게 못 견디게 수치스러웠다.

"너도, 헉, 너도 벗어……!"

"알았어."

"빨…… 리이, 흑, 으윽."

한선호가 후, 하고 숨을 낮게 내뱉더니 이명의 가슴께에 머물던 손으로 배를 쓸어내렸다. 흰 허벅지를 부드럽게 타고 내려가던 손이 발목에서 멈추더니 복숭아뼈 아래를 잡고 훽 들어 올렸다.

"아, 읏, 뭐, 뭐 하는……!"

한선호는 이명을 내려다보며 입술을 복숭아뼈에 갖다 댔다. 그리고 이로 살짝 물더니, 움푹 들어간 부분을 혀로 긁었다. 그 온도와 눈빛이 타는 듯이 뜨겁게 느껴졌다.

그의 입술이 쫍, 쫍 소리를 내며 발목을 한 바퀴 돌고서 종아리를 타고 오금까지 올라왔다. 한 번도 남의 손이 닿은 적 없는 곳 위로 뜨거운 혀가 미끄러지자 몸이 움찔거렸다. 한선호는 이명의 다리를 꽉 잡아 고정시키고 허벅지 안쪽의 여린 살갗을 잘근잘근 깨물었다.

그의 입술이 계속해서 안쪽으로 들어오자 이명은 마음이 다급해졌다. 온 힘을 다해 다리를 오므렸지만 어느새 그의 안에서 빠져나온 한선호의 젖은 손가락이 반대쪽 허벅지를 쥐고서 움직이지 못하게 했다.

"으, 흣, 그만……! 그만."

허벅지 안쪽을 넓게 쓸어 올리던 혓바닥이 사타구니 쪽으로 올라갔을 땐 차라리 기절이라도 하고 싶은 기분이었다. 한선호는 한쪽 음낭을 입 안 가득 넣고 굴리더니 혀끝으로 성기 밑동을 간질였다. 머리카락이 쭈뼛쭈뼛 서는 기분과 수치심이 함께 밀려들었다. 이명은 정신없는 와중에도 그의 팔을 쥐고 끌어당겼다.

"더, 러워. 하지, 마……."

한선호는 멈추기는커녕 이명의 엉덩이를 위로 밀며 하체를 조금 들어 올렸다. 이명은 넓게 벌어진 제 허벅지 사이로 한선호의 얼굴을 볼 수 있었다. 밝은 대낮인데도 그의 위로만 그늘이 져 있었다. 목울대의 목젖이 어둠 속에서 꿈틀거렸다. 한선호는 기묘한 욕망으로 번들거리는 시선을 들어 이명을 바라보았다. 그는 혀를 내밀며 고개를 그대로 숙였다.

"안, 돼……!"

한선호의 입술이 회음부에 닿았다. 이명은 제정신이 아니었다. 그가 제 은밀한 곳을 보는 것도 싫은데 입을 대다니……! 안간힘을 써서 겨우 다리를 모았지만 이번에는 한선호가 한 손으로 양 발목을 한꺼번에 잡아 올렸다. 그리고 뱀 같은 혀끝이 조금 전에 손으로 헤집어 놔서 살짝 벌어진 구멍 둘레를 날름거렸다.

"아읏, 윽! 제발, 흣, 그만……!"

주름 하나하나를 어루만지듯 핥던 혀가 조금 머뭇거리는 듯하더니 안으로 파고들었다. 이명은 난생처음 느껴 보는 수치심과 부인할 수 없는 묘한 쾌감에 몸을 발작하듯이 비틀었다. 그가 당장 이 행위를 멈추고 어디로 사라져 버렸으면 했다. 그런 동시에 한선호가 당장 제 안으로 들어오기를, 거칠게 쾌락을 쏟아 주며 이 간지러움을 몰아내 주기를 이명은 간절히 바라고 있었다.

한선호가 입을 아래에 묻은 채 손을 뻗어 이명의 손을 맞잡았다. 날카롭게 세운 그의 혀가 더 깊이 들어와 안쪽을 꾹 눌렀을 때 이명은 사정하고 말았다.

잠시 멈칫했던 한선호가 고개를 들었다.

"하지, 말라고…… 했……."

한선호가 그런 짓을 했다는 것을 믿을 수가 없었다. 그 쾌감에 절정까지 다다른 자신을 숨기고 싶은데, 그럴 수가 없어서 눈가에 눈물이 고였다. 그늘진 곳에서 그런 이명을 올려다보는 한선호의 눈빛은 축축하게 젖어 있었다. 음란한 자신에게 실망했을까, 하는 걱정이 덜컥 든 순간에 뺨 위로 눈물이 흘렀다.

한선호는 그렇게 엉망인 얼굴에서 눈을 떼지 않으며 이명의 페니스를 손으로 움켜쥐었다. 그 주변에 흐른 정액을 손에 듬뿍 묻히더니 제 성기 둘레에 발랐다. 이명이 울던 것조차 잊고 눈을 깜빡거리고 있을 때, 그가 갑작스레 몸을 겹쳤다.

"헉, 자……잠깐……!"

조금 전까지만 해도 멀었던 얼굴이 코앞에 있었다. 엉망진창인 자신과 달리 여전히 멀끔한 모습으로 그가 눈을 가만히 맞추었다. 그리고 각오했던 것보다 훨씬 큰 성기가 몸속으로 파고들었다.

이명은 눈을 뜨며 인상을 살짝 썼다. 잠기운이 덜어지지 않은 상태에서도 무언가 잘못되었다는 걸 알 수 있었다. 눈을 깜빡이고 바로 눕자 심한 고통이 허리에서부터 척추를 타고 올라왔다. 고개만 돌려 왼쪽을 보자 심장이 쿵 떨어졌다.

드리워진 커튼 아래 진한 그림자 속에서 한선호가 열여덟 소년처럼 순진한 표정으로 잠들어 있었다. 맨어깨를 드러낸 채 옆으로 누워 이불을 덮고 있는 모습은 처음이 아닌, 두 번째로 보는 거였다.

이명은 고개를 뒤로 꺾으며 손바닥으로 얼굴을 가렸다. 그가 자신을 엎어 놓고 세 번째로 삽입했던 순간까지는 기억이 희미하게나마 있었지만 그 뒤는 암전이었다. 이번엔 정말 잘해 보려고 했는데, 또 기절해 버릴 줄이야. 얼마나 한심해 보였을까.

쿵쿵, 무의식적으로 공기를 빨아들이자 손목에서 한선호의 청량한 향수 냄새와 뒤섞인 비누 냄새가 옅게 났다. 혹시나 싶어 앞머리를 끌어당겨 보았는데, 이번에는 진한 샴푸 향기가 났다. 감은 지 오래되지 않았을 때만 나는 냄새였다.

이명은 한동안 입을 꾹 다물고 부끄러움을 집어삼켰다. 뺨에 머물던 열기가 귀까지 옮아갔을 때쯤, '후' 하고 한숨을 길게 내쉬었다.

이미 일어난 일은 바꿀 수 없고 다음 수를 생각해야 한다. 그것은 그가 기사로서 받아들여야 했던 제1원칙이었다. 기력이 훨씬 뛰어난 사람과 바둑을 두고 있더라도 마찬가지다.

몸을 돌리자 잘 차려 놓은 정찬처럼 나무랄 데 없는 남자가 눈에 들어왔다. 이명은 옆으로 누운 채 코가 닿지 않을 정도로만 한선호에게 다가갔다.

불과 지난주 동창회에선 그의 속눈썹과 콧날, 입술을 관찰하면서도 제 것이 아니란 생각에 우울했었다. 지금 가슴에 넘실거리는 행복감은 한선호를 가졌기 때문일까. 그렇다면 나머지 반을 채운 불안감은 그를 언제든 잃을 수 있기 때문일까.

'난 아직도 너를 몰라.'

누군가를 잘 알지도 못하면서 이렇게 가깝게 느껴도 되는 걸까. 모든 생각의 결론에서 이명은 주저하고 말았다.

고등학교 시절 그를 향한 감정은 동경에서 비롯된 짝사랑이었다. 이명은 한선호처럼 되고 싶었고, 급기야는 그를 갖고 싶어졌다. 그렇다면 지금의 감정은 무엇일까.

'잘 모르겠어.'

고등학교 시절처럼 한선호에게 매혹당했다는 것만은, 물리적인 끈에 묶인 것처럼 그에게 이끌리고 있다는 것만은 확실했지만, 이명은 자신의 감정이 진지한 이름표를 붙일 만한 것이라곤 생각하지 않았다. 이를테면 '사랑' 같은.

그러나 한선호에게는 무언가 있는 게 분명했다. 자신에게 없기 때문에 끝없이 갈구하게 되는 무언가를 갖고 있어서 이렇게 계속 보고 싶어지는 것이리라.

그의 얼굴을 향해 손을 뻗은 건 의식적인 행동이 아니었다. 손끝이 한선호의 코에 닿았을 때는 이명 본인이 더 놀랐다. 그 때문에 한선호의 눈꺼풀이 꿈틀거렸을 때는 심장이 멎는 줄 알았다.

이윽고 한선호가 눈을 떴다. 무감정하던 눈이 몇 번 깜빡이더니 상냥한 웃음을 지었다. 한선호는 나른하게 눈을 감고 팔을 이명의 어깨에 턱 얹었다. 다음 순간, 이명은 그에게 끌려가 품 안에 갇혀 버렸다.

'……숨 막혀.'

무게가 상당했지만 제 목보다도 두꺼운 팔뚝은 밀어낼 엄두조차 나지 않았다. 머리 위에서 알아들을 수 없는 낮은 웅얼거림이 들리다 서서히 고른 숨소리로 변했다. 이명은 그런 그가 귀여워서 숨죽여 웃었다.

한선호가 다시 깨어났을 때는 정오가 다 되어 가는 시각이었다. 그동안 이명은 잠들었다 깼다가 그의 얼굴을 관찰하기를 반복하고 있었는데, 마침 그때는 깨어 있었다. 그들은 눈이 마주치자마자 진한 입맞춤을 오랫동안 나누었다.

침대에서 나와 세수하고 옷을 입었을 땐 1시가 넘었다.

"약속이 있다고?"

셔츠를 몸에 걸치며 한선호가 물었다. 그의 어투가 조금 차갑게 들려서 이명은 덜컥 긴장해 버렸다.

"응……."

"선약이면 어쩔 수 없지. 어디 가는데? 나가는 길에 데려다줄게."

"괜찮아."

"약속 장소가 어디야, 명이야."

그 말이 왜 그렇게 무섭게 들렸을까. 한선호의 얼굴을 살펴보았지만 다행히 화난 기색은 없었다. 이명은 더듬더듬 대답했다.

"대한 기원. 그리고…… 안 데려다줘도 돼."

"기원? 바둑 두러 가는 거야?"

"큰 대회가 끝나면……. 기원이랑 도장이랑…… 그러니까 어릴 때 사범님이랑, 가르쳐 주셨던 분들……. 인사드리러 가는데. 오늘은 기원만."

한선호는 한동안 생각에 잠긴 것처럼 입을 다물고 있었다. 이후에 그가 보여 준 모범적인 미소에 가슴을 옥죄게 했던 긴장감이 사르르 녹아내렸다.

"너 거기 가면 바둑도 둬?"

"응, 보통은."

"나도 같이 가면 안 될까? 구경하고 싶은데."

한선호가 아무렇지 않게 말했다. 이명은 이런 상황은 상상도 못 했기 때문에 깜짝 놀랐으나 생각해 보니 안 될 건 없었다. 기원이 나쁜 곳도 아닌 데다, 오늘 만날 이들도 친절한 사람들이다. 다만…….

"재미없을 텐데."

한선호는 이명의 말을 못 들은 것처럼 외투에 팔을 끼웠다.

그들은 기원에 가기 전에 기원 맞은편에 있는 백반집에서 점심을 먹기로 했다. 이번에는 이명이 운전했다. 정이나 엄마가 아닌 타인을 조수석에 태운 건 오래간만이었다. 늘 혼자 타고 다니는 차량 옆자리에 누군가가 있다는 게 낯설었다.

한선호는 모범적인 운전자였듯 모범적인 승객이었다. 안전벨트를 매고 단정하게 앉아 있는 모습은 공익 광고의 한 장면 같았다. 주로 정면을 주시했지만 가끔 휴대폰을 들여다보거나 측면 유리창을 통해 바깥을 보기도 했다.

그날따라 들어서는 길마다 정지 신호에 걸렸고 가는 길도 유난히 지루하게 느껴졌다. 이명은 끊임없이 옆자리를 곁눈질하며 한선호의 눈치를 보았다. 차가 그에게 비좁을 수도 있고, 괜히 따라왔다는 후회가 들 수도 있지 않은가.

사설 주차장에 차를 주차하고 내렸을 때는 고민거리가 사라지기는커녕 더 불어나 있었다. 아무거나 잘 먹는다길래 별생각 없이 자주 가는 음식점에 가자고 했는데, 입맛에 맞지 않을 수도 있으니까.

이명은 잔뜩 긴장한 채 백반집으로 들어섰다. 그가 초등학교 때부터 들락거렸던 작은 음식점은 TV에 나온 유명한 맛집도 프랜차이즈도 아니었다. 그저 아주 오랫동안 같은 자리에 존재해 온 식당일 뿐이었다.

문을 열자 딸랑거리는 소리가 났다. 머리를 쓱 숙이며 문을 통과하는 한선호는 어딜 가나 그러한 행동을 해야 해서 익숙해진 사람처럼 보였다. 식당에는 사람이 별로 없어서 그들은 2인용 좌석 중

하나를 골라 앉았다.
“여긴 뭐가 맛있어, 명이야?”
한선호가 벽에 붙은 메뉴판을 보며 물었다.
“다 먹어 봤는데 다 괜찮아.”
“넌 뭘 좋아하는데?”
“다 좋아하는데.”
“오늘은 뭐 먹을 거야?”
“오늘은…… 갈비탕 먹을래.”
“그럼 나도.”
주문하려고 손을 들자 사장이 플라스틱 물통을 들고 다가왔다.
“오랜만에 오셨네요.”
“갈비탕 두 개 주세요.”
기다리는 동안 이명의 불안감은 더 커져 갔다. 한선호가 어딘가 불편해 보였기 때문이다. 그는 주변을 자주 둘러보았고 식당에 몇 없는 손님이 돌아다닐 때마다 호의적이지만은 않은 시선으로 그들을 좇았다.
음식이 나오고서 그들은 말없이 수저만 움직였다. 한선호는 국물에 입김을 불어서 식혀 먹는 습관이 있었다. 이명은 그런 그를 보고서 9년 전의 어떤 기억을 떠올리며 몰래 미소 지었다.
“명이야, 이거 먹고 기원 갈 거지?”
“응.”
“선생님 뵈러 간다고 했나?”
“응. 조정환 원장님.”
이명은 아홉 살 때 바둑돌을 처음 쥐었다. 부모가 맞벌이라 학교가 끝나면 정과 둘이서 삼촌의 손을 잡고 외갓집으로 하교하던 시절이었다. 아이들과 몸으로 놀아 주다 지친 삼촌은 퍼즐과 동화책, 온갖 블록과 인형을 동원했지만 그마저 질려 하자 할아버지의 오래된 바둑판을 꺼냈다. 이명은 기이할 정도로 반들거리던 백돌을 처음으로 손에 쥐어 보았던 날의 흥분을 어제처럼 기억하고 있었다.

'누나, 누나, 누나누나누나! 우리 명이가, 아무래도 천재인 것 같아!'

전화기에 대고 고래고래 소리치던 삼촌의 목소리 또한.

"삼촌 대학 선배인데, 아홉 살 때부터 바둑을 가르쳐 주셨어."

"바둑 일찍부터 시작했구나."

"늦은 건데."

이명이 아는 또래 기사들은 대개 대여섯 살 때부터 돌을 잡았고, 서너 살 때 시작했다는 사람도 종종 보았다.

"기원하고 바둑 도장하고 달라?"

"응."

이명은 1년간 조 원장이 운영하는 대한 기원을 놀이터처럼 드나들며 바둑의 기초를 배웠고, 조 원장이 이명을 전문적인 시설에 보내야 한다고 엄마를 설득한 이후부터 임주혁 바둑 도장에 등원했다.

"도장은 학교 같은 느낌이야. 기원은…… 가 보면 알 거야."

그들은 그릇을 비우고 일어났다. 이명은 한선호가 계산대에 도착하기 전에 재빨리 계산하고서 아버지뻘 되는 남자 두 명에게 사인을 해 주고 식당에서 나왔다.

"잘 먹었어, 명이야."

"저번에 네가 커피 샀잖아."

한선호가 뭐라고 말하려고 한 순간, 누군가 이명의 어깨에 손을 턱 얹었다.

“이명 9단, 이제 오십니까?”

획 돌아보자 머리카락이 부스스한, 흐트러진 차림의 남자가 눈에 들어왔다. 대한 기원 조 원장의 조카, 조승빈은 이명과는 아홉 살 때부터 알고 지낸 동생이자 열다섯에 입단해 지금껏 왕성하게 활동하는 프로 기사였다.

승빈이 이명을 훑어보더니 빈정거리듯이 말했다.

“뭐야, 빈손이야?”

“이제 사러 갈 건데?”

“2등 상금 거 얼마나 된다고. 무리하지 마, 형.”

“비싼 거 안 살 테니까 걱정 마.”

이명은 장난 반 진담 반, 퉁명스럽게 내뱉었다. ‘기화생명배’에서 1등 못 했다고 대놓고 비꼬는데도 어릴 때부터 봐 온 동생이라 그런지 밉지 않았다.

“이분은…… 누구셔?”

그제야 한선호를 발견한 승빈이 그를 수상하다는 듯 올려다보았다. 승빈도 남자치고 작은 키는 아니었으나 한선호는 워낙 평균 규격을 훌쩍 넘어서는 체격이었다.

“어……. 친, 구야.”

친구. 발음해 본 적이 별로 없는 그 두 글자가 낯설었다. 이명은 한선호를 보지 않으며 말을 이었다.

“얘는 승빈이야. 조승빈 3단.”

한선호는 승빈을 특유의 속을 알 수 없는 무표정으로 바라보며 고개를 까딱거렸다. 승빈이 그런 그를 신기하다는 듯이 바라보며 깐족거리기 시작했다.

"아핫, 이 형이 친구도 있는지 몰랐네요. 키 엄청 크시다."

"너 가서 마실 거나 사 와."

이명은 승빈이 더 이상한 말을 하기 전에 그에게 카드를 내밀었다. 한선호와 떼어 놓으려는 속셈이었는데, 승빈이 맨발에 신은 슬리퍼를 질질 끌고 자연스럽게 한선호를 데리고 가면서 그 계획은 실패했다.

'……쓸데없는 소릴 하진 않겠지.'

불안한 마음으로 슈퍼를 향해 빠르게 걸었다. 네가 진짜 내 친구였다면, 당당하게 소개할 수 있었다면 좋을 텐데. 이렇게 이도 저도 아닌, 모호한 감정 하나로 연결된 실낱같은 사이가 아니었다면.

고개를 푹 숙인 채 진열대 사이를 돌아다녔다. 어느 대회에서든 1등을 하면 고기를 사 가는 것이 조 원장과 이명 사이의 관례였지만, 이번에는 결승에서 미끄러졌으니 간단한 간식이면 충분했다. 이명은 귤 한 박스를 사 들고 슈퍼에서 나왔다.

골목에서 담배를 피우며 기다리자 테이크아웃 컵을 든 승빈과 한선호가 카페에서 나오는 모습이 보였다. 그새 친해졌는지 웃으며 이야기하고 있었다.

"그럼 명이 형이랑은 고등학교 때부터 친구셨던 거예요?"

"네. 고2 때 같은 반이었어요."

"근데, 무슨…… 운동하시죠?"

"운동 좋아하긴 하죠."

"아, 진짜요? 몸이 좋으셔서 당연히 유도나 그런 쪽 선수이신 줄……."

역시나 쓸데없는 소리를 늘어놓고 있었다. 이명이 반쯤 태운 담배를 껴 버리고 최대한 빠른 걸음으로 다가가자 승빈이 종이 캐리어에서 종이컵 하나를 꺼내 내밀었다.

"선호 형님이 사셨어."

"……뭐?"

"내가 다른 데 보는 사이 결제해 버리셔서, 하하."

승빈은 장난스럽게 웃었지만 한선호는 웃고 있지 않았다.

'관심도 없는 장소에 끌고 가는 것도 모자라 돈까지 쓰게 하다니.'

승빈이 이명에게 카드를 돌려주고서 당연하다는 듯 귤 상자를 손에서 빼앗아 들었다. 왜 자기가 안 좋아하는 과일을 샀느냐며 한참 동안 구시렁거렸지만 이명은 대답하지 않았다. 그는 뒤에서 느껴지는 한선호의 존재감에 신경이 온통 쏠려 있어서 승빈에게 핀잔을 줄 여유조차 없었다.

그들은 기원의 층계를 올라 2층에 도착했다. 금방 식사를 마쳤는지 기원 건물 안에는 음식 냄새와 담배 냄새가 뒤섞여 있었다. 불쾌하지만 익숙한 냄새를 맡으며 문을 열자 열 명 남짓한 이들의 얼굴이 밝아졌다.

"우리 명이 왔구먼. 다들 알지? 우리 이명 9단."

돌연 처음 보는 중년 남자 한 명이 부리나케 달려오더니 이명의 손을 붙잡고 위아래로 흔들었다. 손을 가까스로 빼내자 다른 한 명이 종이를 내밀며 사인해 달라고 했다.

"거 다들 줄을 서요, 줄을."

여기 출입하는 사람이라 봐야 뻔하지 않나. 재작년에 조 원장의 부탁으로 회원 명부에 있는 모든 이름으로 사인해서 준 적도 있었는데, 이렇게 꾸준히 새로운 사람이 보이는 게 신기했다. 이사라도 오는 건가.

“짜식이, 결승에서 왜 그랬어. 응? 좀 잘하지!”

세 번째로 사인해 준 남자가 이명의 등을 툭 치며 말했다.

‘……보태 준 거라도 있나.’

저럴 줄 알았으면 사인을 안 해 줬을 텐데. 이명의 표정을 본 조 원장이 잽싸게 끼어들었다.

“심 사장은 국가의 영웅한테 무슨 말을 그렇게 하시나, 응?”

“우승을 했어야 국가의 영웅이지! 졌는데 무슨? 안 그래? 어?”

“이 사람, 씁! 아까 빼갈을 까더니 취했네, 취했어.”

“게다가 인마가 거 누구냐, 홍랴오치 형님한테 싸가지 없이 굴…….”

“승빈아, 사장님 모셔다 드려라아아! 댁에 들어가셔야지.”

조 원장의 지령에 승빈이 남자를 끌고 나갔다. 이명은 대회에 관해 한마디씩 하려는 사내들에게 다시 둘러싸였다.

슬쩍 뒤돌아보니 한선호는 문 앞에 멀뚱멀뚱 서 있었다. 그는 살짝 혼란스러운 얼굴이었다. 하긴, 요즘 시대에 실내에서 담배를 뻑뻑 피울 수 있는 곳은 없으니까. 게다가 오늘따라 분위기가 어수선한 것도 사실이었다.

‘나야 이런 게 익숙하지만……. 반장은 정말 싫겠다.’

이명은 인사만 하고 나가야겠다고 생각했다. 그러나 그가 입을 열려는 찰나에 심 사장을 처리하고 돌아온 승빈이 귤 박스를 높이 들며 큰 소리로 외쳤다.

“여러분! 이거 이명 9단이 사 온 겁니다. 하나씩 드시죠?”

“나 줘! 나부터 줘!”

“아냐, 나야! 나야!”

공짜 과일을 받을 수 있다는 소리에 자리에 점잖게 앉아 바둑을 두던 사람들까지 죄다 일어나서 이명을 우르르 둘러싸며 손을 뻗었다.

가장 먼저 귤을 꺼내 여유롭게 까먹던 조 원장이 문득 말했다.

"근데…… 저분은 누구?"

"명이 형 고등학교 친구시래."

그전까지 무표정하게 서 있던 한선호는 자기 얘기가 나오자 곧바로 표정이 부드러워졌다. 그는 조 원장에게 꾸벅 고개 숙여 인사하며 그가 내민 손을 공손하게 맞잡았다.

"명이 친구면 내 조카나 마찬가지지. 어서 와요, 어서 와."

처음 보는 사람에게도 친근하게 대하는 재주가 있는 조 원장은 팔을 뻗어 한선호의 등을 감쌌는데, 덩치 차이가 너무 많이 나서 마치 어른과 청소년처럼 보였다.

"어유, 인상 좋다. 아주 잘생겼고 탤런트 같아."

"하하, 감사합니다."

"친구는 바둑 좀 두시나?"

"아뇨. 보는 것만 좋아합니다."

"잘됐다. 오늘 우리 이명 9단 바둑 두는 거 보고 가."

"안 그래도 그러려고 왔습니다."

조 원장은 당연하다는 듯이 이명을 링 위로 밀었고 한선호는 웃으며 이명을 바라보았다. 진퇴양난이었다. 평소처럼 한판 두자니 한선호가 지루해할까 봐 신경 쓰이고, 그냥 가자니 그가 아쉬워할 것 같았다.

'빨리 끝내자.'

"그럼 한 판만 두고 갈게요."

이명이 그리 말하며 빈자리에 앉았다. 승빈이 바로 옆에 의자 두 개를 끌어와 하나는 저가 쓰고 하나에는 한선호를 앉혔다.

"오늘은 내가 우리 이명 9단한테 한 수 배우고 싶은데 말이야."

중학교 도덕 선생님이라는 점잖은 사내가 상대로 나섰다. 얼굴이 눈에 익은 기원의 단골로, 오가면서 몇 번 밥을 같이 먹어 본 적이 있긴 해도 기력이 어느 정도인지는 몰랐다. 하지만 상대가 누구든 상관없이 이명은 빠르게 끝낼 생각이었다.

"좋습니다."

"우와, 서 선생 계 탔네, 계 탔어!"

보통 사람들은 프로 기사에게 함부로 덤비지 않는다. 그러나 가끔 예외도 있는 법이다.

"우리 서 선생 대단한 은둔 고수시지. 인터넷 바둑이 뭐, 8단이시라고?"

"그럼요. 내가 실전 바둑에 강한 편입니다."

서 선생은 자리에 앉더니 이명에게 악수를 청했다. 사람 좋아 보이는 미소를 보이며 바둑판에 흑돌 일곱 개를 차근차근 깔았다.

"아저씨, 그냥 다 깔아요. 그래 갖곤 절대 못 이겨요."

"9점 접바둑을 하라고?"

서 선생이 승빈의 말에 발끈하며 그를 돌아보았다.

"난 그런 건 둬 본 적이 없네! 거의 150집을 덤으로 받는데 어떻게 그런 짓을."

"……7점은 참도 정정당당하시고요."

그는 아무래도 자존심이 강한 타입인 것 같았다. 이명은 구태여 반대할 생각이 없었다. 아홉 점 깔 것을 일곱 점만 깐다면 판이 훨씬 일찍 끝날 것이다.

"자, 당신이 고수니까 내가 먼저 두겠습니다."

서 선생이 눈을 반짝이며 말했다.

"잘 부탁드리겠습니다."

이명은 고개를 끄덕이고서 외투 안주머니에 손을 넣었다. 안경집에서 안경을 꺼내 얼굴에 걸쳤다. 그리고 엉덩이를 조금 빼고 의자에 걸터앉았다.

한선호가 곁에서 지켜보고 있었다. 그 사실이 한 번도 느껴 본 적 없는 불쾌한 긴장감을 불러일으키며 손끝을 굳게 했다. 이명은 진지한 표정으로 첫 백돌을 바둑판 상단에 내려놓았다.

대결이 시작된 즉시 어수선하던 분위기가 가라앉았다. 중요한 정식 경기도 아니고 고작 아마추어와 프로가 재미 삼아 두는 7점 접바둑일 뿐인데, 바둑판을 에워싸고 선 사람들의 표정에는 기대감이 가득했다.

서 선생은 어드밴티지를 적극적으로 이용하며 초장부터 방어하는 데 사활을 걸었다. 좌변의 세력을 공고히 하려는 전략이었겠지만 이명은 우상귀에 침입하며 그를 불러들였다. 수성을 고수하는 적을 끌어낼 때는 무모해 보이는 수를 던지고, 당근에 눈이 먼 말이 달려들 때 목을 친다. 살을 내어주고 뼈를 취하는 후절수는 이명의 특기 중 하나였다.

"무섭다, 무서워."

"저게 프로구나."

축을 쫓다가 세력 열세 점을 한 번에 잃게 생긴 서 선생의 안색이 흙빛으로 변했다. 이미 가망이 없는데도 그는 미련이 남은 듯 백의 성 테두리에 흑돌을 얹었다.

"그걸 두고 '죽은 자식 고추 만지기'라고 하죠. 그거 버리고 밑으로 빠져요, 아저씨."

승빈의 훈수에 진지하게 구경하던 이들이 웃음을 터뜨렸다. 이명은 그 틈을 타 옆을 슬쩍 보았다가, 저를 똑바로 바라보고 있는 한선호와 눈이 마주쳤다. 너무 일방적이라 긴장감도 재미도 없는 대결을 그가 어떻게 보고 있을지 신경이 쓰여 견딜 수가 없었다.

이명은 조바심이 나서 받쳐 줄 세력이 전혀 없는 중앙에 백석을 박았다. 서 선생은 기회라는 듯이 외로운 돌을 잡으러 왔지만 좌변을 공고히 하는 것이 나은 선택이었을 것이다. 흑돌, 백돌, 흑돌, 백돌, 속기가 계속되다 이명은 백 세력을 상단으로 이으며 어렵지 않게 적의 벌집을 일망타진해 버렸다.

"안 봐주네."

"좀 살살해요."

서 선생은 이제 울 것 같은 표정이었다. 흑이 초반에 집적거리다 버려둔 좌하귀를 백이 파호하자 그가 "하" 하는 한숨과 함께 손끝으로 이마를 짚었다.

애초부터 양 날개가 제한된 형국으로 시작한 게임이지만 기력 차이는 그 이상이었다. 더군다나 이명은 프로가 된 이후에 온갖 기괴한 패널티를 받으며 바둑을 두어 보았다. 초등학생 연구생과 붙었을 때는 한 수 놓을 때마다 제자리에서 한 바퀴 돌아 달라는 요구도 받아 보았는데. 이렇게 평범한 접바둑이라면 셀 수 없이 두어 보았던 것이다.

'빨리 끝내야 해. 분명히 지루할 거야.'

마음이 급해지면서 행마는 이전보다 더욱 공격적으로 변했다. 차분하게 생각할 여유가 없어, 널리 알려진 관용구대로 '축과 장문만 아니면 끊어 버리는 수'가 계속되었다.

"무슨 바둑이 이렇게 상도덕이 없어. 솔직히 낚시꾼들도 치어는 놔준다고요."

서 선생의 마지막 희망은 좌변에 있었다. 그는 몸부림치며 반항했지만 이명은 모자를 씌우며 흑 세력을 차근차근 삭감해 나갔다. 그 과정에서 구경하던 사람들의 반이 떠나갔다. 이제 더 볼 필요도 없다는 거였다.

"다들 이제 아시겠죠? 제가 맨날 저 사람한테 밟혀서 3단에서 못 올라가는 겁니다."

승빈의 질투 섞인 코멘트는 이명에게 아무 영향도 미치지 않았다. 그는 서 선생이 돌을 던질 때까지 그의 뼈와 살을 살뜰하게 발라냈을 뿐이다.

얼마 지나지 않아 제 손아귀에 남은 건 유골뿐이란 걸 깨달은 서 선생이 빨개진 얼굴로 말했다.

"그만하겠습니다. 프로는 차원이 다르군요."

"수고하셨습니다."

이명은 고개를 까딱 숙여 인사했다.

'끝났다. 너무 오래 걸리지 않아서 다행이야.'

마지막까지 게임을 지켜보던 몇몇 회원이 그의 어깨를 툭툭 치며 격려했다. 유리병에 든 음료수를 사다 주는 이도 있었다. 이명은 그들이 모두 각자 자리로 돌아갈 때까지 한동안 붙잡혀 있었다. 주변이 조용해졌을 때 이명은 조심스럽게 옆을 보았다. 한선호는 승빈과 이야기하고 있었다. 살짝 미소 띤 표정이었으며 언짢은 기색은 없었다.

'괜찮은 것 같기도……. 다행이다.'

하지만 이제 가는 것이 좋겠다. 평소라면 시간을 신경 쓰지 않고 더 머물렀겠지만 오늘은 그래선 안 될 것 같았다.

"원장님, 저 가 볼게요."

"그래? 벌써? 바쁜가 보다. 임 사범은 만나 봤고?"

"아니요. 어차피 교류회 때 뵐 거니까요."

멀지 않은 거리에 앉아 있던 승빈이 고개를 휙 돌렸다.

"형, 다음 주에 양양 가지? 몇 박이야?"

"2박 3일."

"누구누구 가?"

"사범님이랑 둘이 가는데."

"왜? 유진이 누나는?"

"요즘 바빠서 스케줄 맞추기가 어렵대."

"뭐래. 그저께 PC방 가던데."

이명은 두 발로 일어서며 한선호를 보았다. 시선이 그의 옆모습에 잠시 머물렀을 뿐인데, 한선호가 마찬가지로 일어서며 이명을 마주 보았다. 둘의 눈이 마주친 시간은 길지 않았다. 그러나 그 짧은 시간 동안 온 세상에 그림자가 드리운 것 같았다. 이명은 그가 웃어 주지 않는 모든 시간이 두려웠다.

"미안, 너무 오래 걸렸지?"

"괜찮아."

한선호는 부드럽게 답했지만 이명은 그 말을 곧이곧대로 믿을 수 없었다. 정말로 괜찮다면, 그의 눈빛이 눈에 띄게 날카로워졌던 순간들은 무엇이었을까.

역시 관심도 없는 기원에 데려온 것이 실수였다.

“선호 씨, 요즘 좋은 일 있어요?”

“제가 그래 보여요?”

“응. 요즘 맨날 야근하면서 왜 이렇게 행복해 보일까? 좋은 사람이라도 생긴 거야?”

“하하하, 네.”

“뭐어어어? 진짜야? 뭐야, 누구야? 축하해!”

하루가 멀다 하고 주변 사람들이 요즘 좋은 일이 있느냐고 물어봤다. 회사 사람들은 물론이고 아파트 경비원과 늘 담배를 사는 편의점의 아르바이트생도 그렇게 말했다. 요즘 기분이 좋아 보인다고.

한선호는 기분이 안 좋을 이유가 없었다. 스스로 보아도 불가사의할 정도로 잘 풀리는 나날이었으니까.

일, 탄탄대로였다. 취직하자마자 투입되었던 해외 전자 제품 박람회에서부터 공들인 본사 직계약이 더할 나위 없이 순조롭게 진행되고 있었다. 그 때문에 최근에 야근을 달고 살기는 했지만 고생하는 만큼 보람도 보상도 크게 돌아올 노동이었다.

주식도 호재였다. 보유 주식 중 부진하던 몇 가지가 상승세로 돌아선 것도 반가운데, 몇 년 전에 뭘 잘 모를 때 샀다가 묵혀 놓았던 종목이 상한가를 쳐서 뜻밖의 부수입을 얻었다. 술자리에서 재우에게 슬쩍 말했을 뿐인데 온 동네에 소문이 나서 친구들이 밥 사라고 난리였다.

[올리브나무] 축하드립니다. 명함 추첨 이벤트에 당첨되셨습니다.
상품: 식사 상품권 10만 원
따뜻한 연말, 사랑하는 사람과 함께하세요!

심지어는 이탈리아 레스토랑에서 하는 이벤트에 당첨되어서 어리둥절했다. 지난달에 식사하고 퇴장하면서 별생각 없이 응모함에 명함을 넣기는 했는데, 워낙 유명한 식당이고 이미 명함이 산더미처럼 쌓여 있어서 뽑힐 거라곤 기대도 하지 않았다.

소소하지만 기분 좋은 일이었다. 연애를 시작하고서 원래도 평탄했던 일상에 각종 행운이 쏟아지고 있었다. 같은 팀의 송 대리가 함께 야근하는 날 쓰자고 부추겼으나, 한선호는 좋게 거절했다. 상품권을 받자마자 머릿속에 떠오른 사람이 있었기 때문이다.

'가만, 명이가 이런 데를 좋아하려나.'

한선호는 추첨 문자를 가만히 들여다보며 전날 둘이 함께 갔던 식당의 메뉴를 떠올렸다. 우거지 선지국, 추어탕, 소머리 해장국, 도가니탕…… 이었던가.

'다 먹어 봤는데 다 괜찮아.'

이명의 음식 취향은 평범함과는 거리가 먼 듯했다. 한선호는 이명이 해장국 스타일의 음식을 선호하리라곤 상상도 못 했다. 구체적으로 생각해 본 적은 없었지만 그저 막연하게…… 이보다 덜 향토적인, 이름 어려운 외국 음식을 좋아할 줄 알았다. 게다가, 사람들은 보통 첫 데이트에선 무난한 메뉴를 고르지 않나.

한선호는 이명에게 선약이 있을 줄 모르고 일요일 점심에 오성급 호텔 출신 쉐프가 운영하는 일식집을 예약했었다. 그뿐 아니라 근처 영화관들의 상영 목록과 상영 시간을 조사했으며 저녁때 갈 만한 와인 바를 회사 동료에게서 추천받아 놓은 상태였다. 그것이 어렴풋이 상상했던 첫 데이트의 밑그림이었는데, 현실은 전혀 다르게 흘러갔다.

'저저, 이명 9단이여, 이명 9단.'

'그래? 둘 중에 누구?'

'기생오라비같이 생긴 쪽 말이여. 이따 사인 받아.'

해장국집에 들어서자마자 사람들이 이명을 알아보고 수군거렸다. 식당 벽에는 그의 사인이 미술관에서나 볼 법한 금색 액자에 든 채 정중앙에 걸려 있었다. 식탁에 턱을 괴고 앉아 있던, 사장으로 보이는 남자는 이명을 보자마자 총알처럼 튀어 올랐는데, 테이블에 물을 가져다주며 볼에 홍조를 띠었다.

아무렇지 않은 표정으로 밥을 갈비탕에 마는 이명은 자신을 둘러싼 관심에 너무 익숙한 나머지 신경조차 쓰지 않는 것 같았다.

'그러니까…… 명이는 이 세계의 아이돌 같은 거구나.'

애인이 바둑계 유명 인사란 건 진작 알고 있었지만 실상을 마주하니 기분이 묘했다. 놀랍기도 하고 불안하기도 하고, 뭐라고 단정 지을 수 없는 감정이 들었다. 꼬집어 말하자면 기분 나쁜 것에 가까웠다. 한선호는 식사하는 내내 이명에게 집중된 시선이 신경 쓰였고, 앞치마에서 응원봉을 꺼내도 이상하지 않을 것 같은 사장의 표정이나 아저씨들이 수저를 놓고 일어나 사인 받으러 오는 것도 불쾌하게 느껴졌다. 사인만 받으면 됐지, 악수는 왜 청하며 어깨는 왜 두드린단 말인가.

밥을 먹고 나오자마자 길에서 이명이 아는 기사를 마주쳤다. 애인이 어릴 때부터 알고 지냈다던 지인은 수다스러운 스타일이었으며 한선호와 초등학생 때부터 친했던 친구, 경민을 떠올리게끔 하는 구석이 있었다.

한선호는 조승빈과 인사하고 그가 음료를 사러 갔을 때는 따라가서 말동무를 해 주었다. 이명과 가까운 사람이라면 누구든지 궁금했다. 이 조승빈이라는 기사도, 이명의 은사라는 조정환 원장과 임주혁 사범도, 이명의 친구들, 가족과 친지, 그를 예쁘게 키워 주신 부모님도 전부 궁금했다. 그런데…….

'따뜻한 아메리카노 세 잔이랑요, 카페 라떼 한 잔 우유 많이, 시럽 많이 넣어 주시고 시나몬 대신 코코아 가루 뿌려 주세요.'

'…….'

'입맛 까다로운 거 알아줘야 돼요. 그쵸?'

조승빈이 카페에서 주문하는 걸 듣고서 한선호는 머리를 띵 얻어맞은 기분이었다.

이명이 까다롭다고? 며칠 전에 좋아하는 음료 있느냐고 물어봤을 땐 '아무거나'라고 하지 않았던가.

'그래도 이번엔 웬일로 일찍 극복했네. 아시죠? 1등 못 하면 집에만 틀어박혀 있는 거. 그거 정말 안 좋은 버릇인데.'

'……아.'

'맞다, 혹시 형한테 결승전 얘기 들으신 거 있어요?'

'아뇨. 그런 얘기는 안 해 봐서.'

'친구한테도 일 얘기는 안 하는구나. 솔직히 명이 형이 빡돈다고 돌 던지고 복기도 안 하고 나갈 사람은 아니잖아요. 근데 기사에는 그렇게 써 있고, 댓글 창은 악플 천지고, 답답해요.'

'…….'

'그런 쪽에 워낙 예민하니까 물어보지도 못하고……. 제가 물어보면 그냥 홱 째려보고 말걸요.'

조승빈은 이명과 지나치게 가까웠다. 심하게 말하자면 이명에 관해 뭐든 아는 것 같았다.

1등 못 하면 집에 틀어박히는 이명, 아무리 화가 나도 복기는 꼭 하고 퇴장하는 이명, 주변에 일 얘기를 터놓지 않는 이명, 경쟁과 순위에 무척 예민한 이명. 자신이 모르는 이명의 모습을 다른 사람이 잘 알고 있다는 데 질투가 났고, 그에 관해 모르는 자신에게도 화가 났다.

그토록 자존심과 승부욕이 강한 기사였던가. 이명이 중요한 대회 1등을 놓친 뒤 어떤 심정으로 동창회에 왔을지, 대국 이후 열흘도 지나지 않은 현재 어떤 상태인지 한선호는 짐작해 본 적이 없었다. 사실은, 마음속에서 은밀하게 그가 기화생명배 결승에서 패배한 걸 다행으로 여겼다. 승리했다면 동창회에 오지 않았을지도 모르니까.

복잡한 심정으로 다시 만난 이명은 기원이 있는 골목에서 담배를 피우고 있었다. 확실하게 손에 넣었다고 생각한 남자가 다르게 보였다. 고개를 살짝 뒤로 꺾고 하늘로 연기를 내보내는 그가 누구인지 잘 모르겠다고 한선호는 생각했다.

독일제 은색 투도어 카를 타고, 운전할 때 참을성이 별로 없으며, 해장국을 좋아하고, 타르가 8.0mg 든 독한 담배를 피운다는 걸 알게 된 것처럼, 앞으로 차차 알아 가면 되겠지.

마음의 준비를 단단히 하고 입장한 기원은 충격 그 자체였다. 미세 먼지가 '매우 나쁨' 수치일 때의 하늘을 재현해 놓은 것 같은 공기나 지저분한 실내는 둘째 치고, 이명 9단을 향한 열광적인 반응이란. 줄 서서 사인받을 때까지는 그러려니 했는데, 이명이 사 온 과일을 나눠 준다고 하니까 차마 눈 뜨고 볼 수 없는 난리가 났다. '기를 받겠다'라면서 서로 손을 뻗는 통에 여기저기서 바둑판이 엎어지고 사람들이 서로 이마를 박고 쓰러졌다. 선호의 눈에는 그저 시설이 안 좋은 곳에서 하는 팬 미팅으로만 보였다. 그것도 아이돌의 몸에 손대는 사람이 열에 아홉 명이나 있는 저질 팬 미팅.

그래도 고집부려서 기원에 따라간 보람이 있었다.

'잘 부탁드리겠습니다.'

이명이 바둑 두는 모습을 눈앞에서 볼 수 있었기 때문이다. 방송으로 경기를 본 적이야 있었지만 사각형 화면에는 하얗고 길쭉한 손밖에 나오지 않았다.

그전까지 무심한 표정으로 서 있던 이명은 바둑판 앞에 앉는 순간에 다른 사람으로 변했다. 눈빛도 자세도 그대로인데 그를 둘러싼 공기가 달라졌다. 평소에 순진한 소년 같던 남자는 프로 기사가 아닐 리 없는 아우라를 내뿜고 있었다.

'명이 멋있다…….'

저런 아이돌이라면 팬클럽이 있는 것도 당연하지 않나. 한선호는 비록 경기 내용을 거의 이해할 수 없었지만 홀딱 빠져들어 보았다.

'솔직히 저 형은 바둑 스타일이 좀 뭐랄까……. 잔인해요. 폭력적이고. 그렇지 않아요?'

이명을 18년째 알고 지내는 조승빈이 부러웠다. 꼬마였던 시절부터 이명과 친했던 것도, 같은 세계를 공유하는 동료란 것도, 그의 시시콜콜한 입맛이나 버릇을 속속들이 아는 것도, 이명이 편하게 대하는 대상이란 것도 전부 샘이 났다.

그러나 이건 아무것도 아니었다. 청천벽력 같은 소식을 듣고서 위기감은 정점에 올랐다.

'형, 다음 주에 양양 간다며? 몇 박이야?'

'2박 3일.'

'누구누구 가?'

'사범님이랑 둘이 가는데.'

며칠 동안 지방에 간다는 것도 충격적인데, 이명이 한선호가 한 번도 본 적 없는 사람과 단둘이 며칠간 지낸다고 생각하니 피가 마르는 기분이었다.

기원에서 나왔을 때 이명은 컨디션이 몹시 나빠 보였다. 피곤한지 자꾸 벽에 기대려고 했으며—늘 그렇기는 하지만—눈치를 심하게 보았고 우물거리듯이 말했다. 전날에도 무리하지 않았던가. 이명에게 한마디 하려던 한선호는 마음을 고쳐먹었다.

조승빈의 말투에서 짐작하건대 '교류회'라는 것은 정기적이고도 공개적이며 사제지간이 함께 가는 게 전혀 이상하지 않은 행사 같았다. 게다가 이 일은 그들이 재회하기 전에, 그러니까 한선호와 이명이 아무 접점도 없었던 시절에 계획되었다. 그 뼈아픈 사실이 한선호로 하여금 물러서게 했다.

아무리 그렇더라도, 짚고 넘어가야 할 것이 있었다.

'명이야, 다음 주에 양양 간다고 했지?'

'응.'

'언제 가?'

'수요일에 갔다가 금요일에 와…….'

이명은 피곤했는지 몹시 의기소침한 태도로 운전했다.

'임주혁 사범님하고 가는 거지?'

'응.'

'혹시 같은 방 써?'

'아니. 사범님 예민해서 방 혼자 쓰셔.'

'…….'

그럼 예민하지 않다면, 다 큰 남자 둘이서 한 방을 쓰겠다는 건가. 수요일 몇 시에 갔다가 금요일 몇 시에 온다는 건가. 바둑만 두겠다는 건가, 종일 붙어 있겠다는 건가. 묻고 싶은 게 산더미 같았지만 한선호는 입을 다물었다. 가뜩이나 이명이 자신을 극도로 조심스러워하는 상황에서 부담을 주고 싶지 않았기 때문이었다.

이명의 집에 도착했을 때, 한선호는 그를 따라 올라가고 싶은 마음이 굴뚝같았으나 꾹 눌러 참았다. 이명은 새파랗게 질린 얼굴로 달콤한 키스를 선사했고, 그들은 헤어졌다.

그때는 그거면 되었다고 생각했다.

그러나 하루가 지난 오늘까지 한선호는 조 원장이나 조승빈 3단, 임주혁 사범, 기원에 상주하는 팬클럽 회원들, 그리고 아직 만난 적이 없는 이명의 지인들을 문득문득 떠올렸다. 이명이 아무 경계 없이—가령 누가 어깨나 등에 손을 대도 아무런 문제점도 느끼지 못한 채—그들과 어울리는 게 발톱에 박힌 가시처럼 신경 쓰였다. 친한 사람들과 있을 땐 스스럼없이 말하고, 긴장하지 않고, 눈치 보지 않고, 깜짝깜짝 놀라지도 않았다.

곱씹을수록 이명은 자신과 함께 있을 때만 굳는 것 같았다. 자신에게는 종일 메시지 한 통 보내지 않는 이명이 그들에게 다정하게 연락하는 상상을 하니 억장이 무너지는 기분이었다.

'억울해…….'

한선호는 고개를 빠르게 저었다. 부정적인 생각을 몰아내고 냉정하게 마음을 다잡아야 한다. 이명이 교류회차 며칠 여행 가는 것도, 이미 친밀한 관계인 사람들이 잔뜩 있는 것도 바꿀 수 없는 일이며 바꾸려 해서도 안 된다. 일의 일환인 행사인 데다 지인들은 죄다 자신을 만나기도 전에 알던 사람들이 아닌가. 특히 이명의 은사는 그를 지금의 자리에 있게 해 준 은인이니 질투가 아닌 존경의 대상이어야 한다. 게다가…….

'괜찮아. 명이는 내 거니까.'

신경 쓰이는 부분이 조금 있을 뿐이지 한선호는 불안하지 않았다. 그의 확신은 금속처럼 단단했고 아주 작은 틈도 없었다.

"선호 씨, 법무팀이랑 얘기한 거 어떻게 됐어요?"

"13조 b항과 보증 조항 재컨펌 받고 방금 차장님 메일로 보내 드렸습니다. 리스크 관련 전달 사항과 운송비 체크 리스트도 함께 첨부했으니 검토 부탁드립니다."

"오케이, 확인해 볼게요. MOU 건은?"

"계약서 관련해서 법무팀 답신 기다리고 있습니다."

"좋아요. 어우 정신없다……. 연말에 일복 터지고 좋네."

미디콤 계약 건 확정과 해외대학 산학협력 양해각서 체결이란 겹경사를 맞은 해외영업1팀은 인력난에 시달리고 있었다. 본래 해외계약은 현지 지부에 넘어가는 경우가 대부분이지만 미디콤에서 독일 법인이 아닌 본사 직계약을 요구해서 수출전시회를 진행했던 해외영업1팀의 손발이 바빠졌다. 법무팀 과장 한 명이 11층에 상주하며 모든 회의에 참관하고 있었고 인턴 두 명이 지원 업무로 투입되어 태스크 포스 같은 느낌이 날 정도였다.

그 기동성의 중심에는 한선호가 있었다. 매일 답변해야 하는 메일 수는 스무 통을 웃돌았고 하루에도 몇 번씩 엘리베이터에 올라타 부서 회의에 불려 다니며 팀장과 차장의 발이 되어야 했다.

'그게 다 인사 고과지. HR에서 요즘 해외영업1팀만 본다는 소문이 있어.'

10시, 11시가 넘어서야 녹초가 되어 퇴근하는 그들을 다른 부서에서는 부러운 눈길로 보았다. 반도체 물량 결정권을 가진 판매총괄팀장이 자잘한 실무까지 꼬박꼬박 포워딩받는 업무였다. 한선호는 이 과업무의 끝에 어떤 보상이 올지 선배들의 말을 들어서 아는 데다 업무 자체에 보람을 느끼기도 했지만, 한편으론 열 시간쯤 침대에 파묻혀 있을 수 있는 늦잠이 그리웠다. 여유로운 아침 수영과 일찍 퇴근해서 친구들과 함께하는 술자리도 그리웠다. 주말에 게임을 하거나 야구장에 가던 나날도 그리웠다. 하지만 무엇보다 하고 싶은 것은 따로 있었다.

한선호는 아무 알림도 오지 않은 핸드폰을 괜히 만지작거리다, 어떤 대화 창을 열었다.

[나: 명이야] 6일 전

[13번 애인님: 왜?] 4일 전

[나: 지금 일어났어? (이모티콘)] 4일 전

[나: 출발할게] 3일 전

[나: 명이야 나 집에 잘 들어왔어. 잘 자] 이틀 전

[나: 점심 맛있게 먹어^^] 어제

[13번 애인님: 너도.] 19:43

서른두 시간이 지나고 답장이 왔는데 이걸 대화라고 할 수 있을까? 그런데도 한선호의 입가에는 옅은 미소가 머물렀다. 이명이 메시지 확인을 잘 안 한다는 걸 알지만, 정말 바쁠 때는 어쩔 수 없이 메시지를 보내 놓고 그의 답장을 기대하게 됐다.

한선호는 탁상 달력을 확인하고 다시 핸드폰 화면을 보았다. 이명이 교류회차 서울을 떠나는 날이 바로 내일이었다. 며칠 동안 멀리 떨어진다고 생각하니 잠깐이라도 얼굴을 보고 싶었지만, 남은 업무를 모두 끝내고서 그의 집에 찾아가면 자정이 넘을 것이다.

'명이 보고 싶다.'

한선호는 자리에서 기지개를 켠 뒤 메일과 메신저를 마지막으로 확인했다. 그리고 안쪽에 커피 자국이 말라붙은 머그잔과 핸드폰을 들고 슬그머니 일어났다.

탕비실에 도착하자마자 최근 통화 목록을 열었다. 메시지는 답신

율이 20%에 수렴하지만 전화는 그래도 반반이다. 안 받을 때도 있지만, 받은 적도 그만큼 있었던 것이다.

뚜……. 뚜……. 뚜…….

한동안 긴장되는 신호음이 울렸지만 통화는 가슴을 졸인 보람도 없이 무심하게 끊어졌다. 한선호는 통화가 종료되었다는 표시를 가만히 보다가 전화를 다시 걸었다.

뚜……. 뚜……. 뚜……. 뚜……. 뚜…….

이번에도 글렀나 보다 싶었던 순간에 신호음이 끊어지고 가쁜 숨소리가 수화기를 통해 귓속으로 흘러들었다.

— 하아, 하아, 여보세요.

일자로 다물려 있던 입매가 부드럽게 휘어졌다.

"명이야, 나야."

— ……근데, 왜?

퉁명스러운 말씨에 속지 않았다. 부끄러운 듯 속삭이는 음성에서는 전화가 와 기쁘다는 티가 꿀처럼 뚝뚝 떨어졌으니까. 한선호는 그런 이명에게 회사 앞까지 자신을 보러 오라고 조를 참이었다. 그러려고 바쁜 중에 짬을 내서 나와 있었다. 그는 할 말을 조심스럽게 골랐다.

"내일 교류회 가지? 언제 출발해?"

— 새벽 4시.

"4시?"

상상도 못 했던 대답이었다. 양양까지 차로 두 시간이면 충분할 텐데, 왜 그렇게 일찍 출발하는 걸까. 한선호는 10시 반을 가리키는 벽시계를 힐끔 올려다보았다.

“내일 일찍 일어나려면 얼른 자야겠네.”

— 알아. 안 그래도 자려고 그랬어.

“그래?”

아쉬움이 물밀 듯 몰려왔지만 지금은 그의 목소리를 듣는 것만으로 만족해야 했다. 입에서 저절로 한숨이 났다. 한선호는 혼잣말처럼 낮게 읊조렸다.

“보고 싶을 거야.”

— ……무슨. 3일 지나면 다시 올 텐데.

“그동안 못 보잖아.”

이명은 한동안 아무 말도 하지 않았다.

— 주말에 만나. 끊을게.

통화 종료

03:31

한선호는 커피 메이커 필터에 가루를 퍼 넣으며 생각에 잠겼다. 이명이 임주혁 사범의 차량 조수석에 앉아 있는 그림이 떠올랐지만 의식적으로 끊어 냈다. 어차피 내일까지는 일찍 퇴근할 가망이 없었다. 별일 없다면 수요일에 미디콤 계약 건에 도장이 찍힐 테니, 금요일에는 정시 퇴근도 가능하겠지.

‘이번 주말엔 데이트할 수 있겠다.’

한선호는 물이 끓을 때까지 기다렸다가 커피를 잔 가득 담고 자리로 돌아갔다.

“선호 씨! 자리에 없었구나? 빨리 메신저 확인해 주세요.”

"네, 알겠습니다!"

자리 비운 지 10분도 안 됐는데……. 투덜거릴 여유조차 주어지지 않았다. 한선호는 머그 컵을 책상에 놓고, 자리에 앉으면서 메신저를 열었다.

[나: 잘 도착했어?] 어제

[나: 강원도 공기는 어때~] 어제

[나: (이모티콘)] 어제

[나: 명이야] 12:04

이명과 연락이 끊겼다. 핸드폰은 꺼져 있고 메시지는 읽지 않은 상태로 남아 있었다. 한선호는 몇 달 동안 매달린 계약이 공식적으로 문서화된 것보다 강원도에 일하러 간 남자 친구가 마흔다섯 시간 동안 연락 두절이란 사실이 훨씬 신경 쓰였다.

"선호 씨! 오늘 저녁에 인턴들이랑 한잔 어때요? 회식까진 아니고 간단하게 뒤풀이 정도?"

"대리님, 저는 걸리는 일이 좀 있어서 들어가 봐야 할 것 같아요."

"왜? 집에 무슨 일 있어요?"

"그건 아니지만……. 애인한테 가 보려고요."

"맞네, 최근엔 데이트도 못 했겠네. 그러게. 오늘 일찍 들어가고 내일은 반차라도 써요."

"감사합니다."

한선호는 종일 핸드폰을 들여다보며 퇴근만 기다리고 있었다. 어제까지만 해도 이명이 단순히 핸드폰을 안 보고 있겠지, 너무 바빠서 답장할 시간이 없었겠지, 애써 변호하며 걱정하지 않으려 했다. 그런데 교류회 이틀째인 오늘 점심에 전화해 보니 핸드폰 전원이 꺼져 있었던 것이다.

보통은 여행 중 일과가 아무리 바쁘더라도 숙소에서 핸드폰을 충전하지 않나. 시간이 지날수록 마음속에서 불안감이 눈덩이처럼 불어났다. 연락이 끊긴 지 30시간이 지나면서는 실종, 사고, 납치 같은 불길한 단어들이 머릿속을 침투했으며, 이명이 의자에 묶여 있는 그림 같은 게 자꾸만 떠올랐다.

그러다 퇴근 시간이 되었다. 한선호는 해야 할 일을 모두 마친 데다 퇴근 준비를 진작 끝냈지만 야근하는 이들을 생각해서 30분 정도 참았다. 그러는 동안 각종 포털에 강원도에서 발생한 행방불명, 유괴, 살인, 강도, 고속도로 자동차 사고 기록 등을 뒤졌지만 관련이 있어 보이는 사건은 없었다. 또한 그는 이명이 참석한다는 교류회를 검색했고 임주혁 9단의 블로그를 찾아냈다. 그러나 교류회는 두 달 전 기사에서 스치듯 언급된 게 다였고 임 사범의 블로그는 마지막 업데이트 시기가 반년 전인 데다가 바둑 칼럼만 잔뜩 있었다.

"먼저 들어가 보겠습니다, 팀장님."

"선호 씨, 고생 많았어! 곧 회식 한번 거하게 하지."

"예. 수고하십시오."

팀에서 가장 먼저 퇴근하는 날이 올 줄이야. 평소였다면 몇 시간쯤 더 남아서 다른 사람들을 지원했겠지만, 오늘만은 걱정 때문에 가슴이 옥죄여서 태평하게 앉아 있을 수 없었다.

그는 주차장으로 향하며 온갖 부정적인 생각을 했고, 또 어떻게든 이명을 붙잡을걸, 하고 후회했다. 만일 교류회 전날 그의 집으로 찾아갔다면, 떠나지 말라고 설득할 수 있었을까. 그런 말을 꺼낼 수나 있었을까.

차마 말리지 못했더라도 스케줄 정도는 알려 달라고 할 수 있었겠지. 어느 호텔에 묵는지, 어떤 행사에 참가하는지, 종일 무슨 일을 하는지……. 하다못해 비상 연락처라도 알았다면 이렇게 답답하지 않았을 것이다. 그들의 관계가 핸드폰이 꺼지면 연락이 끊어지는 가느다란 실처럼 느껴져서 한선호는 속이 쓰렸다.

평소에도 혼잡한 올림픽대로는 퇴근하는 차량으로 가득했다. 일주일이 넘도록 매일 야근하다가 퇴근 시간에 맞춰 집에 가려니 적응이 안 됐다. 마음 같아서는 이명이 있을 양양으로 당장 달려가고 싶은데 차는 막히고, 답답할 뿐이었다.

우선 이명의 자취 집을 찾아갔다. 창문을 통해 불이 꺼져 있는 걸 확인하고서 경비원에게 그가 나가는 걸 보았느냐고 물어보았다.

“501호는 집에 없을 때가 워낙 많아서 잘 모르겠네.”

요는 그게 다였고 나머지는 모친이 자주 오는데 연말마다 선물도 챙겨 주고 좋은 분이라는 둥 한선호에게는 도움이 안 되는 소리뿐이었다. 한선호는 감사하다고 인사하고서 주머니 속에서 차 키를 만지작거렸다.

가 볼 만한 곳이 한 군데 더 있었다. 여기서도 이명의 행방을 알 수 없다면 어떻게 해야 하나 눈앞이 깜깜했다. 한선호는 경찰서로 갈지 양양에 가 보는 게 나을지 고민하다 일단은 모두 보류했다.

마침 회사 일이 한창 바쁜 시기는 지나가서 내일 하루 정도는 뺄 수 있다는 게 그나마 위안이 되었다.

곧 한솔 아파트 단지 안으로 차량을 몰았다. 아는 정보라곤 이명의 가족이 102동에 산다는 것뿐이었다.

한선호는 차를 길가에 세워 두고 경비실을 찾았다. 사무실에는 파란 유니폼을 입은 남자 한 명이 꾸벅꾸벅 졸고 있었다. 그는 일부러 발소리를 내며 탁자로 다가갔다.

"안녕하세요."

"어이쿠, 깜짝이야."

남자는 민망한 표정을 지으며 소매로 입가를 슥 닦았다. 그가 앉은 채로 한선호를 올려다보았다.

"102동에 이명이란 사람 찾아왔는데요. 제 고등학교 친구거든요."

"인터폰에 호출하세요."

"저……. 호수를 모릅니다. 바둑 두는 기사이고 뉴스에도 나오는 유명한 사람인데, 혹시 아십니까?"

"아, 바둑! 그 집이라면 알지. 근데 호수가 기억이 안 나네. 가만있자, 102동……. 잠깐만 기다리세요."

경비원은 한선호가 대답할 새도 없이 양철 문을 밀며 바깥으로 나갔다.

호수를 알아낸다고 해도 곤란하기는 마찬가지였다. 늦은 시간에 무턱대고 남의 집 초인종을 누르기도 난감하니까. 하지만 만일 이명에게 나쁜 일이 생겼다면, 약간의 민망함이나 부끄러움은 고민거리조차 못 된다. 한선호는 이명 부모의 낯을 보며 명이가 연락이 안 되어서 걱정되어 왔노라고 아무렇지 않게 말할 자신이 있었다.

기다리는 사이 벽에 붙어 있는 여러 명단을 샅샅이 살폈지만 찾는 이름은 보이지 않았다. 경비원이 나간 지 5분 정도가 지났을 때, 안절부절못하던 한선호의 눈에 사무실 한구석에 모아 둔 택배 상자 더미가 눈에 띄었다. 그는 그쪽으로 다가가 상자를 하나씩 살피기 시작했다.

수령자가 102동 주민인 소포와 우편만 추려 내고 그중 이 씨 성을 가진 사람들의 이름을 자세히 보았다. 1203호 이동명 씨가 이명의 아버지일 수도 있고 901호 이재혁 씨가 형이나 남동생일 수도 있으니까.

상자를 하나씩 체크하던 한선호의 손이 가장 커다란 상자에 닿았을 때 문이 벌컥 열렸다. 그는 곧바로 고개를 들었지만 젊은 여자가 손에 입김을 호호 불며 들어섰을 뿐이다. 한선호는 시선을 다시 택배 상자로 돌렸다.

102동 702호 이정

그러고는 운송장을 멍하니 바라보았다. '이정'이란 사람과 '이명'이란 사람이 같은 동에 살면서 혈연관계가 아닐 확률이 몇이나 될까? 쪼그려 앉아 있던 한선호는 약간 흥분한 상태에서 벌떡 일어났다.

그제야 익숙하지 않은 시선이 느껴졌다. 조금 전에 경비실에 들어왔던 여자가 경계하는 눈빛으로 자신을 바라보고 있었다.

택배 도둑으로 봤으려나, 변태로 봤으려나. 평생에 한 번도 받아 본 적 없던 유의 오해라 당혹스러웠다. 여자가 차가운 표정으로 다가왔다.

"저기요."

"네?"

"그거 제 택배인데요."

조금 당황한 채 여자의 얼굴을 본 한선호의 입이 천천히 벌어졌다. 그녀의 모습이 그가 아는 누군가와 놀랍도록 흡사했기 때문이다. 여자는 마른 체형에 장신이었다. 결 좋은 연갈색 머리카락이 핏기 없는 하얀 얼굴 주위로 흘러내리고 있었다. 다만 생소한 것은 눈매였는데, 그녀가 이명보다 크고 감정 표현이 풍부해 보이는 눈을 갖고 있었다.

"그거 제 택배라니까요. 주세요."

이명과 혈연관계가 아닐 리 없는 여자가 눈에 힘을 주며 손을 내밀었다. 그들은 말투마저 어딘가 비슷했다. 이정 쪽이 목소리가 훨씬 크기는 했지만.

한선호는 말없이 그녀에게 상자를 내밀었는데, 그때 마침 문이 열리며 경비원 두 명이 들어왔다.

"아까 바둑 기사 있는 집 호수 물어보셨죠? 그 동은 이분 소관이에요."

"응? 저 아가씨가 그 집 사는데, 뭘 나한테 물어봐."

이정의 고개가 휙 돌아갔다. 그녀가 눈을 크게 뜬 채 경비원과 한선호를 번갈아 가며 보았다.

"일단 나가시죠. 설명해 드릴게요."

한선호는 경비원들에게 꾸벅 인사한 뒤, 커다란 택배 상자를 든 채 경비실을 빠져나왔다.

"저희 오빠는 왜 찾으시는데요?"

바깥에 나오자마자 이정이 한선호의 품에서 상자를 빼앗아 들었다.

"명이 고등학교 친굽니다."

한선호는 지갑에서 제 명함을 꺼내 그녀에게 건넸다. 이정은 여전히 수상함을 떨치지 못한 시선으로 명함을 받았다.

"명이가 그저께부터 연락이 안 되는데. 교류회로 양양에 갔다는 건 알고 있지만, 혹시 무슨 일이 생겼나 걱정도 되고……."

한선호는 말을 끊고서 소리 없는 한숨을 내보냈다. 이명과 닮은 사람을 앞에 두니 긴장이 풀려 쓸데없는 말까지 하게 될 것 같아서였다.

"가족분들은 뭘 아실까 해서요."

이정은 오랫동안 명함을 바라보고만 있었다. 어느새 누그러진 표정은 처음처럼 날카롭지 않았다.

"명이 오빠 친구시라고요?"

그녀가 고개를 들어 한선호의 얼굴을 빤히 보았다. 당신이 믿을 만한 사람인지 살피겠다는 의도를 숨길 의지가 조금도 없어 보였다.

"네."

"그럼 연락 안 되는 거 익숙하실 것 같은데."

"그렇긴 하지만, 이렇게 아예 끊긴 적은 한 번도 없었어요."

이정이 눈을 아래로 내리깔며 의미심장한 미소를 지었다.

"오빠 잘 있어요."

그 말을 들은 순간에 왜 다리가 풀렸는지 모르겠다. 한선호는 건물 벽면에 등을 기대며 고개를 꺾어 하늘을 보았다. 온종일 애태웠던 보상인지 가슴에 안도감이 물감처럼 진하게 번졌다.

"걱정하셨나 봐요."

"하하하, 네. 양양이라고 해 봤자 두 시간 거린데 연락이 아예 안 되니까 이상한 생각도 들고……."

"두…… 시간이요?"

한선호는 이정의 말투에서 무언가 이상하단 것을 알아채고 다음 말을 기다렸다. 그녀의 표정이 기묘하게 변하더니 손이 올라와 입가를 가렸다. 그녀는 숨죽여 웃고 있었다.

"그…… 강원도 양양이 아니고, 중국 양양시예요. 아마 본토 발음으론 샹양일 거예요."

"……네?"

"오빠, 중국 갔어요."

한선호는 머리를 얻어맞은 것 같은 충격에 대답하지 못했다. 그를 한동안 바라보던 이정이 웃음기가 가신 표정으로 이어 말했다.

"원래 1년에 한두 번? 그쯤 가요. 그쪽에서 올 때도 있고요. 오빠 은사님하고 시립대학 교수님하고 친분이 있거든요."

"……아."

"애제자 중에서도 명이 오빠가 제일 잘하니까 꼭 데려가려고 하세요. 오빤 원체 거절을 못 하고요."

이정이 혼잣말처럼 빠르게 말하는 동안 한선호는 듣고만 있었다.

"핸드폰 꺼져 있는 건 사범님이랑 있어서 그런 거예요. 워낙 아날로그식이라서요. 우리 초등학교 때도 집중력 흩어진다고, 도장에 아예 전자 기기를 못 들고 들어오게 하셨어요."

"그래도 숙소에선 쓸 수 있잖아요."

"그렇죠. 근데 오빠 성격이…… 꺼져 있으면 그런가 보다 하고 신경을 안 써요. 답답하긴 하지만, 타고난 성격이 그런 걸 뭐 어쩌겠어요.”

이정이 핸드백을 뒤적거리더니 장지갑을 꺼냈다. 곧 그녀가 명함을 한 장 내밀었다.

“임 사범님 연락처예요. 혹시 오빠한테 하실 말씀 있으시면 여기 번호로 전화해서 바꿔 달라고 하세요. 저희도 필요하면 그렇게 해요.”

“……고맙습니다.”

한선호가 명함을 받자 이정이 고개를 꾸벅 숙였다.

“그럼 가 볼게요.”

“들어가세요.”

그녀가 등을 돌린 뒤에도 한선호는 그 자리에 서 있었다. 그는 내용의 반 이상이 한자인 명함을 보며 복잡한 심경에 휩싸였다.

‘무사하다니 다행이야.’

온종일 그로 하여금 쥐어 짜이는 기분을 느끼게 했던 걱정은 어느새 멀어져 있었다. 이명에게 나쁜 일이 일어날까 봐 얼마나 불안에 떨었던가. 그게 기우였다는 걸 알게 되자마자 간사하게도, 그 빈자리를 불쾌한 감정이 채우려 들었다.

이명은 마음먹으면 차를 타고 갈 수 있는 거리가 아닌, 한선호가 이름조차 들어 본 적 없는 해외 지역에 있었다. 그가 이 순간에도 임주혁 사범과 함께하리란 사실이 한선호를 괴롭혔다.

“아, 저기요!”

아파트 단지 쪽으로 걸어가던 이정이 큰 소리로 외쳤다. 한선호는 고개를 들고 그녀의 말을 기다렸다.

“죄송한데 혹시……. 고2 때, 그러니까 봄쯤에 운동장에서 축구하신 적 있어요?”

"매일 했죠."

"아, 그렇구나. 감사합니다! 들어가세요."

"……네."

이명의 동생이 이상한 것을 묻는 바람에 상념은 흩어졌다.

온종일 이명에 관해 생각했던 한선호는 이 순간에야말로 그의 목소리가 간절하게 듣고 싶었다. 그러나 그는 들고 있던 명함을 주머니 속에 넣었다. 손아귀에 힘을 준 탓에 빳빳한 종이가 구겨져 있었다.

한선호는 이정을 만난 뒤 샹양시의 공항과 항공편을 파악했다. 지역 공항에서 인천까지 직항은 하루에 한 대뿐이었는데 금요일 도착 예정 시간이 오후 2시였다. 그 비행기가 내일 바람을 타고 이명을 싣고 올 것이다.

한선호를 온갖 번뇌 속으로 몰아넣었던 교류회도 다음 날이면 끝이었다. 고작 2박 3일 동안 연락이 끊겼을 뿐인데 이렇게까지 힘들어하는 게 정상은 아니다 싶어도 그것이 현실이었다. 한선호는 그날도 이명을 그리워하고 그가 곁에 있었다면 얼마나 좋았을까 상상하며 잠들었다.

다음 날, 한선호는 출근하자마자 반차를 신청했고 30분도 지나지 않아 결재받았다. 신 팀장은 그를 불러서 푹 쉬라고 격려해 주었고, 다른 팀원들도 지나가면서 고생했다며 어깨를 두드렸다.

도무지 집중이 안 돼서 어영부영 앉아 있던 그는 포털에 이명의 이름을 검색하며 시간을 보냈다.

[단독] 이명 九단 샹양시립대학 방문, 패배의 쓰라린 기억 떨칠 수 있을까?

지난 '기화생명배 세계 바둑 선수권 대회' 결승전에서 태도 논란을 불러 일으켰던 이명 9단(27)이 어제인 10일(목) 중국의 샹양시립대학을 방문했다.

◇샹양시립대학 캠퍼스. 사진 제공=샹양시립대학

이명은 어제 오전에 바둑학과 학생들을 만나 질의응답을 받았다. 이후 현지 시간으로 11:00(한국 시간 12:00)에 허마오핑 9단(49)과 친선 대결을 벌인 뒤 바둑 애호가로 알려진 총장 장샤오징(65)과 오찬을 함께했다. 이명과 허마오핑의 대결은 샹양시립대학 홈페이지(링크)에 공개될 예정이다.

◇2012년 세계기왕전 직후 대국장을 떠나는 허마오핑 9단의 모습. 사진 제공=중국 기원

허마오핑 9단은 2012년 바둑계에서 은퇴한 뒤 샹양시립대학에서 후학 양성에 집중하고 있다. 세계 랭킹 10위권 안에 들었던 전적이 있으며 수성 위주의 기풍으로 '수문장'이란 별명이 있다. 과연 이명 9단이 '기화생명배' 결승의 쓴맛을 극복하고 허마오핑을 상대로 폭우를 쏟아 냈을지 바둑 팬들의 관심이 집중될 것으로 보인다.

오늘 오전에 등록된 기사에는 아무도 알려 주지 않은 애인의 행보가 자세히 나와 있었다. 비록 그의 사진 한 장 수록되어 있지 않았지만 한선호에게는 이 정보조차 소중했다. 게다가 친선 경기 영상을 올려 준다니, 적어도 손목까지는 볼 수 있으리라.

[댓글 115개]

sjw***: 져놓고 어딜 놀러다니냐~~ 자숙이나 해라~!!!

jkl***: 이명9단 · 응원합니다고맙습니다^,^

ask***: 대한민국을 빛내시는 이명님 진심으로 응원합니다♥

woo***: 두유노킹명?

ttk***: 재수없어서 비호감

qwe***: 이번엔 국가망신시키지 말길 ㅋ

han***: 오 사장 몰래 봐야지 ㄱㅅㄱㅅ

댓글 창의 반쯤은 조롱조거나 악플이었다. 한선호는 포털에 로그인해서 부정적인 의견마다 비공감 버튼을 꾹꾹 눌렀다.

시간은 금세 지나갔다. 점심시간이 되어 사람들이 일어날 때 한선호는 외투를 갖춰 입고 함께 일어났다. 다만 무리 지어 식사하러 가는 사람들과 달리 그는 상사들에게 인사하고 주차장으로 향했다.

정오의 퇴근길은 설렜지만 알 수 없는 불안감이 끼어 있었다. 한선호는 이명의 본가 앞에 차를 세우면서도, 잠깐 나가서 샌드위치와 커피를 포장해 차로 돌아오면서도, 정체 모를 불안감에 시달렸다.

차에 타서 확인해 보니 샹양시립대학 홈페이지에 기다리던 영상이 올라와 있었다. 페이지 번역을 하지 않아도 '李明'이란 글자 정도는 알아볼 수 있었다. '밝을 명' 자가 그와 잘 어울린다고 생각하며 로딩 시간을 기다렸다.

곧 영상이 시작되었고 얼마 지나지 않아 귀족처럼 길쭉한 손가락이 모서리에서 나타나 나무판에 흑돌을 내려놓고 사라졌다. 작은 화면의 프레임 밖에 그가 있었다. 한선호는 비밀스러운 취미를 즐기는 사람처럼 숨을 죽이며, 조심스러운 손길로 핸드폰을 거치대에 올렸다.

알아들을 수 없는 외국어 해설을 뒤로한 채 이명의 손을 하염없이 보았다. 한 수, 두 수, 세 수, 바둑판이 희고 검은 돌로 차근차근 채워졌다. 그동안 돌을 검지와 중지 사이에 끼운 새하얀 손가락이 나와 돌을 놓고 돌아가기를 반복했다.

손을 뻗자 뭉툭한 손끝이 평면에 갇힌 손등에 잠시 닿았다. 한선호는 내심 놀라며 화면으로부터 손을 뗐다. 이명을 걱정하고 기다리다가 정신이 어떻게 된 건가. 손의 주인은 그가 있는 곳으로부터 1,000km는 족히 떨어진 곳에 있는데. 아니, 이건 어제 자 영상이니 지금은 어디서 뭘 하는지 알 수조차 없지 않은가

"후……."

이명은 왜 3일 동안 한 번 연락하지 않았을까.

때늦은 의문이 확신의 틈을 비집고 들어왔다. 좋아하는 사람이 곁에 없으면 목소리라도 듣고 싶지 않을까. 나는 이렇게 보고 싶은데, 너는 내가 보고 싶지 않은 걸까.

그것은 단순하지만 명료한 의심이었다. 그리고 한선호가 아무리 변호하려고 애써도 시원하게 지워 낼 수 없는 의문이었다.

이제 바둑판에는 흑돌과 백돌이 어지럽게 놓여 있었다. 한선호는 바둑을 잘 모른다. 세상이 바둑처럼 뚜렷하다면 그도 바둑을 기꺼이 배울 것이다. 하지만 현실은 짙은 안개에 뒤덮인 산처럼 불확실하고 모호하지 않은가. 한선호가 흑돌로 이명의 주변을 에워싼다고 해서 그의 마음이란 백돌을 꺼내 줄 수 없는 것처럼.

이명이 판에 바둑돌을 놓을 때마다 섭섭함이 쌓여 갔다. 바둑판

에 얌전히 놓여 있는 돌과는 비교가 되지 않는 섭섭함이었다. 그것은 이명과 멀어진 거리만큼, 그리고 그의 침묵의 밀도만큼 무거웠다. 한선호는 경기 내용에 관해 아무것도 모른 채 영상을 끝까지 보았다.

영상의 마지막 프레임에서 집수가 집계되고서야 한선호는 이명이 이겼다는 것을 알게 되었다.

'축하해, 명이야.'

방송이 끊긴 뒤에도 그는 무표정으로 검은 화면을 한참 동안 바라보았다.

기다림은 계속되었다. 공항 도착 예정 시간이 2시쯤이고 곧바로 모친의 집으로 왔다면 이명은 진작 도착했어야 한다. 그런데 예상 시간인 3시 반이 훌쩍 지나고서도 아파트 단지는 조용하기만 했다. 그렇다고 해서 차량 시동을 끄고 운전석에 앉아 잠복근무하듯 몇 시간째 아파트 입구만 주시했던 한선호가 그를 놓쳤을 리도 없었다.

'생각을 잘못했나.'

이명이 당연히 자취 집이 아닌 본가로 오리라고 생각했다. 그렇게 생각하는 근거는 두 가지였는데, 첫째는 '기화생명배' 결승 다음 날도 이곳으로 왔기 때문이다. 둘째는 며칠 동안 가족을 못 봤으니 저녁을 함께 먹지 않을까 하는 막연한 예상이었다.

'어차피 여기로 온다는 것도 추측이지.'

몇 시간 동안 미동조차 없었던 입매에 자조적인 실소가 번졌다. 자신이 이명에 관해 제대로 아는 게 하나라도 있던가. 그가 무슨 커피를 좋아하는지, 중요한 경기에서 진 후에는 무엇을 하는지, 바둑은 어떤 식으로 두는지, 전부 다 남이 알려 주었다.

혹시나 해서 전화를 걸었지만 이번에도 "전화기의 전원이 꺼져 있사오니……"로 시작하는 지겨운 음성 메시지가 흘러나왔다. 그 목소리는 이번에도 한선호의 자신감을 흩어 버렸다.

어쩌면 비행기가 연착되지는 않았을까. 편명을 조회해 봤지만 인천 공항에 정상적으로 착륙했다는 것만이 확인됐다.

변수는 무궁무진했다. 공항에 도착한 뒤 집에 오는 대신 임 사범과 뒤풀이를 하러 갔을 수도 있고, 임 사범의 집에 놀러 갔을 수도 있고, 임 사범과 저녁을 먹으러 갔을 수도 있고, 임 사범과…….

'그만하자.'

한선호는 차량의 전자시계가 19:00로 변한 순간에 시동을 걸었다. 마지막으로 놀이터와 단지 입구를 살펴보았지만 기대도 하지 않았다. 잿빛 도로를 비추는 헤드라이트의 색이 그날따라 침울해 보였다.

집으로 돌아가기 전, 한선호는 이명이 자취하는 아파트에 들렀다. 교류회에서 돌아온 뒤 집에 갔을 수도 있으니까.

"501호 오늘도 집에 없어요. 거봐요, 잘 안 들어온다니까요."

한선호가 초소 앞에 차를 정차하자마자 지난번에 안면을 튼 경비원이 말했다. 한선호는 불이 꺼진 5층 라인의 창을 눈으로 확인하고서 차를 돌렸다.

어둑한 거리는 서울 시내답지 않게 뻥뻥 뚫려 있었다. 그러나 정지 신호에 한 번도 안 걸리고 집으로 달리는 동안에도 기분은 점점 가라앉았다.

동창회에서 이명을 봤을 땐 눈을 의심했다. 그가 자신을 힐끔힐끔 훔쳐보며 모든 대화를 듣고 있음을 눈치채고서는 오랫동안 바라온 소망이 이루어졌다고 생각했다. 이명이 홀로 나갈 때 따라 나가서 그를 손에 넣었다. 그러나 그것은 착각이었다.

인생에서 가장 어려웠던 일을 떠올릴 때 사람들은 으레 대입이나 취업을 언급하고 군필자라면 혹한기와 유격 훈련을 꼽기도 한다. 한선호에게는 고등학교 시절의 짝사랑이 그것들을 모두 합친 것만큼 힘들었다. 그리고 현재의 연애도 만만치 않게 어려웠다.

정말 이상한 일이었다. 늘 알 것 같다고 여긴 세상이 이명과 관련되기만 하면 수수께끼로 변해 버리는 건. 한선호는 근 3일 동안 미궁에 빠진 기분이었다.

오전 근무만 하고 오후에는 차에 앉아 있기만 했는데도 몹시 피곤했다. 지하 주차장에 차를 세우고 내렸다. 몸이 찌뿌둥해 팔을 크게 돌려 보았지만 조금도 개운하지 않았다. 한선호는 축 처진 걸음걸이로 끌려가듯이 걸었다.

지갑을 열고 카드 키를 빼냈다. 카드 키를 기계에 인식하자 삐 소리와 함께 유리문이 스르륵 열렸다. 그날따라 텅 빈 상자처럼 느껴지는 엘리베이터가 지하 1층에 도착해 한선호를 싣고 위로 올라갔다.

엘리베이터가 8층에 서고 문이 열릴 때까지만 해도 한선호는 아무 기대도 하지 않았다. 그래서 엘리베이터 앞에 누가 서 있다는 사실에 더욱 놀랐다.

모르는 사람이겠거니 하고 지나가려던 그의 시선이 낯익은 운동화에 붙들렸다. 한선호는 하얀 러닝화를 정말이지 한참 동안, 질긴 표면이 뚫어지겠다 싶을 정도로 진득하게 바라보았다. 그러다 그의 시선이 발목을 감싼 양말과 청바지를 타고 올라가, 더플코트에 감긴 남자의 얼굴에서 멈추었다.

이명의 표정을 본 순간에는 어떤 변호도 변명도 필요하지 않았다. 잠시 흐릿해졌던 확신이 의심의 균열을 채우며 다시 콘크리트처럼 굳어졌을 뿐이다.

그가 무슨 생각을 하고 있는지는 알 수 없으나 무언가를 골똘히 생각하고 있다는 건 분명했다. 눈동자가 열심히 돌아가고 있었기 때문이다.

"불법 침입…… 같은 건 아니고. 밑에서 기다리는데 누가 들어가길래, 따라 들어왔어. 이 오피스텔, 보안에 문제가 있는 것 같아. 도둑이, 이렇게…… 막 들어올 수도 있는 거잖아."

이상한 말을 주절주절 늘어놓더니 볼을 붉게 물들였다.

"야근…… 해서 힘들지?"

"……."

"원래 주말에 만나기로 했지만……. 그런데……. 그게, 아, 이거 주려고 왔어."

이명이 한선호의 가슴을 향해 쇼핑백을 당당하게 내밀었다. 빳빳한 종이 재질 위에서 붉은 붓글씨로 휘갈겨 쓴 한자 로고가 반질거렸다.

"너 피곤할 테니까, 이거만 주고 갈……."

한선호는 그의 말을 끝까지 듣지 않고 어깨를 끌어당겨 품에 가둬 버렸다.

이명의 목덜미에서는 좋은 냄새가 났다. 어떤 향수나 꽃향기와도 달랐다. 우유처럼 부드러우며 은은한 크림빛이 날 법한 향기였다.

조금 전까지 섭섭한 감정 때문에 우울하지 않았던가. 머리로는 기억하는데, 가슴 속에는 그러한 감정이 조금도 남아 있지 않았다.

이명은 한선호와 금요일과 토요일에 종일 붙어 있었다. 그리고 그들은 토요일 밤에 처음으로 크게 싸웠다.

발단은 고작 옷장 깊숙이 박혀 있던 티셔츠 한 장이었다. 이명과 수건을 하체에 두른 한선호가 베란다에서 나란히 서서 담배를 피우고 난 뒤에 그 끔찍한 일이 일어났다.

"명이야, 옷장 열어 봐도 돼?"

"상관은 없지만, 너한테 맞는 거 없을 텐데."

그가 옷장을 열 때만 해도 이명은 별 신경을 쓰지 않았다. 단지 섹스의 여운으로 노곤해서 빨리 잠들고 싶을 뿐이었다. 한선호가 옷장에서 무언가 꺼냈을 때 이명은 침대에 웅크린 채 반쯤 잠들어 있었다.

"이거 커 보이는데……."

옆으로 누워 눈만 겨우 깜빡이던 이명은 한선호가 들고서 탁탁 펴기 시작한 티셔츠를 한눈에 알아보았다.

"안 돼!"

그는 잠이 확 깨 침대에서 튀어 나갔다. 무작정 팔을 뻗어 한선호의 손에서 티셔츠를 빼앗았다. 그가 볼 수 없도록 옷감을 공 모양으로 구기고, 어찌할 줄을 몰라 주변을 두리번거리다 급한 대로 등 뒤에 숨겼다.

"하아, 하아……. 미안. 중요한…… 거라서."

그 티셔츠는 아주 오랫동안 이명을 어떤 감정과 연결해 줬던 끈이자 잊을 만하면 꺼내 보았던 추억거리였다. 동시에 이명의 우울하고 비참했던 학창 시절을 상징하는 물건이나 다름없었다.

무엇보다 한선호에게는 죽어도 보일 수 없었다. 특히 그와 연애하고 있는 지금, 그런 짓은 약점을 활짝 드러내는 거나 다름없는 행위였다.

"중요한 거?"

한선호는 작게 내뱉더니 아주 오랫동안 가만히 서 있었다. 그러는 동안 놀란 얼굴은 차분해졌고, 차분해지다 못해 딱딱하게 굳어갔다.

"누구 건데?"

그리 묻는 목소리는 평소처럼 다정한 구석이 조금도 없이 싸늘했다. 그가 뭘 오해했는지 대충 짐작한 이명은 덜컥 겁이 났지만 사실대로 말할 용기가 없었다.

"너한테 말해야 돼?"

"왜…… 못 말해 주는데?"

"말하기 싫으니까."

한선호의 입매, 음성, 눈빛 그리고 눈썹 한 올까지도 그가 기분이 안 좋다는 것을 드러내고 있었다. 이명은 손이 덜덜 떨려서 주먹을 꽉 쥐었고, 입술이 떨려서 이 사이로 억지로 밀어 넣었다. 머릿속은 온통 후회로 가득했다. 저걸 왜 진작 치우지 않았을까. 그러면 한선호의 기분을 상하게 하는 일도 없었을 텐데.

이명은 웃음기가 조금도 없는 한선호의 얼굴 때문에 겁에 질려 있었다. 꾹 다물린 입에서 너 같은 건 그만 만나겠다는 선언이 금방이라도 튀어나오기라도 할 것처럼. 사실은 언제 그런 일이 일어나도 이상하지 않다는 걸 알고 있었다. 다만 오늘만은 아니었으면 좋겠다고 생각했다. 지금은 마음의 준비가 되지 않았으니까.

한선호와 헤어진다는 생각을 잠깐 하는 것만으로 눈가에 눈물이 고였다. 최악이다. 바보 멍청이, 이러니 언제 차여도 이상할 것이 없지. 이명은 한선호가 보기 전에 얼른 눈가를 훔치고 눈을 부릅떴다.

한선호는 이명을 등진 채 한동안 침대에 앉아 있었다. 그는 심장을 덜컥 내려앉게 하는 긴 한숨을 내뱉고서 입고 왔던 청바지와 셔츠를 다시 걸쳤다. 이명은 그의 뒷모습을 멍하니 바라보았다.

뒤를 살짝 돌아보는 눈빛이 상처 입은 짐승처럼 보였다. 제깟 게 뭐라고, 그를 속상하게 만들었다.

이명은 현관을 향해 뚜벅뚜벅 걸어가는 뒷모습을 끌어안고 싶었지만 동시에 그를 잡을 자격이 없다는 걸 알았다. 죄책감과 미안함, 좌절 섞인 절망감. 온갖 부정적인 감정이 뒤섞여 소용돌이치며 가슴을 콕콕 찔렀다.

현관에서 한선호는 손바닥을 이마에 얹고 한숨을 길게 내쉬었다.

"이명."

"네가 생각하는 그런 거, 아냐."

"지금은 아무 얘기도 하지 않는 게 좋겠어. 잘 자."

차가운 문이 그의 뒷모습을 가리며 쾅 닫힌 뒤에도 이명은 오랫동안 잠을 이루지 못했다.

일어난 일을 복기하면 할수록 기가 막혔다. 그깟 티셔츠 한 장 때문에 한 침대 위에서 이틀간 붙어 있었던 사이가 틀어지다니.

갈등의 표면적 원인은 자신이 침묵했기 때문이었다. 하지만 기저에는 바닥을 메울 수 없는 무저갱이 있었다. 이명의 열등함과 한선호의 우월함으로 이루어진 깊은 구덩이.

한선호는 이명을 오해하고 있었지만 그것은 근본적인 문제가 아니었다. 그들 관계에는 태생적인 한계가 있었다. 빛이 아무리 강해도 걷어 낼 수 없을 어둠. 그 어떤 뜨거운 온기로도 녹일 수 없는 냉기. 그것이 한선호와 이명의 간극이었다.

'내가 잘못했어. 한 번만 용서해 줘.'

이명은 한선호의 앞에 무릎 꿇고 사과하는 자신을 떠올렸다. 과연 한 번으로 될까. 두 번, 세 번, 계속, 바보 같은 짓을 반복할 텐데. 나는 네게 사랑받을 자격이 조금도 없는 사람인데, 너는 언제쯤 진실을 알게 될까.

이명은 문득 모든 걸 포기하고 싶어졌지만, 아직 돌을 던지기엔 일렀다. 숨 쉬듯이 집을 빼앗기고 있다곤 해도 경기는 아직 초반이 아닌가.

다음 날 저녁, 머리부터 발끝까지 검은색으로 빼입고 집 앞에 찾아온 한선호는 그답지 않게 핼쑥한 모습이었다. 그가 잠을 잘 못 잔 것 같아서 이명은 걱정이 되었다.

"급하게 출장 일정이 잡혔어."

"……."

"사수가 오늘 부친상을 당해서 내가 대타로 가야 해."

"언제부터 언제까지……."

"일주일 내내. 토요일에 귀국할 거야."

내내 고개를 숙이고 있던 한선호는 그제야 얼굴을 보여 주었다. 그와 잠깐 눈이 마주쳤을 뿐인데 이명의 가슴은 진동 버튼이라도 눌린 것처럼 요란하게 뛰기 시작했다. 이명의 눈을 한참 동안 마주하고 있던 한선호가 피식 웃으며 시선을 아래로 내리깔았다.

"넌 아쉬워하는 기색도 없는데, 왜 난 벌써 너를 용서했을까."

"……난 아쉬워할 짓도, 용서받을 짓도 하지 않았어."

한선호의 얼굴에 괴롭다는 듯한 미소가 번졌다. 이내 그의 표정이 마법처럼 풀어졌다.

"알아. 네가 나를 사랑한다는 것도, 거짓말 따위 못한다는 것도. 너는 그저 변명하지 않을 뿐이잖아. 그렇지?"

"……."

"네가 과거에 누굴 만났든 상관 안 해. 지금은 내 거니까."

낯간지러운 말도 한선호가 하니까 어쩐지 중요한 격언처럼 느껴졌다. 이명은 그의 눈을 들여다보며 고개를 끄덕이고 말았다.

월요일 오전에 독일로 출국한 한선호는 가끔 메시지와 사진을 보냈다. 그러나 워낙 일정이 바쁜 듯했고 시차까지 있다 보니 소통이 원활하지 않았다.

이명은 시시때때로 노트북 앞에 웅크려 앉았다. 한 번도 유럽에 가 본 적이 없는 그는 인터넷 창에 서울과 프랑크푸르트의 시차를 띄워 놓았지만 그들이 얼마나 멀리 떨어져 있는지는 실감이 나지 않았다.

서로 다른 시각을 가리키는 두 나라의 시계 초침이 한 칸씩 넘어가는 걸 보고 있자니 한선호와 보냈던 시간이 뒤죽박죽 떠올랐다. 가장 인상에 깊이 박힌 모습은 마지막으로 보았던 핏기 가신 얼굴이었다. 그 모습은 죄책감과 불안감을 동시에 일으키며 이명을 괴롭혔다. 문득 그가 그리워졌지만 이명은 차라리 잘되었다고 생각했다. 한선호가 없는 5일은 연애에 지쳐 있던 자신에게 생각을 정리할 수 있는 기회가 될 테니까.

이명은 온종일 집에서 한선호에 관해 생각했다. 그리고 그와 어울리지 않는 자신에 관해 생각했다. 또한, 그간 의도적으로 잊고 있었던 기화생명배 결승에 관해 생각했다.

'패배 원인은 분석했니?'

'……아니요.'

'네가 초단 때도 안 하던 실수를 한 건 나도 충격이었다만, 아무리 멍청한 잘못에서도 배울 게 있어. 복기를 영영 하지 않을 생각은 아니겠지?'

샹양으로 향하는 비행기에서 임 사범은 특유의 냉엄한 표정으로 말했다. 그동안 연애 때문에 들떠 있던 이명을 단번에 지상으로 끌어내리고서 그는 검은 안대로 눈을 덮었다.

'네가 미래에도 같은 실수를 또 한다면 제법 실망스러울 거란다, 명아.'

임 사범의 차분한 목소리가 귓가에 맴돌았다.

그는 말수가 적은 남자였지만 입을 열었을 때는 틀린 말을 하는 일이 없었다. 이제까지 임 사범이 엄한 얼굴로 충고를 했을 때마다 이명은 수렁 속에서 허우적거리고 있었고 그가 가리킨 손은 늘 출구를 가리켰다.

'사범님 말이 맞아. 언제까지고 피할 수는 없어.'

이명은 바닥에 덩그러니 놓인 바둑판 앞에 털썩 앉았다. 항아리 모양 나무통의 뚜껑을 들어내고 차가운 돌이 손가락 사이에서 달그락거리게 몇 차례 휘저었다. 그는 한동안 바둑판 중앙을 노려보기만 했다. 흑석을 놓을 곳은 진작부터 정해져 있었지만 돌을 그 자리에 쉽사리 놓을 수가 없었다. 손이 그러기 싫다는 듯이 저항했기 때문이다.

이명은 몇 번이나 주저한 끝에 눈을 딱 감고 좌상 화점에 검은 돌을 놓았다. 다 잊은 줄 알았는데, 기석이 나무에 맞닿는 감촉이 손끝을 통해 전해지자마자 기화 호텔에서 첫수를 놓은 순간이 살아났다. 3주나 지났건만 모든 것이 소름 끼치게 생생했다. 이명은 대국장의 공기와 조명의 빛깔, 반대편에 앉은 홍랴오치 9단의 무덤덤한 눈빛과 입가의 비뚜름한 미소를 그대로 떠올릴 수 있었다.

그는 백돌을 꺼내 '태산'이 차지했던 화점에 그대로 놓았다. 기억하고 싶지 않은 패배를 그대로 답습해 가는 손가락이 불쾌한 감각으로 꿈틀거렸다. 이명은 마음을 다잡고서 그날 그리했듯 좌변으로 빠르게 눈을 돌렸다. 백은 깊이 파고드는 흑의 칼날을 몸을 비틀어 빠져나갔다. 뒤이어 흑이 들이치고 백이 되받는 구도가 계속되었다. 실리를 얻겠다는 목표를 숨기지 않으며 흑은 좌하귀를 집요하게 공격했다. 조금 엉뚱해 보이는 수로 일관하는 백은 집이 불타고 있는데도 모른 체하는 주인처럼 보였다.

이명은 백색 기석을 판에 올려놓으며 식은땀을 흘렸다. 그날도 이 수 때문에 위험하다는 생각이 직감적으로 스쳤었다. 그러나 한 수 때문에 모든 것이 연쇄적으로 무너져 내릴 거라곤 생각하지 않았다. 그럴 위치나 시점이 아니라고 판단했으니까.

'모르겠어. 여기서 다르게 두었더라면 결과가 달라졌을까…….'

흑돌을 쥔 손이 바둑판 위에서 어지럽게 흔들렸다. 잘한 것도 없지만, 딱히 잘못한 것도 없었다. 제 페이스대로 두었을 뿐이다. 그를 나락으로 끌어내린 105수까지는 이제 세 수밖에 남지 않았다. 그 사실을 떠올리고서 이명은 문득 숨을 쉬기가 어려워졌다고 느꼈다.

103수와 104수를 연달아 놓았을 때, 이전까지 쌓아 올린 모든 것이 모래성처럼 쏟아지는 환각이 눈앞에 아른거렸다. 아니, 이미 일어난 일이니 환각이 아니었다. 그의 앞으로 이미 나 있는 길의 종착점은 파멸이었다.

이명은 손바닥으로 입을 막았지만 그날처럼 숨이 급격하게 가빠졌다.

"읏, 흡……."

괴로움에 눈이 감겼다. 이명은 공처럼 몸을 웅크리고 입을 할 수 있는 한 가장 세게 틀어막았다. 신음이 새어 나오는 것도, 손목을 타고 침이 줄줄 흐르는 것도 죄다 혐오스럽기만 했다.

"못 하겠어……."

이명은 괴로운 표정으로 돌을 바닥에 내려놓았다. 폐를 찌르던 고통은 복기를 멈추자마자 멎었다. 이명은 거실이 아주 어두워질 때까지 소파에 웅크리고 있었다.

그러다 전화벨이 울렸을 때, 그는 소리가 끊어질 때까지 가만히 있었다. 그러나 방이 다시 조용해지고 나니 문득 떠오르는 기억이 있었다.

'아, 흑, 으윽! 잠깐…… 잠깐……!'

'연락도 안 되고, 얼마나…… 읏, 걱정했는 줄, 알아?'

'으, 응, 하, 흐윽, 미……안, 미안해……!'

빰이 달아올랐다. 이명은 벌떡 일어나 핸드폰을 찾아 두리번거렸다. 쓸모없는 기계는 집을 10분 동안 뒤진 끝에 신발장 밑에서 나왔다.

부재중 전화가 세 통 와 있었다. 하나는 엄마였고, 하나는 광고처럼 보이는 여덟 자리 번호였고, 방금 받지 못한 건 임주혁 사범에게서 온 전화였다.

[반장: 보고 싶다] 어제

'나도, 보고 싶어.'

이명은 네 글자로 이루어진 메시지를 확인한 뒤 활자를 몇 번이고 눈으로 쓸어내렸다. 그러다 문득 냉정한 자각이 벼락처럼 뇌리를 스쳤다.

'정말로 내가 보고 싶은 걸까.'

이명은 입술을 깨물었다.

그가 중국에서 돌아온 날에 한선호는 이명을 보자마자 침대로 데려갔다. 다섯 시간 동안 문 앞에서 기다리며 기념품이 그의 마음에 들까 조마조마했었는데. 한선호는 이명이 임 사범의 타박을 들으면서 고심해서 고른 과자와 술을 열어 보지도 않았다.

하긴 항상 그랬지. 그와 섹스가 아닌 다른 걸 해 본 적이 있었던가. 밥을 함께 먹고 기원에 간 날 그는 기분이 안 좋아 보였다. 뭔가 다른 걸 시도했던 게 잘못이었다. 그가 식사보다도 섹스를 즐긴다는 건 바보라도 알 수 있을 텐데. 단 한 번이었지만 손잡고 산책했을 때는 정말 좋았는데……. 그런데, 그도 그만큼 좋았을까.

이명은 다시 핸드폰 화면을 봤다. 그러자 '보고 싶다'라는 말이 조금 달라 보였다.

'나랑 자고 싶다는 거겠지.'

섹스가 나쁘다고 생각해 본 적 없었다. 한선호와의 관계……. 동경하는 사람과 사랑을 나누는 게 싫은 사람이 어디 있겠는가. 싫지 않다 뿐인가, 이렇게 이명을 머리부터 발끝까지 정신 차릴 수 없게 하는 사람은 이제까지 없었고, 앞으로도 없을 것이 분명했다. 그러나 그것은 한쪽의 입장일 뿐이다.

한선호와 관계하고 난 뒤면 이명은 죄인이 됐다. 섹스의 쾌감이 미처 사라지기도 전에 '나만 만족한 건 아닐까'하는 걱정이 들었다. 그의 힘이나 체력을 따라가지 못하고 중간에 뻗기 일쑤라 미안하다 못해 죄송하고 황송했다. 기절이라도 하면 머리부터 발끝까지 씻겨 놓는 것도 부담되고 눈치 보였다.

잘하고 싶었다. 한선호를 만족시키고, 매혹하고, 그를 사로잡고 싶었다. 하지만 적극적으로 움직여 보려고 해도, 그가 손만 대도 몸이 딱딱하게 굳으며 말을 듣지 않았다.

그의 과거 애인들은 얼마나 아름답고 매력적인 사람들이었을까. 분명히 섹스도 좋았겠지. 그들은 길고 진득한 섹스를 즐기는 한선호를 분명히 만족시켰을 것이다.

'지금 그게 문제가 아니잖아.'

이명은 답장을 하지 않고 핸드폰을 화면을 잠갔다. 눈을 감자 눈꺼풀이 바르르 떨렸다.

그때 다시 전화벨이 울렸다. 이명은 다시 눈을 뜨고서 차가운 표정으로 핸드폰을 내려다보았다. 이번에는 전화를 늦지 않게 받을 수 있었다.

"네, 사범님."

축 가라앉은 음성은 제가 듣기에도 낯설었다. 그 때문인지 임 사범은 한동안 아무 말도 하지 않았다. 잘못 건 건가 싶었을 때 그가 불쑥 물었다.

— 집이야?

"네."

또다시 침묵이 감돌았다. 이명은 아무 소리도 나오지 않는 휴대폰을 들고 있는 자신이 바보처럼 느껴졌다. 임 사범은 실컷 적막을 즐긴 뒤에 말했다.

— 네가 뭘 하고 있는지 알 것 같은데……. 내가 도와줘도 되겠니?

임주혁 사범은 낚시하는 법을 알려 주기보다는 물고기를 잡을 때까지 옆에서 지켜봐 주는 스승에 가까웠다. 이명은 그가 무엇을 해결해 줄 수 있으리라곤 기대하지 않았지만 고개를 작게 끄덕였다.

"네."

— 대강 1시간 뒤에 도착할 것 같구나.

전화를 끊자 자연히 104수에서 멈춘 바둑판이 시야에 들어왔다. 이명은 흑돌을 주먹에 가둔 채 교차점을 노려보았다. 발을 잘못 디딘 그를 추락하게 한 지점이었다. 저 끝없이 아득한 구멍으로부터 모든 것이 시작되었다.

그 구덩이가 문득 한선호처럼 보였다. 단지 매혹되었다는 이유로

발을 들이지 말아야 했던 위험한 덫. 그날 멍청하게 저 자리에 착점하지 않았더라면 경기는 그토록 빨리 끝나지 않았을 것이다. 동창회 따위 가지 않았을 테고, 이명은 이토록 괴로워할 필요 없이 온전하게 자신으로 남아 있을 수 있었으리라. 적적하지만 평온한 삶, 한선호가 없는 삶.

상상 속에서 한선호를 품는 것은 쉽고 달콤했다. 그러나 현실의 이명은 그렇게 품이 넓지 않았다. 그의 마음은 너무 작고 까끌까끌해서 타인을, 이토록 온전히 사랑받아 마땅한 사람조차 안을 수 없었다.

모르는 사람들과 자신을 비교하고, 타인의 일거수일투족에 눈치 보고, 과거의 부끄러웠던 일들을 끄집어내고, 자신의 가장 실망스러운 약점을 낱낱이 마주했다.

결정적인 한 수가 갇혀 있는 주먹이 부르르 떨렸다. 이명은 답답한 마음에 돌을 아무 데나 놓고 싶었지만 그럴 수가 없었다. 또한 그는 의식적으로 한선호에 관해 생각하지 않으려 애썼다. 하지만 그러면 그럴수록 한선호의 존재감이 그의 안에서 더욱 커져 가며 자신을 잠식하는 듯한 착각이 들었다.

이명은 돌연 분노가 치밀어서 쥐고 있던 흑돌을 바둑판 위로 던졌다. 돌들끼리 날카롭게 부딪히며 가지런하던 대열이 흩어졌다. 이명은 두꺼운 바둑판 아래로 쏟아져 내리는 바둑돌을 차가운 눈으로 바라보았다.

그가 바라보고 있는 것은 망쳐 버린 하나의 경기가 아닌 자신의 바닥처럼 보였다. 초라한 겉모습마저 걷어 내고 아무것도 남지 않은 밑바닥, 어둡고 보잘것없는 그의 본질이었다.

임주혁 사범은 1시간이 조금 되기 전에 아파트 앞에 도착했다. 1층에서 누가 호출할 때 나는, 귀 째지는 왈츠 소리는 이명이 버튼을 누르자 사라졌다. 얼마 지나지 않아 띵동, 하는 초인종 소리가 들렸다.

"안녕하세요."

이명은 문을 열며 고개를 꾸벅 숙였다. 집 꼴이 엉망이었지만 그런 것이 신경 쓰일 만한 사이는 아니었다. 임 사범은 엄마가 전해달라고 부탁했을, 식사가 담긴 비닐봉지를 식탁에 놓고서 거실 불을 켰다. 어둠에 익숙해져 있던 이명은 눈을 찡그렸다.

임 사범은 말없이 바둑판 앞에 앉고선, 검고 흰 돌이 엉망으로 흐트러진 꼴을 보고 인상을 찌푸렸다. 그러곤 반대편에 앉은 이명의 얼굴을 뜯어보았다.

이명은 스승이 느릿하게 돌을 정리하는 것을 지켜보고만 있었다. 희고 검은 돌을 깨끗하게 분리하고서 임 사범은 검은 돌 통을 이명의 앞으로 밀었다. 이명은 그 안에 담긴 패배의 씨앗들을 노려보다가, 마지못해 하나를 집어 들었다.

임 사범은 자연스럽게 홍랴오치 9단의 역을 자처했다. 그날의 중압감과 흥분은 비록 존재하지 않았지만, 그 대신에 이명은 긴장감과 묘한 짜증을 느꼈다.

임 사범은 이명을 재촉하지도 않았고 힐난하지도 않았지만 그를 끊임없이 다음 수로 밀어냈다. 이명은 불쾌한 방파제에 조금씩 가까워지는 파도 같은 신세였다. 숨 막히는 승부를 답습하는 마음속에는 이제 두려움만이 가득했다. 방향을 바꿀 수 있다는 기대 따위 없이 이명은 인형처럼 눈앞에 펼쳐진 사지로 한 걸음씩 걸어 들어

갔다.

“내 눈엔 간단한 문제로 보이는데…….”

임 사범이 102번째 수를 판에 놓으며 평온하게 말했다.

“유감스럽게도 넌 조금도 이해를 못 하고 있는 것 같구나.”

이명은 수수께끼 같은 말을 무시하고 103번째 수를 두었다. 임 사범은 곧바로 백돌을 내려놓지 않았다. 이명은 제 얼굴에 내리꽂히는 그의 시선을 느낄 수 있었다.

“네가 처음 도장에 왔을 때 내가 해 주었던 말, 기억나니?”

임 사범은 더 이상은 아무 가치가 없다는 듯 돌 통의 뚜껑을 닫았다. 이명은 그의 눈을 보지 않으며 작게 대답했다.

“바둑판에는 두 마리 토끼가 있고, 애를 쓰면 그중 한 마리만 가질 수 있다고 하셨죠.”

“그래. 나는 포기하는 법부터 가르치는 편이지. 네가 그걸 기억하고 있다니 그나마 안심이 되는구나.”

바둑의 본질은 ‘선택’에 있다. 그것은 이제 와서 곱씹기도 민망한 개념이었다. 이명은 임 사범이 갑자기 왜 그렇게 기본적인 원리를 끄집어내는지 의아했지만 조용히 있었다.

“넌 내가 가르친 학생 중에 가장 골치 아프고 종잡을 수 없는 아이였단다, 명아.”

“……네.”

“네 기력이 외부적인 요인에 따라 고무줄같이 변하는 것도 이제 익숙해졌다고 생각했는데, 이번에는 정말이지 심하구나.”

임 사범은 한숨을 쉬며 고개를 양옆으로 저었다. 무거운 침묵이 둘 사이에 내려앉았다.

"욕심나는 걸 모두 가질 수 없다는 점에서 인생과 바둑은 크게 다르지 않아. 네가 요즘 얼마나 대단한 일에 정신이 팔렸는지는 모르겠지만……."

"……."

"너를 이렇게까지 흔드는 일이라면 차라리 관두는 게 나아. 그게 아무리 매혹적이어도, 너 자신을 희생할 가치가 있는지 생각해 봐."

이명은 괜히 뜨끔해서 고개를 들었다.

"정신 차리란 말이다, 이명."

안경 너머 날카로운 두 눈이 이명을 쏘듯이 바라보았다.

그것은 임 사범이 이전에도 종종 했던 충고와 맥락이 비슷했다. 이명이 슬럼프에 빠질 때마다 그는 바둑에 관해 적절한 조언을 해주곤 했다. 바둑에 집중해라, 너를 서포트하는 엄마를 생각해라 등등 일반적인 말과 함께. 아마 이번에도 그런 뜻으로 한 말일 것이다. 그런데 이상하게 이명에게는 다른 의미로 들렸다.

임 사범은 이명을 가만히 바라보다 자리에서 일어났다. 그는 하고 싶은 말을 다 했는지 문을 향해 성큼성큼 걸어갔다.

"밥 잘 챙겨 먹고."

그는 엄마의 걱정을 남겨 두고 떠났다.

이명은 그가 사 온 밥에는 손도 대지 않고 다시 바둑판 앞에 앉았다.

그 뒤로도 교착 상태는 계속되었다. 이명은 완전히 지쳐 버린 채 잠들었고 한참 뒤에 일어났다. 낮인지 밤인지, 무슨 요일인지 알지 못했고 관심도 없었다.

싸늘한 바닥에 꼼짝 않고 앉아 있는 동안 창밖이 까매졌다가 다시 하얘졌다. 그는 기절하듯이 쓰러져 잠이 들었다가 다시 눈을 떴다. 그런 것이 몇 번 반복된 것도 같았다.

언젠가 침대에서 깨어났을 땐 햇살이 창을 통해 들어오고 있었다. 이명은 눈을 부릅뜨고 해를 똑바로 바라보려 했지만 곧 눈을 찡그리며 커튼을 쳐야 했다. 그 작은 행위가 왜인지 모르게 기분 나빴다.

하지만 그 단순한 행위에서 그는 하나의 길을 깨달았다. 빛이 강하다면 커튼을 치면 되는 것이 아닌가.

"……!"

이명은 바둑판 앞으로 달려가, 바닥에 놓여 있던 흑돌을 주워 들었다. 굳은 표정으로 흑과 백의 진영을 바라보던 그는 숨을 몰아쉬며 이전까지 생각하지도 않았던 곳에 돌을 내려놓았다. 그 자리는 승리하는 수가 아니었다. 다만 절대로 패배하지 않는 수였다.

손이 바빠졌다. 하얗고 검은 기석이 차례대로 놓였다. 빠르게, 그리고 촘촘하게 빈자리를 채워 갔다. 탁, 탁, 탁, 탁, 숨소리만 가득한 방에 규칙적인 타격음이 났다. 땀 한 줄기가 창백한 뺨을 타고 내려오다 야윈 입술을 적셨다. 이명은 땀을 닦을 생각조차 하지 않고 돌을 놓았다.

승부를 결정짓는 마지막 흑돌을 놓은 뒤, 그는 뒤로 풀썩 쓰러졌다. 난방을 켜지 않은 차가운 바닥 위로 머리카락이 흩어졌다. 이명은 달리기를 한 사람처럼 숨을 몰아쉬고 있었으나 텅 비어 있던 눈동자는 전에 없던 오기로 가득했다.

'애초에 둘 다 잡을 수 있는 방법은 존재하지 않았어.'

며칠 전에 임주혁 사범이 했던 말을 이명은 뒤늦게 이해했다. 그가 서 있던 갈림길은 선택을 강요하고 있었다. 실리와 세력, 둘 중에 하나를 포기해야 함은 바둑의 원칙이고 아무리 욕심나는 결승이라고 해도 그 사실은 변하지 않는다.

이명은 한 발 올라선 기분이었다. 이제 자신의 실수가 무엇이었는지, 왜 발견하기 그리 어려웠는지를 완벽히 이해할 수 있었다. 마음속에서 답답하던 응어리가 풀리며 지적인 쾌감이 느껴졌지만 자만심은 조금도 들지 않았다. 그는 다만 비참했고, 3주 전 자신의 결정이 한심하기만 했다.

'욕심나는 걸 모두 가질 수 없다는 점에서 인생과 바둑은 크게 다르지 않아.'

이명은 들고 있던 흑돌을 떨어뜨렸다. 그의 사고는 임 사범이 놓은 다리를 따라, 바둑판에서 현실 세계로 확장되었다.

그날 임 사범은 이명이 바둑이 아닌 다른 것에 마음을 빼앗겼다는 것을 꿰뚫어 보았다. 세상 그 누구보다 가까워지고 싶었던 사람. 이명을 매혹시켜 모든 것을 기꺼이 바치게 한 남자. 자신을 방어하려고 아무리 애를 써도 바리케이드를 무시하고 안으로 성큼성큼 걸어 들어오는 한선호.

이명은 그의 연인이었던 짧은 시간 동안에 그 지위를 얼마나 힘겹게 유지했는지를 떠올렸다. 단지 사고일 뿐인데도 한선호에 관해 생각하는 것은 이명의 가슴을 옥죄었다. 이명은 눈을 감고 임 사범의 충고를 곱씹었다.

'아무리 매혹적인 선택이라도 그 때문에 나의 근간이 위협받는다면.'

자신을 파멸시킬 가능성이 있는 길은 애초에 들지 않는 것이 상책이다. 하지만 이미 접어든 상태라면 멈추고 되돌아가는 게 중책 정도는 된다. 모든 손해를 감수하며 끝까지 걸어가는 용감한 수도 있다. 그러나 사람들은 그러한 전략을 하책이며 악수라고 부른다.

이명의 자아와 사랑은 첨예하게 충돌하고 있었다. 그처럼 품이 작은 사람에게 둘을 동시에 갖는 것은 애초에 과한 욕심이고, 불가능한 일이었다.

이명은 바닥에 놓여 있던 핸드폰을 집어 화면을 밝혔다. 여러 메시지와 전화가 수신되었다는 알림을 무시하고 날짜를 보았다.

토요일, 한선호가 출장을 마치고 귀국하는 날이었다.

'헤어지자.'

이명이 말했다. 12월 19일 토요일 오후 3시, 그와 재회한 지 22일 만의 일이었다.

'넌 나와 어울리지 않아. 네가 날 왜 좋아하는지도 모르겠고, 무엇보다…… 너랑 있으면 내가, 내가 너무, 비참해지고…… 존재 자체가 흔들려.'

처음에 담담하게 내뱉었던 이명은 입술을 바르르 떨며 아랫입술을 깨물었다. 갈 곳 잃은 그의 시선이 카페 테이블 위를 방황했다.

'그냥 난…… 널 멀리서 좋아하는 게 어울렸던 것 같아. 미안.'

한선호는 굳게 결심한 듯 할 말만 쏟아 내고 떠나 버린 이명을 잡지 않았다. 대신에 그는 김이 모락모락 나던 커피 두 잔이 차갑게 식을 때까지 자리에 앉아 있었다.

그전까지 시차 때문에 얼떨떨한 상태였는데 갑자기 머리 위에 찬물이 쏟아진 기분이었다. 웬일로 먼저 만나자고 하길래 좋아하며 갔는데, 이런 거였다니. 몸은 바싹 각성했으나 이상하게 사고가 멈춰서 아무런 생각도 들지 않았다.

'나 때문에 비참…… 했다고.'

다른 게 아닌 그 구절만 머릿속에 반복해서 울렸다. 대체 언제 그를 비참하게 만들고, 존재를 흔들리게 했던 걸까. 미리 알았더라면 그런 짓은 절대로 안 했을 텐데.

한선호는 이명이 건너편에 놓고 간 반지를 집어 들었다. 그는 그것을 손가락에 끼우지 않고 주머니에 넣은 채 카페를 떠났다.

어쩌면 이명에게는 시간이 조금 필요할지도 몰랐다. 부끄러움이 많고 신중한 사람이니까 연애가 부담스러웠을 수도 있겠지. 한선호는 5일 치 짐이 담긴 여행 가방을 끌고 택시를 잡았다. 집까지 도착하는 동안 눈을 붙이고 있었더니 피로가 조금 가셨다.

그는 집 앞 마트에서 주말 동안 필요한 먹거리를 사서 집으로 들어왔다. 거의 일주일 동안 비어 있었던 집은 차가웠다. 늘 이렇게 살았고 그게 이상하다고 생각해 본 적 없었다. 이명을 만나기 전까지는.

이명이 집에 오는 날, 혹은 올지도 모르는 날 한선호는 난방을 26℃로 맞춰 놓았다. 냉장고에는 과일과 간식을 잔뜩 쟁여 놓고 최소 1시간은 환기한 뒤 침대 시트를 새로 갈아 놓았다. 이명은 별일하지 않고 침대에 누워 있거나, 앉아서 멍하니 천장을 바라보거나, 집 안을 어슬렁거릴 뿐이었다. 그런데도 그가 곁에 있다는 이유로 한선호에게는 믿기 어려운 행복감이 찾아왔다.

특히 눈을 떴을 때 곁에 이명이 있는 걸 발견한 순간은 행복의 절정이었다. 햇빛이 유리알 같은 갈색 눈동자 표면 위로 반질거리며 흐를 때 한선호는 감각에 혼란을 느끼곤 했다. 매번 너무 비현실적이어서 차라리 꿈이 아닐까 생각했다.

한선호는 현실적인 사람이었고, 그런 그에게 사랑은 날개 달린 꿈을 좇는 행위였다. 성적도, 학점도, 인사 고과도 사격 과녁처럼 맞힐 줄 아는 그는 사랑의 정중앙만은 어떻게 쏘아 맞히는지 알지 못해서 놓쳤었다. 그 뒤론 남들이 뭐라고 하든지 관심 두지 않고 살았다. 오직 하나뿐이었던 그의 꿈이 품 안으로 날아 들어오기 전까지는. 그날 한선호는 그저 손만 뻗어서 이명을 움켜쥐면 되었다. 돌이켜 보면 기적 같은 일이었다.

'그렇게 쉬울 리가 없지.'

이명은 감정이 얼굴에 쓰여 있는 사람이다. 그가 부끄러워하는지, 수치스러워하는지, 기분이 좋은지, 궁금하다면 눈을 보기만 하면 되었다.

그러나 이명은 무슨 생각을 하는지 도통 알 수 없는 사람이었다. 기사들은 몇 수씩 앞서 본다지. 보통 사람인 한선호는 그의 사고를 도무지 좇아갈 수 없었다.

이명은 한선호를 좋아한다. 이것은 감정이므로 그의 눈을 보며 확인할 수 있었다. 그러나 이명이 이별을 결심한 계기는 이해하기 어려웠다.

하긴, 가지 말라는 눈빛을 하고선 입으로는 끊임없이 가라고 하지 않았던가. 행위 중에도 쾌락에 눈이 풀려서는 제발 그만하라고 말하지 않던가.

그것은 한선호가 이해하기 어려운 이명의 특징 중 하나였다. 좋으면 함께 있고 싶으면 떨어지고 싶은 게 인간 아니었나. A라고 느끼면서 B란 판단을 내리기까지의 간극은 한선호에게 풀리지 않는 미스터리였다.

'너랑 있으면 내가, 내가 너무, 비참해지고…… 존재 자체가 흔들려.'

다만, 그 말에만은 모순이 보이지 않았고, 그 사실은 한선호를 괴롭혔다. 이명은 진심이었다. 그가 진정으로 비참해하고 있단 걸 한선호는 알 수 있었고, 그 때문에 그의 눈빛이 가슴에 남겨 놓은 자국이 열려 있는 상처처럼 따끔따끔 쓰라렸다. 너는 왜 그렇게 아픈 얼굴을 하고 있었을까.

'혹시 그 티셔츠와 관련이 있을까.'

한선호의 입매가 딱딱하게 굳어 갔다. 그는 떠올리기만 해도 불쾌해져서 애써 외면했던 사건을 기억 속에서 끄집어 올렸다.

이명은 정말이지 요령이 없었다. 집에서만 입는 큰 티셔츠라고 하면 될 것을, 얼굴을 시뻘겋게 물들이며 중요한 물건이라고 기를 쓰고 숨기는 것이었다. 그래서 한선호는 더욱 화가 났다.

이명에게 집에 드나들 정도로 친밀하게 사귀었던 사람이 몇 명 있었다고 한들—대단히 불쾌하기는 해도—이상하지 않았다. 그러나 현재까지 남의 옷을 고이 간직하고 있다는 사실은 문제가 있었다. 그것으로도 부족해 바들바들 떨면서 만지지도 못하게 하는 건 불쾌감에 불을 지르고 부채질하는 꼴이었다.

표정이 마음대로 되지 않자 한선호는 이명의 집에서 나왔다. 기분 좋은 모습만 보여 주고 싶은 그에게 부정적인 낯을 보이기 싫었다.

그러나 화가 머리끝까지 치밀어 이성이 흐릿해졌을 때조차 한선호는 이명이 바람을 피웠다거나 다른 사람을 동시에 만나고 있을 거라곤 생각하지 않았다. 지나치게 정직해서 문제라면 모를까 거짓말에 소질이 없는 스타일인 데다, 켕기는 게 있으면 표정에 다 드러나는 사람이었다. 게다가, 한선호는 지금 이 순간에도 이명이 자신을 사랑한다고 확신하고 있었다.

'티셔츠 따위, 몰래 불태워 버리지 뭐.'

이명이 이별을 선언한 이유가 무엇이든 간에 한선호는 그를 놓아줄 생각이 눈곱만큼도 없었다. 그가 제 발로 돌아올 때까지 며칠 정도는 기다려 주겠지만, 결과적으로 한선호는 반드시 이명을 되찾을 것이었다.

'미안하지만 이번 부탁은 들어줄 수 없겠어, 명이야.'

옷을 간소하게 갈아입고서 소파 위로 쓰러졌다. TV를 틀자 스포츠 채널에서 축구 중계가 한창이었다. 좋아하는 선수가 있는 팀이라 틀어 놨지만 집중이 안 됐다. 한선호는 무표정한 얼굴로 TV 화면을 보다가 잠들었다.

토요일과 일요일이 조용히 지나갔다. 토요일에는 송년회가 있었으나 시차를 핑계로 가지 않았고 이명을 만나려고 빼 둔 일요일에는 예전에 주문해 둔 반지를 찾으러 귀금속 가게에 다녀왔다.

이별한 지도 2일 차였다. 체감상 12일 정도 흐른 것 같았지만 고작 이틀밖에 지나지 않았다.

한선호는 야근을 매일 하던 시절에 그토록 바랐던 '하루를 어영부영 보낼 자유'를 얻었지만 상상처럼 좋지가 않았다. TV가 이렇게 재미없었던가. 영화 보면서 맥주를 홀짝이던 게 취미이던 시절도 있었는데, 이제는 뭘 보든지 감흥이 없었다.

월요일에는 회사에 복귀했다. 원래 한선호 대신 출장 갔어야 했던 송 대리는 그에게 고맙다는 말과 미안하다는 말을 못 해도 열 번씩은 했다. 지원 업무라 어렵지 않았다고 답하면서도 한선호는 속으로 그때 서울에 있었더라면 이명을 잡을 수 있었을까 생각했다. 송 대리가 저녁 약속이 없으면 밥을 사겠다는 말에 고개를 끄덕였다. 지난주까지만 해도 퇴근하고 달려갈 장소가 있었지만 지금은 없었으니까.

퇴근하고서 송 대리는 한선호를 중식집으로 데려갔다. 작은 접시에 샥스핀이니 조개관자니 고급 재료들로 만든 요리가 코스별로 나오는 식당이었다. 그는 35만 원짜리 전통주를 시켜 놓고서, 술기운이 조금 들자 아버지를 그리워하며 눈물 흘렸다. 한선호는 운전을 해야 해서 술을 한 방울도 마시지 않았지만 절망에서 벗어나지 못한 상주를 성의껏 위로해 주었다.

송 대리를 택시 태워 집에 보낸 뒤, 화려한 무늬의 술병을 든 채 차에 타며 한선호는 이명이 사 왔던 고량주를 떠올렸다. 과자는 독일에 가져가서 틈틈이 맛있게 먹었지만 술은 아까워서 뜯지도 못하고 몇 번 쓰다듬다 찬장에 넣어 뒀다.

일상에서 이명을 떠올리게 하는 소재가 원래 이렇게 널려 있었나. 한선호는 난데없이 공격이라도 당한 기분이었다. 표지판에 영산동이란 글자가 나오자마자 차선을 변경했다. 내비게이션에서는 끊임없이 U턴을 하라고 지시했지만 반대 방향으로 나아갔다. 정신 차려 보니 이명의 아파트 입구로 진입하고 있었다.

'제정신이 아니군.'

저녁 9시 반, 노동의 피로도 잊은 채 헤어진 애인의 집 앞에 찾아온 남자가 여기에 있었다. 한선호는 라이트를 모두 끄고 불 켜진 5층 창문을 물끄러미 올려다보았다. 베란다 앞에는 커튼이 쳐져 있어서 안쪽은 실루엣조차 보이지 않았다. 한때 이명과 함께 서서 담배를 피운 적이 있는 베란다였다.

'여기서 담배 피우면 민원 들어오지 않아?'

'아니. 아래층 위층 다 피우거든…….'

그래서 내가 금연을 못 해. 배시시 웃으며 말하는 이명은 사랑스러웠다. 그는 머리에서부터 발끝까지 사랑스럽지 않은 구석이 없었다.

한선호는 자정이 될 때까지 꼼짝 않고 앉아 있다가, 501호에 불이 꺼지는 것을 보고 차에 시동을 걸었다.

이별 4일 차부터 상황은 급격히 견디기 어려워졌다. 얼굴에서도 티가 나는지 회사 사람들이 무슨 일 있느냐고 걱정스러운 표정으로 묻기 시작했다. 일은 손에 잡히지 않았고 멍하니 앉아 있는 시간이 늘어났다.

한선호는 시간과 싸워서 이명을 어떻게든 되찾을 자신이 있었다. 어떻게 손에 넣었는데, 이렇게 쉽게 빠져나가는 게 말이 안 된다고 생각했다. 그런데 나흘이 지난 지금, 그들은 성격이 맞지 않아서 조금 사귀다 깨져 버린 수많은 연인 중 하나가 되었을 뿐이다.

함께였던 짧은 시간이 꿈같았다. 떠올려 보려고 해도 몇 가지 장면만 생각날 뿐 그때의 감정이 심장까지 닿지 않았다.

그날도 한선호는 퇴근 후에 이명의 집 앞으로 갔다. 어두운 그늘에 차를 세워 두고 라이트를 끈 채 불이 켜진 베란다 창문을 하염없이 바라보았다.

8시쯤, 검은 세단이 아파트 단지 안으로 들어서더니 정차했다. 안경을 쓴 중년 남성이 인터폰에 대고 한참 동안 뭐라고 말한 뒤 501호의 불이 꺼졌다.

한선호는 남자가 누군가와 통화하는 걸 조용히 지켜보았다. 잠시 후, 미닫이 유리문이 스르륵 열리며 이명이 나왔다. 동창회 때 입고 있었던 외투 차림이었고 얼굴이 반쪽이 되어 있었다. 이마를 덮은 머리카락은 한 번도 본 적 없이 부스스했고 품이 큰 외투를 입었는데도 몸이 깡마른 티가 났다.

남자가 음식이 든 것으로 보이는 비닐봉지를 건네고 어깨에 손을 얹은 채 뭐라고 말하는 동안 이명은 넋이 나간 사람처럼 허공을 보았다.

그를 향해 달려 나가지 않을 수 있는 건 오로지 온 힘을 다해 이성의 끈을 붙잡고 있기 때문이었다. 이명의 얼굴을 본 순간에 눈물이 났고, 얼마 지나지 않아 뺨 위로 흘러내렸다. 이제까지 자신만만하게 생각했던 게, 그를 기다려 준답시고 참았던 게 모두 무용해졌다. 한선호는 그저 극도로 불안하고 괴로울 뿐이었다.

남자는 5분 정도 끊임없이 이야기했고 이명은 텅 빈 눈빛으로 다른 곳을 보았다. 그가 무성의한 태도로 고개를 꾸벅 숙이고 들어간 뒤에도 한선호는 곧바로 차를 출발시키지 않았다. 그는 5층에 불이 다시 들어왔다가 한참 후에 다시 꺼지는 것을 확인하고서야 집으로 돌아갔다.

이별 5일 차, 한선호는 어느 때보다도 멍한 상태로 출근했다. 전날 꼴사납게 울면서 안에서 무언가 빠져나간 느낌이었다. 출근 시간에 맞춰 자리에 앉아 업무를 시작하는 자신이 인형 같다고 한선호는 생각했다.

아침까지만 해도 이런 생활은 하루도 더 견딜 수 없다고 여겼다. 하지만 메일로 요청받은 파일을 무표정으로 작성하는 그가 있었다. 그는 이명이 절실히 필요했고 그 외에는 아무것도 고려할 가치가 없었다. 그러나 그에게는 이명이 없었고, 앞으로도 없을지도 몰랐다.

이제는 모든 것이 혼란스러웠다. 이 터널 끝에 뭐가 있는지, 이것이 이별이란 결말인지, 연애의 과정인지. 원래는 짤막한 터널 끝에 빛이 기다리고 있다고 믿어 의심치 않았다. 마찬가지로 작은 갈등은 연애란 롤러코스터의 굴곡에 불과하다고 생각했다. 그러나 5일 동안 그가 갖고 있었던 한 가지 확신-이명은 나를 사랑한다-은 형체를 찾기 어려울 정도로 옅어지고 뭉개져 버렸다. 한선호는 그런 것이 과거에 그 자리에 있었다는 정도로만 그 기억했다.

"선호 씨, 바빠요?"

그런대로 친하게 지내는 2팀의 최 대리가 한 손에 커피를 들고 자리에 찾아왔을 때도 한선호는 이명을 생각하고 있었다.

"한바탕 지나갔으니까 괜찮죠?"

"네. 나름대로 한가합니다."

"듣던 대로 안색이 안 좋네. 무슨 일 있어요?"

한선호는 노력해 보았으나 걱정스러워하는 얼굴을 향해 예의상으로라도 웃을 수 없었다. 그저 모든 것이 짜증스러울 뿐이었다.

"모르지, 이거 들으면 기분 좋아질지도. 내가 인사팀 사람한테 정보 좀 얻어 왔는데, 잠깐 담배 타임?"

최 대리가 목소리를 낮추며 사무실 출구를 엄지로 살짝 가리켰다. 한선호는 비록 아무 관심도 생기지 않았지만 그에게 무례하게 굴 수는 없어서, 어쩔 수 없이 담뱃갑을 챙겼다.

빌딩 엘리베이터에는 어느 시간대든 간에 사람이 두세 명씩은 타 있었다. 그래서 최 대리는 옥외 흡연실까지 올라가는 동안 입을 꾹 다물고 있었으나 무언가를 빨리 털어놓고 싶다고 얼굴에 적혀 있었다.

이윽고 흡연실 구석까지 한선호를 끌고 간 최 대리는 주변에 아무도 없는 걸 확인하고서 조금 신난 어조로 물었다.

"선호 씨, 지난주에 프랑크푸르트 출장 가서 그쪽을 아주 홀려 놓고 온 모양이던데?"

한선호는 그 말에 대답하지 않고, 고개를 숙여 담배에 불을 붙였다. 이어 최 대리가 담배를 꺼내는 것을 보고 그에게도 불을 붙여 주었다.

"아니, 사람이 지원 업무로 가 놓고 말이야. 그것도 땜빵이었다며. 서포트를 얼마나 하드하게 했으면 그쪽에서 그렇게 안달이냐고."

"그게 무슨 말씀이신지."

연기로 폐 속을 가득 채웠지만 기대했던 흡연의 효과는 조금도 들지 않았고 비참한 기분은 그대로였다. 최 대리가 웃는 낯으로 재떨이에 담배를 털었다.

"콕 집어서 한선호 씨 주재원으로 보내 달라고 요청이 세 번 들어왔대요. 마지막은 법인장 계정으로 왔다는 썰이 있어."

"그런가요."

"'그런가요'는 무슨! 그렇게 무덤덤하게 들을 일이 아니에요, 이 사람아. 미디콤 건 실무 진행에 인력 부족하다고 구구절절. 진짜라니까. 위에서 검토 들어갔대."

"……아."

"일단 신 팀장한테 가서 물어보겠지. 절대 안 준다고 하겠지만, 저쪽 입김도 장난 아니니까. 결국은 HR에서 선호 씨 의향 물을 거예요. 그러니까 미리 생각해 놔요."

최 대리가 칭찬받고 싶은 아이처럼 뿌듯하단 표정을 지었다.

유럽 주재원이라. 한선호는 생각해 본 적도 없는 가능성으로 눈을 돌렸지만 어쩐지 남 일처럼 느껴졌다. 가장 먼저 떠오른 생각은 '그렇게 되면 원거리 연애를 해야 할 테니 불가능하다'는 거였다. 그 다음으로 떠오른 생각은 그 연애가 지난주에 끝났다는 것이었다.

자신이 어디에 있든 그 사실이 이명에게 아무 영향도 미치지 못하리란 인식은 나약한 희망을 무참히 부숴 버렸다. 한선호가 미련하게 붙들고 있던, 관계를 어떻게든 이어 갈 것이란 희망이었다.

그의 표정을 본 최 대리가 난처하다는 듯이 담배를 껐다.

"하하, 하하하……. 기분 좋아지라고 알려 준 건데. 거긴 미세 먼지도 없고, 소시지도 맛있고, 실수령액도 확 뛸 텐데……."

"……."

"아유, 쌀쌀하네. 이제 들어갑시다, 들어가."

한선호는 최 대리와 함께 다시 실내로 들어왔다. 곧 점심을 먹었고 오후에는 팀 회의가 있었지만 한선호의 머리는 반밖에 돌아가지 않는 것 같았다. 나머지 반은 이명 외의 것은 생각할 수가 없었다.

최 대리가 알려 준 소식은 한선호에게 새로운 가능성, 즉 이명과의 관계가 이대로 영영 끊어질 수도 있다는 생각을 심어 놓았다. 위기감은 한선호를 각성 상태로 만들었고, 그는 머릿속에서 이명을 잡아 둘 여러 가지 방법을 고려했다.

가장 기본적인 방법은 이명을 찾아가는 것이지만, 만약 그가 냉담하게 밀어낸다면 어떻게 해야 할까.

모범적인 방법부터 사회적 인간이라면 고르지 않아야 할 방도까지, 수많은 옵션이 널려 있었다. 한선호는 두려웠다. 이명의 마음을 영영 잃어버렸을까 봐, 자신이 회까닥 돌아서 하지 않아야 할 짓을 저지를까 봐, 이명에게 상처를 줄까 봐, 모든 것이 두려웠다.

퇴근이 30분 남았을 때, 메시지가 왔다.

[010-****-****: 이정입니다. 이야기 좀 할 수 있을까요?]

한선호는 알림을 보자마자 핸드폰을 들고 사무실에서 뛰쳐나갔다.

— 여보세요?

“이정 씨? 한선호입니다.”

— 아, 네……. 갑자기 연락 드려서 죄송합니다. 잠시 통화 가능하신가요?

“네. 괜찮습니다.”

한동안 마음을 불편하게 하는 침묵만 감돌았다. 이정은 선뜻 말하기가 곤란한지 한참 동안 뜸을 들였다.

— 저희 오빠…… 혹시 지금 어떤 상태인지 아세요?

이번엔 한선호가 입을 다물 차례였다. 잘 모르는 사람에게 전화해서 다짜고짜 묻기에는 적절치 않은 물음인 데다 질문의 의도도 의심스러웠다. 그러나 무언가 잘못되었다는 것만은 확실했다. 이정이 오빠를 도우려 한다는 것이 직감적으로 느껴졌다. 한선호는 조금 주저하다가 입을 열었다.

"명이, 힘들어하고 있습니까?"

— 네. 잘 아시네요.

이정의 목소리는 미세하게 떨리고 있었다.

— 아니요, 사실은 아무것도 모르실 거예요.

그녀가 돌연 빠르게 중얼거리기 시작했다.

— 오빠, 많이 힘들어해요. 나사 빠진 사람처럼 굴고, 밥도 안 먹고, 내년 경기 두 개도 마음대로 취소했어요. 저나 엄마 말은 듣지도 않고, 사범님이 찾아갔을 때도 미친 사람 같았다고 해요.

자연스럽게 펴져 있던 손바닥이 저절로 말렸다. 한선호는 주먹을 꽉 쥔 채 잠자코 들었다.

— 종종 슬럼프를 겪기는 하지만, 이제까지 이렇게 무섭게 무너진 적은 없었어요. 저러다, 저러다가 혹시 나쁜 마음이라도…….

말이 끊어졌다. 이정은 심호흡을 몇 번 했고, 그녀 숨결이 걷잡을 수 없이 떨리고 있다는 게 수화기를 통해 전해졌다. 이정이 차분하게 들리려고 애쓰는 음성으로 말했다.

— 갑자기 당황스러우셨죠? 제가 한선호 씨한테 무턱대고 전화해서 이런 말씀을 드리는 이유는…… 그건…….

의기소침한 목소리가 또다시 사라졌다. 한선호는 그녀가 차마 완성하지 못한 뒷말을 어느 정도 예상할 수 있었다. 이정은 오빠가 죽어 가고 있다고 말했다. 한선호는 이제 아무것도 숨기고 싶지 않았다.

“계속 말씀하세요. 저, 5일 전까지 명이와 만나는 사이였습니다.”

— …….

“지금은, 아니지만요.”

그는 얼굴을 찡그렸다. 그 사실을 소리 내어 꺼내자 날카로운 무언가에 찔린 것처럼 고통이 밀려왔다.

— 그런 것 같았어요. 오빠가 차인 거겠죠.

한동안 침묵을 지키던 이정이 조용히 중얼거렸다.

— 이건 두 사람의 연애고, 제삼자가 끼어들 일이 아닌 건 알아요. 하지만 그 바보 같은 성격에, 이대로 두면 정말로 어떻게 될 것 같아서 민망함을 무릅쓰고 전화 드렸어요.

“괜찮아요. 편하게 말씀하세요.”

— 오빠는 아무리 힘들어도 먼저 남을 붙잡을 사람이 아니에요. 참을 때까지 참다가 말라죽었으면 죽었지, 절대 떠나지 말라고 매달리지 못할 거예요. 겉으로 냉정한 말을 해도, 진심이 아닐 수 있다는 걸 알아주셨으면 해요.

“…….”

— 얼마 전까지만 해도 오빠 걱정하셨잖아요. 그때까지만 해도 저희 오빠 좋아하셨잖아요. 그러니까, 그러니까 이번 한 번만…… 져 주시면 안 될까요?

다다다다 이어지던 뜨거운 목소리가 돌연 끊겼다. 이정은 자신이 내뱉은 말에 크게 당황한 눈치였다.

— 제가 정말, 주제넘었네요. 드릴 말씀이 없습니다. 죄송해요.

한선호가 뭐라고 말하기도 전에 통화가 끊겼다.

그는 핸드폰을 그대로 든 채로 한참 동안 멍하니 서 있었다.

충격받은 머리가 느릿하게 돌아갔다. 이정이 한 말을 하나하나 곱씹어 볼수록 모든 정황이 한곳을 가리키고 있었다. 이명의 마음이 아직 자신을 향하고 있다. 그 사실 하나로 한선호의 심장이 빠르게 뛰고 가슴이 뜨거워졌다. 그 대화는 그의 계획에 힘을 실어 주었다. 이명이 자신을 밀어내면 어떻게 해야 할지, 이제는 조금도 고민할 필요가 없어진 것이다.

자리로 돌아온 한선호는 하던 일을 마무리하고 빠르게 퇴근 준비를 했다. 6시가 되자 퇴근하는 무리에 섞여 사무실을 빠져나갔다.

차에 타며 한선호는 이명에게 할 말을 골랐다. 이 일을 더 쉽게 만들 요령 같은 건 상상할 수 없었으므로 있는 그대로 쏟아 낼 생각이었다. 그를 만나 얼마나 행복했는지, 그가 없는 동안 얼마나 불안하고 불행했는지, 티셔츠를 보고 들었던 생각들, 그리고 임 사범을 비롯한 이명의 지인들을 향한 질투, 그럼에도 그를 얼마나 사랑하는지. 한선호는 남김없이 이명에게 보여 줄 작정이었다.

아파트 입구의 경비 초소에 다다르자 경비원이 그를 알아보고서 손 인사를 해 보였다. 한선호는 지상 주차장에 차를 세우고 거울에 제 얼굴을 비춰 보았다. 머리를 정리하고 옷매무새를 확인한 뒤 차에서 내렸다. 웬 우연의 일치인지 이명의 차가 바로 옆에 세워져 있었다.

우중충한 하늘은 막 어두워지고 있었다. 한겨울의 바람이 코트 자락 안으로 서늘하게 파고들었지만 머릿속이 온통 다른 생각으로 가득하다 보니 춥다고 느끼지 못했다. 한선호는 양 주머니에 손을 찔러 넣고 아파트를 향해 걸었다.

놀이터를 끼고 방향을 꺾었을 때 건너편에서 누군가 걸어오는 것이 얼핏 보였다. 거리가 멀었지만 한선호는 어떤 예감에서인지 고개를 획 돌렸다.

그리고 입에서 준비되었던 것처럼 한숨이 흘러나왔다.

한선호는 부드럽게 발을 돌려 남자의 뒤를 쫓았다. 폐인이 다 되었다더니, 모습이 말끔하기만 했다. 비록 며칠 사이에 말 그대로 얼굴이 반쪽이 되기는 했지만 사랑스러운 건 여전했다.

이명은 제 차를 향해 뚜벅뚜벅 걸어가다가 돌연 멈추었다. 바로 옆에 주차된 검은 SUV를 보고 굳어 버린 듯 가만히 있다가, 한선호가 있는 방향으로 날카롭게 뒤돌았다.

둘은 한달음에 좁히기 어려운 거리를 두고 서로를 바라보았다.

이명의 무표정하던 얼굴에 놀라움이 번졌고 이내 꼭 다물린 입술라인이 구겨지며 울상으로 변했다. 그는 당장에라도 한선호의 품으로 달려올 것 같은 표정이었다. 하지만 그는 그 자리에 한참 동안 서 있었다.

한선호는 참을성 있게 기다렸다. 이명이 자신을 향해 한 걸음씩 걸어올 때까지. 아주 가까이 다가올 때까지.

시간이 믿을 수 없을 정도로 느릿하게 흐르는 동안 이명은 조금씩, 조금씩 가까워졌다. 핼쑥한 볼과 메마른 입술이 보이는 거리가 되자 그가 걸음을 멈추며 눈을 피했다.

어쩔 줄 몰라 하는 표정이었다. 그러나 갈색 눈동자 안에서는 모종의 의지가 반짝이고 있었다. 이명은 시선을 떨어뜨려 한동안 제 발끝을 보다가, 어느 순간 눈을 질끈 감았다.

"내가, 내가 졌어."

무슨 말을 하려나 궁금했는데, 정말이지 상상도 못 했던 게 튀어나왔다. 한선호는 황당함에 눈만 깜빡였다.

"저번에 말했듯이 우리는 어울리지 않아. 나는 너한테 폐만 끼치고, 네가 실망할 만한 짓만 잔뜩 했지만……. 널 속상하게 하고, 답답하게 만들었고……. 그 때문에 내가 너무 한심하고, 괴로워서……. 자꾸 나 자신이 무너지는 것 같아서, 방어해야 한다고 생각했어. 그래서 그만하려고 했는데. 정말 그만두고 싶었는데……."

이명은 중간중간 범추기는 했지만 그지고는 빠르게 말을 내뱉었다. 여전히 눈을 꼭 감은 채였다.

"못 하겠어."

그가 아주 작은 목소리로 중얼거렸다.

"너를 놓치는 게 너무 두려워서, 네가 너무 좋아서…… 나, 뭐든 포기할 수 있을 것 같아."

주먹을 꼭 쥔 손이 바들바들 떨리고 있었다.

"이기적인 건 알지만…… 나, 더 노력할 테니까, 한 번만, 이번 한 번만……."

이명은 가만히 내버려 두면 무릎을 꿇을 기세였다. 한선호는 그의 애원을 끝까지 듣지 않고, 그의 왼손을 제 손으로 감싸며 코트 주머니 안으로 끌어당겼다.

"아무것도 포기하지 않아도 돼, 명이야."

이명이 눈을 번쩍 뜨며 고개를 치켜들었다.

"날 밀어내지만 마."

핏기 없이 창백한 낯빛에 당혹스러운 기색이 번졌다. 그는 미소를 띠고 있는 한선호의 얼굴을 믿을 수 없다는 듯이 들여다보며 입을 멍하게 벌렸다. 입술을 몇 번 달싹였지만 말을 내뱉지 못했다.

한선호 또한 마찬가지였다. 하고 싶은 말이 많았는데, 너무 많아서 골라내고 정제해야 할 정도였는데, 지금은 머릿속에 아무것도 남아 있지 않았다. 그들은 눈을 마주하고 있었고, 차갑지만 맥박이 뛰는 이명의 손이 제 주머니 속에 있었다. 그거면 되었다고 한선호는 생각했다.

그는 주머니 속에서 손가락을 더듬어, 귀금속 가게에서 받아 온 이래 내내 갖고 다니던 장신구를 본디 그것이 있어야 할 자리에 천천히 끼웠다. 이명이 눈을 몇 번 깜빡이다 한선호의 주머니에서 왼손을 꺼냈다. 넷째 손가락 둘레에서 반짝이는 반지는 이전과 달리 그의 손가락에 꼭 맞았다. 이명의 눈가에 눈물이 고이는 것을 보고 한선호는 그를 안아 버렸다. 품에 가둬 버리고 입술이 닿는 곳마다 입을 맞추었다. 처음 몇 번은 몸을 움찔거리며 당혹스러워하던 이명이 웃으며 눈을 감을 때까지 그는 멈추지 않았다.

이 상황에 무슨 말을 해야 할까. 어떤 말로 자신이 느끼는 감정을 표현할 수 있을까. 한선호의 머릿속은 텅 비어 있었다. 반면에 가슴은 기쁨으로 가득했다. 한선호가 끊임없이 눈두덩과 볼, 목 등에 키스하자 이명이 그를 살짝 밀어냈다.

"……이제 그만해. 사람들이 보겠어."

한선호는 그의 콧등과 이마, 정수리에 키스하고서야 다시 허리를 폈다. 아까는 하늘이 우중충하다고 생각했는데, 지금 보니 아름다운 군청색이었다.

"배고프지?"

"……응? 응."

"제일 먹고 싶은 게 뭐야?"

"아무거나 괜찮은데……."

한선호는 일부러 표정을 굳히고 그를 노려보는 척했다. 이명의 미간이 걱정으로 좁아지더니 그가 무작정 입을 벌렸다.

"엇……."

"엇, 뭐?"

"사, 삼겹살…… 이랑 소주."

한선호는 눈이 동그래진 남자의 볼에 마지막으로 키스하고서 손을 잡아끌었다.

"그럼 기원 갔던 날…… 나한테 실망한 거 아니었어?"

"기분이 좋았다곤 할 수 없지만, 너한테 실망하진 않았어. 네가 잘못한 것도 아니고."

한선호는 빈 술잔을 채우고서 술병을 내려놓았다. 이명은 다행이라는 듯이 한숨을 작게 내쉬었지만, 그러고 나서도 여전히 고개를 푹 숙인 채 시선을 술잔에 고정하고 있었다.

"그날, 왜 기분이 안 좋았어?"

"그건……."

그 사람들이 네 몸에 손대는 게 보기 싫었어.

"기원에 계신 분들이……. 너한테 너무 가까이 다가가시더라고."

"그런가……. 괜찮은 분들인데."

역시 이명은 아무것도 몰랐다. 한선호는 고기를 뒤집으며 이걸 어떻게 설명해야 할까 골똘히 고민했다. 불그스름한 생고기가 불판에 닿아 치익 소리가 났다. 한선호는 집게를 놓고서 가만히 그의 이름을 불렀다.

"명이야."

"응?"

"난 네가 다른 사람하고 몸이 닿는 게 싫어."

"악수 같은 것도?"

"응."

한선호는 최대한 순진해 보이는 표정을 지으며 고기 판으로 눈을 돌렸다. 이명이 혼란스러워하는 동안 그는 다음 문제를 어떻게 설명해야 하는지 고민에 빠졌다.

"명이야, 그리고……."

"응?"

"하루에 한 번씩은 연락이 되었으면 해."

한선호는 완벽하게 익힌 돼지고기를 쌈에 싸서 곤혹스러워 보이는 입술로 갖다 댔다. 이명은 주변 눈치를 보면서도 마지못해 입을 벌렸다. 쌈을 한가득 입에 넣고 씹더니, 꿀꺽 넘긴 뒤에야 작게 답했다.

"노력할게."

"난 회사에 있을 때도, 우리가 떨어져 있는 다른 순간에도 네가 잘 있는지 알고 싶어."

"알…… 았어."

"말 나온 김에, 너 핸드폰 줘 봐."

순진한 이명은 아무 경계심도 없이 핸드폰을 내밀었다. 출시된 지 5년은 지난 것처럼 보이는 기기에는 생체 인식은커녕 그 흔한 패턴 잠금조차 걸려 있지 않았다. 한선호는 배경 화면을 보고 무의식적으로 눈살을 찌푸렸다. 설치된 모든 앱의 귀퉁이에 빨간색으로 미확인 알림이 떠 있었기 때문이다.

'이런, 아무것도 확인을 안 하는 모양이군.'

메시지 앱을 누르자 시뻘건 숫자 목록이 화면에 꽉 찼다. 그중 확인한 건은 자신이 보낸 것뿐이라 한선호는 내심 흐뭇한 기분이 들었다.

"이거…… 봐도 돼?"

"응."

한선호는 허락이 떨어지자마자 최상단에 위치한, 조승빈이 보낸 메시지를 눌렀다.

[베지벤처러]

'RED' 서버의 '씅비니' 님이 당신을 베지벤처러 월드에 초대하셨습니다!

아직도 안 해 봤니?★월드 클래스 갓겜 베벤VV★미.쳤.다.미.쳤.어.

(17개국 랭킹 1위☆이벤트) '암흑세계 마검사 추추' 스킨 받기 (링크)

앱으로 연결>>>>>

대화를 쭉 내려 본 한선호는 헛웃음을 지었다. 둘 사이에는 놀라울 정도로 사적인 대화가 오가지 않았기 때문이다. 조승빈은 단지 이명을 게임 초대용 계정으로 이용해 먹고 있었다.

이명은 화면을 보더니 무덤덤한 얼굴로 고기를 집어 먹었다.

"또 보냈네……. 게임 같은 거 못 한다고 전에 얘기했는데."

한선호는 집게로 적당하게 익은 고기를 집어 이명의 밥그릇 뚜껑에 수북이 올렸다. 배가 고프기는 했는지, 그는 정말 잘 먹었다. 한선호는 입 안 가득 고기를 넣고 씹는 이명을 흐뭇하게 보다가, 조금 긴장한 상태로 가장 신경 쓰이는 대화방을 확인했다.

※※[[지금 전국이 난리입니다]]※※
((필독) 오늘 업데이트된 보이스 피씽 최신 사기입니다~!!
1. 카드 비밀번호 알려달라고 하면 절대 NO라고 말하기
2. ARS 010~****~****번 절대 받지마세요 (1,000,000만원 출금됨)
3. 아이핀 바꾸라는 문자 절대 누르지 말기를 (300,000만원 출금됨)
무한 펌 글 공유하기부탁요~^^
-출처 청와대-

"……임 사범님은 보안에 관심이 많으신가 봐."
"응. 의심이 좀 많으셔."
대화를 쭉쭉 내려 보았는데 내용이 일관적이었다. 임 사범은 수많은 보이스 피싱과 사기 사례를 이명에게 전했고, 이명은 대답하지 않았다. 그러고 나니 나머지 대화방은 볼 필요도 없을 것 같았다.
한선호는 이명에게 핸드폰을 돌려주고 삼겹살을 쌈에 싸 먹었다. 핸드폰까지 확인하고 나니 자신의 오해와 그동안의 의심이 더 멀게 느껴졌다. 누구나 겪는 시행착오라고 생각하니 마음이 깃털처럼 가벼웠다.
한선호는 피식 웃으며 입을 열었다.
"명이야."
"응?"
"사실 나…… 임주혁 사범님 질투했다?"

이명은 그 말을 듣자마자 마시던 물을 뱉었다.

"엇, 미안. 미안."

그는 어떻게 그런 말을 할 수 있냐는 표정으로 휴지를 몇 장 뽑아 제 입가와 물이 튄 옷가지를 닦았다.

"괜찮아."

"……근데, 질투라고 했어?"

"응. 너 임 사범님이랑 둘이 여행 가는 것도 그렇고, 나는 너에 대해서 잘 알지도 못하는데 그분은 널 어릴 때부터 봤으니까……. 너한테 특별한 사람일 것 같아서."

"감사한 분인 건 맞지만……."

이명은 난감하다는 듯이 눈알을 굴렸다. 그러고선 곤혹스러운 표정으로 소주잔을 비웠다.

"임 사범님……. 우리 엄마랑 사귀시는데."

"……아."

한선호는 놀란 표정을 짓기도 좀 그렇고 더더욱 웃을 수는 없어서 괜히 소주를 벌컥 마셨다. 그러나 속으로는 속절없이 웃음이 나왔다. 이 황당한 경로로 인해 한선호의 마음속에 남아 있던 마지막 찝찝함까지 깨끗하게 사라져 버렸다.

여전히 충격받은 표정인 이명이 한선호의 눈치를 보았다.

"남자 친구네 집이 이혼 가정인 건…… 좀 그래?"

"어? 아니. 아니, 전혀 상관없어……."

이명은 얼굴이 빨개진 채 핸드폰을 들고 사진첩에서 그의 모친과 동생, 임 사범이 함께 있는 사진을 보여 주었다.

"아, 이건 사범님네 강아지, 똘똘이……. 귀엽지?"

얼마나 터무니없는 오해를 했던 것인가. 한선호는 오늘 '진실'에게 몇 대 얻어맞는 기분이었다. 하지만 기분 좋은 린치였다. 그런 게 가능하다면 말이지만.

한선호는 기분 좋게 웃으며 사진을 넘겨 보았다. 이명의 사진첩에는 사진이 몇 장 없었다. 똘똘이란 개 사진 몇 장과 이정이 자는 모습을 찍은 사진, 흔들린 야경 사진 몇 장이 다였다. 그럼에도 한선호에게는 한 장 한 장이 흥미로웠다.

'너에 대해 더 알고 싶어.'

고개를 들자 5일 동안 꿈에 그리던 남자가 눈앞에 있었다. 입 안에 고기를 잔뜩 넣고서 우물우물 먹는 모습이 예뻤다. 술을 계속 마시는데도 뺨조차 빨개지지 않는 것도 신기하고, 눈이 어떻게 된 건 아닐지 그의 모든 게 좋았다. 하긴, 이명이 술을 잘 마신다는 건 진작 알고 있었다. 고2 수학여행 때 술자리에서 취하지 않은 건 한 명뿐이었으니까.

문득 9년 동안 빛바랜 기억이 천장으로 올라가는 연기처럼 꿈틀거렸다. 한선호는 눈을 느릿하게 깜빡거렸다.

"이명."

이름을 나직하게 부르자 이명이 입을 움직이다 말고 눈을 동그랗게 뜨고서 시선을 마주쳤다.

"진실 게임 할래?"

이명은 얼굴을 조금 붉혔다. 이내 입에 든 것을 삼키더니 고개를 작게 끄덕였다.

"어떻게 하는지 기억나?"

"음……."

"너 그때, 잘 몰라서 뒤에서 구경했잖아."

"아니거든. 이건 처음부터 했거든."

이명은 톡 쏘더니 테이블을 치워 공간을 만들고 빈 소주병을 눕혔다. 그는 우물쭈물하며 잠시 생각에 잠기더니, 허락을 맡듯이 한선호의 눈을 보았다.

"어떻게 하는지 안다며."

"알아."

이명은 단호하게 대답한 뒤 소주병을 돌렸다. 빙그르르 돌던 녹색 병 주둥이는 그들 사이 어딘가를 가리키며 멈추었다. 굳이 따지자면 이명 쪽에 가까웠다. 한선호가 눈썹을 으쓱해 보이자 이명이 눈을 가늘게 뜨며 상체를 조금 앞으로 내밀었다.

"첫 경험, 언제였어?"

수학여행에서 안 좋은 것만 배운 모양이지. 그의 표정은 어쩐지 비장하고 절실해 보였는데, 왜 그런지 한선호는 조금도 짐작할 수 없었다.

"27세, 겨울."

아무렇지 않은 대답에 이명의 표정이 기묘하게 변했다. 복잡한 사칙 연산 문제를 암산으로 풀어야 하는 학생 같은 얼굴이었다. 한선호는 팔을 뻗어 소주병을 세차게 돌렸다.

병은 한동안 양철 테이블 위에서 쉭쉭 소리를 내며 돌았다. 이명은 모종의 간절함을 눈에 담고 병을 바라보고 있었다. 회전이 느려지며 소주병의 주둥이가 제 쪽을 가리켰을 때, 한선호는 손가락으로 쓱 밀어 이명을 향하게 했다. 이명이 얼빠진 표정으로 그를 바라보았다.

"자, 질문해야지."

한선호는 당연하다는 듯이 말했다. 이명은 한참 머뭇거리다가 조용히 물었다.

"그럼…… 누구랑?"

"이명."

"뭐……?"

그렇게 놀랄 일인가. 이명은 눈알이 빠질 것처럼 눈을 크게 뜨고 입을 가렸다. 한선호는 말없이 소주병을 또 돌렸다. 병은 아슬아슬하게 이명을 가리켰다.

"그럼 첫 연애는?"

아직 충격에서 벗어나지 못한 것처럼 보이는 이명이 기다렸다는 듯이 물었다.

"27세, 겨울."

"……."

"상대는 동갑, 내년에 스물여덟이 되는 토끼."

이명은 왜인지 모르게 울 것 같은 표정이었다. 그들은 한참 동안 서로 눈을 마주치지 않고 조용히 앉아 있었다. 탄내가 코끝을 찌른 건 그때였다. 한선호는 어떤 회식 자리에서도 이런 실수를 한 적이 없었다.

한동안 불판을 갈고 고기를 다른 종류로 더 주문하느라 정신이 없었다. 한차례 소란이 지나간 뒤, 다시 소주병이 돌아갔다. 이게 뭐라고 긴장이 됐다. 한선호는 이번에는 진심으로 질문할 기회가 왔으면 했지만, 불행히도 이번에도 병목이 이명을 향했다.

'불공평하네, 나도 물어볼 거 많은데.'

이명은 곧바로 질문하지 않고 잠시간 시간을 끌며 쭈뼛거렸다. 그는 부끄러운 듯 고개를 들더니 아주 작게 물었다.

"첫사랑은…… 언제였어?"

시간을 거슬러 가며 의문을 하나씩 지워 나가는 소거법인가. 꽤 좋은 전략처럼 보였다.

"18세, 여름."

한선호는 부드러운 색감의 갈색 눈을 똑바로 들여다보며 말했다. 소주를 한 잔 마시고, 손가락으로 소주병을 한 바퀴 돌려서 다시 이명을 가리키게 했다.

"13번, 이명."

"……."

"너 말고 누가 있었겠어."

이명은 한참 동안, 불판에 새로 올린 고기가 모두 익을 때까지 고개를 푹 숙이고 앉아 있었다. 뭐가 그렇게 뜻밖일까. 첫사랑을 영원히 못 잊는 사람은 셀 수 없이 많지 않나. 한선호는 애인의 반응이 더 신기했다.

새로 구운 소갈비를 잔뜩 넣고 쌈을 싸서 진작부터 벌어져 있던 이명의 입에 억지로 밀어 넣었다. 이명은 얌전하게 입을 움직였지만 흔들리는 눈동자는 그대로였다.

"자, 나 돌린다."

'이번에도 걸리면 개인 정보 다 털리게 생겼다.'

한선호는 속으로 중얼거리며 병을 톡 쳤다. 이번엔 예감이 좋았다. 병은 그의 예감대로 두 바퀴를 꽉 채워 돌고 180° 더 돌아갔다. 이명이 놀란 듯 고개를 들었다. 한선호는 씩 웃으며 그를 바라보았지만 막상 질문하려니 궁금한 게 너무 많아서 생각을 좀 해야 했다.
고민은 오래가지 않았다. 한선호는 자신을 가장 괴롭혔던 문제를 과감하게 대면하기로 했다.
"명이야."
"응."
"그 티셔츠 주인하고 무슨 사이였어?"
"……애인."
역시, 짐작이 맞았다. 속 시원해야 할 상황에 구름 위에 둥둥 떠 있는 것만 같던 기분이 바닥으로 곤두박질쳤다. 한선호는 이명을 난처하게 하고 싶지 않았지만 표정을 펴기가 쉽지 않았다. 그는 괜히 불판을 보며 익지도 않은 고기를 뒤적거렸다.
한동안 가만히 있던 이명이 말없이 소주병을 돌렸다. 병은 빠르게 돌다가 서서히 속도를 줄이며 이명을 가리켰다. 한선호는 어깨를 으쓱거리며 그를 바라보았다.
그런데 이명이 손가락으로 병을 슬쩍 밀었다. 한선호는 이제 자신을 가리키는 병 모가지를 멍하니 바라보았다.
"누군지, 물어봐."
이명이 웃음기 없는 표정으로 자신을 진지하게 바라보고 있었다. 한선호는 길을 잃은 기분이었다. 전 남친 이름을 물어보라니. 대체 무슨 생각일까.
"그런 걸 알아서 뭐 해."
"얼른…… 물어봐."
한선호는 이명이 아직까지 소중하게 여기는 예전 남자의 이름 따윈 궁금하지 않았다. 그보다는 언제 사귀었는지, 얼마나 특별한 관계였는지, 지금도 연락하고 지내는지가 궁금했다. 그러나 이명이 하라고 하니, 속는 셈 치고 그의 말을 들어 주었다.

"누군데?"

이명은 눈을 살짝 감고 깊은 한숨을 길게 쏟아 내더니, 소중한 것이 들어 있기라도 한 것처럼 오늘 내내 옆에 끼고 다니던 가방에서 무언가를 꺼냈다. 그것은 한선호가 상상 속에서 몇 번이나 불태웠던 흰색 티셔츠였다. 솔직히 꼴도 보기 싫었다. 그래서 고개를 돌렸건만, 이명이 손에 억지로 쥐여 주었다.

"자세히 봐. 거기 써 있으니까."

"그게 무슨……."

한선호는 구겨진 티셔츠를 쥔 채 굳어 있다가, 문득 어떤 생각이 들어서 살며시 펴 보았다. 양손으로 어깨선을 집어 들자 낡은 옷감이 펴지며 네크라인이 드러났다.

'설마……!'

상품 태그에 흐릿한 흔적이 있었다. 'XL'이란 글자 아래에 남아 있었지만 자세히 보지 않으면 알 수 없는, 아주 오래되어 보이는 자국이었다. 한선호는 눈을 깜빡였다. 아무리 선명하지 않더라도 제 글씨를 알아보지 못할 리 없었다.

"수학여행 때였어. 계획적으로 훔친 건 절대 아니고, 어쩌다 보니……."

얼굴이 새빨갛다 못해 터질 것 같은 이명이 기어들어 가는 목소리로 말했다. 그의 표정을 보아하니 큰 용기를 갖고 밝힌 것 같았다. 한선호는 놀랍기도 하고 황당하기도 해서 그의 얼굴만 바라보았다. 이명은 불안한 표정으로 입술을 깨물었다.

"지난주에…… 사실대로 말 못 해서 미안해."
"그것도 모르고 난, 예전 애인 거라고 오해했는데."
"알아. 아는데, 그래도 말하기 싫었어."
"……."
"나 같은 게 널 좋아해서 음습하게 옷까지 훔쳤다는 걸, 네가 아는 게 죽기보다 싫었어."
"뭐?"
"휴, 차라리 말해 버리니까 속 시원하다. 그래, 나 변태야. 너 안됐다. 애인이 변태라서."
이명은 속사포처럼 쏟아 내더니 소주잔을 입에 털어 넣었다. 그걸로도 모자랐는지 한 잔을 꽉 채워 곧바로 비웠다. 그는 손등으로 입가를 닦고 여전히 새빨간 얼굴로 다른 곳을 보았다.
뒤늦게 모든 것을 이해한 한선호의 입가에 미소가 지어졌다. 그는 9년 만에 되찾은 제 옷으로 얼굴을 가린 채 소리 없이 웃었다. 이제까지의 모든 해프닝이 우습게 느껴졌다. 그와 이명을 가로막고 있다고 생각한 뾰족한 장애물들은 사실 허수아비에 지나지 않았던 것이다. 한선호 앞에는 이명과의 해피 엔딩만이 끝없는 들판처럼 펼쳐져 있었다.
티셔츠를 내리자 곤혹스러워 보이는 이명과 눈이 마주쳤다.
"명이가 진짜 음습한 게 뭔지 모르는구나."
"응? 그게 뭔데?"
"고2 때 내가 무슨 짓을 했는지 알면 너 깜짝 놀랄걸."
"엇……. 진실 게임 마저 하자."
한선호는 이명의 표정이 집착적인 궁금증으로 물드는 것을 지켜보며 소주잔을 비웠다. 곧 이명의 손에 초록색 병이 힘차게 돌아갔다.

'대체 그걸 어떻게 설명해야 덜 변태처럼 보이려나.'

한선호는 실실 웃으면서도 한편으론 골치 아픈 고민에 빠졌다.

18. 스물여덟, 봄

18. 스물여덟, 봄

김 편집장은 몇 달째 곤혹스러워하고 있었다. 올해로 창간한 지 15년이 된 월간지 ≪바둑, 오늘≫의 구독자가 점점 줄어들다 못해, 이제 스폰서사와 광고주에게 고개를 못 들 지경이 되었던 것이다. 아무리 출판 시장이 자본의 힘에 움직인다지만 김 편집장은 인터넷 찌라시들이 그렇듯 바둑 기사들의 사생활이나 연봉에 관한 자극적인 기사로 구독자를 늘릴 마음이 조금도 없었다. 그런 그에게 굵직한 스폰서 사장이 '사활, 죽이고 살리다' 코너를 폐지하고 대신에 '풍문과 말, 말, 말'을 넣으란 요구를 해 온 게 문제였다.

'그렇게 할 수 없습니다. 바둑 신문은 기사들을 음해하는 싸구려 가십이 아닌, 바둑 자체를 다루어야 합니다.'

욕먹을 거라곤 예상했어도 머리로 재떨이가 날아올 줄은 몰랐다. 다음 날 부하 직원을 통해 사과받고 무마되기는 했지만 김 편집장은 이 사건으로 ≪바둑, 오늘≫이 막다른 골목에 몰렸음을 직감했다. 인정하긴 싫어도 과거처럼 정공법으로 사업을 유지할 수 없는 시대가 와 버린 것이다.

— 형, 잘 지냈어?

사촌 동생에게 전화가 왔을 때만 해도 김 편집장은 그가 기적 같은 기회를 가져다줄 거라곤 생각하지 않았다. 그들은 명절 때만 보는 데면데면한 사이였던 것이다.

"응. 너는 좀 어떠냐. 일은 할 만하고?"

— 사는 게 다 그렇지, 뭐.

마냥 성격 좋아 보이는 녀석이지만 어릴 때는 충남에서 손꼽히는 수재였다. 명문대를 졸업하고서 보란 듯이 대기업에 취업해 이모의 제일가는 자랑거리가 되었다.

"그래도 넌 직장이 탄탄하잖냐."

— 형은 뭐 안 그런가?

"나는…… 요즘 힘들어. 이 짓도 관둘 때가 왔는지."

이런 대화를 할 때마다 진작 공부해서 회사나 들어갈 걸 싶어졌다. 기사가 되겠다는 꿈에 반평생을 매달리다 자신 정도의 범재는 널리고 널렸다는 걸 깨달았을 땐 선택의 여지가 많지 않았다. 그래도 당시 같이 바둑 두던 사람들을 돌아보면, 단신으로 바둑 신문을 차리고도 15년 동안 폐업하지 않은 자신은 대단히 운 좋은 편에 속했다.

— 무슨 소리야. 내가 형 자랑을 얼마나 하고 다니는데.

"말만이라도 고맙다."

— 그래서 말인데, 형 누구 인터뷰 좀 해 줄 수 있어?

"인터뷰?"

— 응. 옆 팀에 친하게 지내는 직원이 있는데, 프로 기사 친구가 있다고 하거든. 언젠가 인터넷 기사가 잘못 나갔나 봐. 실제론 좋은 사람인데 사람들이 오해한다고 속상해해.

"그런데?"

— 내가 예전에 지나가듯이 형 얘기를 했는데, 어제 갑자기 소개해 줄 수 있냐고 물어보더라? 형네 잡지에 인터뷰 나가면 그쪽이나 형이나 윈윈 아닐까 해서, 일단 연락해 보겠다고 했지.

김 편집장의 표정이 싸늘하게 굳었다. 요는 바둑 신문 편집장에게 와서 인터넷 기사발 싸구려 가십이나 해명하란 거다. 아무리 처지가 어렵더라도 품위가 있지. 차라리 다 때려치우는 한이 있더라도 그런 제안을 받아들일 리가 없…….

— 아, 깜빡 잊고 말을 안 했네. 그 기사가 누구냐면, 이명 9단이야.

"뭐? 당장 데려와!"

이명 측에서는 오는 주말에 바로 인터뷰를 하고 싶다는 의향을 밝혔다. 기자들과 짤막한 대화조차 거부하기로 유명한 신비주의 기사, 황금 같은 VIP 슈퍼 갑의 말씀인데 따르지 않을 도리가 없었다. 김 편집장은 업무를 모두 사원들에게 맡겨 놓고 인터뷰를 기획하는 데만 3일을 꼬박 보냈다. 그쪽에서 원하는 건 ≪선데이 투데이≫지에서 왜곡해 놓은 이미지를 바로잡는 거였지만, 김 편집장은 그보다 더 큰 욕심을 갖고 있었다.

수많은 기사를 봐 온 김 편집장은 바둑돌 놓는 모습만 봐도 기풍을 가늠할 만큼 감이 좋았다. 그의 판단으로 세상에는 수재가 널렸어도 진짜배기 천재는 많지 않았다. 그가 인정하는 몇 안 되는 '진정한 천재'를 직접 볼 기회가 이렇게 찾아온 이상, 천재의 본질을 파악하고 싶었다. 반쯤은 개인적인 욕망이었다. 기재의 벽을 넘지 못해 중도 포기한 자신과는 다른 무언가가 있겠지 싶어서.

김 편집장은 회의를 열어 3시간 동안 토의한 끝에 '천재란 무엇인가'란 가제를 짓고 특집 지면을 여덟 페이지나 비워 놓았다. 일당이 가장 비싼 사진 기사에게 선금을 송금하고 청소 업체를 불러 사무실을 구석구석 청소했다.

이명은 일요일 오후 2시에 도착했다. 멀끔한 세미 정장 차림이었으며 곁에 경호원처럼 보이는 덩치 큰 남자를 대동하고 있었다.

"어서 오세요, 이명 9단. ≪바둑, 오늘≫ 편집장 김영재입니다."

"안녕하십니까. 이명입니다."

김 편집장은 정중하게 악수를 청한 뒤 그를 안으로 모셨다. 이명 9단은 듣던 것보다 훨씬 작고 마른 남자였다. 따지고 보면 자신과 키가 비슷하니 체격이 작은 건 아니었지만, 얼굴이 조막만 해서인지 나이보다 앳되어 보여서인지 전체적으로 소년 같은 인상이었다.

"일요일이라 직원들이 없습니다. 이쪽은 오늘 도와주실 사진 기사분이고요. 그럼 이쪽 회의실로……."

사진 기사와 이명이 그를 따라 들어왔다. 이명이 깨끗하게 정돈해 놓은 책상 앞에 앉자, 덩치 큰 사내가 당연하다는 듯이 그 곁에 앉았다. 그가 눈앞을 지나니 김 편집장은 잠시 시야가 가려져 아무것도 볼 수 없었다. 김 편집장은 직접 차를 타서 이명과 경호원에게 가져다준 뒤 그들의 건너편에 앉았다.

"12년산 보이차입니다. 입맛에 맞으시면 좋겠군요."

"감사합니다."

상대가 상대다 보니 여유를 찾기가 쉽지 않았다. 김 편집장은 모시기 힘든 거물 앞에서 허둥대며 덜덜 떨리는 손으로 보이스 레코더를 켰다. 인터뷰에 관해 몇 가지 지침을 알린 뒤 양손을 깍지 껴 맞잡고 이명을 바라보았다.

그리고 인터뷰가 시작되었다.

"이명 9단은 본래 언론 인터뷰를 안 하기로 유명하시지요. 오늘 이렇게 나오신 이유가 있으십니까?"

기사로서의 이명 9단은 속기파도 장고파도 아니다. 그러나 인간 이명은 지독한 장고파처럼 보였다. 미리 질문지를 주었으니 답변을 대충이라도 생각해 왔을 텐데, 간단한 질문도 바로 대답하지 않고 한참 동안 뜸을 들이는 것이었다. 옆에 앉아 있던 남자가 그의 어깨에 손을 얹었을 때 이명은 입을 겨우 열었다.

"그냥…… 얘기하고 싶은 것들이 있어서요."

김 편집장은 첫 질문부터 당황하고 말았다. 워낙 다재다능하고 치고 빠지기에 능한 기풍의 소유자라 말재간도 좋을 거라고 막연하게 생각했었다. 그것도 대답이랍시고 한마디 하고 멀뚱멀뚱 앉아 있는 이명을 보며, 정신 안 차리면 인터뷰를 망치겠다는 위기감이 들었다.

"자, 그럼 민감한 주제부터 가 보죠. '기화생명배 세계 바둑 선수권 대회'에서 준우승하셨습니다. 그때 기분이 어떠셨는지요."

김 편집장은 지지부진한 질문을 생략하고 중반에 계획해 두었던 질문으로 과감하게 건너뛰며 이명의 표정을 살폈다. 그는 안색이 조금 어두워진 채로 김 편집장의 눈을 마주쳤다.

"져서 속상했습니다. 그 뒤로도 계속…… 그 판에 대해서 끊임없이, 계속 생각했고요. 다시 둬 보고서 대안을 찾았습니다."

"대안…… 이요? 어떤……."

"말로 하긴 어려운데요."

"그럼 혹시 간단하게라도 보여 주실 수 있는지……!"

"네, 그러죠."

그것은 전혀 기대하지도 않았던 수확이었다.

바둑판은 이미 회의실 책상 한중간에 준비되어 있었다. 김 편집장은 얼른 돌 통을 가져와 이명에게 검은 쪽을 내밀었다. 그가 조금 주저하며 뚜껑을 열었을 때 심장이 한 차례 크게 뛰었다.

'됐어! 이 인터뷰는 끝났다!'

이명이 '기화생명배' 결승전의 첫수를 착점하는 순간이 카메라에 포착되는 소리가 들렸다. 김 편집장은 얼른 손짓해 사진 기사를 가까이 오게 한 뒤 백돌을 놓았다. 워낙 화제가 된 경기다 보니 기보를 외우고 있었다. 게다가 전날 영상도 다시 돌려 봤으니 어려움이 없었다. 흑돌과 백돌이 번갈아 가며 빠르게 놓였다. 패배의 길을 다시 걷는 이명 9단의 표정은 평온했다. 찰칵 찰칵, 셔터 소리를 배경으로 탁, 탁 돌 놓는 소리가 회의실 천장을 울렸다.

그러다 104수가 되었다. 김 편집장은 긴장해서 덜덜 떨리는 손으로 백돌을 놓고 기다렸다. 이명의 프로 인생 최악의 실수로 꼽히는 105수가 나올 차례였다. 그는 아무 표정도 없이 실제 경기와 다른 곳에 흑돌을 놓았다.

"여기부터 새로 연구하신 겁니까?"

"예."

김 편집장은 난감했다. 기보를 따라 두는 거야 얼마든지 할 수 있지만 그는 홍랴오치가 아니었다. 다음 수를 둘 자격도 깜냥도 없었다. 그가 주저하자 이명이 백색 돌 통을 제 앞으로 끌어가 돌을 꺼냈다. 그때부터 홀로 두는 숨 막히는 대국이 이어졌다.

김 편집장은 자신의 눈을 믿을 수가 없었다. 한 수도 잊지 않도록 머릿속에 기보를 그리는 중에도 심장이 쿵쿵 뛰었다. 애초에 이렇게 되었어야 했다. 실로 결승에 걸맞은 수준이었다. 이명은 몇 번이고 이 판을 두어 본 사람처럼 막힘없이 바둑판을 채워 나갔다.

'이것이 천재로구나.'

역시 바둑을 관두길 잘했다. 이런 괴물들의 세계에서 자신 따위는 서 있을 자리가 없었다. 바둑에 관해 모르는 사진 기사조차 분위기를 감지한 듯 셔터를 미친 듯이 눌러 댔다. 숨 막히는 긴장감으로 가득한 회의실 안에서 편안해 보이는 건 경호원뿐이었다. 그는 주인 옆에 앉아 있는 도사견처럼 충실한 모습으로 이명의 옆모습을 물끄러미 바라보거나 가끔 차를 마실 뿐이었다.

"이렇게…… 끝인데요. 이런 식으로 두었더라면, 제게도 승산이 있었으리라 생각합니다."

이명은 이마를 살짝 훔치며 겸손하게 말했다. 그러나 김 편집장의 눈에는 앳되어 보이는 28세 청년이 제 약점을 먹어 치우고 더욱 성장한 괴물처럼 보였다.

"하지만 후회하는 건 아니에요."

이명이 조용히 덧붙였다. 그가 흑돌 하나를 손가락 사이에 굴리며 잠깐 뜸을 들였다.

"간절히 바라는 걸 포기해야 할 때가 있고, 아닐 때가 있습니다. 그 시절에 저는 그걸 구분하지 못했을 뿐이고…… 그렇게 어려운 과정이 있었기 때문에 아마."

이명은 흑석을 돌 통에 부드럽게 돌려놓고 뚜껑을 닫았다. 김 편집장은 그가 왼손 약지에 반지를 꼈다는 걸 그제야 눈치챘다.

"현재가 있다고……. 그런 생각을 한창 했습니다."

"그로 인해 자신감이 붙으셨다고 봐도 될까요?"

"예. 저는 원체 흠이 많아서, 영원히 완벽해질 수는 없을 겁니다. 하지만, 적어도 이제 같은 실수를 하지 않겠죠."

이명 9단은 사고가 추상적인 편이군. 김 편집장은 후가공 과정에서 그를 어떻게 포장할지 고민하며 이미 궤도를 이탈해 버린 질문지를 덮었다. 어차피 '기화생명배' 결승의 가상 기보를 손에 넣은 것만으로 이미 부수 확보가 끝난 거나 마찬가지였다.

"그날 이명 9단께선 계시기를 멈춘 뒤 복기하지 않고 나가셨죠. 상대인 홍랴오치 9단에게 무례해 보일 수 있는 행동이었는데요. 이유가 있었습니까?"

김 편집장은 가십을 사랑하는 독자들을 노린 질문을 던졌다. 앞서 더 민감한 질문에 꿈쩍도 하지 않던 이명은 이 질문을 듣자마자 낯빛이 어두워졌다. 경호원이 말없이 그의 등에 손을 얹었다. 이명은 한참 뒤에야 우물쭈물 입을 열었다.

"저는…… 저는, 어린 시절 폐병이 있었는데요."

"아……."

"치료를 받고 완치되었지만, 그 이후에도 가끔 문제가 생기기도 합니다."

김 편집장은 금시초문인 이야기에 눈을 크게 떴다.

"그때 하필 그래서…… 숨을 쉬기가 어려웠습니다. 그래서……

계시기를 멈추고, 통역사를 불러 복기할 건강 상태가 아니라고 양해를 구하고 싶었지만, 몸이 안 좋다 보니 급히 퇴장했습니다. 생각하시는 것처럼 혈기 때문에 경기를 포기한 것이 아니고, 일부러 무례하게…… 군 것도 아닙니다. 이 기회를 빌어, 오해를 해명하고 싶습니다."

이명은 때론 힘겨운 듯 말을 멈추었지만, 그만하면 또박또박 대답했다. 경호원은 긴 답변이 끝난 뒤에야 그의 등에서 손을 뗐다.

"세간에서 생각하는 바와 달리 복기를 하지 못할 사정이 있었다는 말씀이군요."

"예. 사실…… 기회가 있다면 홍랴오치 9단께도 다시 상황을 설명 드리고…… 음, 사과의 말씀도 전하고 싶습니다."

"그렇군요. 엄청난 대결이었는데, 홍랴오치 9단에 대한 평가는 어떠십니까? 또 대결해 보고 싶으신지요?"

"아……. 네! 경기를 연구하면서 직접 둬 보니 44수가 얼마나 놀라운 묘수인지 알 수 있었습니다. 이어지는 46수, 48수, 그리고 98수, 모두 대단하고, 배우고 싶은 수이고, 그리고…… 존경합니다. 다음에 또 배울 기회가 있었으면 합니다."

눈을 반짝이며 이야기하는 이명은 분명 달변가는 아니었다. 그러나 이 답변이 그에 대한 세간의 인상을 바꿔 놓을 것임을 김 편집장은 짐작할 수 있었다.

"김석훈 9단에 대해선 어떻게 생각하십니까?"

"김석훈 9단은 '수도권 바둑 선수권 대회' 4강전과 '기화생명배 세계 바둑 선수권 대회' 준결승에서 두 번 뵈었습니다. 먼저 악수를…… 청해 주시고, 또 따뜻하게 대해 주셔서…… 삼촌이 생각나기도 하고……. 음. 그랬습니다."
"기풍은 어떻게 평가하십니까?"
"'호랑이'라는 별명이 잘 어울리는 분이라고, 생각합니다. 그런데 그보다는, '어부'가 좋지 않을까요? 그런 생각도 해 봤습니다."
"'어부'요?"
"네. 이렇게 그물을 쳤다가…… 가만히 있다가, 나중에 확! 잡아 버리는 그런 거, 있잖아요. 그런 걸 참 잘하신다는 느낌이 들어요."
"하하, 그럴듯하네요."
≪바둑, 오늘≫ 183회가 발간되는 날, 김석훈 9단에게 새로운 별명이 생기겠군. 김 편집장은 속으로 웃으며 중얼거렸다.
"'어부' 김석훈 9단께서 방송에서 '최근 가장 배울 점이 많았던 판이 무엇이냐'라는 질문에 '기화생명배' 준결승을 꼽으셨어요. 특히 145수를 언급하셨는데요."
김 편집장은 미리 뽑아 둔 기보를 이명에게 넘겼다. 이명 9단이 그 김석훈 9단을 어린아이처럼 다루며 몰아세운 대단한 대국이었다.
"아시는지 모르겠지만 바둑 방송 'goTV'에서 '올해의 묘수' 1위로 뽑히기도 했거든요. 이 수를 두셨을 때 무슨 생각을 하셨는지 여쭤 보겠습니다."
"아, 그땐 그냥…… 위쪽으로 돌파하면 좋지 않을까 생각했어요."
'이런, 전형적인 천재의 화법이군.'
"김석훈 9단께서는 요즘 각종 방송 활동을 활발히 하고 계신데요. 이명 9단은 향후 엔터테이너로 활동하실 계획이 있으신지요?"
"아니요. 없습니다."
"그렇습니까. 이제 다른 이야기를 조금 해 보죠. 프로 바둑계에 친분 있는 분들이 있습니까?"

"어……. 바둑 도장에서 임주혁 9단과 김병훈 5단께 사사받았고 현재까지 가깝게 지내고 있습니다. 연구생 동기인 서유진 7단, 조승빈 3단, 박지호 6단과도 알고 지냅니다."

"그렇군요. 그럼 이명 9단의 바둑 인생에 가장 도움을 준 사람들, 의지가 되는 사람들은 누가 있을까요?"

"일단…… 제 매니저이자 저를 늘 지원해 주시는 엄마가 있고요, 사랑하는 동생, 그리고…… 삼촌과 이모가 많이 격려해 주세요. 앞에 언급했던 임주혁, 김병훈 사범님, 대한 기원의 조정환 원장님……. 그리고……."

이명의 목소리가 급격하게 작아졌다.

"저, 죄송하지만 마지막이 잘 안 들려서……. 다시 말씀해 주시겠습니까?"

"애……애, 예인……이. 그러니까, 아니, 저기……. 처음부터 말해도 돼요?"

인터뷰 내내 옅은 미소만 띠고 있던 경호원이 돌연 "풉!" 소리를 내며 웃음을 터뜨렸다. 그는 킥킥거리며 웃다가 결국은 상체를 아예 접으며 고개를 숙였다.

"웃지 마……!"

"하하, 아하하하! 미안, 미안. 죄송합니다. 하하하, 계속하세요."

이명은 그를 흘겨보더니 퉁명스러운 표정으로 말을 이었다.

"애인이 있는데요. 가끔은 절 곤란하게 하지만, 그래도…… 늘, 힘이 되어 주는 좋은 사람이에요."

김 편집장은 그 뒤로도 이명의 신상에 관한 여러 질문을 던졌다.

바둑이 안 풀릴 때 먹는 음식이나 주로 듣는 음악, 바둑을 막 시작하는 아이들에게 주고 싶은 팁 따위였는데 대답이 대체로 시원찮아서 지면에 실을 만한 것이 거의 없었다. 바둑이 안 풀릴 때는 아무것도 안 먹고, 음악은 '그냥 아무거나' 들으며 아이들은 어릴 때 축구를 했으면 좋겠다는 대답을 어느 독자가 좋아하겠는가. 이명 9단은 대단히 흥미로운 인사였지만 재치 있는 인터뷰이는 아니었다.

몇 가지 질문을 더 던지고서 김 편집장은 인터뷰를 마칠 때가 되었다고 판단했다. 어차피 초반에 딴 기보 분석만으로도 여덟 페이지를 채우고 남을 것이다.

"알겠습니다. 음……. 마지막 질문 드릴게요."

"네."

"제가 5년 전 '한국 기성 대전'에 취재를 갔다가 이명 9단을 뵌 적이 있는데, 오늘 만나 뵈니 인상이 그때보다 밝아지신 것 같습니다. 9단에 오르셔서 생긴 여유일까요? 아니면 그만큼 나이가 들어서일까요?"

"아니요. 저 원래 우울한 사람인데……. 연애하면서 많이 바뀌었어요."

그놈의 연애, 좋기는 좋은가 보다. 계속 언급하는 걸 보면.

"감사합니다. 인터뷰 마치겠습니다. 고생하셨습니다."

김 편집장은 보이스 레코더를 끄고 이명에게 다시 악수를 청했다. 옆에 앉아 있던 남자와도 자연스럽게 악수한 뒤 편집 지침을 짤막하게 소개했다. 이명은 가만히 앉아서 듣기는 했지만 별 관심이 없어 보였다.

"아, 그리고 사진은……."

"사진 미리 볼 수 있을까요?"

갑자기 경호원 남자가 끼어들었다. 저런 데까지 관여하는 걸 보면 평범한 경호 인력은 아닌 모양이었다. 김 편집장은 선뜻 고개를 끄덕이곤 사진 기사를 불러 그동안 찍은 결과물을 모니터에 띄웠다.

"음……. 얼굴이 너무 많이 나온 건 빼 주시길 바랍니다. 이건 괜찮네요."

경호원은 몹시 까탈스럽게 굴었는데, 이명의 이목구비가 조금이라도 나온 건 전부 쓸 수 없다고 못 박고 기껏해야 그의 손이 찔끔 나온 사진만 사용해도 된다고 허락해 주었다. 한 시간 동안 열심히 셔터를 눌러 댄 사진기사는 허탈하단 표정을 짓고 있었다.

"이건 버리기 아까운데……. 제가 볼 땐 연예인처럼 잘 나왔거든요. 혹시 어떠신지……."

김 편집장은 간절한 눈빛으로 모니터를 가리켰다. 착수하는 순간에 찍힌 사진 속 이명 9단은 굉장히 이지적으로 보였다. 이번엔 정면도 아니고 옆모습이라 허락해 주려나 싶었지만 남자는 고개를 저었다. 그러다 그가 무언가 생각났다는 듯이 말했다.

"기사에 싣기는 조금 그렇고요, 이 사진 혹시…… 프로필 사진으로 사용해도 될까요?"

"프로필이요?"

"네. 이명 9단 포털 프로필을 조만간 업데이트하려고 하거든요. 사진관에 가려고 했는데, 자연스럽게 나온 게 좋을 것 같아요."

"아? 그럼요. 영광이죠. 보내 드릴게요."

"가능하시다면 오늘 찍으신 사진 전부 전송 부탁 드릴게요. 용도는 개인 소장용입니다. 제가 이명 9단 팬이라서요."

남자는 뻔뻔한 얼굴로 종이쪽지에 연락처와 이름을 남겼다.

사무실을 떠나기 전, 그는 이명 9단의 옷을 정성스레 여미고 머리카락을 정리해 준 뒤에야 문을 열었다.

"선호, 우리 저녁 뭐 먹을까?"

"음, 너 좋아하는 보쌈집 갈까?"

"거긴 지난주에 갔잖아. 다른 데 가자."

사무실이 워낙 조용해서 둘이 속닥거리는 소리가 훤히 들렸다.

'서로 반말하는 거 보면 경호원이 아닌가…….'

경호원이 아니라면 뭐라고 해야 할까. 보모……? 반평생 글만 써 온 김 편집장이었지만 이상하게도 적절한 표현이 떠오르지 않았다.

그는 사진 기사를 퇴근시키고 소중한 음성 파일을 컴퓨터로 옮겼다. 우선은 기보부터 꼼꼼하게 정리한 뒤에 사촌 동생에게 전화를 걸었다.

— 어, 영재 형!

"이명 9단 인터뷰 끝났다."

— 어땠어?

"끝내줘. 다음 호 부수 열 배수로 뽑을 거다."

— 하하하! 다행이다.

"언제 한번 보자. 고기 사 줄게."

— 푸하, 좋지! 나도 선호 씨한테 밥 한번 사야겠네.

김 팀장은 남자가 남겨 두고 간 쪽지를 힐끔 보았다.

"한선호 씨…… 가 네가 말한 회사 직원이야?"

— 응. 왜?

"오늘 이명 9단하고 같이 왔거든. 난 또 경호원인 줄 알았네."

— 체격이 좀 그렇지? 일도 잘하고 싹싹해. 나 벌써 한 라인 탔잖아.

김 팀장은 문득 두 남자를 보고서 느낀 위화감에 관해 생각했다. 그들은 아무리 봐도 친구 사이 같진 않았다. 분위기가 어쩐지 애틋하달까, 방송에서 떠들어 대는 브로맨스 같은 게 떠올랐다. 경호원도 아니고 보모도 아니라면, 혹시…….

"선호 씬 보아하니 인기 많겠어. 반지 끼고 있던데, 만나는 사람 있겠지?"

— 우리 한 사원 당연히 애인 있지. 그것도 열세 명이나.

"뭐?"

— 전에 전화 온 걸 봤는데 '13번 애인님'이라고 돼 있더라고. 그럼 1번부터 12번도 있다는 거 아니겠어? 크, 나의 추리력.

"……어, 그래."

— 아무튼 형, 나 밖이라서. 다음에 고기 사 줄 때 연락해!

"그래. 알았다."

김 편집장은 전화를 끊고서 헛웃음을 지었다. 가십 따위 질색하는 자신이 아니었나. 대체 무슨 엉뚱한 생각을 하는 것인가. 그는 잡스러운 생각을 몰아내고 녹음 파일을 틀었다.

'기회가 있다면 홍랴오치 9단께도 다시 상황을 설명 드리고…… 음, 사과의 말씀도 전하고 싶습니다.'

파일 확인차 아무 곳이나 틀었는데, 듣고 나니 머리를 스치는 바가 있었다. 그 사과, 직접 하면 왜 안 된단 말인가? 그 김에 홍랴오치 9단과 친선 경기도 한 번?

'그걸 우리 유튜브에서 중계하는 거지……!'

새 기획 파일을 작성하는 김 편집장의 손이 바빠졌다. 머릿속에서 마인드맵처럼 퍼져 나가는 아이디어에 정신을 못 차릴 지경이었다. 하얀 페이지에 글줄이 더해질수록 일이 점점 커졌다. 그의 계획대로라면 조만간 중국과 일본으로 출장을 가게 될 것이다.

'실력 있는 통역사가 필요하겠군.'

김 편집장은 '천재란 무엇인가' 2편을 상상하며 키보드를 미친 듯이 두드렸다.

19. 스물여덟, 겨울

19. 스물여덟, 겨울

졸업식 날은 날씨가 우중충했다. 따라서 선호가 마지막 종례를 흘려들으며 창밖을 보는 척하기 좋은 환경이었다. 그가 1년 반 내내 창가를 보는 척하면서 그 앞에 앉는 소년을 주시했다는 걸 아는 사람은 아무도 없을 것이다.

"다들 그동안 공부하느라 수고가 많았다."

마지막을 암시하는 말에 선호의 눈빛이 흔들렸다. 종례가 짧은 게 유일한 장점이라고 했나. 이 순간만은 김지남 선생의 장점이 단점처럼 여겨졌다.

이명은 꽃다발을 들고 앉아 있었다. 선호의 자리에서는 늘 45° 정도 각도의 옆모습이 보였다. 이명은 그 자리에서 동복에서 춘추복으로, 춘추복에서 하복으로, 옷만 바뀌었을 뿐 2년 동안 한결같이 앉아 있었다. 빤이 보여서 그럭저럭 괜찮지만 그 각도의 아쉬운 점이라면 눈을 보기 어렵다는 점이었다.

'이제는 이마저 볼 수 없겠지.'

듣기 어려운 목소리를 놓칠까 봐 왼쪽에 온통 신경을 집중하던 나날도, 체육 시간에 나무 그늘 아래를 살펴보던 시간들도, 교실에 도착하면 창문부터 열던 습관도 이제 끝이었다.

선호는 뱃속이 울렁거리는 기분에 침을 꿀꺽 삼켰다. 무언가 결핍되었다는 것을 깨달은 지는 오래되었다. 하지만 어떻게 해야 하는지는 1년 반이 지난 지금도 여전히 몰랐다.

"한 번 더 준비하는 사람들은 너무 기죽지 말고. 대학 가는 놈들은…… 어? 안 죽을 정도로만 마셔!"

"에에이이……."

"자, 반장."

언제나 반가웠던 저 소리가 이렇게 아쉽게 들린 적이 있었던가. '반장'이란 말에 이명이 황송하게도 오른쪽을 봐 주었다. 둘의 눈이 마주친 건 찰나였다. 선호가 곧바로 앞으로 보며 자리에서 일어났으므로.

"차렷."

마지막을 유예할 수 있다면. 선호는 아무 소용이 없다는 것을 알면서도 헛기침을 하며 조금 시간을 끌었다.

"경례!"

"감사합니다!"

그렇게 끝이었다. 첫사랑이 손가락 사이로 스르르 빠져나가고 있었다.

한선호는 소리 없이 깨어났다. 크게 뜬 눈에서 눈물이 떨어져 내렸고 거친 호흡으로 가슴이 위아래로 오르락내리락하고 있었다. 곁에 이명이 잠들어 있다는 걸 확인하고서야 그는 눈을 다시 감았다.

미친 듯이 뛰는 심장을 진정시키려고 심호흡을 한 지 얼마나 됐을까, 알람이 울렸다. 한선호는 알람을 얼른 끄고 조심조심 일어났다.

'수영, 가지 말까.'

오늘은 애인과 종일 붙어 있고 싶은 기분이었다. 하지만 별거 아닌 꿈 때문에 오랜 습관을 어기는 것도 내키지 않았다. 한선호는 이명을 물끄러미 바라보다 침실에서 나왔다.

물을 한 잔 마시고 면도했다. 식빵 두 장을 토스터에 넣고, 기다리는 동안 일기 예보와 뉴스, 세계 증시, 코스피와 유가를 확인했다. 빵이 튀어나오자 접시에 올려놓고, 나이프를 들어 딸기 잼을 슥슥 발랐다.

방으로 들어와 옷을 벗으려던 차에 잠들어 있던 애인이 눈을 떴다. 한선호는 웃으며 침대로 다가갔다. 허리를 숙이며 그의 뺨에 입 맞추자 이명이 고개를 뒤로 꺾으며 나른하게 웃었다.

한선호는 그의 곁에 걸터앉아 티셔츠를 벗었다. 이불 위에 아무렇게나 던져 놓고 깨끗한 셔츠를 몸에 걸쳤다. 단추를 하나씩 채우면서, 눈을 비비며 하품하는 이명을 물끄러미 내려다보았다.

'왜 그런 꿈을 꿨을까, 넌 이렇게 내 곁에 있는데.'

이명은 하품이 끝나자 몸을 뒤집으며 이불에 몸을 파묻었다.

"선호, 수영 잘 해. 출근 안전하게 하고, 밥 맛있게 먹고, 퇴근하면 얼른 와."

아직 졸린 목소리였다.

"더 자, 명이야."

"응……."

한선호는 이명의 뺨에 키스한 뒤 수영용품을 챙겨 나왔다.

평소와 다름없는 금요일을 시작하면서도 머릿속에서는 졸업식의 기억이 안개처럼 짙게 끼어 있었다. 어느덧 10년이나 지난 일이었다. 이명과 재회하고서는 잊었다고 생각했는데, 처음으로 간절히 원하는 것을 떠나보낸 순간은 칼로 새겨 놓은 듯 선명하고 아프게 각인되어 있었다.

한선호는 엘리베이터 앞에 멍하니 서 있다가 버튼조차 누르지 않았다는 사실을 깨달았다. 그는 바람 빠지는 소리를 내며 엘리베이터를 호출했다.

지하에 도착해 차 앞까지 간 한선호는 어이없다는 표정으로 뒤를 돌아보았다. 주머니를 아무리 뒤져 봐도 키가 없었다. 한 번도 해본 적 없는 실수에 정신이 얼떨떨했다. 아무래도 그 꿈 때문인가. 한선호는 개운치 않은 기분으로 다시 8층에 올랐다.

도어 록을 해제하고 집 안으로 들어가자 주방 탁자에 올려진 키가 보였다.

"차 키를 놔두고 가서. 요즘 정신이……."

고개를 든 순간, 그는 전신 거울 앞에 선 이명과 눈이 마주쳤다.

"엇……."

티셔츠를 막 벗으려던 참인지 그의 상체가 반쯤 드러나 있었다. 그런데…… 그가 전날 흰 티셔츠를 입고 잤던가. 다른 걸 입고 자지 않았던가.

티셔츠의 어깨선이 아래로 한참 내려가 있었다. 그리고 잠옷 바지의 앞부분이 부자연스럽게 툭 튀어나와 있었다. 한선호는 이명의 체구에 맞지 않는 흰 티셔츠가 누구 것인지 그제야 눈치챘다.

"하하……."

그는 낮게 웃으며 문을 닫았다. 구두도 벗지 않은 채 거실로 성큼성큼 들어섰다. 이명은 얼굴을 붉히며 침대로 도망쳤는데, 그거야말로 한선호가 바라던 바였다. 그는 넥타이를 풀며 침대로 올라갔다.

입술을 먹어 치우며 마른 허리를 감싼 바지를 속옷과 함께 벗겨냈다. 이명의 성기를 한 손에 쥐며 반대쪽 손은 사이드 테이블에 놓인 콘돔으로 뻗었다.

"내가…… 할게."

이명이 가쁜 숨을 몰아쉬며, 반쯤 서 있던 한선호의 성기에 조심스럽게 손을 갖다 댔다. 서투른 손길에 페니스가 정장 바지를 뚫고 나올 듯이 단단해지며 관자놀이가 지끈거렸다. 머리가 성욕으로 팽팽 돌았지만 한선호는 이명을 부드럽게 안으며 그의 입술을 핥았다.

버클을 열려는 그의 손을 붙잡았다. 입술에 쪽 키스하곤 벌써 땀이 맺히고 상기된 얼굴을 바라보았다.

"음, 아니……. 지퍼만."

"바지 안 벗고?"

"너만 벗고 있어."

지퍼를 내리자마자 밖으로 고개를 내민 페니스는 핏줄이 불거진데다 터질 듯이 부풀어 있었다. 콘돔을 씌우며 이명의 입 안에 혀를 집어넣었다. 입술끼리 포개어지며 타액이 서로 섞였다. 이명의 사타구니는 이미 꼿꼿하게 발기한 성기에서 흘러나온 쿠퍼액으로 축축했다. 쓱 쓸었을 뿐인데 손바닥이 체액으로 흠뻑 젖었다. 한선호는 그 손으로 제 성기 둘레를 훑고서 속삭였다.

"자, 티셔츠 잡아 봐."

'내게 졸업식이 쓰라린 기억이라면, 네겐 그 옷이 그렇겠지.'

이명은 유독 9년 전에 옷을 훔친 기억을 부끄러워했다. 이제는 둘이 함께이니 그때와 상황이 전혀 다른데도. 아무것도 부끄러워할 필요가 없는데도. 하긴, 오늘 아침에 울면서 깨어난 사람이 할 말은 아니지 않나.

한선호는 조바심이 나서 그의 허벅지를 위로 살짝 들며 엉덩이를 벌렸다. 그 사이로 귀두를 맞춰 넣자 이명이 소리 죽인 신음을 냈다.

"가끔 눈앞에 있는데도 실감이 안 나."

"하아, 아……. 뭐?"

'네게도 현재가 이렇게 꿈같을까.'

한선호는 이명의 허벅지를 움켜쥐고 하체를 밀어붙였다. 빽빽한 입구는 그를 쉽게 들여보내 주지 않았지만 언젠가 열리리란 확신이 있었다. 이제까지 늘 그랬으니까. 이명이 괴롭다는 표정으로 눈을 질끈 감았다. 고통을 동반한 아찔한 쾌감이 한선호의 머릿속을 어질어질하게 만들었다.

그는 기둥을 뿌리까지 삽입한 뒤 한동안 이명을 붙잡고 거친 호흡만 내보냈다. 이마와 뺨, 가슴, 어디고 할 것 없이 땀이 맺혀 있었다.

"하아, 하아……."

"흐, 읏……. 아……."

눈이 저절로 감기며 잠시 잊고 있었던 꿈이 떠올랐다. 꿈은 중간에서 끊겼지만 결말을 알고 있었다. 마지막은 단둘이 남은 어두컴컴한 교실에서 이명이 떠나가는 장면이었다.

끊임없이 이어질 것 같지만 끝이 있는 복도 너머로 이명의 뒷모습이 사라졌다. 그 당시에는 원하는 게 있다면 손을 뻗어서 잡아야 한다는 걸 몰랐다. 그래서 한선호는 가만히 서서 그 모습을 지켜보았다.

눈을 뜨자 스물여덟의 이명이 그를 바라보고 있었다.

"아무 데도, 안 갈 거지?"

한선호는 간절하게 중얼거렸다. 스물여덟 이명이 눈앞에 있는데도 열아홉 이명의 뒷모습이 그를 괴롭혔다. 꿈속에서는 무슨 짓을 해도 잡을 수 없었던 등이었다.

이명은 한선호가 왜 그런 말을 하는지 모르겠다는 듯한 표정을 지었다. 그가 살짝 웃으며 손을 뻗었다. 뺨을 어루만지려나 싶었는데, 한선호의 왼쪽 가슴으로 손을 가져가, 유두를 살짝 비틀어 꼬집었다.

"풋."

심각한 표정을 짓고 있던 한선호는 그만 웃어 버렸다. 이명에게 엉뚱한 구석이 있다는 건 알지만, 생각할수록 황당했다.

"뭐 하는 거야. 하하하, 응?"

그 장난 덕에 한선호는 현실로 돌아왔다. 졸업을 아쉬워하기에는 훌쩍 자라 버린 시간으로. 이명과 함께 살고 있는 그들의 집으로.

한선호는 그가 뻗은 손에 손바닥을 겹치고, 손가락 사이마다 차례대로 깍지를 끼며 손을 꼭 쥐었다. 네 번째 손가락에 꼭 맞는 반지가 오전의 햇살을 받아 반짝였다.

이명이 눈을 감았다. 한선호는 그의 가슴을 자신의 상체로 덮으며, 살짝 벌어진 그의 입술에 제 것을 포갰다.

상체를 조금 들었다. 성기를 조금 뺐다가 다시 세게 박아 넣었다. 서서히 움직이기 시작하자 이명이 고개를 돌리며 물기 섞인 비음을 흘렸다.

"아, 아아, 아……. 흣, 아……!"

"아파?"

이명의 눈가에 눈물이 살짝 고여 있었다. 그러나 그는 아무 말도 하지 않았다.

한선호는 한 손으로 그의 뒤통수를 받치며 더욱 몸을 가까이 다가갔다. 이명의 한쪽 가슴을 손으로 잡고 가까이서 눈을 바라보며 박차를 가했다. 몸 어디든 할 것 없이 땀이 나서 덥게 느껴졌다. 어쩌면 수영보다 이편이 더욱 운동이 될지도.

느끼는 곳에 도달할 때마다 이명의 몸이 쾌락에 가늘게 떨렸다. 그 지점을 처음 섹스한 날 알아챌 수 있을 정도로 그의 몸은 솔직했다. 푹푹 박을 때마다 좁은 내벽이 기둥을 보채듯이 꽉 조이며 달라붙었다. 아무리 세게 쑤셔도 그보다 더 강하게 감싸며 놓아주지 않으려 했다. 한선호는 문득 그 좁은 통로 안에 고개를 처박고 모조리 핥아먹고 싶은 욕망에 휩싸이며 골반을 더 세게 튕겼다.

햇빛을 받아 투명하게 반짝거리는 갈색 눈동자는 아무것도 모르는 것만 같았다. 그를 통째로 먹어 치우고 싶다고 생각하는 남자의 시커먼 속을 열어 보게 된다면 저렇게 황홀하단 표정을 짓지만은 않을 것 같은데.

그들은 서로 마주 안은 채 호흡을 맞추었다. 사정감이 밀려오자 한선호는 아예 팔로 이명의 어깨를 감싸고 허리를 더 빠르게 처박았다. 한선호의 허벅지를 쥔 손에도 힘이 잔뜩 들어갔다. 이명의 다리가 공중에서 흔들리며 신음이 숨넘어가듯 헐떡거리는 소리로 변했다.

절정에 다다른 성기가 내벽 깊은 곳까지 박힐 때마다 음낭이 둔부에 부딪치는 소리가 귀를 울렸다. 한선호는 이명의 초점 풀린 눈을 바라보며 어깨를 꽉 끌어안았다. 오늘은 같이 끝까지 가고 싶었다. 그래야 할 것 같은 기분이 들었다.

그는 반쯤 빼냈던 성기를 끝까지 밀어 넣었다. 두 몸이 완벽하게 맞물린 동시에 이명이 가는 신음을 뱉었다. 내벽이 돌연 페니스를 쥐어짜듯이 조였을 때, 한선호는 참지 않고 욕망을 밖으로 쏟아 보냈다.

"하아, 하아……."

숨이 찼다. 한선호는 이명의 가슴 위로 쓰러진 채 숨을 골랐다. 그에게 무게를 온통 싣자 깃털처럼 가벼워진 기분이 들었다. 이렇게 작고 마른 남자의 품이 이토록 넓다는 건 놀라운 일이었다.

"……회사는?"

"하하, 어떻게 하지?"

그들은 서로 껴안은 상태로 몸을 들썩거리며 웃었다.

한선호가 귀가했을 때 집은 밤처럼 캄캄했다. 그는 익숙한 듯 불을 켜고 난방 장치 온도부터 확인했다. 실내가 따뜻하게 달궈진 것을 확인하고 거실에 들어서 외투를 벗어 옷걸이에 걸어 놓았다.

고양이처럼 의자에 웅크려 앉은 이명은 갑자기 밝아진 조명에 적응하지 못하고 눈살을 찌푸렸다. 보아하니 온종일 바둑만 둔 기색이었고, 옷조차 아침에 입혀 놓고 나간 그대로였다. 그에게 지나치게 큰 흰색 셔츠 아래로 흰 다리가 쭉 뻗어 있었다.

'내 옷, 입어 보고 싶었던 거 아냐?'

'……놀리지 마. 그냥, 네 냄새가 나서…… 그런 거야.'

'그럼 오늘은 종일 이거 입고 있어. 네 냄새 배게.'

반쯤은 농담이었는데 이 시간까지 입고 있을 줄은 몰랐다. 바둑에 정신이 팔려 옷 같은 건 신경 쓰지 못한 거겠지. 사람을 유혹할 작정으로 그렇게 입었대도 눈이 돌아갈 판에, 그럴 의도가 없다는 점이 확실해서 더 안달 나게 만들었다. 하지만 조금이라도 놀리면 다시는 안 입으려고 할 테니, 한선호는 그의 복장을 힐끔힐끔 보면서도 애써 모른 척했다.

냉장고를 열어 본 한선호는 이명이 종일 끼니를 제대로 챙기지 않았다는 걸 알게 되었다. 그에게 다가가 콧등에 입을 맞추자, 이명이 고개를 들며 입술을 위로 쭉 내밀었다. 그 각도에서 아래를 내려다보고 있자니, 풀어진 셔츠 깃 사이로 뽀얀 가슴이 훤히 보였다. 한선호는 말랑말랑한 입술을 톡톡 부딪친 뒤 제 입술 사이로 부드럽게 빨아들였다.

이명의 손이 한선호의 목뒤를 감으며 그의 얼굴을 아래로 끌어당겼다. 둘의 혀가 얽히며 키스가 한층 정열적으로 변했다. 한선호는 한 손으론 그의 귀를 부드럽게 애무하며 한 손으론 둘레가 남아도는 셔츠 소매 위로 손목을 쥐고 매만졌다.

진득하게 붙어 있던 입술이 떨어진 뒤에도 그들은 한동안 눈을 마주하고 있었다. 한선호는 이명의 머리카락을 손가락으로 쓸어 넘기며 말했다.

"저녁은?"

"시켜 먹자."

"또? 수요일에도 시켜 먹었잖아."

"선호가 일주일에 세 번까지는 괜찮다며……."

한선호는 어린 시절에 주로 엄마가 해주신 집밥을 먹고 자랐고 외식은 거의 하지 않았다. 반면 이명의 가족은 모두 배달 음식과 외식을 좋아했다. 그에게는 집밥이란 개념이 존재하지 않다시피 했다.

"알았어. 뭐 먹을까?"

이명이 한선호의 팔에 매달리며 그의 상체를 다시 끌어 내렸다. 곧 뺨에 입술이 닿았다가 쪽 하는 소리를 내며 떨어졌다. 오늘따라 애교가 많은 걸 보니 일이 잘 풀리는 모양이었다.

"머릿속에 떠오르는 음식 동시에 말해 보자."

이명의 목소리가 유독 기분 좋고 달콤하게 들렸다. 한선호는 비어져 나오는 웃음을 주체하지 못하며 고개를 끄덕였다. 이명의 손가락이 올라갔다. 하나, 둘…… 셋.

"피자."

"치…… 자."

잠시간 침묵이 흘렀다. 한선호는 재킷을 벗으며 자연스럽게 방으로 향했으나, 뒤통수에 날카로운 지적이 꽂혔다.

"너 치킨이라고 하려고 했지? 다 들었어."

"아니야. 피자라고 했어."

그는 옷을 벗어서 정리해 두고 어플을 켜 피자 가게를 검색했다. 페퍼로니 피자에 더블 치즈, 옥수수 추가. 콜라 대신 스프라이트. 그들이 늘 먹는 메뉴에 샐러드를 함께 주문하고서 손발을 씻고 세수했다.

이명은 화장실에 들어가기 전과 똑같은 자세로 앉아 있었다. 미끈한 한쪽 다리는 쭉 뻗은 채 가볍게 달랑거렸고 반대쪽 다리는 세운 채 그 위에 턱을 얹고 있었다. 한선호는 밤이 내려앉은 창을 배경으로 달랑 셔츠 한 장 걸치고 앉아 있는 남자의 모습을 말없이 감상했다. 매일 보고 싶은 모습이었다. 한선호는 눈을 깜빡이는 시간조차 아깝다고 느꼈다. 어느 순간에 이명이 시선을 알아챈 듯 고개를 획 돌렸다.

"선호, 뭐 해?"

"어? 그냥, 아무것도."

"그럼 나 커피 타 줘."

"조금 있으면 밥 먹을 건데, 커피 마시게?"

"응."

이명이 바쁠 땐 그의 하인이 되는 호사를 누릴 수 있었다. 한선호는 커피 메이커의 전원을 켜며 미소 지었다. 처음 사귈 때는 '아무거나' 좋다고 하던 그였는데. 이명이 원하는 걸 겨우 요구하게 된 건 최근의 일이었다. 거의 1년이란 세월이 걸린 셈이다.

그동안 많은 일이 있었다. 이명은 두 번의 커다란 패배를 겪었고 처참하게 난파되었으나, 패배를 받아들이고 극복하는 과정에서 더 단단하게 재건되었다. 그는 애정을 주고받는 데도 더욱 자연스러워졌으며 놀라울 정도로 어른스러워졌다.

'가끔은 아쉬워.'

한선호는 말을 더듬고, 두려워하고, 뭐만 물어보면 눈빛이 흔들리던 연애 초창기를 가끔 떠올렸다. 현재의 이명은 그 무엇보다 사랑스럽지만, 그때의 이명도 만만치 않게 귀여웠다.

꼼짝하지 않고 바둑판을 노려보던 이명은 이번에는 자세를 바꿔 허리를 펴고 다리를 꼬았다. 한선호가 테이블에 엉덩이를 기대자 그가 고개를 들었다. 한선호는 우유와 시럽을 많이 넣고 위에 코코아 가루를 뿌린 카페 라떼를 그의 정수리에 가볍게 얹었다.

"벌써 다 됐어?"

"응."

"명이 너, 점심도 똑바로 안 먹고 종일 이러고 있었지?"

이명이 그 말을 못 들은 척 머그 컵을 받아 들곤 입술에 갖다 댔다. 살짝 기울여 커피를 마시는 순간 두 눈이 스르르 감기며 커피와 꼭 비슷한 색감의 눈동자가 사라졌다. 그리고 만족스러운 미소가 입가에 번졌다.

"맛 괜찮아?"

"응."

"피자 올 때까지만이라도 쉬어."

"이거 해야 되는데……."

이명은 머릿속에 걸리는 게 있다면 장애물을 돌파할 때까지 몇 날 며칠이고 고민했다. 일에 푹 빠진 애인이 매력적이기는 해도 하루에 30분 정도는 기분 전환을 하는 게 좋지 않나.

한선호는 그런 생각으로 의자를 끌어왔다. 그가 아무렇지 않게 바둑판 반대편에 앉자 이명이 킥 웃었다. 한선호는 거기서 멈추지 않고 흑돌이 반쯤 담긴 통을 제 앞으로 끌어왔다.

"진짜?"

이명이 웃음기 가득한 얼굴로 물었다. 한선호는 제법 진지한 표정으로 고개를 끄덕였다.

바둑판에는 어느 고수들이 언젠가 두었을 판이 반쯤 재연되고 있었다.

'오늘은 이걸 이어서 해 볼까……?'

한선호는 빈 바둑판에 흑돌을 최소 9개부터 최대 41개까지 깔고서 이명에게 수차례 도전했으나–돌 41개를 깔았던 날 이명은 이런 건 난생처음 본다며 숨넘어가듯이 웃었다–무슨 짓을 해도 이길 수 없었다. 그럴 바에는 고수가 남겨 놓은 자취를 이어 보는 것도 나쁘진 않을 것 같았다.

한선호가 이명의 버릇과 같이 검지와 중지 사이에 돌을 끼우고 방송에서 본 대로 바둑판에 '딱' 소리 나게 내려놓자 이명이 웃음을 터뜨렸다. 그는 왼손에 들고 있던 기보를 치우고 방으로 향했다.

한선호는 그가 자리를 비운 사이에 돌 통에서 흑돌을 한 움큼 쥐어 여기저기 얹었다. 열 개쯤 놓았을 때 이명이 안경을 들고 돌아왔다.

바둑을 둘 때 안경을 끼는 건 그의 오랜 습관이라고 했다. 먼지처럼 쉽게 짓밟을 수 있는 상대와 대결할 때조차 그는 그렇게 했다. 한선호는 그런 순간마다 바둑을 향한 그의 자세가 보통 진지하지 않다는 걸 깨닫게 됐다.

"이게 뭐야."

바둑판을 본 이명의 얼굴이 또다시 황당한 웃음으로 물들었다.

"왜, 뭐. 아까랑 똑같은데."

"으응……."

분명히 아까 먼저 두어 놓고, 한선호는 모른 척 한 수를 더 두었다. 이명은 웃음을 참으며 그의 행태를 눈감아 주었다. 그러곤 검은색으로 점철된 바둑판 어딘가에 백돌을 놓았는데 한선호로서는 그가 왜 그곳에 착수했는지 알 길이 없었다.

"음……."

고민하는 건 크게 의미가 없었다. 프로 9단과 연애한 지도 이제 1년이 다 되어 가지만 한선호의 바둑 실력에는 진전이 없었기 때문이다. 핸드폰에 깔아 놓은 바둑 앱만 일곱 개. 책장에도 기초 행마와 초급 사활 서적이 꽂혀 있는데, 부끄러울 지경이었다.

"명이야, 이 자리에 두는 거 어떻게 생각해?"

"네가 결정해야지, 그걸 왜 나한테 물어?"

한선호는 조금 고민하다가 돌을 놓고 싶은 곳에 놓았다.

"그건 좋지 않은 수였어. 아래쪽이랑 연결이 안 되잖아. 여기에 두는 게 낫지."

이명이 손끝으로 두 칸 옆을 가리켰다. 한선호는 고개를 끄덕이며 자연스럽게 흑돌을 그곳으로 옮겼다. 이미 제 차례를 고민하기 시작한 이명은 뭐가 잘못되었는지 눈치채지 못한 것 같았다. 처음부터 협잡으로 시작해 사기로 끝날 게임인데도 그는 백돌을 손안에서 굴리며 진지하게 고민했다.

"아무리 너라도, 이걸 이길 수 있을까?"

"선호가 자멸한다면 승산이 있다고 생각해. 아마 그렇게 되겠지."

"너무한다."

한선호의 바둑 실력이 늘지 않는 요인은 두 가지인데 첫 번째는 연습 부족이었다. 애초에 집에서 진득하게 바둑 둘 시간이 많지 않았다. 애인이 곁에 있을 때는 바둑 따위 생각할 겨를이 없었다.

'그건 선호가 너무 착해서 그래.'

두 번째는 착해서였다.

'바둑은 좀 야비해야 되거든, 나처럼.'

유명한 전문가가 그렇다고 했으니 한선호는 그 말을 철석같이 믿고 있었다.

실력이 그럴지언정 그는 이명과 바둑 두는 것을 즐겼다. 비록 이해하지 못할지라도 가로와 세로, 흑과 백으로 이루어진 그의 세계에 잠시라도 함께 머물러 있는 기분이 좋았다.

"내가 이렇게 포위하면?"

"이렇게 빠져나가면 되지."

바둑판 앞의 이명은 산신령 같고, 천사 같고, 요정 같고, 고양이 같았다. 뒤의 세 개는 평소에도 생각하는 바이니까, 결국 바둑을 두는 이명이 요술 부리는 산신령 같다는 이야기다.

"잡았다."

"아래쪽도 신경 써야 할 텐데."

이전에 왜 그 자리에 놓았는지 이해할 수 없었던 한 수가 한선호에게 거대한 장애물로 다가왔다.

이명과 바둑을 둘 때는 늪에 빠지는 것 같았다. 잘 걷다가 돌연 구덩이에 빠지는 기분. 스케일링하러 치과에 갔다가 발치 당하는 기분. 차원이 달랐다. 대체 기사들이란 머릿속이 어떤 구조로 되어 있길래 다섯 수, 여섯 수 앞을 보는 걸까.

"이게 뭐였지? 환……."

"환격."

"그게 뭐였지?"

"그건…… 음. 흑이 백돌을 잡아서 집을 냈잖아? 그러면…… 어, 백이 빈자리에 착점해서? 흑을 딱 되돌려 치는 거야. 어……. 설명이 좀 어려웠나?"

"음……."

천재들은 자기 분야에 정통하지만 설명하는 데 어려움을 겪는 경우가 많다. 특히 이 천재의 경우에는 자신은 숨 쉬듯이 하는 것들을 남에게 이해시키는 재주가 조금도 없었다.

하려는 것마다 가로막히고 정신 차려 보면 내 집이 죄다 철거되어 있는 게임에 흥미를 갖기는 어렵다. 한선호는 눈을 다른 곳으로 돌렸다.

"명이야, 냉장고 보니 맥주가 한 캔밖에 안 남았던데."

"내가 아까 하나 먹었어. 미안."

이명이 한선호가 진작 포기한 판에서 눈을 떼지 않은 채 말했다. 한선호는 그의 안경을 벗겨 원래 제 것인 양 자연스럽게 썼다.

"산책할 겸 같이 사 올까?"

"나가기 귀찮은데……."

"요플레도 다 떨어졌던데."

"……어쩔 수 없지. 가자."

곧 그들은 따뜻한 외투와 목도리로 빠르게 무장한 채 집을 나섰다. 목적지는 300m 정도 떨어진 마트였다.

그날따라 날씨는 몹시 추웠다. 한선호는 목도리 위로 빨갛게 물든 이명의 볼을 손등으로 쓸어내리곤 팔을 내려 그의 손을 맞잡았다.

"우리도 내년이면 스물아홉이네."

한동안 말이 없던 이명이 불쑥 내뱉었다.

"그러네."

"정이는 서른 살 되는 게 무섭대."

"왜?"

"서른은 왠지 엄청 어른스러워야 할 것 같은데, 아직 어른이 될 자신이 없다나. 아직 2년이나 남았는데, 벌써 걱정하는 게 정이답지?"

"하하, 그러게. 명이 너는 어떤데?"

"나는 기대도 안 해. 솔직히…… 영원히 나잇값 못할 것 같아서."

"왜?"

"나는 할 줄 아는 것도 없고, 뭐든지 다른 사람들보다 미숙하잖아."

으레 겸손해 보이려고 하는 말이 아니었다. 이명은 진심으로 자신이 부족하다고 생각했고, 그 뿌리는 한선호를 만나기 훨씬 이전에 형성되었다. 이명과 함께한 시간 동안 한선호는 이럴 때 그저 그를 사랑해 주면 된다는 것을 배웠다.

맞잡은 손에 힘을 주며 이마에 키스하자 이명이 배시시 웃었다. 그가 한선호를 올려다보며 물었다.

"너는 어때?"

"난 서른이 기다려져."

'분명히 너와 함께일 테니까. 그 이유 하나로 나는 미래가 기대돼.'

"선호라면 그럴 줄 알았어."

아무것도 모르는 주제에, 이명은 잘난 척하며 어깨를 으쓱거렸다.

그들은 한동안 침묵 속에서 걸었다. 그러다 이명이 쭈뼛거리며 이상한 말을 했다.

"나 막…… 나중에는 주름 생기고 흰머리 날 텐데, 그때도 좋아해 줄 거야?"

"넌 나 주름 생기고 흰머리 나면 싫어하려고 그랬어?"

"……아니. 좋아할 건데."

"나도 그래."

가끔 이명은 당연한 것을 물었다. 그들은 세상에 존재하는 한 계속해서 함께일 텐데, 그게 주름이나 흰머리와 무슨 연관이 있을까.

한선호와 이명은 슈퍼마켓에서 맥주와 과일, 과자, 간식 등을 잔뜩 샀다. 집으로 돌아가는 길에도 손을 잡고 함께 걸었다.

"그럼 선호는…… 두려운 나이가 있기는 해?"

"두려운 나이라. 글쎄……."

"한 번도 생각해 본 적이 주제라 대답하기가 쉽지 않았다. 대충 상상해 보았는데 답이 미래에 없다는 건 확실했다. 두려움에 관해 생각하던 한선호는 오늘 아침에 꾸었던 꿈을 떠올렸다.

"난…… 스무 살 때로 돌아갈까 봐 두려워."

"왜?"

"그땐 네가 곁에 없었잖아."

이명이 부드럽게 웃으며 한선호의 손가락 사이마다 제 손가락을 하나씩 미끄러뜨렸다.

"번호도 알면서, 전화하면 되지."

"전화해서 붙잡으면, 또 나 밀어내고 도망가려고?"

"……이번엔 정말 안 그럴게."

"진짜지? 그럼 네가 전화해. 스무 살이 되면 네 전화만 기다릴 거야."

잠시간 침묵이 흘렀다. 이명은 한동안 말없이 걷다가, 한참 뒤에 조용히 중얼거렸다.

"그러지 마. 난 못 할 거야."

"왜?"

"네가 나 같은 걸 좋아할 리 없다고 생각할 테니까."

이명은 예전이나 지금이나 자신을 왜곡하여 저평가했다. 하지만 이런 이야기를 스스럼없이 밖으로 꺼낸다는 점은 예전과 달라졌다. 적어도 이제 이명은 한 가지는 확실히 알고 있었다. 그가 생각을 솔직하게 말한다고 해서 애인이 실망하며 사랑을 거두는 일 따위는 없으리라는 것을.

한선호는 걸음을 멈추고 이명을 품에 꼭 안았다. 외투가 두꺼워서 포근한 눈사람 같았다.

"아무 데로도 돌아가지 않았으면 좋겠어. 나는 지금이 좋아."

가슴께에서 잔뜩 짓눌린 코맹맹이 목소리가 흘러나왔다.

"날 사랑하는 선호가 좋고, 그걸 확신하는 나도…… 건방지지만 나쁘진 않은 것 같아."

작게 내뱉은 고백이 자랑스럽고 사랑스러웠다. 한선호는 그가 '꽥!' 하는 소리를 낼 때까지 힘주어 끌어안았다.

집에 도착했을 즈음 한선호는 이명의 앞머리에 먼지가 붙은 것을 보았다. 그러나 그 먼지는 손을 대자마자 스르르 사라져 버렸다. 고개를 들자 짙은 군청색을 배경으로 하얀 보풀이 느릿하게 떨어져 내리고 있었다. 이명은 눈을 처음 보는 강아지처럼 고개를 꺾고 한동안 움직이지 않았다. 그가 하늘에서 눈을 떼지 않은 채 말했다.

"소원 빌자."

그러고 보니 첫눈을 이명과 맞는 건 처음이었다. 작년에는 동창회에서 그를 만나기 전에 이른 첫눈이 왔으니까, 올해가 처음이었다. 선호는 빌 만한 소원이 뭐가 있는지 가만히 생각했다. 얼마 지나지 않아 이명이 그의 소매를 끌어당겼다.

"뭐 빌었어?"

"너는?"

"필요한 게 없어서 선호 소원이 이루어지게 해 달라고 빌었어."

"뭐?"

"그러니까 우리는 같은 배를 탄 거야. 너 무슨 소원 빌었는지 이제 말해 줘."

한선호는 웃어 버리고 말았다. 기껏 소원을 빌자길래 대단한 바람이라도 있는 줄 알았더니, 싱겁기는.

"맞혀 봐."

이명은 눈알을 굴리며 한참 동안 고민했다.

"음……. 잘 모르겠어."

그는 시무룩하다는 듯이 고개를 떨어뜨리며 중얼거렸다.

"로또…… 일까."

"내가 로또가 왜 필요해? 너만 있으면 되지."

"나 기분 좋게 해서 말 돌리려는 거지? 안 속는다."

한선호는 토라진 체하느라 툭 튀어나온 뺨을 손가락으로 쿡쿡 찌르며 말했다.

“남한테 말하면 소원 날아가지 않아?”

“에이, 선호는 그런 미신을 믿어?”

“응.”

“그래도 궁금한데. 말해 주면 안 돼?”

한선호는 말없이 미소 지으며 손바닥으로 이명의 볼을 감쌌다.

그의 얼굴을 가만히 보고 있자니 소원 같은 건 필요하지 않다는 생각이 들었다. 그 소원이 이루어진다면 ‘역전 앞’이나 ‘동해 바다’처럼 동어 반복이겠지. ‘행복한 이명’이라……. 뭐, 듣기 좋으니까 내버려 둘까.

“비밀이야.”

“치사해, 한선호.”

계속해서 눈꽃 송이가 이명의 콧등에 내려앉았다. 눈이 내리기 시작한 지 얼마 안 됐는데도 벌써 결 좋은 갈색 머리카락에 눈 결정이 잔뜩 달라붙어 있었다.

그의 행동 때문에, 혹은 음성 때문에 사람들은 이명이 겨울처럼 차갑고 눈처럼 연약하다고 생각했다. 하지만 그는 보이는 이상으로 따뜻하고 강인한 사람이었다. 한때는 그가 많은 사람들에게 오해받는 게 속상했지만, 한선호는 이명의 내면을 혼자만 아는 게 싫지만은 않았다.

“아무래도 폭설이 올 것 같은데, 내일은 집에 있을까?”

그리 물으며 이마에 쪽 하고 키스했다.

“좋아.”

하얀 이마를 드러낸 채 이명이 웃었다. 눈을 반쯤 뜨고서 입을 벌린 채, 이렇게 평범한 아파트 단지가 아닌 더 특별하고 귀한 장소에 어울릴 것 같은 모습으로. 배경에선 눈이 펑펑 내리고 있었다. 크리스마스 달력을 제작하는 사람들이 찾아 헤매는 그림이 바로 이런 것이리라.

문득 일상을 탈피해 버린 마법 같은 순간에 한선호는 할 말을 잃어버렸다. 10년이 지났어도 똑같은 방식으로 웃는 이명을 바라보며, 그는 갑자기 오래전으로 시간이 되돌아간 듯한 착각이 들었다.

귀가 먹먹했다. 시끄럽게 울리던 차 소리와 사람들이 떠드는 소리가 까마득히 멀어졌다. 그 대신에 입술 사이에서 하얗게 새어 나오는 입김과 눈이 녹는 소리만큼 연약한 숨결이 가까이 다가왔다.

그러자 어김없이 음악이 들렸다. 처음 들었던 순간부터 잊지 못했던 멜로디, 한선호가 세상에서 가장 사랑하는 선율이었다.

수학여행 A컷

수학여행 A컷

“아악! 이 새끼 토하잖아…….”

정적이 깨어지며 잠시간 연결되어 있었던 시선도 끊어졌다. 마시다 보니 점점 달게 느껴지던 술이 목구멍으로 넘어가기 직전이었다.

상황을 빠르게 파악한 선호는 기계적으로 일어나 재우의 팔을 억지로 잡아끌었다. 우욱, 우욱. 녀석이 고개를 큰 폭으로 흔들며 소화가 덜 된 음식물을 조금씩 뱉어 내고 있었다. 선호는 그의 몸을 억지로 일으키곤 화장실로 신속하게 끌고 갔다.

“우에에에에엑!”

재우는 변기 위에 엎드리자마자 한 차례 게워 냈다. 선호는 문을 닫고서 그대로 등을 기댔다. 조금 거칠게 호흡하며 눈을 감자 새까매진 시야에 동그란 눈 두 개가 떠올랐다. 창문으로 햇살이 쏟아지는 오후 수업 때면 그 빛을 받아 따스한 색감을 띠는 예쁜 눈이었다.

조금 전까지만 해도 시선을 마주치고 있었는데…… 술에 조금 취해서인지 꿈결처럼 비현실적으로 느껴졌다. 그러나 가슴이 뻐근한 건 분명히, 지금도 문 바깥에 있을 소년 때문이었다.

선호는 격류처럼 빠르고, 그러면서도 몸을 뜨겁게 달구는 감정을 진정시키기 위해 한동안 가만히 서 있었다. 다시 눈을 떴다가 재우가 제 손등에 위액인지 침인지, 알 수 없는 액체를 잔뜩 흘려놓은 것을 발견했다.

'아, 더러워.'

선호는 한숨을 쉬곤 세면대에 붙어 있는 샤워기를 틀었다. 양팔을 팔꿈치까지 헹구고서 비누 거품으로 꼼꼼하게 두 번 씻었다. 세수까지 하고 나자 조금 개운해졌다. 그는 그제야 변기통에 머리를 박은 재우에게 다가가 등을 천천히 두드려 주었다.

툭, 툭, 툭.

"괜찮아?"

"우…… 우으으으웩!"

도저히 못 봐 줄 꼴을 견디며 선호는 변기 물을 내렸다. 소용돌이 모양을 내며 빨려 들어가는 물길을 가만히 보고 있자니 정신이 조금 들었다.

'반장! 좋아하는 사람…… 있어?'

이 녀석이 그 질문을 하기 전까지만 해도 선호는 잘 버티고 있었다. 진실 게임에서 한 번쯤 꼭 나오는 뻔한 질문일 뿐인데, 답이 눈앞에 있다는 사실 때문에 말문이 막혔었다.

시선이 무의식적으로 이명에게 돌아가는 것을 느끼며 아차 싶었다. 하필 그와 눈이 마주치는 바람에 아무렇지 않게 다른 곳을 볼 기회조차 잃었다. 뺨이 화끈 달아올랐고 깊은 곳에 숨겨 놓은 비밀을 걸리기라도 한 것처럼 가슴이 울렁거렸다.

다행히 어둠이 방을 뒤덮고 있었다. 그런데 한선호의 마음속은 그보다 더 어두웠다.

'참내, 남고에서 누가 그딴 걸 물어보냐?'

'말하면 우리가 알아?'

'저 새끼 취해서 저럼.'

다행히 애들이 시간을 조금 벌어 주었다. 선호는 내면의 동요를 숨긴 채 평정심을 가장했다. 무심한 척 고개를 돌려 버릴 수도, 아무렇지 않은 척 웃어넘길 수도 있었지만 그의 속에서 오래 굶주린 동물은 선호의 눈을 통해 이명을 가만히 바라보았다. 얼마나 위험한 것을 보고 있는지도 모르면서, 이명 또한 선호의 눈을 빤히 보았다.

그의 시선은 정신이 혼미해질 정도의 갈증을 불러 일으켰다. 입 안이 말라서 뭐라도 마시고 싶었다. 선호는 진실을 소리 내어 고백하는 대신 벌주가 든 종이컵을 들어 올렸다. 동물이 끝없이 욕심을 부려 대고 있었다. 무릎 위에 가지런히 올려 둔 손가락이 꿈틀거렸다.

그러나 그뿐이었다. 이제 선호는 화장실에서 친구의 뒤치다꺼리를 하고 있었고, 달라진 건 아무것도 없었다.

선호의 입매가 비뚜름하게 기울어졌다. 그는 체력장 이후로 짝사랑을 끝내기로 결심했었다. 그 결심대로라면 이명을 자신과 같은 조에 배정하는 일도, 버스에서 옆자리에 슬쩍 앉는 일도 없어야 했다. 수학여행에 대한 비정상적인 기대감부터가 잘못되었고, 단둘이 복도를 걷다 그가 문득 멈춰 섰을 때 키스하고 싶다는 생각 따위는 들지 않아야 했다. 고작 같은 공간에서 게임을 하다 잠깐 눈이 마주쳤다는 이유로 무언가 달라지리라곤 기대할 순 없었다.

"으, 으윽! 야, 아프잖아."

"……아, 미안. 괜찮아?"

"괜찮…… 겠냐?"

저도 모르게 재우의 어깨를 꽉 쥐고 있었던 선호는 손을 뗐다. 다시 등을 두드려 주자 그가 또 한 번 게워 냈다. 선호는 굳은 표정으로 물을 내렸다.

허탈한 기분이었다. 체력장 이후로 마음을 접기 위해서 했던 온갖 노력이 수포로 돌아간 것 같았다. 또 아무것도 기대해선 안 되는 짝사랑의 자리로. 아무리 벗어나려고 해도 제자리였다.

조금 뒤, 재우를 데리고 욕실에서 나온 선호의 눈빛은 차갑게 가라앉아 있었다.

재우는 몇 걸음 걷기도 전에 문 앞에서 웅크려 자던 애 위로 쓰러졌는데, 그 녀석은 어찌나 곤히 자고 있는지 깨지도 않았다. 재우 또한 얼마 지나지 않아 코를 골기 시작했다.

선호는 그들을 내버려 두고 제 가방을 찾았다. 양치하고 잘 준비를 마치자 피곤이 밀려왔다. 눕자마자 잠들 것 같은 기분이었지만 어딘지 모르게 아쉬운 마음이 들어 방 안을 둘러보았다. 일부러 가장 구석을 보지 않으려고 노력하며 아무렇게나 겹쳐져서 자는 아이들의 숫자를 파악했다. 옆방까지 가서 결원이 없다는 걸 확인한 뒤에야 활짝 열려 있던 문을 닫고 방으로 돌아왔다.

선호는 문득 실내가 이상하리만치 밝다는 것을 눈치 챘다. 보통 새벽 2시 반이면 캄캄해서 누워 있는 아이들의 형체를 구분하기도 어려웠을 텐데.

한쪽 벽에 크게 난 창문이 열려 있었다. 따뜻한 바람이 안쪽으로 불어서 얇은 커튼이 넓은 곡선을 만들며 파도처럼 구불거렸고, 그 뒤로 커다란 달이 떠 있었다. 오늘따라 유난히 새하얀 달로부터 시선을 떼기가 어려웠다. 선호는 그 광경을 물끄러미 보다가 어쩐지 심란해져서 자리에 누웠다. 그런데…….

"……아."

왜 이쪽 방향으로 누운 걸까. 바본가.

선호는 반대쪽으로 누워야겠다고 생각했다.

하지만 몸은 꿈쩍도 안 했다. 시간이 조금 지난 뒤 다시 한번 역시 반대쪽으로 누워야겠다고 생각했다.

그렇게 몇 번 더 같은 생각을 했다. 생각뿐이었다.

선호는 한참 동안 움직이지 않았다. 숨을 최대한 죽였다. 미동이라도 하면 이 행운이 날아가 버리기라도 할까 봐 눈조차 깜빡이지 못했다.

쏟아지는 월광이 이명의 어깨와 한쪽 옆얼굴을 스포트라이트처럼 부드럽게 조명하고 있었다. 교실이 환한 날에는 밝은 갈색으로, 어두운 날에는 짙은 고동색으로 보이던 머리카락에 오늘은 잿빛 윤기가 은은하게 흘렀다. 색이 사라진 세계에서도 도톰한 입술은 변함없이 선호의 시선을 끌었다. 입술이 조금 벌어진 틈으로 촉촉하게 젖은 입 안이 살짝 보였다. 나지막하게 쌕쌕거리는 숨소리가 아주 가까이서 들리며 선호를 곤혹스럽게 했다.

조는 모습이라면 몇 번 봤지만 이토록 무방비하게 누워 있으니 느낌이 달랐다. 이명은 잠자는 숲속의 공주처럼 얌전하게 자는 스타일은 아닌 것 같았다. 한 손은 베개 위로 올라가 있었고, 다리는 대자로 벌어졌다. 머리카락은 흐트러졌으며 이불은 제대로 덮지도 않았고 후드 티는 조금 올라가 있었다.

아무래도 좋았다. 이명을 비추려고 달이 저렇게 크게 뜬 것이 분명했으니까. 한 가지 문제라면…… 어쩐지 보고 있는 것만으로 죄를 짓는 것 같았다. 선호는 어쩔 줄 모르겠는 기분으로 주변 아이들이 모두 잠든 것을 다시 한번 확인했다.

'아무도 보고 있지 않잖아. 이런 기회를 놓치려고?'

이런 순간만을 기다렸을 동물이 비열하게 속삭였다. 손끝이 꿈틀거렸다. 거리는 고작 두 뼘 정도였다.

선호는 한동안 죽은 듯이 가만히 있었다.

영영 닿지 못하리라 생각했었는데, 지금이라면 괜찮지 않을까 하는 미친 생각이 들었다. 머리가 이상해진 게 분명했다. 심장 역시 문제가 생긴 것처럼 쿵쾅거렸다. 박동이 너무 요란해서 아무도 깨지 않는 것이 이상하게 느껴질 정도였다.

숨 막히는 시간이 얼마나 지났을까, 마침내 한선호는 용기를 내어 손을 조금 뻗었다.

마음속에서 곧바로 격렬한 저항이 일었지만 잠시였다. 주저하던 손은 조금씩, 조금씩 앞으로 나아갔다. 굵직한 팔이 이명의 옷 위에 시커먼 그림자를 그릴 때까지.

한선호는 참고 있던 숨을 조금씩 뱉으며 조심스럽게 침을 삼켰다. 밤에게 색을 빼앗긴 머리카락이 꽃잎처럼 바람에 한들거렸다. 그 모양이 왜 이렇게 소유욕을 강하게 자극하는지는 이해할 수 없었다.

'만지고 싶어.'

얌전하게 감긴 눈과 내리깔린 속눈썹도 마찬가지였다. 달빛이 가공해 놓은 뺨 위의 그림자도, 목에 내려앉은 명암도 자극적으로만 보였다. 실은 이명의 몸에서 손대고 싶지 않은 거라곤 아무것도 없었다. 그 몸에 속한 것이라면 뭐든지 시선을 끌었고, 만지고 입을 갖다 대고 싶은 비정상적인 충동을 불러일으켰다.

숨 막히는 적막함 속에서 한선호는 거친 숨을 몰아쉬었다. 손끝이 부드러운 머리칼에 닿기 직전이었다.

'……이 다음에는?'

선호는 문득 제 손을 보았다. 공중에 덩그러니 뜬 손이 모호한 모양인 이유는 뭘 하고 싶은지 정확히 모르기 때문이었다.

성적이 부족하면 공부를 하면 되고 운동을 잘하고 싶다면 훈련을 하면 된다. 친구와 친해지고 싶다면 친절하게 대하면 그만이다.

선호는 그를 둘러싼 문제 대부분의 정답을 알고 있었지만 이명의 문제만은 미지의 세계였다. 수학 교과서처럼 명확한 답이 나와 있지도, 사회 교과서처럼 친절한 부록이 있지도 않았다.

이곳은 수학여행지이고 선호의 옆에서 널브러져 자고 있는 소년은 다른 애들과 마찬가지로 열여덟 살짜리 남자애일 뿐이었다. 분위기에 휩쓸렸다기엔 음악 따위는 없고 사실은 방에 코고는 소리만이 가득하다는 데 생각이 미쳤다. 그것은 선호가 잠시 잊고 있었던 진실이었다.

잠시나마 달빛에 물들어 있던 팔이 서서히 내려가다, 곧 제자리로 돌아가 이불 위로 툭 떨어졌다.

여전히 선호와 이명의 거리는 두 뼘 정도였다. 손을 뻗기만 하면 어쩌면 원하는 것을 얻을지도 모를 거리에서 선호는 숨죽여 이명을 바라보았다.

달라진 것은 아무것도 없었다. 선호는 열여덟 살짜리 남자애를 타는 눈길로 바라보고 있었고, 방에는 음악 소리가 가득했다. 진실로 가득한 공간이 심장 박동에 맞추어 울렁거렸다.

그날 밤, 선호는 비현실적이리만치 아름다운 꿈을 꾸었다.

언제인지 모를 미래에 그가 첫사랑과 한집에서 살고 있는, 말도 안 되는 꿈이었다.

— 과호흡 完

과호흡

1판 1쇄 발행 2020년 6월 17일
1판 2쇄 발행 2021년 11월 18일

지은이 저수리
원작자 뽕빵뀨
펴낸이 신현호
편집장 예숙영
책임편집 이세련
편집디자인 한방울
영업·관리 김민원 조인희
물류 이순우 박찬수

펴낸곳 ㈜디앤씨미디어
출판등록 2002년 5월 1일 제117-90-51792호
주소 서울시 구로구 디지털로 26길 111 JnK디지털타워 503호
대표전화 (02)333-2513 팩스 (02)333-2514
전자우편 tone@dncmedia.co.kr

ISBN 979-11-264-5167-8 (03810)